CW01064723

Les malheurs de Sophie

Retrouvez la Comtesse de Ségur dans la Bibliothèque Rose

La trilogie de Fleurville :
  Les malheurs de Sophie
  Les petites filles modèles
  Les vacances
Le Général Dourakine
François le bossu
L'auberge de l'ange-gardien
Diloy le cheminot
Le mauvais génie

*Le texte de cet ouvrage a été établi d'après
le manuscrit autographe de la Comtesse de Ségur,
obligeamment prêté à l'Éditeur
par Mme Arlette de Pitray, arrière-petite-fille de l'auteur.*

TEXTE INTÉGRAL

© Hachette Livre, 1991, 2000, 2006, 2012.

Tous droits de traduction, de reproduction
et d'adaptation réservés pour tous pays.

Hachette Livre, 43, quai de Grenelle, 75015 Paris.

Comtesse de Ségur

née Rostopchine

Les malheurs de Sophie

Illustrations
Iris de Moüy

hachette
JEUNESSE

À MA PETITE-FILLE
ÉLISABETH FRESNAU

Chère enfant, tu me dis souvent : Oh ! grand-mère, que je vous aime ! vous êtes si bonne ! Grand-mère n'a pas toujours été bonne, et il y a bien des enfants qui ont été méchants comme elle et qui se sont corrigés comme elle. Voici des histoires vraies d'une petite fille que grand-mère a beaucoup connue dans son enfance ; elle était colère, elle est devenue douce ; elle était gourmande, elle est devenue sobre ; elle était menteuse, elle est devenue sincère ; elle était voleuse, elle est devenue honnête ; enfin elle était méchante, elle est devenue bonne. Grand-mère a tâché de faire de même. Faites comme elle, mes chers enfants ; cela vous sera facile, à vous qui n'avez pas tous les défauts de Sophie.

COMTESSE DE SÉGUR,

née ROSTOPCHINE.

Chapitre 1

La poupée de cire

« Ma bonne, ma bonne, dit un jour Sophie en accourant dans sa chambre, venez vite ouvrir une caisse que papa m'a envoyée de Paris ; je crois que c'est une poupée de cire, car il m'en a promis une.

LA BONNE

Où est la caisse ?

SOPHIE

Dans l'antichambre ; venez vite, ma bonne, je vous en supplie. »

La bonne posa son ouvrage et suivit Sophie à l'antichambre. Une caisse de bois blanc était placée sur une chaise ; la bonne l'ouvrit, Sophie aperçut la tête blonde et frisée d'une jolie poupée de cire ; elle poussa un cri de joie et voulut saisir la poupée qui était encore couverte d'un papier d'emballage.

« Prenez garde ! Ne tirez pas encore ; vous allez tout casser. La poupée tient par des cordons.

SOPHIE

Cassez-les, arrachez-les ; vite, ma bonne, que j'aie ma poupée. »

La bonne, au lieu de tirer et d'arracher, prit ses ciseaux, coupa les cordons, enleva les papiers, et Sophie put prendre la plus jolie poupée qu'elle eût jamais vue. Les joues étaient roses avec des petites fossettes ; les yeux bleus et brillants ; le cou, la poitrine, les bras en cire, charmants et potelés. La toilette était très simple : une robe de percale festonnée, une ceinture bleue, des bas de coton et des brodequins noirs en peau vernie.

Sophie l'embrassa plus de vingt fois, et, la tenant par ses bras, elle se mit à sauter et à danser. Son cousin Paul, qui avait cinq ans, et qui était en visite pour quelques jours chez Sophie, accourut aux cris de joie qu'elle poussait.

« Paul, regarde quelle jolie poupée m'a envoyée papa ! s'écria Sophie.

PAUL

Donne-la-moi, que je la voie mieux.

SOPHIE

Non, tu la casserais.

Je t'assure que j'y prendrai bien garde ; je te la rendrai tout de suite. »

Sophie donna la poupée à son cousin, en lui recommandant encore de prendre bien garde de la faire tomber. Paul la retourna, la regarda de tous les côtés, puis la rendit à Sophie en secouant la tête.

SOPHIE

« Pourquoi secoues-tu la tête ?

PAUL

Parce que cette poupée n'est pas solide ; je crains que tu ne la casses.

SOPHIE

Oh ! sois tranquille, je vais la soigner tant, tant, que je ne la casserai jamais. Je vais demander à maman d'inviter Camille et Madeleine à déjeuner avec nous, pour leur faire voir ma jolie poupée.

PAUL

Elles te la casseront.

SOPHIE

Non, elles sont trop bonnes pour me faire de la peine en cassant ma pauvre poupée. »

Le lendemain, Sophie peigna et habilla sa poupée, parce que ses amies devaient venir. En l'habillant, elle la trouva pâle. « Peut-être, se dit-elle, a-t-elle froid ; ses pieds sont glacés. Je vais la mettre un peu

7

au soleil pour que mes amies voient que j'en ai bien soin et que je la tiens bien chaudement. » Sophie alla porter sa poupée au soleil sur la fenêtre du salon.

« Que fais-tu à la fenêtre, Sophie ? lui demanda sa maman.

SOPHIE

Je veux réchauffer ma poupée, maman ; elle a très froid.

LA MAMAN

Prends garde, tu vas la faire fondre.

SOPHIE

Oh non ! maman, il n'y a pas de danger ! elle est dure comme du bois.

LA MAMAN

Mais la chaleur la rendra molle ; il lui arrivera quelque malheur, je t'en préviens. »

Sophie ne voulut pas croire sa maman ; elle mit la poupée étendue tout de son long au soleil, qui était brûlant.

Au même instant elle entendit le bruit d'une voiture : c'étaient ses amies qui arrivaient. Elle courut au-devant d'elles ; Paul les avait attendues sur le perron ; elles entrèrent au salon en courant et parlant toutes à la fois. Malgré leur impatience de voir la poupée, elles commencèrent par dire bonjour à Mme de Réan, maman de Sophie ; elles allèrent ensuite à Sophie qui tenait sa poupée et la regardait d'un air consterné.

MADELEINE, *regardant la poupée.*

« La poupée est aveugle ! elle n'a pas d'yeux.

CAMILLE

Quel dommage ! comme elle est jolie !

MADELEINE

Mais comment est-elle devenue aveugle ? Elle devait avoir des yeux ? »

Sophie ne disait rien ; elle regardait sa poupée et pleurait.

MADAME DE RÉAN

« Je t'avais dit, Sophie, qu'il arriverait malheur à ta poupée si tu t'obstinais à la mettre au soleil. Heureusement que la figure et les bras n'ont pas eu le temps de fondre. Voyons, ne pleure pas ; je suis très habile médecin, je pourrai peut-être lui rendre ses yeux.

SOPHIE, *pleurant.*

C'est impossible, maman, ils n'y sont plus. »

Mme de Réan prit la poupée en souriant et la secoua un peu ; on entendit comme quelque chose qui roulait dans sa tête. « Ce sont les yeux qui font le bruit que tu entends, dit Mme de Réan ; la cire a fondu autour des yeux, et ils sont tombés. Mais je

9

tâcherai de les ravoir. Déshabillez la poupée, mes enfants, pendant que je préparerai mes instruments. »

Aussitôt Paul et les trois petites filles se précipitèrent sur la poupée pour la déshabiller. Sophie ne pleurait plus ; elle attendait avec impatience ce qui allait arriver.

La maman revint, prit ses ciseaux, détacha le corps cousu à la poitrine ; les yeux, qui étaient dans la tête, tombèrent sur ses genoux ; elle les prit avec des pinces, les replaça où ils devaient être, et, pour les empêcher de tomber encore, elle coula dans la tête et sur la place où étaient les yeux, de la cire fondue qu'elle avait apportée dans une petite casserole ; elle attendit quelques minutes que la cire fût refroidie, et puis elle recousit le corps à la tête.

Les petites filles n'avaient pas bougé ; Sophie regardait avec crainte toutes ces opérations, elle avait peur que ce ne fût pas bien ; mais, quand elle vit sa poupée raccommodée et aussi jolie qu'auparavant, elle sauta au cou de sa maman et l'embrassa dix fois.

« Merci, ma chère maman, disait-elle, merci ; une autre fois je vous écouterai, bien sûr. »

On rhabilla bien vite la poupée, on l'assit sur un petit fauteuil et on l'emmena promener en triomphe en chantant :

> *Vive maman !*
> *De baisers je la mange.*
> *Vive maman !*
> *Elle est notre bon ange.*

La poupée vécut très longtemps, bien soignée,

bien aimée ; mais petit à petit elle perdit ses charmes, voici comment.

Un jour, Sophie pensa qu'il était bon de laver les poupées, puisqu'on lavait les enfants ; elle prit de l'eau, une éponge, du savon, et se mit à débarbouiller sa poupée ; elle la débarbouilla si bien, qu'elle lui enleva toutes ses couleurs : les joues et les lèvres devinrent pâles comme si elle était malade, et restèrent toujours sans couleur. Sophie pleura, mais la poupée resta pâle.

Un autre jour, Sophie pensa qu'il fallait lui friser les cheveux ; elle lui mit donc des papillotes ! elle les passa au fer chaud pour que les cheveux fussent mieux frisés. Quand elle lui ôta ses papillotes, les cheveux restèrent dedans ; le fer était trop chaud, Sophie avait brûlé les cheveux de sa poupée qui était chauve. Sophie pleura, mais la poupée resta chauve.

Un autre jour encore, Sophie, qui s'occupait beaucoup de l'éducation de sa poupée, voulut lui apprendre à faire des tours de force. Elle la suspendit par les bras à une ficelle ; la poupée, qui ne tenait pas bien, tomba et se cassa un bras. La maman essaya de la raccommoder ; mais, comme il manquait des morceaux, il fallut chauffer beaucoup la cire, et le bras resta plus court que l'autre. Sophie pleura, mais le bras resta plus court.

Une autre fois, Sophie songea qu'un bain de pieds serait très utile à sa poupée, puisque les grandes personnes en prenaient. Elle versa de l'eau bouillante dans un petit seau, y plongea les pieds de la poupée, et, quand elle la retira, les pieds s'étaient fondus et étaient restés dans le seau. Sophie pleura, mais la poupée resta sans jambes.

Depuis tous ces malheurs, Sophie n'aimait plus sa poupée qui était devenue affreuse et dont ses amies se moquaient ; enfin, un dernier jour, Sophie voulut lui apprendre à grimper aux arbres ; elle la fit monter sur une branche, la fit asseoir ; mais la poupée, qui ne tenait pas bien, tomba ; sa tête frappa contre des pierres et se cassa en cent morceaux. Sophie ne pleura pas, mais elle invita ses amies à venir enterrer sa poupée.

Chapitre 2

L'enterrement

Camille et Madeleine arrivèrent un matin pour l'enterrement de la poupée ; elles étaient enchantées ; Sophie et Paul n'étaient pas moins heureux.

SOPHIE

« Venez vite, mes amies, nous vous attendons pour faire le cercueil de la poupée.

CAMILLE

Mais dans quoi la mettrons-nous ?

SOPHIE

J'ai une vieille boîte à joujoux ; ma bonne l'a recouverte de percale rose ; c'est très joli ; venez voir. »

Les petites coururent chez Mme de Réan, où la bonne finissait l'oreiller et le matelas qu'on devait mettre dans la boîte ; les enfants admirèrent ce char-

13

mant cercueil ; elles y mirent la poupée, et, pour qu'on ne voie pas la tête brisée, les pieds fondus et le bras cassé, elles la recouvrirent avec un petit couvre-pied de taffetas rose.

On plaça la boîte sur un brancard que la maman leur avait fait faire. Elles voulaient toutes le porter ; c'était pourtant impossible, puisqu'il n'y avait place que pour deux. Après qu'ils se furent un peu poussés, disputés, on décida que Sophie et Paul, les deux plus petits, porteraient le brancard, et que Camille et Madeleine marcheraient l'une derrière, l'autre devant, portant un panier de fleurs et de feuilles qu'on devait jeter sur la tombe.

Quand la procession arriva au petit jardin de Sophie, on mit par terre le brancard avec la boîte qui contenait les restes de la malheureuse poupée. Les enfants se mirent à creuser la fosse ; ils y descendirent la boîte, jetèrent dessus des fleurs et des feuilles, puis la terre qu'ils avaient retirée ; ils ratissèrent proprement tout autour et y plantèrent deux lilas. Pour terminer la fête, ils coururent au bassin du potager et y remplirent leurs petits arrosoirs pour arroser les lilas ; ce fut l'occasion de nouveaux jeux et de nouveaux rires parce qu'ils s'arrosaient les jambes, qu'ils se poursuivaient et se sauvaient en riant et en criant. On n'avait jamais vu un enterrement plus gai. Il est vrai que la morte était une vieille poupée sans couleur, sans cheveux, sans jambes et sans tête, et que personne ne l'aimait ni ne la regrettait. La journée se termina gaiement et lorsque Camille et Madeleine s'en allèrent, elles demandèrent à Paul et à Sophie de casser une autre poupée pour pouvoir recommencer un enterrement aussi amusant.

Chapitre 3

La chaux

La petite Sophie n'était pas obéissante. Sa maman lui avait défendu d'aller seule dans la cour où les maçons bâtissaient une maison pour les poules, les paons et les pintades. Sophie aimait beaucoup à regarder travailler les maçons ; quand sa maman y allait, elle l'emmenait toujours avec elle, mais elle lui ordonnait de rester près d'elle. Sophie, qui aurait voulu courir à droite et à gauche, lui demanda un jour :

« Maman, pourquoi ne voulez-vous pas que j'aille voir les maçons sans vous ? Et quand vous y allez, pourquoi voulez-vous que je reste toujours auprès de vous ?

LA MAMAN

Parce que les maçons lancent des pierres, des briques qui pourraient t'attraper, et puis parce qu'il

15

y a du sable, de la chaux qui pourraient te faire glisser ou te faire mal.

SOPHIE

Oh ! maman, d'abord j'y ferais bien attention, et puis le sable et la chaux ne peuvent pas faire mal.

LA MAMAN

Tu crois cela parce que tu es une petite fille ; mais moi qui suis grande, je sais que la chaux brûle.

SOPHIE

Mais, maman...

LA MAMAN, *l'interrompant.*

Voyons, ne raisonne pas tant et tais-toi. Je sais mieux que toi ce qui peut te faire mal ou non. Je ne veux pas que tu ailles dans la cour sans moi. »

Sophie baissa la tête et ne dit plus rien ; mais elle prit un air maussade et se dit tout bas :

« J'irai tout de même ; cela m'amuse, et j'irai. »

Elle n'attendit pas longtemps l'occasion de désobéir. Une heure après, le jardinier vint chercher Mme de Réan pour choisir des géraniums qu'on apportait à vendre. Sophie resta donc seule ; elle regarda de tous côtés si sa bonne ou la femme de chambre ne pouvaient la voir, et, se sentant bien seule, elle courut à la porte, l'ouvrit et alla dans la cour ; les maçons travaillaient et ne songeaient pas à Sophie qui s'amusait à les regarder et à tout voir,

16

tout examiner. Elle se trouva près d'un grand bassin à chaux tout plein, blanc et uni comme de la crème.

« Comme cette chaux est blanche et jolie ! se dit-elle, je ne l'avais jamais si bien vue ; maman ne m'en laisse jamais approcher... Comme c'est uni ! Ce doit être doux et agréable sous les pieds... Je vais traverser tout le bassin en glissant dessus comme sur la glace. »

Et Sophie posa son pied sur la chaux, pensant que c'était solide comme la terre. Mais son pied enfonce ; pour ne pas tomber, elle pose l'autre pied, et elle enfonce jusqu'à mi-jambes. Elle crie ; un maçon accourt, l'enlève, la met par terre et lui dit :

« Enlevez vite vos souliers et vos bas, mamzelle ; ils sont déjà tout brûlés ; si vous les gardez, la chaux va vous brûler les jambes. »

Sophie regarde ses jambes ; malgré la chaux qui y tenait encore, elle voit que ses souliers et ses bas sont noirs comme s'ils sortaient du feu. Elle crie plus fort et d'autant plus qu'elle commence à sentir les picotements de la chaux qui lui brûlait les jambes. Sa bonne n'était pas loin, heureusement ; elle accourt, voit sur-le-champ ce qui est arrivé, arrache les souliers et les bas de Sophie, lui essuie les pieds et les jambes avec son tablier, la prend dans ses bras et l'emporte à la maison. Au moment où Sophie était déposée dans sa chambre, Mme de Réan rentrait pour payer le marchand de fleurs.

« Qu'y a-t-il donc ? demanda Mme de Réan avec inquiétude. T'es-tu fait mal, Sophie ? Pourquoi es-tu nu-pieds ? »

Sophie, honteuse, ne répondait pas. La bonne

17

raconta à la maman ce qui était arrivé et comment Sophie avait manqué avoir les jambes brûlées par la chaux.

« Si je ne m'étais pas trouvée tout près de la cour et si je n'étais pas arrivée juste à temps, elle aurait eu les jambes dans le même état que mon tablier. Que madame voie comme il est brûlé par la chaux ; il est plein de trous. »

Mme de Réan vit en effet que le tablier de la bonne était perdu. Se tournant vers Sophie, elle lui dit :

« Mademoiselle, je devrais vous fouetter pour votre désobéissance ; mais le bon Dieu vous a déjà punie par la frayeur que vous avez eue. Vous n'aurez donc d'autre punition que de me donner, pour acheter un tablier neuf à votre bonne, la pièce de cinq francs que vous avez dans votre bourse et que vous gardiez pour vous amuser à la fête du village. »

Sophie eut beau pleurer, demander grâce pour sa pièce de cinq francs, la maman la lui prit. Sophie se dit, tout en pleurant, qu'une autre fois elle écouterait sa maman et n'irait plus où elle ne devait pas aller.

Chapitre 4

Les petits poissons

Sophie était étourdie ; elle faisait souvent sans y penser de mauvaises choses.

Voici ce qui lui arriva un jour.

Sa maman avait des petits poissons pas plus longs qu'une épingle et pas plus gros qu'un tuyau de plume de pigeon.

Mme de Réan aimait beaucoup ses petits poissons qui vivaient dans une cuvette pleine d'eau au fond de laquelle il y avait du sable pour qu'ils pussent s'y enfoncer et s'y cacher.

Tous les matins, Mme de Réan portait du pain à ses petits poissons ; Sophie s'amusait à les regarder pendant qu'ils se jetaient sur les miettes de pain et qu'ils se disputaient pour les avoir.

Un jour son papa lui donna un joli petit couteau en écaille ; Sophie, enchantée de son couteau, s'en servait pour couper son pain, ses pommes, des biscuits, des fleurs, etc.

Un matin, Sophie jouait avec son ménage ; sa bonne lui avait donné du pain qu'elle avait coupé en tout petits morceaux, des amandes qu'elle coupait en tranches, et des feuilles de salade. Elle demanda à sa bonne de l'huile et du vinaigre pour faire la salade.

« Non, répondit la bonne ; je veux bien vous donner du sel, mais pas d'huile ni de vinaigre qui pourraient tacher votre robe. »

Sophie prit le sel, en mit sur sa salade ; il lui en restait beaucoup. « Si j'avais quelque chose à saler ! se dit-elle. Je ne peux pas saler du pain ; il me faudrait de la viande ou du poisson... Oh ! la bonne idée ! Je vais saler les petits poissons de maman ; j'en couperai quelques-uns en tranches avec mon couteau, je salerai les autres tout entiers ; que ce sera amusant ! Quel joli plat cela fera ! »

Et voilà Sophie qui ne réfléchit pas que sa maman n'aura plus ses jolis poissons qu'elle aime tant, que ces pauvres petits souffriront beaucoup d'être salés vivants ou d'être coupés en tranches. Sophie court dans le petit salon où étaient les petits poissons ; elle s'approche de la cuvette, les pêche tous, les met dans une assiette de son ménage, retourne à sa petite table, prend quelques-uns de ces pauvres poissons, et les étend sur un plat. Mais les poissons, qui ne se sentaient pas à l'aise hors de l'eau, remuaient et sautaient tant qu'ils pouvaient. Pour les faire tenir tranquilles, Sophie leur verse du sel sur le dos, sur la tête, sur la queue. En effet, ils restent immobiles ; les pauvres petits étaient morts. Quand son assiette fut pleine, elle en prit d'autres et se mit à les couper en tranches. Au premier coup de couteau, les mal-

20

heureux poissons se tordaient en désespérés ; mais ils devenaient bientôt immobiles parce qu'ils mouraient.

Après le second poisson, Sophie s'aperçut qu'elle les tuait en les coupant en morceaux ; elle regarda avec inquiétude les poissons salés ; ne les voyant pas remuer, elle les examina attentivement et vit qu'ils étaient tous morts. Sophie devint rouge comme une cerise.

« Que va dire maman ? se dit-elle. Que vais-je devenir, moi, pauvre malheureuse ! Comment faire pour cacher cela ? »

Elle réfléchit un moment. Son visage s'éclaircit ; elle avait trouvé un moyen excellent pour que sa maman ne s'aperçût de rien.

Elle ramassa bien vite tous les poissons salés et coupés, les remit dans une petite assiette, sortit doucement de la chambre, et les reporta dans leur cuvette.

« Maman croira, dit-elle, qu'ils se sont battus, qu'ils se sont tous entre-déchirés et tués. Je vais essuyer mes assiettes, mon couteau, et ôter mon sel ; ma bonne n'a heureusement pas remarqué que j'avais été chercher les poissons ; elle est occupée de son ouvrage et ne pense pas à moi. »

Sophie rentra sans bruit dans sa chambre, se remit à sa petite table et continua de jouer avec son ménage. Au bout de quelque temps, elle se leva, prit un livre et se mit à regarder des images. Mais elle était inquiète ; elle ne faisait pas attention aux images ; elle croyait toujours entendre arriver sa maman.

21

Tout d'un coup, Sophie tressaille, rougit ; elle entend la voix de Mme de Réan qui appelait les domestiques ; elle l'entend parler haut comme si elle grondait ; les domestiques vont et viennent ; Sophie tremble que sa maman n'appelle sa bonne, ne l'appelle elle-même ; mais tout se calme, elle n'entend plus rien.

Sa bonne, qui avait aussi entendu du bruit et qui était curieuse, quitte son ouvrage et sort. Elle rentre un quart d'heure après.

« Comme c'est heureux, dit-elle à Sophie, que nous ayons été toutes deux dans notre chambre sans en sortir ! Figurez-vous que votre maman vient d'aller voir ses poissons ; elle les a trouvés tous morts, les uns entiers, les autres coupés en morceaux. Elle a fait venir tous les domestiques pour leur demander quel était le méchant qui avait fait mourir ces pauvres petites bêtes ; personne n'a pu ou n'a voulu rien dire. Je viens de la rencontrer venant ici ; elle m'a demandé si vous aviez été dans le salon ; j'ai heureusement pu lui répondre que vous n'aviez pas bougé d'ici, que vous vous étiez amusée à faire la dînette dans votre petit ménage.

« C'est singulier, dit-elle, j'aurais parié que c'est Sophie qui a fait ce « beau coup ». — Oh ! madame, ai-je répondu, Sophie n'est pas capable d'avoir fait une chose si méchante. — Tant mieux, dit votre maman, car je l'aurais sévèrement punie. C'est heureux pour elle que vous ne l'ayez pas quittée et que vous m'assuriez qu'elle ne peut pas avoir fait mourir mes pauvres poissons. Oh ! quant à cela, madame, j'en suis bien certaine », ai-je répondu.

Sophie ne disait rien ; elle restait immobile, rouge, la tête baissée, les yeux pleins de larmes. Elle eut envie, un instant, d'avouer à sa bonne que c'était elle qui avait tout fait, mais le courage lui manqua. Sa bonne, la voyant triste, crut que c'était la mort des pauvres petits poissons qui l'affligeait.

« J'étais bien sûre, dit-elle, que vous seriez triste comme votre maman du malheur arrivé à ces pauvres petites bêtes. Mais il faut se dire que ces poissons n'étaient pas heureux dans leur prison : car enfin cette cuvette était une prison pour eux ; à présent que les voilà morts, ils ne souffrent plus. N'y pensez donc plus et venez que je vous arrange pour aller au salon ; on va bientôt dîner. »

Sophie se laissa peigner, laver, sans dire mot ; elle entra au salon ; sa maman y était.

« Sophie, lui dit-elle, ta bonne t'a-t-elle raconté ce qui est arrivé à mes petits poissons ?

SOPHIE

Oui, maman.

MADAME DE RÉAN

Si ta bonne ne m'avait assurée que tu étais restée avec elle dans ta chambre depuis que tu m'avais quittée, j'aurais cru que c'est toi qui les as fait mourir ; tous les domestiques disent que ce n'est aucun d'eux. Mais je crois que le domestique Simon, qui était chargé de changer tous les matins l'eau et le sable de la cuvette, a voulu se débarrasser de cet ennui, et qu'il a tué mes pauvres poissons pour ne plus avoir à les soigner. Aussi je le renverrai demain.

SOPHIE *effrayée*.

Oh ! maman ! Ce pauvre homme ! Que deviendra-
t-il avec sa femme et ses enfants ?

MADAME DE RÉAN

Tant pis pour lui ; il ne devait pas tuer mes petits
poissons qui ne lui avaient fait aucun mal, et qu'il a
fait souffrir en les coupant en morceaux.

SOPHIE

Mais ce n'est pas lui, maman ! Je vous assure que
ce n'est pas lui !

MADAME DE RÉAN

Comment sais-tu que ce n'est pas lui ? Moi je
crois que c'est lui, que ce ne peut être que lui, et
dès demain je le ferai partir.

SOPHIE, *pleurant et joignant les mains*.

Oh non ! maman, ne le faites pas. C'est moi qui
ai pris les petits poissons et qui les ai tués.

MADAME DE RÉAN, *avec surprise*.

Toi !... Quelle folie ! Toi qui aimais ces petits poissons, tu ne les aurais pas fait souffrir et mourir ! Je
vois bien que tu dis cela pour excuser Simon...

SOPHIE

Non, maman, je vous assure que c'est moi ; oui,
c'est moi ; je ne voulais pas les tuer, je voulais seulement les saler et je croyais que le sel ne leur ferait

24

pas de mal. Je ne croyais pas non plus que de les couper leur fît mal, parce qu'ils ne criaient pas. Mais, quand je les ai vus morts, je les ai reportés dans leur cuvette, sans que ma bonne, qui travaillait, m'ait vue sortir ni rentrer. »

Mme de Réan resta quelques instants si étonnée de l'aveu de Sophie, qu'elle ne lui répondit pas. Sophie leva timidement les yeux et vit ceux de sa mère fixés sur elle, mais sans colère ni sévérité.

« Sophie, dit enfin Mme de Réan, si j'avais appris par hasard, c'est-à-dire par la permission de Dieu qui punit toujours les méchants, ce que tu viens de me raconter, je t'aurais punie sans pitié et avec sévérité. Mais le bon sentiment qui t'a fait avouer ta faute pour excuser Simon te vaudra ton pardon. Je ne te ferai donc pas de reproches, car je suis bien sûre que tu sens combien tu as été cruelle pour ces pauvres poissons en ne réfléchissant pas d'abord que le sel devait les tuer, ensuite qu'il est impossible de couper et de tuer n'importe quelle bête sans qu'elle souffre. »

Et, voyant que Sophie pleurait, elle ajouta : « Ne pleure pas, Sophie, et n'oublie pas qu'avouer tes fautes, c'est te les faire pardonner. »

Sophie essuya ses yeux, elle remercia sa maman, mais elle resta toute la journée un peu triste d'avoir causé la mort de ses petits amis les poissons.

Chapitre 5

Le poulet noir

Sophie allait tous les matins avec sa maman dans la basse-cour, où il y avait des poules de différentes espèces et très belles. Mme de Réan avait fait couver des œufs desquels devaient sortir des poules huppées superbes. Tous les jours, elle allait voir avec Sophie si les poulets étaient sortis de leur œuf. Sophie emportait, dans un petit panier, du pain qu'elle émiettait aux poules. Aussitôt qu'elle arrivait, toutes les poules, tous les coqs accouraient, sautaient autour d'elle, becquetaient le pain jusque dans ses mains et dans son panier. Sophie riait, courait ; les poules la suivaient, ce qui l'amusait beaucoup.

Pendant ce temps, sa maman entrait dans une grande et belle galerie où demeuraient les poules ; elles étaient logées comme des princesses et soignées mieux que beaucoup de princesses. Sophie venait la rejoindre quand tout son pain était émietté ; elle regardait les petits poulets sortir de leur coquille, et qui étaient trop jeunes encore pour courir dans les champs. Un matin, quand Sophie entra au poulailler, elle vit sa maman qui tenait un magnifique poulet, né depuis une heure.

SOPHIE

« Ah ! le joli poulet, maman ! Ses plumes sont noires comme celles d'un corbeau.

MADAME DE RÉAN

Regarde aussi quelle belle huppe il a sur la tête ; ce sera un magnifique poulet. »

Mme de Réan le replaça près de la poule couveuse. À peine l'avait-elle posé que la poule donna un grand coup de bec au pauvre poulet. Mme de Réan donna une tape sur le bec de la méchante poule, releva le petit poulet qui était tombé en criant, et le remit près de la poule. Cette fois la poule furieuse donna au pauvre petit deux ou trois coups de bec et le poursuivit quand il chercha à se sauver.

Mme de Réan accourut et saisit le poulet, que la mère allait tuer à force de coups de bec. Elle lui fit avaler une goutte d'eau pour le ranimer.

« Qu'allons-nous faire de ce poulet ? dit-elle ; impossible de le laisser avec sa méchante mère, elle le tuerait ; il est si beau que je voudrais pouvoir l'élever.

SOPHIE

Écoutez, maman, mettez-le dans un grand panier, dans la chambre où sont mes joujoux ; nous lui don-

27

nerons à manger et quand il sera grand, nous le remettrons au poulailler.

MADAME DE RÉAN

Je crois que tu as raison ; emporte-le dans ton panier à pain, et arrangeons-lui un lit.

SOPHIE

Oh ! maman ! regardez son cou ; il saigne, et son dos aussi.

MADAME DE RÉAN

Ce sont les coups de bec de la poule ; quand tu l'auras rapporté à la maison, tu demanderas à ta bonne du cérat et tu lui en mettras sur ses plaies. »

Sophie n'était certainement pas contente de voir des blessures au poulet, mais elle était enchantée d'avoir à y mettre du cérat ; elle courut donc en avant de sa maman, montra à sa bonne le poulet, demanda du cérat et lui en mit des paquets sur chaque place qui saignait. Ensuite elle lui prépara une pâtée d'œufs, de pain et de lait, qu'elle écrasa et mêla pendant une heure. Le poulet souffrait, il était triste, il ne voulut pas manger ; il but seulement plusieurs fois de l'eau fraîche.

Au bout de trois jours, les plaies du poulet furent guéries, et il se promenait devant le perron du jardin. Un mois après il était devenu d'une beauté remarquable et très grand pour son âge ; on lui aurait donné trois mois pour le moins ; ses plumes étaient d'un noir bleu très rare, lisses et brillantes comme s'il sortait de l'eau. Sa tête était couverte d'une énorme huppe de plumes noires, orange, bleues, rouges et blanches. Son bec et ses pattes étaient roses ; sa démarche était fière, ses yeux étaient vifs et brillants ; on n'avait jamais vu un plus beau poulet.

C'était Sophie qui s'était chargée de le soigner ; c'était elle qui lui apportait à manger ; c'était elle qui le gardait lorsqu'il se promenait devant la maison. Dans peu de jours on devait le remettre au poulailler, parce qu'il devenait trop difficile à garder. Sophie était quelquefois obligée de courir après lui pendant une demi-heure sans pouvoir le rattraper ; une fois même, il avait manqué se noyer en se jetant dans un bassin plein d'eau qu'il n'avait pas vu, tant il courait vite pour se sauver de Sophie.

Elle avait essayé de lui attacher un ruban à la patte, mais il s'était tant débattu qu'il avait fallu le détacher, de peur qu'il ne se cassât la jambe. La maman lui défendit alors de le laisser sortir du poulailler.

« Il y a ici beaucoup de vautours qui pourraient l'enlever ; il faut donc attendre qu'il soit grand pour le laisser sortir », dit Mme de Réan.

Mais Sophie, qui n'était pas obéissante, continuait à le faire sortir en cachette de sa maman, et un jour, sachant sa maman occupée à écrire, elle apporta le poulet devant la maison ; il s'amusait à chercher des moucherons et des vers dans le sable et dans l'herbe. Sophie peignait sa poupée à quelques pas du poulet qu'elle regardait souvent pour l'empêcher de s'éloigner. En levant les yeux, elle vit avec surprise un gros oiseau au bec crochu qui s'était posé à trois pas du poulet. Il regardait tantôt le poulet d'un air féroce, tantôt Sophie d'un air craintif.

Le poulet ne bougeait pas ; il s'était accroupi et il tremblait.

« Quel drôle d'oiseau ! dit Sophie. Il est beau, mais quel air singulier il a ! Quand il me regarde, il a l'air d'avoir peur, et quand il regarde le poulet, il lui fait des yeux furieux ! Ha, ha, ha, qu'il est drôle ! »

Au même instant l'oiseau pousse un cri perçant et sauvage, s'élance sur le poulet qui répond par un cri plaintif, le saisit dans ses griffes et l'emporte en s'envolant à tire-d'aile.

Sophie reste stupéfaite ; la maman, qui était accourue aux cris de l'oiseau, demande à Sophie ce qui était arrivé. Sophie raconte qu'un oiseau a emporté le poulet, et ne comprend pas ce que cela veut dire.

« Cela veut dire que vous êtes une petite désobéissante, que l'oiseau est un vautour ; que vous lui avez laissé emporter mon beau poulet qui est tué, dévoré par ce méchant oiseau, et que vous allez rentrer dans votre chambre où vous dînerez et où vous resterez jusqu'au soir, pour vous apprendre à être plus obéissante une autre fois. »

Sophie baissa la tête et s'en alla tristement dans sa chambre ; elle dîna avec la soupe et le plat de viande que lui apporta sa bonne qui l'aimait et qui pleurait de la voir pleurer. Sophie pleurait son pauvre poulet qu'elle regretta bien longtemps.

Chapitre 6

L'abeille

Sophie et son cousin Paul jouaient un jour dans leur chambre ; ils s'amusaient à attraper des mouches qui se promenaient sur les carreaux de la fenêtre ; à mesure qu'ils en attrapaient, ils les mettaient dans une petite boîte en papier que leur avait faite leur papa.

Quand ils en eurent attrapé beaucoup, Paul voulut voir ce qu'elles faisaient dans la boîte.

« Donne-moi la boîte, dit-il à Sophie qui la tenait ; nous allons regarder ce que font toutes les mouches. »

Sophie la lui donna ; ils entrouvrirent avec beaucoup de précaution la petite porte de la boîte ; Paul mit son œil contre l'ouverture et s'écria :

« Ah ! que c'est drôle ! comme elles remuent ! elles se battent ; en voilà une qui arrache une patte à son amie... les autres sont en colère... Oh ! comme elles se battent ! en voilà quelques-unes qui tombent ! les voilà qui se relèvent...

— Laisse-moi regarder à mon tour, Paul », dit Sophie.

Paul ne répondit pas et continua à regarder et à raconter ce qu'il voyait.

Sophie s'impatientait ; elle prit un coin de la boîte et tira tout doucement ; Paul tira de son côté ; Sophie se fâcha et tira un peu plus fort ; Paul tira plus fort encore ; Sophie donna une telle secousse à la boîte, qu'elle se déchira. Toutes les mouches s'élancèrent dehors et se posèrent sur les yeux, sur les joues, sur le nez de Paul et de Sophie qui les chassaient en se donnant de grandes tapes.

« C'est ta faute, disait Sophie à Paul ; si tu avais été plus complaisant, tu m'aurais donné la boîte et nous ne l'aurions pas déchirée.

— Non, c'est ta faute, répondait Paul ; si tu avais été moins impatiente, tu aurais attendu la boîte et nous l'aurions encore.

SOPHIE

Tu es égoïste, tu ne penses qu'à toi.

PAUL

Et toi, tu es colère comme les dindons de la ferme.

SOPHIE

Je ne suis pas en colère du tout, monsieur ; seulement je trouve que vous êtes méchant.

32

Je ne suis pas méchant, mademoiselle ; seulement je vous dis la vérité, et c'est pourquoi vous êtes rouge de colère comme les dindons avec leurs crêtes rouges.

SOPHIE

Je ne veux plus jouer avec un méchant garçon comme vous, monsieur.

PAUL

Moi non plus, je ne veux pas jouer avec une méchante fille comme vous, mademoiselle. »

Et tous deux allèrent bouder chacun dans son coin. Sophie s'ennuya bien vite, mais elle voulut faire croire à Paul qu'elle s'amusait beaucoup ; elle se mit donc à chanter et à attraper encore des mouches ; mais il n'y en avait plus beaucoup, et celles qui restaient ne se laissaient pas prendre. Tout à coup elle aperçoit avec joie une grosse abeille qui se tenait bien tranquille dans un petit coin de la fenêtre. Sophie savait que les abeilles piquaient ; aussi ne cherchat-elle pas à la prendre avec ses doigts ; elle tira son mouchoir de sa poche, le posa sur l'abeille et la saisit avant que la pauvre bête eût eu le temps de se sauver.

Paul, qui s'ennuyait de son côté, regardait Sophie et la vit prendre l'abeille.

« Que vas-tu faire de cette bête ? lui demanda-t-il.

33

Laisse-moi tranquille, méchant ; cela ne te regarde pas.

Pardon, mademoiselle la furieuse, je vous demande bien pardon de vous avoir parlé et d'avoir oublié que vous étiez mal élevée et impertinente.

SOPHIE, *faisant une révérence moqueuse.*

Je dirai à maman, monsieur, que vous me trouvez mal élevée ; comme c'est elle qui m'élève, elle sera bien contente de le savoir.

Non, Sophie, ne lui dis pas : on me gronderait.

Oui, je lui dirai ; si l'on te gronde, tant mieux ; j'en serai bien contente.

Méchante, va ! je ne veux plus te dire un mot. »

Et Paul retourna sa chaise pour ne pas voir Sophie qui était enchantée d'avoir fait peur à Paul et qui recommença à s'occuper de son abeille. Elle leva tout doucement un petit coin du mouchoir, serra un peu l'abeille dans ses doigts à travers le mouchoir, pour l'empêcher de s'envoler, et tira de sa poche son petit couteau.

« Je vais lui couper la tête, se dit-elle, pour la punir de toutes les piqûres qu'elle a faites. »

En effet, Sophie posa l'abeille par terre en la tenant toujours à travers le mouchoir, et d'un coup de couteau elle lui coupa la tête ; puis, comme elle trouva que c'était très amusant, elle continua à la couper en morceaux.

Elle était si occupée de l'abeille, qu'elle n'entendit pas entrer sa maman qui, la voyant à genoux et presque immobile, s'approcha tout doucement pour voir ce qu'elle faisait ; elle la vit coupant la dernière patte de la pauvre abeille.

Indignée de la cruauté de Sophie, Mme de Réan lui tira fortement l'oreille.

Sophie poussa un cri, se releva d'un bond et resta tremblante devant sa maman.

« Vous êtes une méchante fille, mademoiselle, vous faites souffrir cette bête malgré ce que je vous avais dit quand vous avez salé et coupé mes pauvres petits poissons...

SOPHIE

J'ai oublié, maman, je vous assure.

MADAME DE RÉAN

Je vous en ferai souvenir, mademoiselle, d'abord en vous ôtant votre couteau, que je ne vous rendrai que dans un an, et puis en vous obligeant de porter à votre cou ces morceaux de l'abeille, enfilés dans un ruban, jusqu'à ce qu'ils tombent en poussière. »

Sophie eut beau prier, supplier sa maman de ne pas lui faire porter l'abeille en collier, la maman appela la bonne, se fit apporter un ruban noir, enfila les morceaux de l'abeille et les attacha au cou de Sophie, Paul n'osait rien dire ; il était consterné ; quand Sophie resta seule, sanglotant et honteuse de son collier, Paul chercha à la consoler par tous les moyens possibles ; il l'embrassait, lui demandait pardon de lui avoir dit des sottises, et voulait lui faire croire que les couleurs jaune, orange, bleu et noir de l'abeille faisaient un très joli effet et ressemblaient à un collier de jais et de pierreries. Sophie le remercia de sa bonté ; elle fut un peu consolée par l'amitié de son cousin ; mais elle resta très honteuse de son collier. Pendant une semaine, les morceaux de l'abeille restèrent entiers ; mais enfin un beau jour, Paul, en jouant avec elle, les écrasa si bien qu'il ne resta plus que le ruban. Il courut en prévenir sa tante qui lui permit d'ôter le cordon noir. Ce fut ainsi que Sophie en fut débarrassée, et depuis elle ne fit jamais souffrir aucun animal.

Chapitre 7

Les cheveux mouillés

Sophie était coquette ; elle aimait à être bien mise et à être trouvée jolie. Et pourtant, elle n'était pas jolie ; elle avait une bonne grosse figure bien fraîche, bien gaie, avec de très beaux yeux gris, un nez en l'air et un peu gros, une bouche grande et toujours prête à rire, des cheveux blonds, pas frisés, et coupés court comme ceux d'un garçon. Elle aimait à être bien mise et elle était toujours très mal habillée : une simple robe en percale blanche, décolletée et à manches courtes hiver comme été, des bas un peu gros et des souliers de peau noire. Jamais de chapeau ni de gants. Sa maman pensait qu'il était bon de l'habituer au soleil, à la pluie, au vent, au froid.

Ce que Sophie désirait beaucoup, c'était d'avoir les cheveux frisés. Elle avait entendu un jour admirer les jolis cheveux blonds frisés d'une de ses petites amies, Camille de Fleurville, et depuis elle avait toujours tâché de faire friser les siens. Entre autres inventions, voici ce qu'elle imagina de plus malheureux.

Une après-midi il pleuvait très fort et il faisait très chaud, de sorte que les fenêtres et la porte du perron étaient restées ouvertes. Sophie était à la porte ; sa maman lui avait défendu de sortir ; de temps en temps elle allongeait le bras pour recevoir la pluie ; puis elle allongea un peu le cou pour en recevoir quelques gouttes sur la tête. En passant ainsi sa tête en dehors, elle vit que la gouttière débordait et qu'il en tombait un grand jet d'eau de pluie. Elle se souvint en même temps que les cheveux de Camille frisaient plus quand ils étaient mouillés.

« Si je mouillais les miens, dit-elle, ils friseraient peut-être ! »

Et voilà Sophie qui sort malgré la pluie, qui met sa tête sous la gouttière, et qui reçoit, à sa grande joie, toute l'eau sur la tête, sur le cou, sur les bras, sur le dos. Lorsqu'elle fut bien mouillée, elle rentra au salon et se mit à essuyer sa tête avec son mouchoir, en ayant soin de retrousser ses cheveux pour les faire friser. Son mouchoir fut trempé en une minute ; Sophie voulut courir dans sa chambre pour en demander un autre à sa bonne, lorsqu'elle se trouva nez à nez avec sa maman. Sophie toute mouillée, les cheveux hérissés, l'air effaré, resta immobile et tremblante. La maman, étonnée d'abord, lui trouva une figure si ridicule qu'elle éclata de rire.

« Voilà une belle idée que vous avez eue, mademoiselle ! lui dit-elle. Si vous voyiez la figure que vous avez, vous ririez de vous-même comme je le fais maintenant. Je vous avais défendu de sortir ; vous avez désobéi comme d'habitude ; pour votre punition, vous allez rester à dîner comme vous êtes, les cheveux en l'air, la robe trempée, afin que votre papa et votre cousin Paul voient vos belles inventions. Voici un mouchoir pour achever de vous essuyer la figure, le cou et les bras. »

Au moment où Mme de Réan finissait de parler, Paul entra avec M. de Réan ; tous deux s'arrêtèrent stupéfaits devant la pauvre Sophie, rouge, honteuse, désolée et ridicule ; et tous deux éclatèrent de rire. Plus Sophie rougissait et baissait la tête, plus elle prenait un air embarrassé et malheureux, et plus ses cheveux ébouriffés et ses vêtements mouillés lui donnaient un air risible. Enfin M. de Réan demanda ce que signifiait cette mascarade et si Sophie allait dîner en mardi gras de carnaval.

MADAME DE RÉAN

« C'est sans doute une invention pour faire friser ses cheveux ; elle veut absolument qu'ils frisent comme ceux de Camille qui mouille les siens pour les faire friser ; Sophie a pensé qu'il en serait de même pour elle.

M. DE RÉAN

Ce que c'est que d'être coquette ! On veut se rendre jolie et on se rend affreuse.

39

PAUL

Ma pauvre Sophie, va vite te sécher, te peigner et te changer. Si tu savais comme tu es drôle, tu ne voudrais pas rester deux minutes comme tu es.

MADAME DE RÉAN

Non, elle va dîner avec sa belle coiffure en l'air et avec sa robe pleine de sable et d'eau...

PAUL, *interrompant et avec compassion.*

Oh ! ma tante, je vous en prie, pardonnez-lui, et permettez-lui d'aller se peigner et changer sa robe. Pauvre Sophie, elle a l'air si malheureux !

M. DE RÉAN

Je fais comme Paul, chère amie, et je demande grâce pour cette fois. Si elle recommence, ce sera différent.

SOPHIE, *pleurant.*

Je vous assure, papa, que je ne recommencerai pas.

MADAME DE RÉAN

Pour faire plaisir à votre papa, mademoiselle, je vous permets d'aller dans votre chambre et de vous déshabiller ; mais vous ne dînerez pas avec nous ; vous ne viendrez au salon que lorsque nous serons sortis de table.

Oh ! ma tante, permettez-lui...

MADAME DE RÉAN

Non, Paul, ne demande plus rien ; ce sera comme je l'ai dit. *(À Sophie.)* Allez, mademoiselle. »

Sophie dîna dans sa chambre, après avoir été peignée et habillée. Paul vint la chercher après dîner et l'emmena jouer dans un salon où étaient les joujoux. Depuis ce jour, Sophie n'essaya plus de se mettre à la pluie pour faire friser ses cheveux.

Chapitre 8

Les sourcils coupés

Une autre chose que Sophie désirait beaucoup, c'était d'avoir les sourcils très épais. On avait dit un jour devant elle que la petite Louise de Berg serait jolie si elle avait des sourcils. Sophie en avait peu et ils étaient blonds, de sorte qu'on ne les voyait pas beaucoup. Elle avait entendu dire aussi que, pour faire épaissir et grandir les cheveux, il fallait les couper souvent.

Sophie se regarda un jour à la glace et trouva que ses sourcils étaient trop maigres.

« Puisque, dit-elle, les cheveux deviennent plus épais quand on les coupe, les sourcils, qui sont des petits cheveux, doivent faire de même. Je vais donc les couper pour qu'ils repoussent bien épais. »

Et voilà Sophie qui prend des ciseaux et qui coupe ses sourcils aussi court que possible. Elle se regarde dans la glace, trouve que cela lui fait une figure toute drôle et n'ose pas rentrer au salon.

« J'attendrai, dit-elle, que le dîner soit servi ; on ne pensera pas à me regarder pendant qu'on se mettra à table. »

Mais sa maman, ne la voyant pas venir, envoya le cousin Paul pour la chercher.

« Sophie, Sophie, es-tu là ? s'écrie Paul en entrant. Que fais-tu ? Viens dîner.

— Oui, oui, je viens », répond Sophie en marchant à reculons, pour que Paul ne voie pas ses sourcils coupés.

Sophie pousse la porte et entre.

À peine a-t-elle mis les pieds dans le salon, que tout le monde la regarde et éclate de rire.

« Quelle figure ! dit M. de Réan.

— Elle a coupé ses sourcils, dit Mme de Réan.

— Qu'elle est drôle ! qu'elle est drôle ! dit Paul.

— C'est étonnant comme ses sourcils coupés la changent, dit M. d'Aubert, le papa de Paul.

— Je n'ai jamais vu une plus singulière figure », dit Mme d'Aubert.

Sophie restait les bras pendants, la tête baissée, ne sachant où se cacher. Aussi fut-elle presque contente quand sa maman lui dit :

« Allez-vous-en dans votre chambre, mademoiselle, vous ne faites que des sottises. Sortez, et que je ne vous voie plus de la soirée. »

Sophie s'en alla ; sa bonne se mit à rire à son tour quand elle vit cette grosse figure toute rouge et sans sourcils. Sophie eut beau se fâcher, toutes les personnes qui la voyaient riaient aux éclats et lui conseillaient de dessiner avec du charbon la place de ses sourcils. Un jour, Paul lui apporta un tout petit paquet bien ficelé, bien cacheté.

« Voici, chère Sophie, un présent que t'envoie papa, dit Paul d'un petit air malicieux.

— Qu'est-ce que c'est ? » dit Sophie, en prenant le paquet avec empressement.

Le paquet fut ouvert ; il contenait deux énormes sourcils bien noirs, bien épais. « C'est pour que tu les colles à la place où il n'y en a plus », dit Paul. Sophie rougit, se fâcha et les jeta au nez de Paul qui s'enfuit en riant.

Ses sourcils furent plus de six mois à repousser, et ils ne revinrent jamais aussi épais que le désirait Sophie ; aussi depuis ce temps Sophie ne chercha plus à se faire de beaux sourcils.

Chapitre 9

Le pain des chevaux

Sophie était gourmande. Sa maman savait que trop manger est mauvais pour la santé ; aussi défendait-elle à Sophie de manger entre ses repas.

Mme de Réan allait tous les jours après déjeuner, vers deux heures, donner du pain et du sel aux chevaux de M. de Réan ; il en avait plus de cent.

Sophie suivait sa maman avec un panier plein de morceaux de pain bis, et lui en présentait un dans chaque salle où elle entrait ; mais sa maman lui défendait sévèrement d'en manger, parce que ce pain noir et mal cuit lui faisait mal à l'estomac.

Elle finissait par l'écurie des poneys. Sophie avait son poney à elle, que lui avait donné son papa : c'était un tout petit cheval noir, pas plus grand qu'un petit âne ; on lui permettait de donner elle-même du pain à son poney. Souvent elle mordait dedans avant de le lui présenter.

Un jour qu'elle avait plus envie de ce pain bis que de coutume, elle prit le morceau dans ses doigts, de manière à n'en laisser passer qu'un petit bout. « Le poney mordra ce qui dépasse mes doigts, dit-elle, et je mangerai le reste. »

Elle présenta le pain à son petit cheval qui saisit le morceau et en même temps le bout du doigt de Sophie, qu'il mordit violemment. Sophie n'osa pas crier, mais la douleur lui fit lâcher le pain qui tomba à terre ; le cheval laissa alors le doigt pour manger le pain.

Le doigt de Sophie saignait si fort, que le sang coulait à terre. Elle tira son mouchoir et s'enveloppa le doigt bien serré, ce qui arrêta le sang, mais pas avant que le mouchoir eût été trempé. Sophie cacha sa main enveloppée sous son tablier, et la maman ne vit rien.

Mais quand on se mit à table pour dîner, il fallut bien que Sophie montrât sa main, qui n'était pas encore assez guérie pour que le sang fût tout à fait arrêté. Il arriva donc qu'en prenant sa cuiller, son verre, son pain, elle tachait la nappe. Sa maman s'en aperçut :

« Qu'as-tu donc aux mains, Sophie ? dit-elle ; la nappe est remplie de taches de sang tout autour de ton assiette. »

Sophie ne répondit pas.

MADAME DE RÉAN

N'entends-tu pas ce que je te demande ? D'où vient le sang qui tache la nappe ?

46

Maman... c'est... c'est... de mon doigt.

Qu'as-tu au doigt ? Depuis quand as-tu mal ?

Depuis ce matin, maman. C'est mon poney qui m'a mordue.

Comment ce poney, qui est doux comme un agneau, a-t-il pu te mordre ?

C'est en lui donnant du pain, maman.

Tu n'as donc pas mis le pain dans ta main toute grande ouverte, comme je te l'ai tant de fois recommandé ?

Non, maman ; je tenais le pain dans mes doigts.

Puisque tu es si sotte, tu ne donneras plus de pain à ton cheval. »

Sophie se garda bien de répondre ; elle pensa qu'elle aurait toujours le panier dans lequel on met-

47

tait le pain pour les chevaux, et qu'elle en prendrait par-ci par-là un morceau. Le lendemain donc, elle suivait sa maman dans les écuries, et tout en lui présentant les morceaux de pain, elle en prit un qu'elle cacha dans sa poche et qu'elle mangea pendant que sa maman ne la regardait pas.

Arrivée au dernier cheval il n'y avait plus rien à lui donner. Le palefrenier assura qu'il avait mis dans le panier autant de morceaux qu'il y avait de chevaux. La maman lui fit voir qu'il en manquait un. Tout en parlant, elle regarda Sophie qui, la bouche pleine, se dépêchait d'avaler la dernière bouchée du morceau qu'elle avait pris. Mais elle eut beau se dépêcher et avaler son pain sans même se donner le temps de le mâcher, la maman vit bien qu'elle mangeait et que c'était tout juste le morceau qui manquait ; le cheval attendait son pain et témoignait son impatience en grattant la terre du pied et en hennissant.

« Petite gourmande, dit Mme de Réan, pendant que je ne vous regarde pas, vous volez le pain de mes pauvres chevaux et vous me désobéissez, car vous savez combien de fois je vous ai défendu d'en manger. Allez dans votre chambre, mademoiselle ; vous ne viendrez plus avec moi donner à manger aux chevaux, et je ne vous enverrai pour votre dîner que du pain et de la soupe au pain, puisque vous l'aimez tant. »

Sophie baissa tristement la tête et alla à pas lents à la maison et dans sa chambre.

« Hé bien ! hé bien ! lui dit sa bonne, vous voilà

encore avec un visage triste ? Vous êtes encore en pénitence ? Quelle nouvelle sottise avez-vous faite ?

— J'ai seulement mangé du pain des chevaux, répondit Sophie en pleurant. Je l'aime tant ! Le panier était si plein que je croyais que maman ne s'en apercevrait pas. Je n'aurai que de la soupe et du pain sec à dîner », ajouta-t-elle en pleurant plus fort.

La bonne la regarda avec pitié et soupira. Elle gâtait Sophie ; elle trouvait que sa maman était quelquefois trop sévère, et elle cherchait à la consoler et à rendre ses punitions moins dures. Aussi, quand un domestique apporta la soupe, le morceau de pain et le verre d'eau qui devaient faire le dîner de Sophie, elle les prit avec humeur, les posa sur une table et alla ouvrir une armoire d'où elle tira un gros morceau de fromage et un pot de confitures ; puis elle dit à Sophie :

« Tenez, mangez d'abord le fromage avec votre pain, puis les confitures. » Et voyant que Sophie hésitait, elle ajouta : « Votre maman ne vous envoie que du pain, mais elle ne m'a pas défendu de mettre quelque chose dessus.

SOPHIE

Mais, quand maman me demandera si on m'a donné quelque autre chose avec mon pain, il faudra bien le dire, et alors...

LA BONNE

Alors, alors, vous direz que je vous ai donné du fromage et des confitures, que je vous ai ordonné

49

d'en manger, et je me charge de lui expliquer que je n'ai pas voulu vous laisser manger votre pain sec, parce que cela ne vaut rien pour l'estomac, et qu'on donne aux prisonniers mêmes autre chose que du pain. »

La bonne faisait très mal en conseillant à Sophie de manger en cachette ce que sa maman lui défendait ; mais Sophie, qui était bien jeune et qui avait envie du fromage qu'elle aimait beaucoup et des confitures qu'elle aimait plus encore, obéit avec plaisir et fit un excellent dîner ; sa bonne ajouta un peu de vin à son eau et pour remplacer le dessert, lui donna un verre d'eau et de vin sucré dans lequel Sophie trempa ce qui lui restait de pain.

« Savez-vous ce qu'il faudra faire une autre fois, quand vous serez punie ou que vous aurez envie de manger ? Venez me le dire ; je trouverai bien quelque chose de bon à vous donner, et qui vaudra mieux que ce mauvais pain noir des chevaux et des chiens. »

Sophie promit à sa bonne qu'elle n'oublierait pas sa recommandation chaque fois qu'elle aurait envie de quelque chose de bon.

Chapitre 10

La crème et le pain chaud

Sophie était gourmande, nous l'avons déjà dit ; elle n'oublia donc pas ce que sa bonne lui avait recommandé et, un jour qu'elle avait peu déjeuné, parce qu'elle avait su que la fermière devait apporter quelque chose de bon à sa bonne, elle lui dit qu'elle avait faim.

« Ah bien ! répondit la bonne, cela se trouve à merveille ; la fermière vient de me faire cadeau d'un grand pot de crème et d'un pain bis tout frais. Je vais vous en faire manger ; vous verrez comme c'est bon ! »

Et elle apporta sur la table un pain tout chaud et un grand vase plein d'une crème épaisse excellente. Sophie se jeta dessus comme une affamée. Au moment même où la bonne lui disait de ne pas trop en manger, elle entendit la voix de sa maman qui appelait : « Anna ! Anna ! » (C'était le nom de la bonne.)

Anna courut tout de suite chez Mme de Réan pour savoir ce qu'elle désirait ; c'était pour lui dire de préparer et de commencer un ouvrage pour Sophie.

« Elle aura bientôt quatre ans, dit Mme de Réan, il est temps qu'elle apprenne à travailler.

LA BONNE

Mais quel ouvrage madame veut-elle que fasse un enfant si jeune ?

MADAME DE RÉAN

Préparez-lui une serviette à ourler, ou un mouchoir. »

La bonne ne répondit rien et sortit du salon d'assez mauvaise humeur. En entrant chez elle, elle vit Sophie qui mangeait encore. Le pot de crème était presque vide et il manquait un énorme morceau de pain.

LA BONNE

« Ah ! mon Dieu ! s'écria-t-elle tout en préparant un ourlet pour Sophie, vous allez vous rendre malade ! Est-il possible que vous ayez avalé tout cela ? Que dira votre maman, si elle vous voit souffrante ? Vous allez me faire gronder !

SOPHIE

Soyez tranquille, ma bonne ; j'avais très faim, et je ne serai pas malade. C'est si bon, la crème et le pain tout chaud !

Oui, mais c'est bien lourd à l'estomac, Dieu ! quel énorme morceau de pain vous avez mangé ! j'ai peur, très peur que vous ne soyez malade.

SOPHIE, *l'embrassant.*

Non, ma chère Anna, soyez tranquille, je vous assure que je me porte très bien. »

La bonne lui donna un petit mouchoir à ourler et lui dit de le porter à sa maman qui voulait la faire travailler.

Sophie courut au salon où l'attendait sa maman, et lui présenta le mouchoir. La maman montra à Sophie comment il fallait piquer et tirer l'aiguille ; ce fut très mal fait pour commencer ; mais après quelques points, elle fit assez bien et trouva que c'était très amusant de travailler.

« Voulez-vous me permettre, maman, dit-elle, de montrer mon ouvrage à ma bonne ?

— Oui, tu peux y aller, et ensuite tu reviendras ranger toutes tes affaires et jouer dans ma chambre. »

Sophie courut chez sa bonne qui fut étonnée de voir l'ourlet presque fini et si bien fait. Elle lui demanda avec inquiétude si elle n'avait pas mal à l'estomac.

« Non, ma bonne, pas du tout, dit Sophie ; seulement je n'ai pas faim.

Je le crois bien après tout ce que vous avez mangé. Mais retournez vite près de votre maman, de crainte qu'elle ne vous gronde. »

Sophie retourna au salon, rangea toutes ses affaires et se mit à jouer. Tout en jouant, elle se sentit mal à l'aise ; la crème et le pain chaud lui pesaient sur l'estomac ; elle avait mal à la tête ; elle s'assit sur sa petite chaise et resta sans bouger et les yeux fermés.

La maman, n'entendant plus de bruit, se retourna et vit Sophie pâle et l'air souffrant.

« Qu'as-tu, Sophie ? dit-elle avec inquiétude ; es-tu malade ?

— Je suis souffrante, maman, répondit Sophie ; j'ai mal à la tête.

— Depuis quand donc ?

— Depuis que j'ai fini de ranger mon ouvrage.

— As-tu mangé quelque chose ? »

Sophie hésita et répondit bien bas :

« Non, maman, rien du tout.

— Je vois que tu mens ; je vais aller le demander à ta bonne qui me le dira. »

La maman sortit et resta quelques minutes absente. Quand elle revint, elle avait l'air très fâché.

« Vous avez menti, mademoiselle ; votre bonne m'a avoué qu'elle vous avait donné du pain chaud et de la crème, et que vous en aviez mangé comme une gloutonne. Tant pis pour vous, parce que vous allez être malade et que vous ne pourrez pas venir dîner demain chez votre tante d'Aubert, avec votre cousin Paul. Vous y auriez vu Camille et Madeleine de Fleurville ; mais, au lieu de vous amuser, de courir dans les bois pour chercher des fraises, vous resterez toute seule à la maison et vous ne mangerez que de la soupe. »

Mme de Réan prit la main de Sophie, la trouva brûlante et l'emmena pour la faire coucher.

« Je vous défends, dit-elle à la bonne, de rien donner à manger à Sophie jusqu'à demain ; donnez-lui de l'eau ou de la tisane de feuilles d'oranger, et si jamais vous recommencez ce que vous avez fait ce matin, je vous renverrai immédiatement. »

La bonne se sentait coupable ; elle ne répondit pas. Sophie, qui était réellement malade, se laissa mettre dans son lit sans rien dire. Elle passa une mauvaise nuit, très agitée ; elle souffrait de la tête et de l'estomac ; vers le matin elle s'endormit. Quand elle se réveilla, elle avait encore un peu mal à la tête, mais le grand air lui fit du bien. La journée se passa tristement pour elle à regretter le dîner de sa tante. Pendant deux jours encore, elle fut souffrante. Depuis ce temps elle prit en tel dégoût la crème et le pain chaud, qu'elle n'en mangea jamais.

Elle allait quelquefois avec son cousin et ses amies chez les fermières du voisinage ; tout le monde autour d'elle mangeait avec délices de la crème et du pain bis. Sophie seule ne mangeait rien ; la vue de cette bonne crème épaisse et mousseuse et de ce pain de ferme lui rappelait ce qu'elle avait souffert pour en avoir trop mangé, et lui donnait mal au cœur. Depuis ce temps aussi elle n'écouta plus les conseils de sa bonne qui ne resta pas longtemps dans la maison. Mme de Réan, n'ayant plus confiance en elle, en prit une autre qui était très bonne et qui ne permettait jamais à Sophie de faire ce que sa maman lui défendait.

Chapitre 11

L'écureuil

Un jour Sophie se promenait avec son cousin Paul dans le petit bois de chênes qui était tout près du château ; ils cherchaient tous deux des glands pour en faire des paniers, des sabots, des bateaux. Tout d'un coup Sophie sentit un gland qui lui tombait sur le dos ; pendant qu'elle se baissait pour le ramasser, un autre gland vint lui tomber sur le bout de l'oreille.

« Paul, Paul, dit-elle, viens donc voir ces glands qui sont tombés sur moi : ils sont rongés. Qu'est-ce qui a pu les ronger là-haut ? Les souris ne grimpent pas aux arbres, et les oiseaux ne mangent pas de glands. »

Paul prit les glands, les regarda ; puis il leva la tête et s'écria :

« C'est un écureuil ; je le vois ; il est tout en haut sur une branche ; il nous regarde comme s'il se moquait de nous. »

Sophie regarda en l'air et vit un joli petit écureuil, avec une superbe queue relevée en panache. Il se nettoyait la figure avec ses petites pattes de devant, et de temps en temps il regardait Sophie et Paul, faisait une gambade et sautait sur une autre branche.

« Que je voudrais avoir cet écureuil ! dit Sophie. Comme il est gentil et comme je m'amuserais à jouer avec lui, à le mener promener, à le soigner.

PAUL

Ce ne serait pas difficile de l'attraper : mais les écureuils sentent mauvais dans une chambre, et puis ils rongent tout.

SOPHIE

Oh ! je l'empêcherais bien de ronger, parce que j'enfermerais toutes mes affaires ; et il ne sentirait pas mauvais, parce que je nettoierais sa cage deux fois par jour. Mais comment ferais-tu pour le prendre ?

PAUL

J'aurais une cage un peu grande ; je mettrais dedans des noix, des noisettes, des amandes, tout ce que les écureuils aiment le mieux, j'apporterais la cage près de ce chêne ; je laisserais la porte ouverte ; j'y attacherais une ficelle ; je me cacherais tout près de l'arbre et quand l'écureuil entrerait dans la cage pour manger, je tirerais la ficelle pour fermer la porte et l'écureuil serait pris.

Mais l'écureuil ne voudra peut-être pas entrer dans la cage ; cela lui fera peur.

PAUL

Oh ! il n'y a pas de danger ; les écureuils sont gourmands, il ne résistera pas aux amandes et aux noix.

SOPHIE

Attrape-le-moi, je t'en prie, mon cher Paul ; je serai si contente !

PAUL

Mais ta maman, que dira-t-elle ? Elle ne voudra peut-être pas.

SOPHIE

Elle le voudra ; nous le lui demanderons tant et tant, tous les deux, qu'elle consentira. »

Les deux enfants coururent à la maison ; Paul se chargea d'expliquer l'affaire à Mme de Réan qui refusa d'abord, mais qui finit par y consentir en disant à Sophie :

« Je te préviens que ton écureuil t'ennuiera bientôt : il grimpera partout ; il rongera tes livres, tes joujoux ; il sentira mauvais, il sera insupportable.

SOPHIE

Oh non ! maman ; je vous promets de le si bien garder, qu'il ne fera aucun mal à rien.

Je ne veux pas de ton écureuil au salon ni dans ma chambre, d'abord ; tu le garderas toujours dans la tienne.

SOPHIE

Oui, maman, il restera chez moi, excepté quand je le mènerai promener. »

Sophie et Paul coururent tout joyeux chercher une cage ; ils en trouvèrent une au grenier, qui avait servi jadis à un écureuil. Ils l'emportèrent, la nettoyèrent avec l'aide de la bonne, et mirent dedans des amandes fraîches, des noix et des noisettes.

SOPHIE

« À présent, allons vite porter la cage sous le chêne. Pourvu que l'écureuil y soit encore !

PAUL

Attends que j'attache une ficelle à la porte. Il faut que je la passe dans les barreaux, pour que la porte se ferme quand je tirerai.

SOPHIE

J'ai peur que l'écureuil ne soit parti.

PAUL

Non ; il va rester là ou tout auprès jusqu'à la nuit. Là... c'est fini ; tire la ficelle pour voir si c'est bien. »

Sophie tira, la porte se referma tout de suite. Les enfants, enchantés, allèrent porter la cage dans le petit bois ; arrivés près du chêne, ils regardèrent si l'écureuil y était ; ils ne virent rien ; ni les feuilles ni les branches ne remuaient. Les enfants, désolés, allaient chercher sous d'autres chênes, lorsque Sophie reçut sur le front un gland rongé comme ceux du matin.

« Il y est, il y est ! s'écria-t-elle. Le voilà ; je vois le bout de sa queue qui sort derrière cette branche touffue. »

En effet, l'écureuil, entendant parler, avança sa petite tête pour voir ce qui se passait.

« C'est bien, mon cher ami, dit Paul. Te voilà : tu seras bientôt en prison. Tiens, voilà des provisions que nous t'apportons ; sois gourmand, mon ami, sois gourmand ; tu verras comme on est puni de la gourmandise. »

Le pauvre écureuil, qui ne s'attendait pas à devenir un malheureux prisonnier, regardait d'un air moqueur en faisant aller sa tête de droite et de gauche. Il vit la cage que Paul posait à terre, jeta un œil d'envie sur les amandes et les noix. Quand les enfants se furent cachés derrière le tronc du chêne, il descendit deux ou trois branches, s'arrêta, regarda de tous côtés, descendit encore un peu, et continua ainsi à descendre petit à petit, jusqu'à ce qu'il fût sur la cage. Il passa une patte à travers les barreaux, puis l'autre ; mais, ne pouvant rien attraper et les amandes lui paraissant de plus en plus appétissantes, il chercha le moyen d'entrer dans la cage, et ne fut pas longtemps à trouver la porte ; il s'arrêta à l'entrée, regarda la ficelle d'un air méfiant, allongea encore une patte pour atteindre les amandes ou les noix, mais ne pouvant y parvenir, il se hasarda enfin à entrer dans la cage. À peine y fut-il, que les enfants qui regardaient du coin de l'œil et qui avaient suivi avec un battement de cœur les mouvements de l'écureuil, tirèrent la ficelle, et l'écureuil fut pris. La frayeur lui fit jeter l'amande qu'il commençait à grignoter, et il se mit à tourner autour de la cage pour s'échapper. Hélas ! le pauvre petit animal devait payer cher sa gourmandise et rester prisonnier ! Les enfants se précipitèrent sur la cage ; Paul ferma soigneusement la porte et emporta la cage dans la chambre de Sophie. Elle courait en avant et appela sa bonne d'un air triomphant pour lui faire voir son nouvel ami.

La bonne ne fut pas contente de ce petit élève.

« Que ferons-nous de cet animal ? dit-elle. Il va nous mordre et nous faire un bruit insupportable. Quelle idée avez-vous eue, Sophie, de nous empêtrer de cette vilaine bête ?

SOPHIE

D'abord, ma, bonne, elle n'est pas vilaine : l'écureuil est une très jolie bête. Ensuite il ne fera pas de bruit du tout et il ne nous mordra pas. C'est moi qui le soignerai.

LA BONNE

En vérité ? Je plains le pauvre animal ; vous le laisserez bientôt mourir de faim.

Mourir de faim ! Certainement non ; je lui donnerai des noisettes, des amandes, du pain, du sucre, du vin.

LA BONNE, *d'un air moqueur.*

Voilà un écureuil qui sera bien nourri ! Le sucre lui gâtera les dents, et le vin l'enivrera.

PAUL, *riant.*

Ha ! ha ! ha ! un écureuil ivre ! ce sera bien drôle.

SOPHIE

Pas du tout, monsieur ; mon écureuil ne sera pas ivre. Il sera très raisonnable.

LA BONNE

Nous verrons cela. Je vais d'abord lui apporter du foin, pour qu'il puisse se coucher. Il a l'air tout effaré ; je ne crois pas qu'il soit content de s'être laissé prendre.

SOPHIE

Je vais le caresser pour l'habituer à moi et pour lui faire voir qu'on ne lui fera pas de mal. »

Sophie passa sa main dans la cage ; l'écureuil effrayé se sauva dans un coin. Sophie allongea la main pour le saisir ; au moment où elle allait le prendre, l'écureuil lui mordit le doigt. Sophie se mit à crier et retira promptement sa main pleine de sang. La porte restant ouverte, l'écureuil se précipita hors de sa cage et se mit à courir dans la chambre. La bonne et Paul coururent après ; mais quand ils croyaient l'avoir attrapé, l'écureuil faisait un saut, s'échappait et continuait à galoper dans la chambre. Sophie, oubliant son doigt qui saignait, voulut les aider. Ils continuèrent leur chasse pendant une demi-heure ; l'écureuil commençait à être fatigué et il allait être pris, lorsqu'il aperçut la fenêtre qui était restée ouverte ; aussitôt il s'élança dessus, grimpa le long du mur en dehors de la fenêtre, et se trouva sur le toit.

Sophie, Paul et la bonne descendirent au jardin en courant ; levant la tête, ils aperçurent l'écureuil perché sur le toit, à moitié mort de fatigue et de peur.

« Que faire, ma bonne, que faire ? s'écria Sophie.

— Il faut le laisser, dit la bonne. Vous voyez bien qu'il vous a déjà mordue.

SOPHIE

C'est parce qu'il ne me connaît pas encore, ma bonne ; mais, quand il verra que je lui donne à manger, il m'aimera.

PAUL

Je crois qu'il ne t'aimera jamais, parce qu'il est trop vieux pour s'habituer à rester enfermé. Il aurait fallu en avoir un tout jeune.

Oh ! Paul, jette-lui des balles, je t'en prie, pour le faire descendre. Nous le rattraperons et nous le renfermerons.

PAUL

Je le veux bien, mais je ne crois pas qu'il veuille descendre. »

Et voilà Paul qui va chercher un gros ballon et qui le lance si adroitement qu'il attrape l'écureuil à la tête. Le ballon descend en roulant, et après lui roule le pauvre écureuil ; tous deux tombent à terre ; le ballon bondit et rebondit, mais l'écureuil se brise en touchant à terre et reste mort, la tête ensanglantée, les reins et les pattes cassés. Sophie et Paul courent pour le ramasser et restent stupéfaits devant le pauvre animal mort.

« Méchant Paul, dit Sophie, tu as fait mourir mon écureuil.

PAUL

C'est ta faute, pourquoi as-tu voulu que je le fasse descendre en lui lançant des balles ?

SOPHIE

Il fallait seulement lui faire peur et pas le tuer.

PAUL

Mais je n'ai pas voulu le tuer ; le ballon l'a attrapé, je ne croyais pas être si adroit.

65

SOPHIE

Tu n'es pas adroit, tu es méchant. Va-t'en, je ne t'aime plus du tout.

PAUL

Et moi, je te déteste. Tu es plus sotte que l'écureuil. Je suis enchanté de t'avoir empêchée de le tourmenter.

SOPHIE

Vous êtes un mauvais garçon, monsieur. Je ne jouerai jamais avec vous ; je ne vous demanderai jamais rien.

PAUL

Tant mieux, mademoiselle. Je n'en serai que plus tranquille, et je n'aurai plus à me creuser la tête pour vous aider à faire des sottises.

LA BONNE

Voyons, mes enfants, au lieu de vous disputer, avouez que vous avez agi tous deux sans réflexion et que vous êtes tous les deux coupables de la mort de l'écureuil. Pauvre bête ! Il est plus heureux que s'il était resté vivant, car il ne souffre plus, du moins. Je vais appeler quelqu'un pour qu'on l'emporte et qu'on le jette dans quelque fossé. Et vous, Sophie, montez dans votre chambre et trempez votre doigt dans l'eau ; je vais vous y rejoindre. »

Sophie s'en alla suivie de Paul qui était un bon petit garçon sans aucune rancune. De sorte qu'au lieu de bouder il l'aida à verser de l'eau dans une cuvette et à y tremper sa main.

Quand la bonne monta, elle enveloppa le doigt de Sophie de quelques feuilles de laitue et d'un petit chiffon. Les enfants étaient un peu honteux, en rentrant au salon pour dîner, d'avoir à raconter la fin de leur aventure de l'écureuil.

Les papas et les mamans se moquèrent d'eux. La cage de l'écureuil fut remontée au grenier. Le doigt de Sophie lui fit mal encore pendant quelques jours, après lesquels elle ne pensa plus à l'écureuil que pour se dire qu'elle n'en aurait jamais.

Chapitre 12

Le thé

C'était le 18 juillet, jour de la naissance de Sophie ; elle avait quatre ans. Sa maman lui faisait toujours un joli présent ce jour-là, mais elle ne lui disait jamais d'avance ce qu'elle lui donnerait. Sophie s'était levée plus tôt que d'habitude ; elle se dépêchait de s'habiller pour aller chez sa maman recevoir son cadeau.

« Vite, vite, je vous en prie, ma bonne, disait-elle ; j'ai si envie de savoir ce que maman me donnera pour ma fête !

LA BONNE

Mais donnez-moi le temps de vous peigner. Vous ne pouvez pas vous en aller tout ébouriffée comme vous êtes. Ce serait une jolie manière de commencer vos quatre ans !...

Tenez-vous donc tranquille, vous bougez toujours.

Aïe, aïe, vous m'arrachez les cheveux, ma bonne.

Parce que vous tournez la tête de tous les côtés ; ah !... encore ! comment puis-je deviner de quel côté il vous plaira de tourner la tête ? »

Enfin Sophie fut habillée, peignée, et elle put courir chez sa maman.

« Te voilà de bien bonne heure, Sophie, dit la maman en souriant. Je vois que tu n'as pas oublié tes quatre ans et le cadeau que je te dois. Tiens, voici un livre, tu y trouveras de quoi t'amuser. »

Sophie remercia sa maman d'un air embarrassé, et prit le livre qui était en maroquin rouge.

« Que ferai-je de ce livre ? pensa-t-elle. Je ne sais pas lire ; à quoi me servira-t-il ? »

La maman la regardait et riait.

« Tu ne parais pas contente de mon présent, lui dit-elle ; c'est pourtant très joli ; il y a écrit dessus : *Les Arts.* Je suis sûre qu'il t'amusera plus que tu ne le penses.

Je ne sais pas, maman.

Ouvre-le, tu verras. »

Sophie voulut ouvrir le livre ; à sa grande surprise

69

elle ne le put pas ; ce qui l'étonna plus encore, c'est qu'en le retournant il se faisait dans le livre un bruit étrange. Sophie regarda sa maman d'un air étonné. Mme de Réan rit plus fort et lui dit :

« C'est un livre extraordinaire ; il n'est pas comme tous les livres qui s'ouvrent tout seuls ; celui-ci ne s'ouvre que lorsqu'on appuie le pouce sur le milieu de la tranche. »

La maman appuya un peu le pouce ; le dessus s'ouvrit et Sophie vit avec bonheur que ce n'était pas un livre, mais une charmante boîte à couleurs, avec des pinceaux, des godets et douze petits cahiers pleins de charmantes images à peindre.

« Oh ! merci, ma chère maman, s'écria Sophie. Que je suis contente ! Comme c'est joli !

LA MAMAN

Tu étais un peu attrapée tout à l'heure, quand tu as cru que je te donnais un vrai livre ; mais je ne t'aurais pas joué un si mauvais tour. Tu pourras t'amuser à peindre dans la journée avec ton cousin Paul et tes amies Camille et Madeleine que j'ai engagées à venir passer la journée avec toi : elles viendront à deux heures. Ta tante d'Aubert m'a chargée de te donner de sa part ce petit thé ; elle ne pourra venir qu'à trois heures, et elle a voulu te faire son cadeau dès le matin. »

L'heureuse Sophie prit le plateau avec les six tasses, la théière, le sucrier et le pot à crème en argent. Elle demanda la permission de faire un vrai thé pour ses amies.

« Non, lui dit Mme de Réan, vous ferez des sale-

70

tés, vous répandrez la crème partout, vous vous brûlerez avec le thé. Faites semblant d'en prendre, ce sera tout aussi amusant. »

Sophie ne dit rien, mais elle n'était pas contente.

« À quoi me sert un ménage, se dit-elle, si je ne puis rien mettre dedans ? Mes amies se moqueront de moi. Il faut que je cherche quelque chose pour remplir tout cela... Je vais demander à ma bonne. »

Sophie dit à sa maman qu'elle allait montrer tout cela à sa bonne ; elle emporta la boîte et son thé et courut dans sa chambre.

SOPHIE

« Tenez, ma bonne, voyez les jolies choses que m'ont données maman et ma tante d'Aubert.

LA BONNE

Le joli ménage ! Vous vous amuserez bien avec. Mais je n'aime pas beaucoup ce livre ; à quoi vous servira un livre puisque vous ne savez pas lire ?

SOPHIE, *riant.*

Bravo ! Voilà ma bonne attrapée comme moi. Ce n'est pas un livre, c'est une boîte à couleurs. »

Et Sophie ouvrit la boîte, que la bonne trouva charmante. Après avoir causé sur ce qu'on ferait dans la journée, Sophie dit qu'elle avait voulu donner du thé à ses amies, mais que sa maman ne l'avait pas permis.

« Que mettrai-je dans ma théière, dans mon sucrier

71

et dans mon pot à crème ? Ne pourriez-vous pas, ma chère petite bonne, m'aider un peu et me donner quelque chose que je puisse faire manger à mes amies ?

— Non, ma pauvre petite, répondit la bonne, c'est impossible. Souvenez-vous que votre maman m'a dit qu'elle me renverrait si je vous donnais quelque chose à manger. »

Sophie soupira et resta pensive ; petit à petit son visage s'éclaircit, elle avait une idée ; nous allons voir si l'idée était bonne. Sophie joua, puis déjeuna ; en revenant de la promenade avec sa maman, elle dit qu'elle allait se préparer pour l'arrivée de ses amies. Elle mit la boîte à couleurs sur une petite table. Sur une autre table elle arrangea les six tasses qu'elle plaça tout autour ; au milieu elle mit le sucrier, la théière et le pot à crème.

« À présent, dit-elle, je vais faire du thé. » Elle prit la théière, alla dans le jardin, cueillit quelques feuilles de trèfle, qu'elle mit dans la théière ; ensuite elle alla prendre de l'eau dans l'assiette où on en mettait pour le chien de sa maman ; elle versa l'eau dans la théière.

« Là ! voilà le thé, dit-elle d'un air enchanté ; à présent je vais faire la crème. » Elle alla prendre un morceau de blanc qui servait pour nettoyer l'argenterie ; elle en racla un peu avec son petit couteau, le versa dans le pot à crème qu'elle remplit de l'eau du chien, mêla bien avec une petite cuiller, et, quand l'eau fut bien blanche, elle replaça le pot sur la table. Il ne lui restait plus que le sucrier à remplir ; elle reprit la craie à argenterie, en cassa de petits morceaux avec son couteau, remplit le sucrier qu'elle posa sur la table, et regarda le tout d'un air enchanté.

« Là ! dit-elle en se frottant les mains, voilà un superbe thé... J'espère que j'ai de l'esprit ! Je parie que Paul ni aucune de mes amies n'auraient eu une si bonne invention... »

Sophie attendit ses amies encore une demi-heure, mais elle ne s'ennuya pas ; elle était si contente de son thé qu'elle ne voulait pas s'en éloigner ; elle se promenait autour de la table, le regardant d'un air joyeux, se frottait les mains et répétait : « Dieu ! que j'ai de l'esprit ! que j'ai donc d'esprit ! »

Enfin Paul et les amies arrivèrent. Sophie courut au-devant d'eux, les embrassa tous et les emmena bien vite dans le petit salon pour leur montrer ses belles choses. La boîte à couleurs les attrapa d'abord, comme elle avait attrapé Sophie et sa bonne. Ils trouvèrent le thé charmant et voulaient tout de suite commencer le repas, mais Sophie leur demanda d'attendre jusqu'à trois heures. Ils se mirent donc tous à peindre les images des petits livres ; chacun avait le sien.

Après s'être bien amusés avec la boîte à couleurs et avoir tout rangé soigneusement :

« À présent, s'écria Paul, prenons le thé.

— Oui, oui, répondirent-elles toutes ensemble.

CAMILLE

Voyons, Sophie, fais les honneurs.

SOPHIE

Asseyez-vous tous autour de la table... Là, c'est bien... Donnez-moi vos tasses, que j'y mette du sucre... À présent le thé... puis la crème... Buvez maintenant.

MADELEINE

C'est singulier, le sucre ne fond pas.

SOPHIE

Mêle bien, il fondra.

PAUL

Mais ton thé est froid !

SOPHIE

C'est parce qu'il est fait depuis longtemps.

CAMILLE, *goûte le thé et le recrache avec dégoût.*

Ah ! quelle horreur ! Qu'est-ce que c'est ? ce n'est pas du thé, cela !

MADELEINE, *recrachant de même.*

C'est détestable ! Cela sent la craie.

PAUL, *crachant à son tour.*

Que nous as-tu donné là, Sophie ? C'est détestable, dégoûtant !

SOPHIE, *embarrassée.*

Vous trouvez ?...

PAUL

Comment, si nous trouvons ? Mais c'est affreux de nous jouer un tour pareil ! Tu mériterais que nous te fissions avaler ton dégoûtant thé.

SOPHIE, *se fâchant.*

Vous êtes tous si difficiles que rien ne vous semble bon !

CAMILLE, *souriant.*

Avoue, Sophie, que, sans être difficile, on peut trouver ton thé très mauvais.

MADELEINE

Quant à moi, je n'ai jamais goûté à quelque chose d'aussi mauvais.

PAUL, *présentant la théière à Sophie.*

Avale donc ; avale, tu verras si nous sommes difficiles.

SOPHIE, *se débattant.*

Laisse-moi, tu m'ennuies.

PAUL, *continuant.*

Ah ! nous sommes difficiles ! Ah ! tu trouves ton thé bon ! Bois-le donc ainsi que ta crème. »

Et Paul, saisissant Sophie, lui versa le thé dans la bouche ; il allait en faire autant de la prétendue crème, malgré les cris et la colère de Sophie, lorsque Camille et Madeleine, qui étaient très bonnes et qui avaient pitié d'elle, se précipitèrent sur Paul pour lui arracher le pot à crème. Paul, qui était furieux, les repoussa ; Sophie en profita pour se dégager et pour tomber sur Paul à coups de poing, Camille et Madeleine tâchèrent alors de retenir Sophie ; Paul hurlait, Sophie criait, Camille et Madeleine appelaient au secours, c'était un train à assourdir ; les mamans accoururent effrayées. À leur aspect les enfants restèrent tous immobiles.

« Que se passe-t-il donc ? » demanda Mme de Réan d'un air inquiet et sévère.

Personne ne répondit !

MADAME DE FLEURVILLE

« Camille, explique-nous le sujet de cette bataille.

CAMILLE

Maman, Madeleine et moi nous ne nous battions avec personne.

MADAME DE FLEURVILLE

Comment ? Vous ne vous battiez pas ? Toi tu tenais les bras de Sophie, et Madeleine tenait Paul par la jambe.

CAMILLE

C'était pour les empêcher de... de... jouer trop fort.

MADAME DE FLEURVILLE, *réprimant un sourire.*

Jouer ! Tu appelles cela jouer !

MADAME DE RÉAN

Je vois ce que c'est. Sophie et Paul se seront disputés comme à l'ordinaire ; Camille et Madeleine auront voulu les empêcher de se battre. J'ai deviné, n'est-ce pas, ma petite Camille ?

CAMILLE, *bien bas et rougissant.*

Oui, madame.

MADAME D'AUBERT

N'êtes-vous pas honteux, monsieur Paul, de vous conduire ainsi ? À propos de rien vous vous fâchez, vous êtes prêt à vous battre...

PAUL

Ce n'est pas à propos de rien, maman ; Sophie a voulu nous faire boire un thé tellement détestable que nous avons eu le cœur soulevé en le goûtant, et, quand nous nous sommes plaints, elle nous a dit que nous étions trop difficiles. »

Mme de Réan prit le pot à crème, le sentit, y goûta du bout de la langue, fit une grimace de dégoût et dit à Sophie :

« Où avez-vous pris cette horreur de prétendue crème, mademoiselle ?

SOPHIE, *la tête baissée et très honteuse.*

Je l'ai faite, maman.

Vous l'avez faite ! Avec quoi ?... Répondez.

SOPHIE, *de même.*

Avec le blanc à argenterie et l'eau du chien.

MADAME DE RÉAN

Et votre thé ? Qu'est-ce que c'était ?

SOPHIE, *de même.*

Des feuilles de trèfle et de l'eau du chien.

MADAME DE RÉAN, *examinant le sucrier.*

Voilà un joli régal pour vos amies ! De l'eau sale, de la craie ! Vous commencez bien vos quatre ans, mademoiselle. En désobéissant quand je vous avais défendu de faire du thé, en voulant faire avaler à vos amies un soi-disant thé dégoûtant, et en vous battant avec votre cousin. Je reprends votre ménage pour vous empêcher de recommencer, et je vous aurais envoyée dîner dans votre chambre, si je ne craignais de gâter le plaisir de vos petites amies qui sont si bonnes qu'elles souffriraient de votre punition. »

Les mamans s'en allèrent en riant malgré elles du ridicule régal inventé par Sophie. Les enfants restèrent seuls ; Paul et Sophie, honteux de leur bataille, n'osaient pas se regarder. Camille et Madeleine les embrassèrent, les consolèrent et tâchèrent de les réconcilier. Sophie embrassa Paul, leur demanda pardon à tous, et tout fut oublié. On courut au jardin où on attrapa huit superbes papillons que Paul mit

78

dans une boîte qui avait un couvercle de verre. Le reste de l'après-midi se passa à arranger la boîte pour que les papillons fussent bien logés ; on leur mit de l'herbe, des fleurs, des gouttes d'eau sucrée, des fraises, des cerises. Quand le soir vint, et que chacun dut partir, Paul emporta la boîte aux papillons, à la prière de Sophie, de Camille et de Madeleine qui voyaient qu'il en avait envie.

Chapitre 13

Les loups

Sophie n'était pas très obéissante, nous l'avons bien vu dans les histoires que nous venons de lire ; elle aurait dû être corrigée, mais elle ne l'était pas encore : aussi lui arriva-t-il bien d'autres malheurs. Le lendemain du jour où Sophie avait eu quatre ans, sa maman l'appela et lui dit :

« Sophie, je t'ai promis que lorsque tu aurais quatre ans, tu viendrais avec moi faire mes grandes promenades du soir. Je vais partir pour aller à la ferme de Svitine en passant par la forêt ; tu vas venir avec moi ; seulement fais attention à ne pas rester en arrière ; tu sais que je marche vite, et, si tu t'arrêtais, tu pourrais rester bien loin derrière avant que je ne puisse m'en apercevoir. »

Sophie, enchantée de faire cette grande promenade, promit de suivre sa maman de tout près et de ne pas se laisser perdre dans le bois.

Paul, qui arriva au même instant, demanda à les accompagner, à la grande joie de Sophie.

Ils marchèrent bien sagement pendant quelque temps derrière Mme de Réan ; ils s'amusaient à voir courir et sauter quelques gros chiens qu'elle emmenait toujours avec elle.

Arrivés dans la forêt, les enfants cueillirent quelques fleurs qui étaient sur leur passage, mais ils les cueillaient sans s'arrêter.

Sophie aperçut tout près du chemin une multitude de fraisiers chargés de fraises.

« Les belles fraises ! s'écria-t-elle. Quel dommage de ne pas pouvoir les manger ! »

Mme de Réan entendit l'exclamation et, se retournant, elle lui défendit encore de s'arrêter.

Sophie soupira et regarda d'un œil de regret les belles fraises dont elle avait si envie.

« Ne les regarde pas, lui dit Paul, et tu n'y penseras plus.

SOPHIE

C'est qu'elles sont si rouges, si belles, si mûres, elles doivent être si bonnes !

PAUL

Plus tu les regarderas et plus tu en auras envie. Puisque ma tante t'a défendu de les cueillir, à quoi sert-il de les regarder ?

81

SOPHIE

J'ai envie d'en prendre seulement une, cela ne me retardera pas beaucoup. Reste avec moi, nous en mangerons ensemble.

PAUL

Non, je ne veux pas désobéir à ma tante, et je ne veux pas être perdu dans la forêt.

SOPHIE

Mais il n'y a pas de danger. Tu vois bien que c'est pour nous faire peur que maman l'a dit ; nous saurions bien retrouver notre chemin si nous restions derrière.

PAUL

Mais non ; le bois est très épais, nous pourrions bien ne pas nous retrouver.

SOPHIE

Fais comme tu voudras, poltron ; moi, à la première place de fraises comme celles que nous venons de voir, j'en mangerai quelques-unes.

PAUL

Je ne suis pas poltron, mademoiselle, et vous, vous êtes une désobéissante et une gourmande ; perdez-vous dans la forêt si vous voulez ; moi, j'aime mieux obéir à ma tante. »

Et Paul continua à suivre Mme de Réan qui marchait assez vite et sans se retourner. Ses chiens l'entouraient et marchaient devant et derrière elle. Sophie aperçut bientôt une nouvelle place de fraises aussi belles que les premières ; elle en mangea une qu'elle trouva délicieuse, puis une seconde, une troisième ; elle s'accroupit pour les cueillir plus à son aise et plus vite ; de temps en temps elle jetait un coup d'œil sur sa maman et sur Paul qui s'éloignaient. Les chiens avaient l'air inquiet ; ils allaient vers le bois, ils revenaient ; ils finirent par se rapprocher tellement de Mme de Réan qu'elle regarda ce qui causait leur frayeur, et elle aperçut dans le bois, au travers des feuilles, des yeux brillants et féroces. Elle entendit en même temps un bruit de branches cassées, de feuilles sèches. Se retournant pour recommander aux enfants de marcher devant elle, quelle fut sa frayeur de ne voir que Paul !

« Où est Sophie ? s'écria-t-elle.

PAUL

Elle a voulu rester en arrière pour manger des fraises, ma tante.

MADAME DE RÉAN

Malheureuse enfant ! Qu'a-t-elle fait ? Nous sommes accompagnés par des loups. Retournons pour la sauver, s'il est encore temps ! »

Mme de Réan courut, suivie de ses chiens et du pauvre Paul terrifié, à l'endroit où devait être restée Sophie ; elle l'aperçut de loin assise au milieu des fraises qu'elle mangeait tranquillement. Tout d'un coup, deux des chiens poussèrent un hurlement plaintif et coururent à toutes jambes vers Sophie. Au

83

même moment un loup énorme, aux yeux étincelants, à la gueule ouverte, sortit sa tête hors du bois avec précaution. Voyant accourir les chiens, il hésita un instant ; croyant avoir le temps avant leur arrivée d'emporter Sophie dans la forêt pour la dévorer ensuite, il fit un bond prodigieux et s'élança sur elle. Les chiens, voyant le danger de leur petite maîtresse et excités par les cris d'épouvante de Mme de Réan et de Paul, redoublèrent de vitesse et vinrent tomber sur le loup au moment où il saisissait les jupons de Sophie pour l'entraîner dans le bois. Le loup, se sentant mordu par les chiens, lâcha Sophie et commença avec eux une bataille terrible. La position des chiens devint très dangereuse par l'arrivée de deux autres loups qui avaient suivi Mme de Réan et qui accouraient aussi ; mais les chiens se battirent si vaillamment que les trois loups furent étranglés et restèrent morts sur le chemin. Les chiens, couverts de sang et de blessures, vinrent lécher les mains de Mme de Réan et des enfants, restés tremblants pendant le combat. Mme de Réan leur rendit leurs caresses et se remit en route, tenant chacun des enfants par la main et entourée de ses courageux défenseurs.

Mme de Réan ne disait rien à Sophie, qui avait de la peine à marcher, tant ses jambes tremblaient de la frayeur qu'elle avait eue. Le pauvre Paul était presque aussi pâle et aussi tremblant que Sophie. Ils sortirent enfin du bois et arrivèrent près d'un ruisseau.

« Arrêtons-nous là, dit Mme de Réan ; buvons tous un peu de cette eau fraîche, dont nous avons besoin pour nous remettre de notre frayeur. »

Et Mme de Réan, se penchant vers le ruisseau, en but quelques gorgées et jeta de l'eau sur son visage et sur ses mains. Les enfants en firent autant ; Mme de Réan leur fit tremper la tête dans l'eau fraîche. Ils se sentirent ranimés, et leur tremblement se calma.

Les pauvres chiens s'étaient tous jetés dans l'eau ; ils buvaient, ils lavaient leurs blessures, ils se roulaient dans la rivière ; et ils sortirent de leur bain nettoyés et rafraîchis.

Au bout d'un quart d'heure, Mme de Réan se leva pour partir. Les enfants marchèrent près d'elle.

« Sophie, dit-elle, crois-tu que j'avais raison de te défendre de t'arrêter ?

SOPHIE

Oh ! oui, maman ; je vous demande bien pardon de vous avoir désobéi ; et toi, mon bon Paul, je suis bien fâchée de t'avoir appelé *poltron.*

MADAME DE RÉAN

Poltron ! Tu l'as appelé poltron ! Sais-tu que lorsque nous avons couru vers toi, c'est lui qui courait en avant ? As-tu vu que lorsque les autres loups arrivaient au secours de leur camarade, Paul, armé d'un bâton qu'il avait ramassé en courant, s'est jeté au-devant d'eux pour les empêcher de passer, et que c'est moi qui ai dû l'enlever dans mes bras et le retenir près de toi pour l'empêcher d'aller au secours des chiens ? As-tu remarqué aussi que, pendant tout le combat, il s'est toujours tenu devant toi pour empêcher les loups d'arriver jusqu'à nous ? Voilà comme Paul est poltron ! »

Sophie se jeta au cou de Paul et l'embrassa dix fois en lui disant : « Merci, merci, mon bon Paul, mon cher Paul, je t'aimerai toujours de tout mon cœur. »

Quand ils arrivèrent à la maison, tout le monde s'étonna de leurs visages pâles et de la robe de Sophie déchirée par les dents du loup.

Mme de Réan raconta leur terrible aventure ; chacun loua beaucoup Paul de son obéissance et de son courage, chacun blâma Sophie de sa désobéissance et de sa gourmandise, et chacun admira la vaillance des chiens, qui furent bien caressés et qui eurent un excellent dîner d'os et de restes de viande.

Le lendemain, Mme de Réan donna à Paul un uniforme complet de zouave ; Paul, fou de joie, le mit tout de suite et entra chez Sophie ; elle poussa un cri de frayeur en voyant entrer un Turc coiffé d'un turban, un sabre à la main, des pistolets à la ceinture. Mais, Paul s'étant mis à rire et à sauter, Sophie le reconnut et le trouva charmant avec son uniforme.

Sophie ne fut pas punie de sa désobéissance. Sa maman pensa qu'elle l'avait été assez par la frayeur qu'elle avait eue, et qu'elle ne recommencerait pas.

Chapitre 14

La joue écorchée

Sophie était colère ; c'est un nouveau défaut dont nous n'avons pas encore parlé.

Un jour elle s'amusait à peindre un de ses petits cahiers d'images, pendant que son cousin Paul découpait des cartes pour en faire des paniers à salade, des tables et des bancs. Ils étaient tous deux assis à une petit table en face l'un de l'autre ; Paul, en remuant les jambes, faisait remuer la table.

« Fais donc attention, lui dit Sophie d'un air impatienté ; tu pousses la table, je ne peux pas peindre. »

Paul prit garde pendant quelques minutes, puis il oublia et recommença à faire trembler la table.

« Tu es insupportable, Paul ! s'écria Sophie. Je t'ai déjà dit que tu m'empêchais de peindre.

PAUL

Ah bah ! pour les belles choses que tu fais, ce n'est pas la peine de tant se gêner.

SOPHIE

Je sais très bien que tu ne te gênes jamais ; mais comme tu me gênes, je te prie de laisser tes jambes tranquilles.

PAUL, *d'un air moqueur.*

Mes jambes n'aiment pas à rester tranquilles, elles bougent malgré moi.

SOPHIE, *fâchée.*

Je les attacherai avec une ficelle, tes ennuyeuses jambes ; et si tu continues à les remuer, je te chasserai.

PAUL

Essaie donc un peu ; tu verras ce que savent faire les pieds qui sont au bout de mes jambes.

SOPHIE

Vas-tu me donner des coups de pied, méchant ?

PAUL

Certainement, si tu me donnes des coups de poing. »

Sophie, tout à fait en colère, lance de l'eau à la figure de Paul qui, se fâchant à son tour, donne un coup de pied à la table et renverse tout ce qui était dessus. Sophie s'élance sur Paul et lui griffe si fort la figure, que le sang coule de sa joue. Paul crie ; Sophie, hors d'elle-même, continue à lui donner des tapes et des coups de poing. Paul, qui n'aimait pas à battre Sophie, finit par se sauver dans un cabinet où il s'enferme. Sophie a beau frapper à la porte, Paul n'ouvre pas. Sophie finit par se calmer ; quand sa colère est passée, elle commence à se repentir de ce qu'elle a fait ; elle se souvient que Paul a risqué sa vie pour la défendre contre les loups.

« Pauvre Paul, pensa-t-elle, comme j'ai été méchante pour lui ! Comment faire pour qu'il ne soit plus fâché ? Je ne voudrais pas demander pardon ; c'est ennuyeux de dire : « Pardonne-moi... » Pourtant, ajouta-t-elle après avoir un peu réfléchi, c'est bien plus honteux d'être méchant ! Et comment Paul me pardonnera-t-il si je ne lui demande pas pardon. » Après avoir encore un peu réfléchi, Sophie se leva, alla frapper à la porte du cabinet où s'était enfermé Paul, mais cette fois pas avec colère, ni en donnant de grands coups de poing, mais doucement ; elle appela d'une voix bien humble : « Paul, Paul ! » Mais Paul ne répondit pas. « Paul, ajouta-t-elle, toujours d'une voix douce, mon cher Paul, pardonne-moi, je suis bien fâchée d'avoir été méchante. Paul, je t'assure que je ne recommencerai pas. »

La porte s'entrouvrit tout doucement et la tête de Paul parut. Il regarda Sophie avec méfiance :

« Tu n'es plus en colère ? Bien vrai ? lui dit-il.

— Oh non ! non, bien sûr, cher Paul, répondit Sophie ; je suis bien triste d'avoir été si méchante. »

Paul ouvrit tout à fait la porte, et Sophie levant

les yeux, vit son visage tout écorché ; elle poussa un cri et se jeta au cou de Paul.

« Oh ! mon pauvre Paul, comme je t'ai fait mal ! comme je t'ai griffé ! Que faire pour te guérir ?

PAUL

Ce ne sera rien ; cela passera tout seul. Cherchons une cuvette et de l'eau pour me laver. Quand le sang sera parti, il n'y aura plus rien du tout. »

Sophie courut avec Paul chercher une cuvette pleine d'eau ; mais il eut beau tremper son visage dans la cuvette, frotter et essuyer, les marques des griffes restaient toujours sur la joue. Sophie était désolée.

« Que va dire maman ? dit-elle. Elle sera en colère contre moi et elle me punira. »

Paul, qui était très bon, se désolait aussi ; il ne savait qu'imaginer pour ne pas faire gronder Sophie.

« Je ne peux pas dire que je suis tombé dans les épines, dit-il, parce que ce ne serait pas vrai... Mais si.... attends donc ; tu va voir. »

Et voilà Paul qui part en courant ; Sophie le suit ; ils entrent dans le petit bois près de la maison ; Paul se dirige vers un buisson de houx, se jette dedans et se roule de manière à avoir le visage piqué et écorché par les pointes des feuilles. Il se relève plus écorché qu'auparavant.

Lorsque Sophie voit ce pauvre visage tout saignant, elle se désole, elle pleure.

« C'est moi, dit-elle, qui suis cause de tout ce que tu souffres, mon pauvre Paul ! C'est pour que je ne sois pas punie que tu t'écorches plus encore que je ne l'avais fait dans ma colère. Oh ! cher Paul ! Comme tu es bon ! Comme je t'aime !

— Allons vite à la maison pour me laver encore le visage, dit Paul. N'aie pas l'air triste, ma pauvre Sophie. Je t'assure que je souffre très peu ; demain ce sera passé. Ce que je te demande seulement, c'est de ne pas dire que tu m'as griffé ; si tu le faisais, j'en serais fort triste et je n'aurais pas la récompense de mes piqûres de houx. Me le promets-tu ?

— Oui, dit Sophie en l'embrassant ; je ferai tout ce que tu voudras. »

Ils rentrèrent dans leur chambre, et Paul retrempa son visage dans l'eau.

Quand ils allèrent au salon, les mamans qui y étaient poussèrent un cri de surprise en voyant le visage écorché et bouffi du pauvre Paul.

« Où t'es-tu arrangé comme cela ? demanda Mme d'Aubert. Mon pauvre Paul, on dirait que tu t'es roulé dans les épines.

PAUL

C'est précisément ce qui m'est arrivé, maman. Je suis tombé, en courant, dans un buisson de houx, et en me débattant pour me relever, je me suis écorché le visage et les mains.

MADAME D'AUBERT

Tu es bien maladroit d'être tombé dans ce houx ; tu n'aurais pas dû te débattre, mais te relever bien doucement.

91

Où étais-tu donc, Sophie ? Tu aurais dû l'aider à se relever.

PAUL

Elle courait après moi, ma tante ; elle n'a pas eu le temps de m'aider ; quand elle est arrivée, je m'étais déjà relevé. »

Mme d'Aubert emmena Paul pour mettre sur ses écorchures de la pommade de concombre. Sophie resta avec sa maman qui l'examinait avec attention.

MADAME DE RÉAN

« Pourquoi es-tu triste, Sophie ?

SOPHIE, *rougissant.*

Je ne suis pas triste, maman.

MADAME DE RÉAN

Si fait, tu es triste et inquiète comme si quelque chose te tourmentait.

SOPHIE, *les larmes aux yeux et la voix tremblante.*

Je n'ai rien, maman ; je n'ai rien.

MADAME DE RÉAN

Tu vois bien que, même en me disant que tu n'as rien, tu es prête à pleurer.

Je ne peux... pas... vous dire... J'ai... promis... à Paul.

MADAME DE RÉAN, *attirant Sophie.*

Écoute, Sophie ; si Paul a fait quelque chose de mal, tu ne dois pas tenir ta promesse de ne pas me le dire. Je te promets, moi, que je ne gronderai pas Paul, et que je ne le redirai pas à sa maman, mais je veux savoir ce qui te rend si triste, ce qui te fait pleurer si fort, et tu dois me le dire. »

Sophie cache sa figure dans les genoux de Mme de Réan, et sanglote si fort qu'elle ne peut pas parler.

Mme de Réan cherche à la rassurer, à l'encourager, et enfin Sophie lui dit :

« Paul n'a rien fait de mal, maman ; au contraire, il est très bon, et il a fait une très belle chose ; c'est moi seule qui ai été méchante, et c'est pour m'empêcher d'être grondée et punie qu'il s'est roulé dans le houx. »

Mme de Réan, de plus en plus surprise, questionna Sophie qui lui raconta tout ce qui s'était passé entre elle et Paul.

« Excellent petit Paul ! s'écria Mme de Réan ; quel bon cœur il a ! Quel courage et quelle bonté ! Et toi, ma pauvre Sophie, quelle différence entre toi et ton cousin ! Vois comme tu te laisses aller à tes colères et comme tu es ingrate envers cet excellent Paul qui te pardonne toujours, qui oublie toujours tes injustices, et qui, aujourd'hui encore, a été si généreux pour toi.

SOPHIE

Oh ! oui ! maman, je vois bien tout cela, et à l'avenir jamais je ne me fâcherai contre Paul.

MADAME DE RÉAN

Je n'ajouterai aucune réprimande ni aucune punition à celle que te fait subir ton cœur. Tu souffres du mal de Paul, et c'est ta punition ; elle te profitera plus que toutes celles que je pourrais t'infliger. D'ailleurs tu as été sincère, tu as tout avoué quand tu pouvais tout cacher ; c'est très bien et je te pardonne à cause de ta franchise. »

Chapitre 15
Élisabeth

Sophie était assise un jour dans son petit fauteuil ; elle ne faisait rien et elle pensait.

« À quoi penses-tu ? lui demanda sa maman.

SOPHIE

Je pense à Élisabeth Chêneau, maman.

MADAME DE RÉAN

Et à propos de quoi penses-tu à elle ?

SOPHIE

C'est que j'ai remarqué hier qu'elle avait une grande écorchure au bras, et quand je lui ai demandé comment elle s'était écorchée, elle a rougi, elle a caché son bras et elle m'a dit tout bas : "Tais-toi ;

c'est pour me punir." Je cherche à comprendre ce qu'elle a voulu me dire.

Je vais te l'expliquer si tu veux, car moi aussi j'ai remarqué cette écorchure, et sa maman m'a raconté comment elle s'était faite. Écoute bien ; c'est un beau trait d'Élisabeth. »

Sophie, enchantée d'avoir une histoire, rapprocha son petit fauteuil de sa maman pour mieux écouter.

« Tu sais qu'Élisabeth est très bonne, mais qu'elle est malheureusement un peu colère (Sophie baisse les yeux) ; il lui arrive même de taper sa bonne dans ses accès de colère. Elle en est désolée après, mais elle ne réfléchit qu'après, au lieu de réfléchir avant. Avant-hier elle repassait les robes et le linge de sa poupée ; sa bonne mettait les fers au feu, de peur qu'Élisabeth ne se brûlât. Élisabeth était ennuyée de ne pas les faire chauffer elle-même ; sa bonne le lui défendait, et l'arrêtait toutes les fois qu'elle voulait mettre son fer au feu sans lui en rien dire. Enfin elle trouva moyen d'arriver à la cheminée, et elle allait placer son fer, lorsque la bonne la vit, retira le fer et lui dit : « Puisque vous ne m'écoutez pas, Élisabeth, vous ne repasserez plus ; je prends les fers et je les remets dans l'armoire. — Je veux mes fers, cria Élisabeth ; je veux mes fers ! Non, mademoiselle, vous ne les aurez pas. — Méchante Louise, rendez-moi mes fers, dit Élisabeth en colère. — Vous ne les aurez pas ; les voici enfermés », ajouta Louise

96

en retirant la clef de l'armoire. Élisabeth, furieuse, voulut arracher la clef des mains de sa bonne, mais elle ne put y parvenir. Alors, dans sa colère, elle la griffa si fortement que le bras de Louise fut écorché et saigna. Quand Élisabeth vit le sang elle fut désolée ; elle demanda pardon à Louise, elle lui baisait le bras, elle le bassinait avec de l'eau. Louise, qui est une très bonne femme, la voyant si affligée, l'assurait que son bras ne lui faisait pas mal.

"Non, non, disait Élisabeth en pleurant, je mérite de souffrir comme je vous ai fait souffrir ; écorchez-moi le bras comme j'ai écorché le vôtre, ma bonne ; que je souffre ce que vous souffrez."

Tu penses bien que la bonne ne voulut pas faire ce qu'Élisabeth lui demandait, et celle-ci ne dit plus rien. Elle fut très douce le reste du jour, et alla se coucher très sagement. Le lendemain, quand sa bonne la leva, elle vit du sang à son drap, et regardant son bras, elle le vit horriblement écorché.

"Qu'est-ce qui vous a blessée ainsi, ma pauvre enfant ? s'écria-t-elle. — C'est moi-même, ma bonne, répondit Élisabeth, pour me punir de vous avoir griffée hier. Quand je me suis couchée, j'ai pensé qu'il était juste que je me fisse souffrir ce que vous souffriez, et je me suis griffé le bras jusqu'à ce qu'il saigne." La bonne, attendrie, embrassa Élisabeth qui lui promit d'être sage à l'avenir. Tu comprends maintenant ce que t'a dit Élisabeth et pourquoi elle a rougi.

SOPHIE

Oui, maman, je comprends très bien. C'est très beau ce qu'Élisabeth a fait. Je pense qu'elle ne se

97

mettra plus jamais en colère, puisqu'elle sait comme c'est mal.

MADAME DE RÉAN, *souriant.*

Est-ce que tu ne fais jamais ce que tu sais être mal ?

SOPHIE, *embarrassée.*

Mais moi, maman, je suis plus jeune : j'ai quatre ans, et Élisabeth en a cinq.

MADAME DE RÉAN

Cela ne fait pas une grande différence ; souviens-toi de ta colère, il y a huit jours, contre ce pauvre Paul qui est si gentil.

SOPHIE

C'est vrai, maman ; mais je crois tout de même que je ne recommencerai pas et que je ne ferai plus ce que je sais être une chose mauvaise.

MADAME DE RÉAN

Je l'espère pour toi, Sophie, mais prends garde de te croire meilleure que tu n'es. Cela s'appelle orgueil, et tu sais que l'orgueil est un bien vilain défaut. »

Sophie ne répondit pas, mais elle sourit d'un air satisfait qui voulait dire qu'elle serait certainement toujours sage.

La pauvre Sophie fut bientôt humiliée, car voici ce qui arriva deux jours après.

Chapitre 16

Les fruits confits

Sophie rentrait de la promenade avec son cousin Paul. Dans le vestibule attendait un homme qui semblait être un conducteur de diligence et qui tenait un paquet sous le bras.

« Qui attendez-vous, monsieur ? lui dit Paul très poliment.

L'HOMME

J'attends Mme de Réan, monsieur ; j'ai un paquet à lui remettre.

SOPHIE

De la part de qui ?

L'HOMME

Je ne sais pas, mademoiselle, j'arrive de la diligence ; le paquet vient de Paris.

Mais qu'est-ce qu'il y a dans le paquet ?

L'HOMME

Je pense que ce sont des fruits confits et des pâtes d'abricot. Du moins, c'est comme ça qu'ils sont inscrits sur le livre de la diligence. »

Les yeux de Sophie brillèrent ; elle passa sa langue sur ses lèvres.

« Allons vite prévenir maman », dit-elle à Paul ; et elle partit en courant. Quelques instants après, la maman arriva, paya le port du paquet et l'emporta au salon où la suivirent Sophie et Paul. Ils furent très attrapés quand ils virent Mme de Réan poser le paquet sur la table et retourner à son bureau pour lire et écrire.

Sophie et Paul se regardaient d'un air malheureux.

« Demande à maman de l'ouvrir, dit tout bas Sophie à Paul.

PAUL, *tout bas.*

Je n'ose pas ; ma tante n'aime pas qu'on soit impatient et curieux.

SOPHIE, *tout bas.*

Demande-lui si elle veut que nous lui évitions la peine d'ouvrir le paquet en l'ouvrant nous-mêmes.

LA MAMAN

J'entends très bien ce que vous dites, Sophie ; c'est très mal de faire la fausse, de faire semblant

100

d'être obligeante et de vouloir m'éviter un ennui, quand c'est tout bonnement par curiosité et par gourmandise que tu veux ouvrir ce paquet. Si tu m'avais dit franchement : "Maman, j'ai envie de voir les fruits confits, permettez-moi de défaire le paquet", je te l'aurais permis. Maintenant je te défends d'y toucher. »

Sophie, confuse et mécontente, s'en alla dans sa chambre, suivie de Paul.

« Voilà ce que c'est que d'avoir voulu faire des finesses, lui dit Paul. Tu fais toujours comme cela, et tu sais que ma tante déteste les faussetés.

SOPHIE

Pourquoi aussi n'as-tu pas demandé tout de suite quand je te l'ai dit ? Tu veux toujours faire le sage et tu ne fais que des bêtises.

PAUL

D'abord je ne fais pas de bêtises ; ensuite je ne fais pas le sage. Tu dis cela parce que tu es furieuse de ne pas avoir les fruits confits.

SOPHIE

Pas du tout, monsieur, je ne suis furieuse que contre vous, parce que vous me faites toujours gronder.

PAUL

Même le jour où tu m'as si bien griffé. »
Sophie, honteuse, rougit et se tut. Ils restèrent

101

quelque temps sans se parler ; Sophie aurait bien voulu demander pardon à Paul, mais l'amour-propre l'empêchait de parler la première. Paul, qui était très bon, n'en voulait plus à Sophie ; mais il ne savait comment faire pour commencer la conversation. Enfin, il trouva un moyen très habile. Il se balança sur sa chaise et il se pencha tellement en arrière qu'il tomba. Sophie accourut pour l'aider à se relever.

« T'es-tu fait mal, pauvre Paul ? lui dit-elle.

PAUL

Non, au contraire.

SOPHIE, riant.

Ah ! au contraire. C'est assez drôle, cela.

PAUL

Oui, puisqu'en tombant j'ai fait finir notre querelle.

SOPHIE, l'embrassant.

Mon bon Paul, comme tu es bon ! C'est donc exprès que tu es tombé ? Tu aurais pu te faire mal.

PAUL

Non ; comment veux-tu qu'on se fasse mal en tombant d'une chaise si basse ? À présent que nous sommes amis, allons jouer. »

Et ils partirent en courant ; en traversant le salon, ils virent le paquet toujours ficelé. Paul entraîna

Sophie qui avait bien envie de s'arrêter, et ils n'y pensèrent plus.

Après le dîner, Mme de Réan appela les enfants.

« Nous allons enfin ouvrir le fameux paquet, dit-elle, et goûter à nos fruits confits. Paul, va me chercher un couteau pour couper la ficelle. » Paul partit comme un éclair et rentra presque au même instant, tenant un couteau qu'il présenta à sa tante.

Mme de Réan coupa la ficelle, défit les papiers qui enveloppaient les fruits, et découvrit douze boîtes de fruits confits et de pâtes d'abricot.

« Goûtons-les pour voir s'ils sont bons, dit-elle en ouvrant une boîte. Prends-en deux, Sophie ; choisis ceux que tu aimeras mieux. Voici des poires, des prunes, des noix, des abricots, du cédrat, de l'angélique. »

Sophie hésita un peu ; elle examinait lesquels étaient les plus gros ; enfin elle se décida pour une poire et un abricot. Paul choisit une prune et de l'angélique. Quand tout le monde en eut pris, la maman ferma la boîte, encore à moitié pleine, la porta dans sa chambre et la posa sur le haut d'une étagère. Sophie l'avait suivie jusqu'à la porte.

En revenant, Mme de Réan dit à Sophie et à Paul qu'elle ne pouvait les mener promener parce qu'elle devait faire une visite dans le voisinage.

« Amusez-vous pendant mon absence, mes enfants ; promenez-vous, ou restez devant la maison, comme vous voudrez. »

Et, les embrassant, elle monta en voiture avec M., Mme d'Aubert et M. de Réan.

Les enfants restèrent seuls et jouèrent longtemps

devant la maison. Sophie parlait souvent des fruits confits.

« Je suis fâchée, dit-elle, de n'avoir pas pris d'angélique ni de prune ; ce doit être très bon.

— Oui, c'est très bon, répondit Paul, mais tu pourras en manger demain ; ainsi n'y pense plus, crois-moi, et jouons. »

Ils reprirent leur jeu qui était de l'invention de Paul. Ils avaient creusé un petit bassin et ils le remplissaient d'eau ; mais il fallait en remettre toujours, parce que la terre buvait l'eau à mesure qu'ils la versaient. Enfin, Paul glissa sur la terre boueuse et renversa un arrosoir plein sur ses jambes.

« Aïe, aïe ! s'écria-t-il, comme c'est froid ! Je suis trempé ; il faut que j'aille changer de souliers, de bas, de pantalon. Attends-moi là, je reviendrai dans un quart d'heure. »

Sophie resta près du bassin, tapotant l'eau avec sa petite pelle, mais ne pensant ni à l'eau, ni à la pelle, ni à Paul. À quoi pensait-elle donc ? Hélas ! Sophie pensait aux fruits confits, à l'angélique, aux prunes ; elle regrettait de ne pas pouvoir en manger encore, de n'avoir pas goûté à tout.

« Demain, pensa-t-elle, maman m'en donnera encore ; je n'aurai pas le temps de bien choisir. Si je pouvais les regarder d'avance, je marquerais ceux que je prendrai demain... Et pourquoi ne pourrais-je pas les regarder ? Je n'ai qu'à ouvrir la boîte. »

Voilà Sophie, bien contente de son idée, qui court à la chambre de sa maman et qui cherche à atteindre la boîte ; mais elle a beau sauter, allonger le bras, elle ne peut y parvenir ; elle ne sait comment faire ;

elle cherche un bâton, une pincette, n'importe quoi, lorsqu'elle se tape le front avec la main en disant :

« Que je suis donc bête ! je vais approcher un fauteuil et monter dessus ! »

Sophie tire et pousse un lourd fauteuil tout près de l'étagère, grimpe dessus, atteint la boîte, l'ouvre et regarde avec envie les beaux fruits confits. « Lequel prendrai-je demain ? » dit-elle. Elle ne peut se décider ; c'est tantôt l'un, tantôt l'autre. Le temps se passait pourtant ; Paul allait bientôt revenir.

« Que dirait-il s'il me voyait ici ? pensa-t-elle. Il croirait que je vole les fruits confits, et pourtant je ne fais que les regarder... J'ai une bonne idée ; si je grignotais un tout petit morceau de chaque fruit, je saurais le goût qu'ils ont tous, je saurais lequel est le meilleur, et personne ne verrait rien, parce que j'en mordrais si peu que cela ne paraîtrait pas. »

Et Sophie mordille un morceau d'angélique, puis un abricot, puis une prune, puis une noix, puis une poire, puis du cédrat, mais elle ne se décide pas plus qu'avant.

« Il faut recommencer », dit-elle.

Elle recommence à grignoter et recommence tant de fois qu'il ne reste presque plus rien dans la boîte. Elle s'en aperçoit enfin ; la frayeur la prend.

« Mon Dieu, mon Dieu ! qu'ai-je fait ? dit-elle. Je ne voulais que goûter, et j'ai presque tout mangé. Maman va s'en apercevoir dès qu'elle ouvrira la boîte ; elle devinera que c'est moi. Que faire, que faire ?... Je pourrais bien dire que ce n'est pas moi ; mais maman ne me croira pas... Si je disais que ce sont les souris ? Précisément, j'en ai vu une courir ce matin dans le corridor. Je le dirai à maman ; seulement je dirai que c'était un rat, parce qu'un rat est plus gros qu'une souris et qu'il mange plus, et comme j'ai mangé presque tout, il vaut mieux que ce soit un rat qu'une souris. »

Sophie, enchantée de son esprit, ferme la boîte, la remet à sa place et descend du fauteuil. Elle retourne en courant au jardin ; à peine avait-elle eu le temps de prendre sa pelle, que Paul revint.

PAUL

« J'ai été bien longtemps, n'est-ce pas ? c'est que je ne trouvais pas mes souliers ; on les avait emportés pour les cirer, et j'ai cherché partout avant de les demander à Baptiste. Qu'as-tu fait pendant que je n'y étais pas ?

SOPHIE

Rien du tout, je t'attendais ; je jouais avec l'eau.

PAUL

Mais tu as laissé le bassin se vider ; il n'y a plus rien dedans. Donne-moi ta pelle, que je batte un peu le fond pour le rendre plus solide ; va pendant ce temps puiser de l'eau dans le baquet. »

Sophie alla chercher de l'eau pendant que Paul travaillait au bassin. Quand elle revint, Paul lui rendit la pelle et dit :

« Ta pelle est toute poissée ; elle colle aux doigts ; qu'est-ce que tu as mis dessus ?

— Rien, répondit Sophie ; rien. Je ne sais pas pourquoi elle colle. »

Et Sophie plongea vivement ses mains dans l'arrosoir plein d'eau, parce qu'elle venait de s'apercevoir qu'elles étaient poissées.

« Pourquoi mets-tu tes mains dans l'arrosoir ? demanda Paul.

SOPHIE, *embarrassée.*

Pour voir si elle est froide.

PAUL, *riant.*

Quel drôle d'air tu as depuis que je suis revenu ! On dirait que tu as fait quelque chose de mal.

SOPHIE, *troublée.*

Quel mal veux-tu que j'aie fait ! Tu n'as qu'à regarder ; tu ne trouveras rien de mal. Je ne sais pas pourquoi tu dis que j'ai fait quelque chose de mal ; tu as toujours des idées ridicules.

PAUL

Comme tu te fâches ! C'est une plaisanterie que j'ai faite. Je t'assure que je ne crois à aucune mauvaise action de ta part, et tu n'as pas besoin de me regarder d'un œil si farouche. »

Sophie leva les épaules, reprit son arrosoir et le versa dans le bassin qui se vida sur le sable. Les enfants jouèrent ainsi jusqu'à huit heures ; les bonnes vinrent les chercher et les emmenèrent. C'était l'heure du coucher.

Sophie eut une nuit un peu agitée ; elle rêva qu'elle était près d'un jardin dont elle était séparée par une barrière ; ce jardin était rempli de fleurs et de fruits qui semblaient délicieux. Elle cherchait à y entrer ; son bon ange la tirait en arrière et lui disait d'une voix triste : « N'entre pas, Sophie ; ne goûte pas à ces fruits qui te semblent si bons, et qui sont amers et empoisonnés ; ne sens pas ces fleurs qui paraissent si belles et qui répandent une odeur infecte et empoisonnée. Ce jardin est le jardin du mal. Laisse-moi te mener dans le jardin du bien. — Mais, dit Sophie, le chemin pour y aller est raboteux, plein de pierres, tandis que l'autre est couvert d'un sable fin, doux aux pieds. — Oui, dit l'ange, mais le chemin raboteux te mènera dans un jardin de délices. L'autre chemin te mènera dans un lieu de souffrance, de tristesse ; tout y est mauvais ; les êtres qui l'habitent sont méchants et cruels ; au lieu de te consoler, ils riront de tes souffrances, ils les augmenteront en te tourmentant eux-mêmes. » Sophie hésita ; elle regardait le beau jardin rempli de fleurs, de fruits, les allées sablées et ombragées ; puis, jetant un coup d'œil sur le chemin raboteux et aride qui semblait n'avoir pas de fin, elle se retourna vers la barrière, qui s'ouvrit devant elle, et s'arrachant des mains de son bon ange, elle entra dans le jardin. L'ange lui cria : « Reviens, reviens, Sophie, je t'attendrai à la barrière ; je t'y attendrai jusqu'à ta mort, et si jamais tu reviens à moi, je te mènerai au jardin de délices par le chemin raboteux, qui s'adoucira et s'embellira à mesure que tu y avanceras. » Sophie n'écouta pas la voix de son bon ange ; de jolis enfants lui fai-

saient signe d'avancer, elle courut à eux, ils l'entourèrent en riant, et se mirent les uns à la pincer, les
autres à la tirailler, à lui jeter du sable dans les yeux.
Sophie se débarrassa d'eux avec peine, et s'éloignant,
elle cueillit une fleur d'une apparence charmante ;
elle la sentit et la rejeta loin d'elle ; l'odeur en était
affreuse. Elle continua à avancer, et voyant les arbres
chargés des plus beaux fruits, elle en prit un et y
goûta ; mais elle le jeta avec plus d'horreur encore
que la fleur : le goût en était amer et détestable.
Sophie, un peu attristée, continua sa promenade, mais
partout elle fut trompée comme pour les fleurs et les
fruits.

Quand elle fut restée quelque temps dans ce jardin où tout était mauvais, elle pensa à son bon ange,
et malgré les promesses et les cris des méchants
enfants, elle courut vers la barrière et aperçut son bon
ange qui lui tendait les bras. Repoussant les méchants
enfants, elle se jeta dans les bras de l'ange qui l'entraîna dans le chemin raboteux. Les premiers pas lui
parurent difficiles, mais plus elle avançait et plus le
chemin devenait doux, plus le pays lui sembla frais
et agréable. Elle allait entrer dans le jardin du bien,
lorsqu'elle s'éveilla agitée et baignée de sueur. Elle
pensa longtemps à ce rêve. « Il faudra, se dit-elle,
que je demande à maman de me l'expliquer » ; et
elle se rendormit jusqu'au lendemain.

Quand elle alla chez sa maman, elle lui trouva le
visage un peu sévère ; mais le rêve lui avait fait
oublier les fruits confits, et elle se mit tout de suite
à raconter son rêve.

109

« Sais-tu ce qu'il peut signifier, Sophie ? C'est que le bon Dieu, qui voit que tu n'es pas sage, te prévient par le moyen de ce rêve que, si tu continues à faire tout ce qui est mal et qui te semble agréable, tu auras des chagrins au lieu d'avoir des plaisirs. Ce jardin trompeur, c'est l'enfer ; le jardin du bien, c'est le paradis ; on y arrive par un chemin raboteux ; c'est-à-dire en se privant de choses agréables mais qui sont défendues ; le chemin devient plus doux à mesure qu'on marche, c'est-à-dire qu'à force d'être obéissant, doux, bon, on s'y habitue tellement que cela ne coûte plus d'obéir et d'être bon, et qu'on ne souffre plus de ne pas se laisser aller à toutes ses volontés. »

Sophie s'agita sur sa chaise ; elle rougissait, regardait sa maman ; elle voulait parler ; mais elle ne pouvait s'y décider. Enfin Mme de Réan, qui voyait son agitation, vint à son aide en lui disant :

« Tu as quelque chose à avouer, Sophie ; tu n'oses pas le faire, parce que cela coûte toujours d'avouer une faute. C'est précisément le chemin raboteux dans lequel t'appelle ton bon ange et qui te fait peur. Voyons, Sophie, écoute ton bon ange et saute hardiment dans les pierres du chemin qu'il t'indique. »

Sophie rougit plus encore, cacha sa figure dans ses mains et, d'une voix tremblante, avoua à sa maman qu'elle avait mangé la veille presque toute la boîte de fruits confits.

MADAME DE RÉAN

« Et comment espérais-tu me le cacher ?

110

Je voulais vous dire, maman, que c'étaient les rats qui l'avaient mangée.

MADAME DE RÉAN

Et je ne l'aurais pas cru, comme tu penses bien, puisque les rats ne pouvaient lever le couvercle de la boîte et le refermer ensuite ; les rats auraient commencé par dévorer, déchirer la boîte pour arriver aux fruits confits. De plus, les rats n'avaient pas besoin d'approcher un fauteuil pour atteindre l'étagère.

SOPHIE, *surprise.*

Comment ! vous avez vu que j'avais tiré le fauteuil ?

MADAME DE RÉAN

Comme tu avais oublié de l'ôter, c'est la première chose que j'ai vue hier en rentrant chez moi. J'ai compris que c'était toi, surtout après avoir regardé la boîte et l'avoir trouvée presque vide. Tu vois comme tu as bien fait de m'avouer ta faute ; tes mensonges n'auraient fait que l'augmenter et t'auraient fait punir plus sévèrement. Pour récompenser l'effort que tu as fait en avouant tout, tu n'auras d'autre punition que de ne pas manger de fruits confits tant qu'ils dureront. »

Sophie baisa la main de sa maman qui l'embrassa ; elle retourna ensuite dans sa chambre où Paul l'attendait pour déjeuner.

111

« Qu'as-tu donc, Sophie ? tu as les yeux rouges.

C'est que j'ai pleuré.

Pourquoi ? Est-ce que ma tante t'a grondée ?

Non, mais c'est que j'étais honteuse de lui avouer une mauvaise chose que j'ai faite hier.

Quelle mauvaise chose ? Je n'ai rien vu, moi.

Parce que je me suis cachée de toi. »

Et Sophie raconta à Paul comment elle avait mangé la boîte de fruits confits, après avoir voulu seulement les regarder et choisir les meilleurs pour le lendemain.

Paul loua beaucoup Sophie d'avoir tout avoué à sa maman.

« Comment as-tu eu ce courage ? » dit-il.

Sophie lui raconta alors son rêve et comment sa maman le lui avait expliqué. Depuis ce jour Paul et Sophie parlèrent souvent de ce rêve qui les aida à être obéissants et bons.

Chapitre 17

Le chat et le bouvreuil

Sophie et Paul se promenaient un jour avec leur bonne ; ils revenaient de chez une pauvre femme à laquelle ils avaient été porter de l'argent. Ils revenaient tout doucement ; tantôt ils s'arrêtaient pour cueillir des fleurs, tantôt ils cherchaient à grimper à un arbre, tantôt ils passaient au travers des haies et se cachaient dans les buissons. Sophie était cachée et Paul la cherchait, lorsqu'elle entendit un tout petit *miaou* bien faible, bien plaintif. Sophie eut peur ; elle sortit de sa cachette.

« Paul, dit-elle, appelons ma bonne ; j'ai entendu un petit cri, comme un chat qui miaule, tout près de moi dans le buisson.

PAUL

Pourquoi faut-il appeler ta bonne pour cela ? Allons voir nous-mêmes ce que c'est.

Oh non ! j'ai peur.

PAUL, *riant.*

Peur ! Et de quoi ? Tu dis toi-même que c'était un petit cri. Ce n'est donc pas une grosse bête.

SOPHIE

Je ne sais pas ; c'est peut-être un serpent, un jeune loup.

PAUL, *riant.*

Ha ! ha ! ha ! Un serpent qui crie ! C'est nouveau, cela ! Et un jeune loup qui pousse un si petit cri que moi qui étais tout près de toi, je ne l'ai pas entendu !

SOPHIE

Voilà le même cri ! Entends-tu ? »

Paul écouta et entendit en effet un petit *miaou* bien faible qui sortait du buisson. Il y courut malgré les prières de Sophie.

« C'est un pauvre petit chat qui a l'air malade, s'écria-t-il après avoir cherché quelques instants. Viens voir comme il paraît misérable. »

Sophie accourut ; elle vit un petit chat tout blanc, mouillé de rosée et taché de boue, qui était étendu tout près de la place où elle s'était cachée.

« Il faut appeler ma bonne, dit Sophie, pour qu'elle l'emporte ; pauvre petit, comme il tremble !

— Et comme il est maigre ! » dit Paul.

Ils appelèrent la bonne qui les suivait de loin. Quand elle les rejoignit, ils lui montrèrent le petit chat et lui demandèrent de l'emporter.

LA BONNE

« Mais comment faire pour l'emporter ? Le pauvre petit malheureux est si mouillé et si sale que je ne peux pas le prendre dans mes mains.

SOPHIE

Eh bien, ma bonne, mettez-le dans des feuilles.

PAUL

Ou plutôt dans mon mouchoir ; il sera bien mieux.

SOPHIE

C'est cela ! essuyons-le avec mon mouchoir, et couchons-le dans le tien ; ma bonne l'emportera. »

La bonne les aida à arranger le petit chat qui n'avait pas la force de remuer ; quand il fut bien enveloppé dans le mouchoir, la bonne le prit, et tous se dépêchèrent d'arriver à la maison pour lui donner du lait chaud.

Ils n'étaient pas loin de la maison, et ils furent bientôt arrivés. Sophie et Paul coururent en avant, à la cuisine.

« Donnez-nous bien vite une tasse de lait chaud, dit Sophie à Jeanne la cuisinière.

— Pour quoi faire, mademoiselle ? répondit Jeanne.

— Pour un pauvre petit chat que nous avons

trouvé dans une haie et qui est presque mort de faim. Le voici ; ma bonne l'apporte dans un mouchoir. »

La bonne posa le mouchoir par terre ; la cuisinière apporta une assiettée de lait chaud au petit chat qui se jeta dessus et avala tout sans en laisser une goutte.

« J'espère que le voilà content, dit la bonne. Il a bu plus de deux verres de lait.

SOPHIE

Ah ! voilà qu'il se relève ! Il lèche ses poils.

PAUL

Si nous l'emportions dans notre chambre ?

LA CUISINIÈRE

Moi, monsieur et mademoiselle, je vous conseillerais de le laisser dans la cuisine, d'abord parce qu'il se séchera mieux dans la cendre chaude, ensuite parce qu'il aura à manger ici tant qu'il voudra ; enfin parce qu'il pourra sortir quand il en aura besoin, et qu'il apprendra ainsi à être propre.

PAUL

C'est vrai. Laissons-le à la cuisine, Sophie.

SOPHIE

Mais il sera toujours à nous et je le verrai tant que je le voudrai ?

116

Certainement, mademoiselle, vous le verrez quand vous voudrez. Ne sera-t-il pas à vous tout de même ? »

Elle prit le chat, et le posa sur de la cendre chaude, sous le fourneau. Les enfants le laissèrent dormir et recommandèrent bien à la cuisinière de lui mettre du lait près de lui pour qu'il pût en boire toutes les fois qu'il aurait faim.

SOPHIE

« Comment appellerons-nous notre chat ?

PAUL

Appelons-le CHÉRI.

SOPHIE

Oh non ! C'est commun. Appelons-le plutôt CHARMANT.

PAUL

Et si en grandissant il devient laid ?

SOPHIE

C'est vrai. Comment l'appeler alors ? Il faut bien pourtant qu'il ait un nom.

PAUL

Sais-tu ce qui serait un très joli nom ? BEAU-MINON.

117

Ah oui ! Comme dans le conte de B<small>LONDINE</small>. C'est vrai ; appelons-le B<small>EAU</small>-M<small>INON</small>. Je demanderai à maman de lui faire un petit collier et de broder tout autour B<small>EAU</small>-M<small>INON</small>. »

Et les enfants coururent chez Mme de Réan pour lui raconter l'histoire du petit chat et pour lui demander un collier. La maman alla voir le chat et prit la mesure de son cou.

« Je ne sais pas si ce pauvre chat pourra vivre, dit-elle, il est si maigre et si faible qu'il peut à peine se tenir sur ses pattes.

PAUL

Mais comment s'est-il trouvé dans la haie ? Les chats ne vivent pas dans les bois.

MADAME DE RÉAN

Ce sont peut-être de méchants enfants qui l'ont emporté pour jouer, et qui l'auront jeté ensuite dans la haie, pensant qu'il pourrait revenir dans sa maison tout seul.

SOPHIE

Pourquoi aussi n'est-il pas revenu ? C'est bien sa faute s'il a été malheureux.

MADAME DE RÉAN

Il est trop jeune pour avoir pu retrouver son chemin ; et puis il vient peut-être de très loin. Si de méchants hommes t'emmenaient bien loin et te lais-

118

saient au coin d'un bois, que ferais-tu ? Crois-tu que tu pourrais retrouver ton chemin toute seule ?

SOPHIE

Oh ! je ne serais pas embarrassée ! Je marcherais toujours jusqu'à ce que je rencontre quelqu'un ou que je voie une maison ; alors je dirais comment je m'appelle et je demanderais qu'on me ramène.

LA MAMAN

D'abord, tu rencontrerais peut-être de méchantes gens qui ne voudraient pas se déranger de leur chemin ou de leur ouvrage pour te ramener. Et puis, toi, tu peux parler, on te comprendrait ! Mais le pauvre chat, crois-tu que, s'il était entré dans une maison, on aurait compris ce qu'il voulait, où il demeurait ? On l'aurait chassé, battu, tué peut-être.

SOPHIE

Mais pourquoi a-t-il été dans ce buisson pour y mourir de faim ?

MADAME DE RÉAN

Les mauvais garçons l'ont peut-être jeté là après l'avoir battu. D'ailleurs il n'a pas été si bête d'être resté là, puisque vous avez passé auprès et que vous l'avez sauvé.

PAUL

Quant à cela, ma tante, il ne pouvait pas deviner que nous passerions par là.

119

Lui, non ; mais le bon Dieu, qui le savait, l'a permis afin de vous donner l'occasion d'être charitables, même pour un animal. »

Sophie et Paul, qui étaient impatients de revoir leur chat, ne dirent plus rien et retournèrent à la cuisine, où ils trouvèrent Beau-Minon profondément endormi sur la cendre chaude. La cuisinière avait mis près de lui une petite jatte de lait ; il n'y avait donc rien à faire près de lui, et les enfants allèrent jouer dans leur petit jardin.

Beau-Minon ne mourut pas ; en peu de jours il redevint fort, bien portant et gai. À mesure qu'il grandissait, il devenait plus beau ; ses longs poils blancs étaient doux et soyeux ; ses grands yeux noirs étaient brillants comme des soleils ; son nez rose lui donnait un petit air gentil et enfantin. C'était un vrai chat angora de la plus belle espèce. Sophie l'aimait beaucoup ; Paul, qui venait très souvent passer quelques jours avec Sophie, l'aimait bien aussi. Beau-Minon était le plus heureux des chats. Il avait un seul défaut qui désolait Sophie : il était cruel pour les oiseaux. Aussitôt qu'il était dehors, il grimpait aux arbres pour chercher des nids et pour manger les petits qu'il y trouvait. Quelquefois même il avait mangé les pauvres mamans oiseaux qui cherchaient à défendre leurs petits contre le méchant Beau-Minon. Quand Sophie et Paul le voyaient grimper aux arbres, ils faisaient ce qu'ils pouvaient pour le faire descendre, mais Beau-Minon ne les écoutait pas et continuait tout de même à grimper et à manger les petits oiseaux. On entendait alors des cuic, cuic plaintifs.

Lorsque Beau-Minon descendait de l'arbre, Sophie lui donnait de grands coups de verges, mais il trouva moyen de les éviter en restant si longtemps tout en haut de l'arbre que Sophie ne pouvait pas l'atteindre. D'autres fois, quand il était arrivé à moitié de l'arbre, il s'élançait, sautait à terre et se sauvait à toutes jambes avant que Sophie eût pu l'attraper.

« Prends garde, Beau-Minon ! lui disaient les enfants. Le bon Dieu te punira de ta méchanceté. Il t'arrivera malheur un jour. »

Beau-Minon ne les écoutait pas.

Un jour Mme de Réan apporta, dans le salon, un charmant oiseau dans une belle cage toute dorée.

« Voyez, mes enfants, quel joli bouvreuil m'a envoyé un de mes amis. Il chante parfaitement.

SOPHIE ET PAUL, *ensemble.*

Oh ! que je voudrais l'entendre !

MADAME DE RÉAN

Je vais le faire chanter ; mais n'approchez pas trop, pour ne pas l'effrayer... Petit, petit, continua Mme de Réan en parlant au bouvreuil, chante, mon ami ; chante, petit, chante. »

Le bouvreuil commença à se balancer, à pencher sa tête à droite et à gauche, et puis il se mit à siffler l'air : *Au clair de la lune.* Quand il eut fini, il siffla : *J'ai du bon tabac*, puis : *Le bon roi Dagobert.*

Les enfants l'écoutaient sans bouger ; ils osaient à peine respirer, pour ne pas faire peur au bouvreuil. Quand il eut fini, Paul s'écria :

« Oh ! ma tante, comme il chante bien ! Quelle

121

petite voix douce il a ! Je voudrais l'entendre toujours !

— Nous le ferons recommencer après dîner, dit Mme de Réan ; à présent, il est fatigué ; il arrive de voyage ; donnons-lui à manger. Allez au jardin, mes enfants, rapportez-moi du mouron et du plantin ; le jardinier vous montrera où il y en a. »

Les enfants coururent au potager et rapportèrent une telle quantité de mouron qu'on aurait pu y enterrer toute la cage. La maman leur dit de n'en cueillir qu'une petite poignée une autre fois, et ils en mirent dans la cage du bouvreuil qui commença tout de suite à le becqueter.

« Allons dîner à présent, mes enfants, dit Mme de Réan, vos papas nous attendent. »

Pendant le dîner on parla beaucoup du joli bouvreuil.

« Quelle belle tête noire il a ! dit Sophie.

— Et quel joli ventre rouge ! dit Paul.

— Et comme il chante bien ! dit Mme de Réan.

— Il faudra lui faire chanter tous ses airs », dit M. de Réan.

Aussitôt que le dîner fut fini, on retourna au salon ; les enfants couraient en avant. Au moment d'entrer au salon, Mme de Réan les entendit pousser un cri affreux ; elle accourut et les trouva immobiles de frayeur et montrant du doigt la cage du bouvreuil. De cette cage, dont plusieurs barreaux étaient tordus et cassés, Beau-Minon s'élançait par terre, tenant dans sa gueule le pauvre bouvreuil qui battait encore des ailes. Mme de Réan cria à son tour et courut à Beau-Minon pour lui faire lâcher l'oiseau.

Beau-Minon se sauva sous un fauteuil. M. de Réan, qui entrait en ce moment, saisit une pincette et voulut en donner un coup à Beau-Minon. Mais le chat, qui était prêt à se sauver, s'élança vers la porte restée entrouverte. M. de Réan le poursuivit de chambre en chambre, de corridor en corridor. Le pauvre oiseau ne criait plus, ne se débattait plus. Enfin M. de Réan parvint à attraper Beau-Minon avec sa pincette. Le coup avait été si fort que sa gueule s'ouvrit et laissa échapper l'oiseau. Pendant que le bouvreuil tombait d'un côté, Beau-Minon tombait de l'autre. Il eut deux ou trois convulsions et il ne bougea plus ; la pincette l'avait frappé à la tête ; il était mort.

Mme de Réan et les enfants, qui couraient après M. de Réan, après le chat et après le bouvreuil, arrivèrent au moment de la dernière convulsion de Beau-Minon.

« Beau-Minon, mon pauvre Beau-Minon ! s'écria Sophie.

— Le bouvreuil, le pauvre bouvreuil ! s'écria Paul.

— Mon ami, qu'avez-vous fait ? s'écria Mme de Réan.

— J'ai puni le coupable, mais je n'ai pu sauver l'innocent, répondit M. de Réan. Le bouvreuil est mort étouffé par le méchant Beau-Minon qui ne tuera plus personne puisque je l'ai tué sans le vouloir. »

Sophie n'osa rien dire, mais elle pleura amèrement son pauvre chat qu'elle aimait malgré ses défauts.

« Je lui avais bien dit, disait-elle à Paul, que le bon Dieu le punirait de sa méchanceté pour les oiseaux. Hélas ! Pauvre Beau-Minon ! Te voilà mort, et par ta faute ! »

Chapitre 18

La boîte à ouvrage

Quand Sophie voyait quelque chose qui lui faisait envie, elle le demandait. Si sa maman le lui refusait, elle redemandait et redemandait jusqu'à ce que sa maman, ennuyée, la renvoyât dans sa chambre. Alors, au lieu de n'y plus penser, elle y pensait toujours et répétait :

« Comment faire pour avoir ce que je veux ? J'en ai si envie ! Il faut que je tâche de l'avoir. »

Bien souvent, en tâchant de l'avoir, elle se faisait punir ; mais elle ne se corrigeait pas.

Un jour, sa maman l'appela pour lui montrer une charmante boîte à ouvrage que M. de Réan venait d'envoyer de Paris. La boîte était en écaille avec de l'or ; le dedans était doublé de velours bleu ; il y avait tout ce qu'il fallait pour travailler, et tout était en or ; il y avait un dé, des ciseaux, un étui, un poinçon, des bobines, un couteau, un canif, des petites pinces, un passe-lacet. Dans un autre compartiment il y avait une boîte à aiguilles, une boîte à épingles dorées, une provision de soies de toutes couleurs, de fil de différentes grosseurs, de cordons, de rubans, etc. Sophie se récria sur la beauté de la boîte :

« Comme tout cela est joli ! dit-elle, et comme c'est commode d'avoir tout ce qu'il faut pour travailler ! Pour qui est cette boîte, maman ? ajouta Sophie en souriant, comme si elle avait été sûre que sa maman répondrait : C'est pour toi.

— C'est à moi que ton papa l'a envoyée, répondit Mme de Réan.

SOPHIE

Quel dommage ! J'aurais bien voulu l'avoir.

MADAME DE RÉAN

Eh bien ! Je te remercie ! Tu es fâchée que ce soit moi qui aie cette jolie boîte ! C'est un peu égoïste.

SOPHIE

Oh ! maman, donnez-la-moi, je vous en prie.

MADAME DE RÉAN

Tu ne travailles pas encore assez bien pour avoir une si jolie boîte. De plus, tu n'as pas assez d'ordre. Tu ne rangerais rien et tu perdrais tous les objets les uns après les autres.

Oh non ! maman, je vous assure ; j'en aurais bien soin.

MADAME DE RÉAN

Non, Sophie, n'y pense pas ; tu es trop jeune.

SOPHIE

Je commence à très bien travailler, maman ; j'aime beaucoup travailler.

MADAME DE RÉAN

En vérité ! Et pourquoi es-tu toujours si désolée quand je t'oblige à travailler ?

SOPHIE, *embarrassée.*

C'est..., c'est... parce que je n'ai pas ce qu'il me faut pour travailler. Mais, si j'avais cette boîte, je travaillerais avec un plaisir..., oh ! un plaisir...

MADAME DE RÉAN

Tâche de travailler avec plaisir sans la boîte, c'est le moyen d'arriver à en avoir une.

SOPHIE

Oh ! maman, je vous en prie !

MADAME DE RÉAN

Sophie, tu m'ennuies. Je te prie de ne plus songer à la boîte. »

Sophie se tut ; elle continua à regarder la boîte, puis elle la redemanda à sa maman plus de dix fois. La maman, impatientée, la renvoya dans le jardin.

Sophie ne joua pas, ne se promena pas ; elle resta assise sur un banc, pensant à la boîte et cherchant les moyens de l'avoir.

« Si je savais écrire, dit-elle, j'écrirais à papa pour qu'il m'en envoie une toute pareille ; mais... je ne sais pas écrire ; et si je dictais la lettre à maman, elle me gronderait et ne voudrait pas l'écrire... Je pourrais bien attendre que papa soit revenu, mais il faudrait attendre trop longtemps et je voudrais avoir la boîte tout de suite... »

Sophie réfléchit, réfléchit longtemps ; enfin elle sauta de dessus son banc, frotta ses mains l'une contre l'autre et s'écria :

« J'ai trouvé, j'ai trouvé. La boîte sera à moi. »

Et voilà Sophie qui rentre au salon ; la boîte était restée sur la table ; mais la maman n'y était plus. Sophie avance avec précaution, ouvre la boîte et en retire une à une toutes les choses qui la remplissaient. Son cœur battait. Car elle allait voler, comme les voleurs que l'on met en prison. Elle avait peur que quelqu'un n'entrât avant qu'elle eût fini. Mais personne ne vint ; Sophie put prendre tout ce qui était dans la boîte. Quand elle eut tout pris, elle referma doucement la boîte, la replaça au milieu de la table et alla dans un petit salon où étaient ses joujoux et ses petits meubles ; elle ouvrit le tiroir de sa petite table et y enferma tout ce qu'elle avait pris dans la boîte de sa maman.

« Quand maman n'aura plus qu'une boîte vide,

dit-elle, elle voudra bien me la donner ; et alors j'y remettrai tout, et la jolie boîte sera à moi ! »

Sophie, enchantée de cette espérance, ne pensa même pas à se reprocher ce qu'elle avait fait ; elle ne se demanda pas : « Que dira maman ? Qui accusera-t-elle d'avoir volé ses affaires ? Que répondrai-je quand on me demandera si c'est moi ? » Sophie ne pensa à rien qu'au bonheur d'avoir la boîte.

Toute la matinée se passa sans que la maman s'aperçût du vol de Sophie ; mais à l'heure du dîner, quand tout le monde se réunit au salon, Mme de Réan dit aux personnes qu'elle avait invitées à dîner, qu'elle allait leur montrer une bien jolie boîte à ouvrage que M. de Réan lui avait envoyée de Paris.

« Vous verrez, ajouta-t-elle, comme c'est complet ; tout ce qui est nécessaire pour travailler se trouve dans la boîte. Voyez d'abord la boîte elle-même ; comme elle est jolie !

— Charmante, répondit-on, charmante. »

Mme de Réan l'ouvrit. Quelle fut sa surprise et celle des personnes qui l'entouraient, de trouver la boîte vide !

« Que signifie cela ? dit-elle. Ce matin, tout y était, et je ne l'ai pas touchée depuis.

— L'aviez-vous laissée au salon ? demanda une des dames invitées.

MADAME DE RÉAN

Certainement, et sans la moindre inquiétude ; tous mes domestiques sont honnêtes et incapables de me voler.

Et pourtant la boîte est vide, chère madame ; il est certain que quelqu'un l'a vidée. »

Le cœur de Sophie battait avec violence pendant cette conversation ; elle se tenait cachée derrière tout le monde, rouge comme un radis et tremblant de tous ses membres.

Mme de Réan la chercha des yeux et ne la voyant pas appela : « Sophie, Sophie, où es-tu ? »

Comme Sophie ne répondait pas, les dames derrière lesquelles elle était cachée, et qui la savaient là, s'écartèrent, et Sophie parut dans un tel état de rougeur et de trouble, que chacun devina sans peine que le voleur était elle-même.

MADAME DE RÉAN

« Approchez, Sophie. »

Sophie avança d'un pas lent ; ses jambes tremblaient sous elle.

MADAME DE RÉAN

« Où avez-vous mis les choses qui étaient dans ma boîte ?

SOPHIE, *tremblante*.

Je n'ai rien pris, maman, je n'ai pas caché.

MADAME DE RÉAN

Il est inutile de mentir, mademoiselle ; rapportez tout à la minute, si vous ne voulez être punie comme vous le méritez.

Mais, maman, je vous assure que je n'ai rien pris.

MADAME DE RÉAN

Suivez-moi, mademoiselle. »

Et, comme Sophie restait sans bouger, Mme de Réan lui prit la main et l'entraîna malgré sa résistance dans le salon à joujoux. Elle se mit à chercher dans les tiroirs de la petite commode, dans l'armoire de la poupée ; ne trouvant rien, elle commença à craindre d'avoir été injuste envers Sophie, lorsqu'elle se dirigea vers la petite table. Sophie trembla plus fort lorsque sa maman, ouvrant le tiroir, aperçut tous les objets de sa boîte à ouvrage que Sophie avait cachés là.

Sans rien dire, elle prit Sophie et la fouetta comme elle ne l'avait jamais fouettée. Sophie eut beau crier, demander grâce, elle reçut le fouet bien solidement, et il faut avouer qu'elle le méritait.

Mme de Réan vida le tiroir et emporta tout ce qu'elle y avait trouvé, pour le remettre dans sa boîte, laissant Sophie pleurer seule dans le petit salon.

Elle était si honteuse qu'elle n'osait plus rentrer pour dîner ; et elle fit bien, car Mme de Réan lui envoya sa bonne pour l'emmener dans sa chambre où elle devait dîner et passer la soirée. Sophie pleura beaucoup et longtemps ; la bonne, malgré ses gâteries habituelles, était indignée et l'appelait voleuse.

« Il faudra bien que je ferme tout à clef, disait-elle, de peur que vous ne me voliez. Si quelque chose se perd dans la maison, on saura bien trouver le voleur et on ira tout droit fouiller dans vos tiroirs. »

Le lendemain, Mme de Réan fit appeler Sophie.

« Écoutez, mademoiselle, lui dit-elle, ce que m'écrivait votre papa en m'envoyant la boîte à ouvrage.

"Ma chère amie, je viens d'acheter une charmante boîte à ouvrage que je vous envoie. Elle est pour Sophie, mais ne le lui dites pas et ne la lui donnez pas encore.

"Que ce soit la récompense de huit jours de sagesse. Faites-lui voir la boîte, mais ne lui dites pas que je l'ai achetée pour elle. Je ne veux pas qu'elle soit sage par intérêt, pour gagner un beau présent ; je veux qu'elle le soit par un vrai désir d'être bonne..."

« Vous voyez, continua Mme de Réan, qu'en me volant, vous vous êtes volée vous-même. Après ce que vous avez fait, vous auriez beau être sage pendant des mois, vous n'aurez jamais cette boîte. J'espère que la leçon vous profitera et que vous ne recommencerez pas une action si mauvaise et si honteuse. »

Sophie pleura encore, supplia sa maman de lui pardonner. La maman finit par y consentir, mais elle ne voulut jamais lui donner la boîte ; plus tard, elle la donna à la petite Élisabeth Chêneau, qui travaillait à merveille et qui était d'une sagesse admirable.

Quand le bon, l'honnête petit Paul apprit ce qu'avait fait Sophie, il en fut si indigné qu'il fut huit jours sans vouloir aller chez elle. Mais quand il sut combien elle était affligée et repentante, et combien elle était honteuse d'être appelée voleuse, son bon cœur souffrit pour elle ; il alla la voir ; au lieu de la gronder, il la consola et lui dit :

« Sais-tu, ma pauvre Sophie, le moyen de faire oublier ton vol ? C'est d'être si honnête qu'on ne puisse pas même te soupçonner à l'avenir. »

Sophie lui promit d'être très honnête, et elle tint parole.

Chapitre 19
L'âne

Sophie avait été très sage depuis quinze jours ; elle n'avait pas fait une seule grosse faute ; Paul disait qu'elle ne s'était pas mise en colère depuis long-temps ; la bonne disait qu'elle était devenue obéis-sante. La maman trouvait qu'elle n'était plus ni gourmande, ni menteuse, ni paresseuse ; elle voulait récompenser Sophie, mais elle ne savait pas ce qui pourrait lui faire plaisir.

Un jour qu'elle travaillait à sa fenêtre ouverte, pendant que Sophie et Paul jouaient devant la mai-son, elle entendit une conversation qui lui apprit ce que désirait Sophie.

PAUL, *s'essuyant le visage.*

« Que j'ai chaud, que j'ai chaud ! Je suis en nage.

SOPHIE, *s'essuyant de même.*

Et moi donc ! Et pourtant nous n'avons pas fait beaucoup d'ouvrage.

PAUL

C'est que nos brouettes sont si petites !

SOPHIE

Si nous prenions les grosses brouettes du potager, nous irions plus vite.

PAUL

Nous n'aurions pas la force de les traîner ; j'ai voulu un jour en mener une ; j'ai eu de la peine à l'enlever, et quand j'ai voulu avancer, le poids de la brouette m'a entraîné, et j'ai versé toute la terre qui était dedans.

SOPHIE

Mais notre jardin ne sera jamais fini ; avant de le bêcher et de le planter, nous devons y traîner plus de cent brouettes de bonne terre. Et il y a si loin pour l'aller chercher !

PAUL

Que veux-tu ? Ce sera long, mais nous finirons par le faire.

SOPHIE

Ah ! si nous avions un âne, comme Camille et Madeleine de Fleurville, et une petite charrette ! c'est alors que nous ferions de l'ouvrage en peu de temps !

PAUL

C'est vrai ! Mais nous n'en avons pas. Il faudra bien que nous fassions l'ouvrage de l'âne.

SOPHIE

Écoute, Paul, j'ai une idée.

PAUL, *riant.*

Oh ! si tu as une idée, nous sommes sûrs de faire quelque sottise, car tes idées ne sont pas fameuses, en général.

SOPHIE, *avec impatience.*

Mais écoute donc, avant de te moquer. Mon idée est excellente. Combien ma tante te donne-t-elle d'argent par semaine ?

PAUL

Un franc ; mais c'est pour donner aux pauvres, aussi bien que pour m'amuser.

SOPHIE

Bon ! Moi, j'ai aussi un franc ; ce qui fait deux francs par semaine. Au lieu de dépenser notre argent, gardons-le jusqu'à ce que nous puissions acheter un âne et une charrette.

PAUL

Ton idée est bonne si, au lieu de deux francs, nous en avions vingt. Mais avec deux francs nous ne pourrions plus rien donner aux pauvres, ce qui serait mal, et puis il nous faudrait attendre deux ans avant d'avoir de quoi acheter un âne et une voiture.

SOPHIE

Deux francs par semaine, combien cela fait-il par mois ?

PAUL

Je ne sais pas au juste, mais je sais que c'est très peu.

SOPHIE, *réfléchissant.*

Eh bien ! voilà une autre idée. Si nous demandions à maman et à ma tante de nous donner tout de suite l'argent de nos étrennes ?

PAUL

Elles ne voudront pas.

SOPHIE

Demandons-leur toujours.

PAUL

Demande si tu veux ; moi j'aime mieux attendre ce que te dira ma tante ; je ne demanderai que si elle dit oui. »

Sophie courut chez sa maman qui fit semblant de n'avoir rien entendu.

« Maman, dit-elle, voulez-vous me donner d'avance mes étrennes ?

MADAME DE RÉAN

Tes étrennes ? Je ne peux pas les acheter ici ; c'est à notre retour à Paris que je les aurai.

SOPHIE

Oh ! maman, je voudrais que vous me donniez l'argent de mes étrennes ; j'en ai besoin.

MADAME DE RÉAN

Comment peux-tu avoir besoin de tant d'argent ? Si c'est pour des pauvres, dis-le-moi, je donnerai ce qui est nécessaire ; tu sais que je ne te refuse jamais pour les pauvres.

SOPHIE, embarrassée.

Maman, ce n'est pas pour les pauvres ; c'est... c'est... pour acheter un âne.

MADAME DE RÉAN

Pour quoi faire, un âne ?

SOPHIE

Oh ! maman, nous en avons si besoin, Paul et moi ! Voyez comme j'ai chaud ; Paul a encore plus chaud que moi. C'est pour avoir brouetté de la terre pour notre jardin.

MADAME DE RÉAN, *riant.*

Et tu crois qu'un âne brouettera à votre place ?

SOPHIE

Mais non, maman ! Je sais bien qu'un âne ne peut pas brouetter ; c'est que je ne vous ai pas dit qu'avec l'âne il nous faudrait une charrette, nous y attellerons notre âne et nous mènerons beaucoup de terre sans nous fatiguer.

MADAME DE RÉAN

J'avoue que ton idée est bonne...

SOPHIE, *battant des mains.*

Ah ! je savais bien qu'elle était bonne... Paul, Paul ! ajouta-t-elle, appelant à la fenêtre.

MADAME DE RÉAN

Attends avant de te réjouir. Ton idée est bonne, mais je ne veux pas te donner l'argent de tes étrennes.

SOPHIE, *consternée.*

Mais alors... comment ferons-nous ?...

MADAME DE RÉAN

Vous resterez bien tranquilles et tu continueras à être bien sage pour mériter l'âne et la petite voiture que je vais te faire acheter le plus tôt possible.

SOPHIE, *sautant de joie et embrassant sa maman.*

Quel bonheur ! quel bonheur ! Merci, ma chère maman. Paul... Paul !... nous avons un âne, nous avons une voiture... Viens donc, viens vite !

PAUL, *accourant.*

Où donc, où donc ? Où sont-ils ?

SOPHIE

Maman nous les donne ; elle va les faire acheter.

MADAME DE RÉAN

Oui, je vous les donne à tous deux ; à toi, Paul, pour te récompenser de ta bonté, de ton obéissance, de ta sagesse ; à toi, Sophie, pour t'encourager à imiter ton cousin et continuer à être douce, obéissante et travailleuse, comme tu l'es depuis quinze jours. Venez avec moi chercher Bouland auquel nous expliquerons notre affaire et qui nous achètera votre âne et votre voiture. »

Les enfants ne se le firent pas dire deux fois ; ils coururent en avant ; ils trouvèrent Bouland dans la cour où il mesurait de l'avoine qu'il venait d'acheter. Les enfants se mirent à lui expliquer avec tant d'animation ce qu'ils voulaient, ils parlaient ensemble et si vite, que Bouland n'y comprit rien. Il regardait avec étonnement les enfants et Mme de Réan qui prit enfin la parole, et qui expliqua la chose à Bouland.

139

SOPHIE

« Allez tout de suite, Bouland, je vous en prie ; il nous faut notre âne tout de suite, avant de dîner.

BOULAND, *riant.*

Un âne ne se trouve pas comme une baguette, mademoiselle. Il faut que je sache s'il y en a à vendre, que je coure dans tous les environs, pour vous en avoir un bien doux, qui ne rue pas, qui ne morde pas, qui ne soit point entêté, qui ne soit ni trop jeune ni trop vieux.

SOPHIE

Dieu, que de choses pour un âne ! Prenez le premier que vous trouverez, Bouland ; ce sera plus tôt fait.

BOULAND

Non, mademoiselle, je ne prendrai pas le premier venu : je vous exposerais à vous faire mordre ou à recevoir un coup de pied.

SOPHIE

Bah ! bah ! Paul saura bien le rendre sage.

PAUL

Mais pas du tout ; je ne veux pas mener un âne qui mord et qui rue.

140

Laissez faire Bouland, mes enfants ; vous verrez que votre commission sera très bien faite. Il s'y connaît et il ne ménage pas sa peine.

PAUL

Et la voiture, ma tante ? Comment pourra-t-on en avoir une assez petite pour y atteler l'âne ?

BOULAND

Ne vous en tourmentez pas, monsieur Paul ; en attendant que le charron en fasse une, je vous prêterai ma grande voiture à chiens ; vous la garderez tant que cela vous fera plaisir.

PAUL

Oh ! merci, Bouland ; ce sera charmant.

SOPHIE

Partez, Bouland, partez vite.

MADAME DE RÉAN

Donne-lui le temps de serrer son avoine ; s'il la laissait au milieu de la cour, les poulets et les oiseaux la mangeraient. »

Bouland rangea ses sacs d'avoine au fond de la grange et, voyant l'impatience des enfants, partit pour trouver un âne dans les environs.

Sophie et Paul croyaient qu'il allait revenir très promptement, ramenant un âne ; ils restèrent devant la maison à l'attendre. De temps en temps ils allaient voir dans la cour si Bouland revenait ; au bout d'une heure ils commencèrent à trouver que c'était fort ennuyeux d'attendre et de ne pas jouer.

PAUL, *bâillant.*

« Dis donc, Sophie, si nous allions nous amuser dans notre jardin ?

SOPHIE, *bâillant.*

Est-ce que nous ne nous amusons pas ici ?

PAUL, *bâillant.*

Il me semble que non. Pour moi, je sais que je ne m'amuse pas du tout.

SOPHIE

Et si Bouland arrive avec l'âne, nous ne le verrons pas.

PAUL

Je commence à croire qu'il ne reviendra pas si tôt.

SOPHIE

Moi, je crois, au contraire, qu'il va arriver.

PAUL

Attendons, je veux bien... mais *(il bâille)*... c'est bien ennuyeux.

Va-t'en, si tu t'ennuies ; je ne te demande pas de rester, je resterai bien toute seule.

PAUL *après avoir hésité.*

Eh bien ! je m'en vais, tiens ; c'est trop bête de perdre sa journée à attendre. Et à quoi bon ? Si Bouland ramène un âne, nous le saurons tout de suite ; tu penses bien qu'on viendra nous le dire dans notre jardin. Et s'il n'en ramène pas, à quoi sert de nous ennuyer pour rien ?

SOPHIE

Allez, monsieur, allez, je ne vous en empêche pas.

PAUL

Ah bah ! tu boudes sans savoir pourquoi. À revoir, à dîner, mademoiselle grognon.

SOPHIE

À revoir, monsieur malappris, maussade, désagréable, impertinent.

PAUL *fait un salut moqueur.*

Au revoir, douce, patiente, aimable Sophie ! »

Sophie courut à Paul pour lui donner une tape ; mais Paul, prévoyant ce qui allait arriver, était déjà parti à toutes jambes. Se retournant pour voir si Sophie le poursuivait, il la vit courant après lui avec un bâton qu'elle avait ramassé. Paul courut plus fort

143

et se cacha dans le bois. Sophie, ne le voyant plus, retourna devant la maison.

« Quel bonheur, pensa-t-elle, que Paul se soit sauvé et que je n'aie pas pu l'attraper ! Je lui aurais donné un coup de bâton qui lui aurait fait mal ; maman l'aurait su, et n'aurait plus voulu me donner mon âne ni ma voiture. Quand Paul reviendra, je l'embrasserai... Il est très bon.... mais il est tout de même bien taquin. »

Sophie continua à attendre Bouland jusqu'à ce que la cloche eût sonné le dîner.

Elle rentra fâchée d'avoir attendu si longtemps pour rien. Paul, qu'elle retrouva dans sa chambre, la regarda d'un air moqueur.

« T'es-tu bien amusée ? lui dit-il.

SOPHIE

Non ; je me suis horriblement ennuyée, et tu avais bien raison de vouloir t'en aller. Ce Bouland ne revient pas ; c'est ennuyeux !

PAUL

Je te l'avais bien dit.

SOPHIE

Eh oui, tu me l'avais bien dit, je le sais bien ! Mais c'est tout de même fort ennuyeux. »

On frappe à la porte. La bonne crie : « Entrez. » La porte s'ouvre, Bouland paraît. Sophie et Paul poussent un cri de joie.

144

« Et l'âne, et l'âne ? demandent-ils.

BOULAND

Il n'y a pas d'âne à vendre dans le pays, mademoiselle ; j'ai toujours marché depuis que je vous ai quittés ; je suis entré partout où je pensais trouver un âne. Je n'ai rien trouvé.

SOPHIE, *pleurant.*

Quel malheur, mon Dieu, quel malheur ! Comment faire à présent ?

BOULAND

Mais il ne faut pas vous désoler, mademoiselle ; nous en aurons un, bien sûr ; seulement il faut attendre.

PAUL

Attendre combien de temps ?

BOULAND

Peut-être une semaine, peut-être une quinzaine, cela dépend. Demain j'irai au marché, à la ville ; peut-être trouverons-nous un bourri.

PAUL

Un bourri ! qu'est-ce que c'est que ça, un bourri ?

BOULAND

Tiens, vous qui êtes si savant, vous ne savez pas cela ? Un bourri, c'est un âne.

145

C'est drôle ! un bourri ! Je ne savais pas cela, moi non plus.

BOULAND

Ah ! voilà, mademoiselle ! On devient savant à mesure qu'on grandit. Je vais trouver votre maman pour lui dire que demain, de grand matin, faut que j'aille au marché pour le bourri. Au revoir, monsieur et mademoiselle. »

Et Bouland sortit, laissant les enfants contrariés de ne pas avoir leur âne.

« Nous l'attendrons peut-être longtemps ! » dirent-ils en soupirant.

La matinée du lendemain se passa à attendre l'âne. Mme de Réan avait beau leur dire que c'est presque toujours comme cela, qu'il est impossible d'avoir tout ce qu'on désire et à la minute qu'on le désire, qu'il faut s'habituer à attendre et même quelquefois à ne jamais avoir ce dont on a bien envie ; les enfants répondaient : « C'est vrai », mais ils n'en soupiraient pas moins, ils regardaient avec la même impatience si Bouland revenait avec un âne. Enfin, Paul, qui était à la fenêtre, crut entendre au loin un hi han ! hi han ! qui ne pouvait venir que d'un âne.

« Sophie, Sophie, s'écria-t-il, écoute. Entends-tu un âne qui brait ? C'est peut-être Bouland.

MADAME DE RÉAN

Peut-être est-ce un âne du pays, ou un âne qui passe sur la route.

SOPHIE

Oh ! maman, permettez-nous d'aller voir si c'est Bouland avec le bourri.

MADAME DE RÉAN

Le bourri ? Qu'est-ce que c'est que cette manière de parler ? Il n'y a que les gens de la campagne qui appellent un âne un bourri.

PAUL

Ma tante, c'est Bouland qui nous a dit qu'un âne s'appelait un bourri ; il a même été étonné que nous ne le sachions pas.

MADAME DE RÉAN

Bouland parle comme les gens de la campagne, mais, vous qui vivez au milieu de gens plus instruits, vous devez parler mieux.

SOPHIE

Oh ! maman, j'entends encore le hi han ! de l'âne ; pouvons-nous aller voir ?

MADAME DE RÉAN

Allez, allez, mes enfants ; mais n'allez que jusqu'à la grande route : ne passez pas la barrière. »

Sophie et Paul partirent comme des flèches. Ils coururent au travers de l'herbe et du bois, pour être plus tôt arrivés. Mme de Réan leur criait : « N'allez pas dans l'herbe, elle est trop haute ; ne traversez pas le bois, il y a des épines. » Ils n'entendaient pas et

147

couraient, bondissaient comme des chevreuils. Ils furent bientôt arrivés à la barrière, et la première chose qu'ils aperçurent sur la grande route, ce fut Bouland, menant par un licou un âne superbe, mais pas trop grand cependant.

« Un âne, un âne ! merci, Bouland, merci ! Quel bonheur ! s'écrièrent-ils ensemble.

— Comme il est joli ! dit Paul.

— Comme il a l'air bon ! dit Sophie. Allons vite le dire à maman, ajouta Sophie.

BOULAND

Tenez, monsieur Paul, montez dessus ; mademoiselle Sophie va monter derrière vous ; je vais le tenir par son licou.

SOPHIE

Mais si nous tombons ?

BOULAND

Ah ! il n'y a pas de danger, je vais marcher près de vous. D'ailleurs, on me l'a vendu pour un bourri parfait et très doux. »

Bouland aida Paul et Sophie à monter sur l'âne ; il marcha près d'eux. Ils arrivèrent ainsi jusque sous les fenêtres de Mme de Réan qui, les voyant venir, sortit pour mieux voir l'âne.

On le mena à l'écurie ; Sophie et Paul lui donnèrent de l'avoine ; Bouland lui fit une bonne litière avec de la paille. Les enfants voulaient rester là à le regarder manger ; mais l'heure du dîner approchait, il fallait se laver les mains, se peigner, et l'âne fut laissé en compagnie des chevaux jusqu'au lendemain.

Le lendemain et les jours suivants, l'âne fut attelé à la petite charrette à chiens, en attendant que le charron fît une jolie voiture pour promener les enfants et une petite charrette pour charrier de la terre, des pots de fleurs, du sable, tout ce que les enfants voulaient mettre dans leur jardin. Paul avait appris à atteler et dételer l'âne, à le brosser, le peigner, lui faire sa litière, lui donner à manger, à boire. Sophie l'aidait et s'en tirait presque aussi bien que lui.

Mme de Réan leur avait acheté un bât et une jolie selle pour les faire monter à âne. Dans les premiers temps, la bonne les suivait ; mais, quand on vit l'âne doux comme un agneau, Mme de Réan leur permit d'aller seuls, pourvu qu'ils ne sortissent pas du parc.

Un jour, Sophie était montée sur l'âne ; Paul le faisait avancer en lui donnant force coups de baguette. Sophie lui dit :

« Ne le bats pas, tu lui fais mal.

PAUL

Mais, quand je ne le tape pas, il n'avance pas ; d'ailleurs ma baguette est si mince qu'elle ne peut pas lui faire grand mal.

SOPHIE

J'ai une idée ! Si, au lieu de le taper, je le piquais un peu avec un éperon ?

149

Voilà une drôle d'idée. D'abord tu n'as pas d'éperon ; ensuite la peau de l'âne est si dure qu'il ne sentirait pas l'éperon.

SOPHIE

C'est égal ; essayons toujours ; tant mieux si l'éperon ne lui fait pas mal.

PAUL

Mais je n'ai pas d'éperon à te donner.

SOPHIE

Nous en ferons un avec une grosse épingle que nous piquerons dans mon soulier ; la tête sera en dedans du soulier, et la pointe sera en dehors.

PAUL

Tiens, mais c'est très bien imaginé ! As-tu une épingle ?

SOPHIE

Non, mais nous pouvons retourner à la maison ; je demanderai des épingles à la cuisinière : elle en a toujours de très grosses. »

Paul monta en croupe sur l'âne, et ils arrivèrent au galop devant la cuisine. La cuisinière leur donna deux épingles, croyant que Sophie en avait besoin pour cacher un trou à sa robe. Sophie ne voulut pas arranger son éperon devant la maison, car elle sentait bien qu'elle faisait une bêtise, et elle avait peur que sa maman ne la grondât.

« Il vaut mieux, dit-elle, arranger cela dans le bois ; nous nous assoirons sur l'herbe, et l'âne mangera pendant que nous travaillerons ; nous aurons l'air de voyageurs qui se reposent. »

Arrivés dans le bois, Sophie et Paul descendirent ; l'âne, content d'être libre, se mit à manger l'herbe du bord des chemins. Sophie et Paul s'assirent par terre et commencèrent leur ouvrage. La première épingle perça bien le soulier, mais elle plia tellement qu'elle ne put pas servir. Ils en avaient heureusement une autre, qui entra facilement dans le soulier déjà percé ; Sophie le mit, l'attacha. Paul rattrapa l'âne, aida Sophie à monter dessus et la voilà qui donne des coups de talon et pique l'âne avec l'épingle. L'âne part au trot. Sophie, enchantée, pique encore et encore ; l'âne se met à galoper, et si vite que Sophie a peur ; elle se cramponne à la bride. Dans sa frayeur elle serre son talon contre l'âne ; plus elle appuie, plus elle le pique ; il se met à ruer, à sauter, et il lance Sophie à dix pas de lui. Sophie reste sur le sable, étourdie par la chute. Paul, qui était demeuré en arrière, accourt, effrayé ; il aide Sophie à se relever ; elle avait les mains et le nez écorchés.

« Que va dire maman ? dit-elle à Paul. Que lui dirons-nous quand elle nous demandera comment j'ai pu tomber ?

PAUL

Nous lui dirons la vérité.

151

SOPHIE

Oh ! Paul ! Pas tout, pas tout ; ne parle pas de l'épingle.

PAUL

Mais que veux-tu que je dise ?

SOPHIE

Dis que l'âne a rué et que je suis tombée.

PAUL

Mais l'âne est si doux ! Il n'aurait jamais rué sans ta maudite épingle.

SOPHIE

Si tu parles de l'épingle, maman nous grondera ; elle nous ôtera l'âne.

PAUL

Moi, je crois qu'il vaut mieux toujours dire la vérité ; toutes les fois que tu as voulu cacher quelque chose à ma tante, elle l'a su tout de même, et tu as été punie plus fort que tu ne l'aurais été si tu avais dit la vérité.

SOPHIE

Mais pourquoi veux-tu que je parle de l'épingle ? Je ne suis pas obligée de mentir pour cela. Je dirai la vérité, que l'âne a rué et que je suis tombée.

PAUL

Fais comme tu voudras, mais je crois que tu as tort.

SOPHIE

Mais toi, Paul, ne dis rien ; ne va pas parler de l'épingle.

PAUL

Sois tranquille ! tu sais que je n'aime pas à te faire gronder. »

Paul et Sophie cherchèrent l'âne qui devait être près de là ; ils ne le trouvèrent pas. « Il sera sans doute retourné à la maison », dit Paul.

Sophie et Paul reprirent comme l'âne le chemin de la maison ; ils étaient dans un petit bois qui se trouvait tout près du château lorsqu'ils s'entendirent appeler et qu'ils virent accourir leurs mamans.

« Qu'est-il arrivé, mes enfants ? Êtes-vous blessés ? Nous avons vu revenir votre âne au galop avec la sangle cassée ; il avait l'air effrayé, effaré ; on a eu de la peine à le rattraper. Nous avions peur qu'il ne vous fût arrivé un accident.

SOPHIE

Non, maman, rien du tout ; seulement je suis tombée.

MADAME DE RÉAN

Tombée ? Comment ? Par quel accident ?

153

J'étais sur l'âne et je ne sais pourquoi il s'est mis à sauter et à ruer ; je suis tombée sur le sable et je me suis un peu écorché le nez et les mains, mais ce n'est rien.

MADAME D'AUBERT

Pourquoi donc l'âne a-t-il rué, Paul ? Je le croyais si doux !

PAUL, *embarrassé.*

C'est Sophie qui était dessus, maman ; c'est avec elle qu'il a rué.

MADAME D'AUBERT

Très bien, je comprends. Mais qu'est-ce qui a pu le faire ruer ?

SOPHIE

Oh ! ma tante, c'est parce qu'il avait envie de ruer.

MADAME D'AUBERT

Je pense bien que ce n'est pas parce qu'il voulait rester tranquille. Mais c'est singulier tout de même. »

On rentrait à la maison comme Mme d'Aubert achevait de parler ; Sophie alla dans sa chambre pour se laver la figure et les mains qui étaient pleines de sable, et pour changer sa robe qui était salie et déchirée. Mme de Réan entra comme elle finissait de s'habiller ; elle examina sa robe déchirée.

« Il faut que tu sois tombée bien rudement, dit-elle, pour que ta robe soit déchirée et salie comme elle est.

— Ah ! dit la bonne.

MADAME DE RÉAN

Qu'avez-vous ? Vous êtes-vous fait mal ?

LA BONNE

Ah ! la belle idée ! Ha ! ha ! ha ! voilà une invention ! Regardez donc, madame ! »

Et elle montra à Mme de Réan la grosse épingle avec laquelle elle venait de se piquer, et que Sophie avait oublié d'ôter après sa chute.

MADAME DE RÉAN

« Qu'est-ce que cela veut dire ? Comment cette épingle se trouve-t-elle au soulier de Sophie ?

LA BONNE

Elle n'y est pas venue toute seule certainement, car le cuir est assez dur à percer.

MADAME DE RÉAN

Parle donc, Sophie ; explique-nous comment :ette épingle se trouve là.

SOPHIE, *très embarrassée.*

Je ne sais pas, maman, je ne sais pas du tout.

Comment ! Tu ne sais pas ? Tu as mis tes souliers avec l'épingle sans t'en apercevoir ?

SOPHIE

Oui, maman ! Je n'ai rien vu.

LA BONNE

Ah ! par exemple, mademoiselle Sophie, ce n'est pas vrai, cela. C'est moi qui vous ai mis vos souliers, et je sais qu'il n'y avait pas d'épingle. Vous feriez croire à votre maman que je suis une négligente ! Ce n'est pas bien cela, mademoiselle. »

Sophie ne répond pas ; elle est de plus en plus rouge et embarrassée. Mme de Réan lui ordonne de parler.

« Si vous n'avouez pas la vérité, mademoiselle, j'irai la demander à Paul qui ne ment jamais. »

Sophie éclata en sanglots, mais elle s'entêta à ne rien avouer. Mme de Réan alla chez sa sœur Mme d'Aubert ; elle y trouva Paul auquel elle demanda ce que voulait dire l'épingle du soulier de Sophie. Paul, voyant sa tante très fâchée et croyant que Sophie avait dit la vérité, répondit :

« C'était pour faire un éperon, ma tante.

MADAME DE RÉAN

Et pourquoi faire un éperon ?

PAUL

Pour faire galoper l'âne.

Ah ! je comprends pourquoi l'âne a rué et a jeté Sophie par terre. L'épingle piquait le pauvre animal qui s'en est débarrassé comme il a pu. »

Mme de Réan sortit et revint trouver Sophie.

« Je sais tout, mademoiselle, dit-elle. Vous êtes une petite menteuse. Si vous m'aviez dit la vérité, je vous aurais un peu grondée, mais je ne vous aurais pas punie ; maintenant, vous allez être un mois sans monter à âne, pour vous apprendre à mentir comme vous l'avez fait. »

Mme de Réan laissa Sophie pleurant. Quand Paul la revit, il ne put s'empêcher de lui dire :

« Je te l'avais bien dit, Sophie ! Si tu avais avoué la vérité, nous aurions notre âne, et tu n'aurais pas le chagrin que tu as. »

Mme de Réan tint parole et ne permit pas qu'on montât l'âne, malgré les demandes de Sophie.

Chapitre 20
La petite voiture

Sophie, voyant que sa maman ne lui laissait pas monter l'âne, dit un jour à Paul :

« Puisque nous ne pouvons pas monter notre âne, Paul, attelons-le à la petite voiture ; nous mènerons chacun notre tour.

PAUL

Je ne demande pas mieux ; mais ma tante le permettra-t-elle ?

SOPHIE

Va lui demander. Je n'ose pas. »

Paul courut chez sa tante et lui demanda la permission d'atteler l'âne. Mme de Réan y consentit, à condition que la bonne irait avec eux. Quand Paul le dit à Sophie, elle grogna.

« C'est ennuyeux d'avoir ma bonne, dit-elle ; elle a toujours peur de tout ; elle ne nous laissera pas aller au galop.

PAUL

Oh ! mais il ne faut pas aller au galop ; tu sais que ma tante le défend. »

Sophie ne répondit pas et bouda pendant que Paul courait chercher la bonne et faire atteler l'âne. Une demi-heure après, l'âne était à la porte avec la voiture.

Sophie monta dedans toujours boudant ; elle fut maussade pendant toute la promenade, malgré les efforts du pauvre Paul pour la rendre gaie et aimable. Enfin il lui dit :

« Ah ! tu m'ennuies avec tes airs maussades ! Je m'en vais à la maison : cela m'ennuie de parler tout seul, de jouer seul, de regarder ta figure boudeuse. »

Et Paul dirigea l'âne du côté de la maison. Sophie continuait à bouder. Quand ils arrivèrent, elle descendit, accrocha son pied au marchepied et tomba. Le bon Paul sauta à terre et l'aida à se relever ; elle ne s'était pas fait mal, mais la bonté de Paul la toucha et elle se mit à pleurer.

« Tu t'es fait mal, ma pauvre Sophie ? disait Paul en l'embrassant. Appuie-toi sur moi ; n'aie pas peur, je te soutiendrai bien.

— Non, mon cher Paul, répondit Sophie en sanglotant ; je ne me suis pas fait mal ; je pleure de repentir ; je pleure parce que j'ai été méchante pour toi qui es toujours si bon pour moi.

Il ne faut pas pleurer pour cela, ma pauvre Sophie. Je n'ai pas de mérite à être bon pour toi, parce que je t'aime et qu'en te faisant plaisir je me fais plaisir à moi-même. »

Sophie se jeta au cou de Paul et l'embrassa en pleurant plus fort. Paul ne savait plus comment la consoler ; enfin il lui dit :

« Écoute, Sophie, si tu pleures toujours, je vais pleurer aussi ; cela me fait de la peine de te voir du chagrin. » Sophie essuya ses yeux et lui promit, en pleurant toujours, de ne plus pleurer.

« Oh ! Paul ! lui dit-elle, laisse-moi pleurer ; cela fait du bien ; je sens que je deviens meilleure. »

Mais, quand elle vit que les yeux de Paul commençaient aussi à se mouiller de larmes, elle sécha les siens, elle reprit un visage riant, et ils montèrent ensemble dans leur chambre où ils jouèrent jusqu'au dîner.

Le lendemain, Sophie proposa une nouvelle promenade en voiture à âne. La bonne lui dit qu'elle avait à savonner et qu'elle ne pourrait pas y aller. La maman et la tante étaient obligées d'aller faire une visite à une lieue de là, chez Mme de Fleurville.

« Comment allons-nous faire ? dit Sophie d'un air désolé.

— Si j'étais sûre que vous soyez tous deux bien sages, dit Mme de Réan, je vous permettrais d'aller seuls ; mais toi, Sophie, tu as toujours des idées si singulières que j'ai peur d'un accident causé par *une idée*.

SOPHIE

Oh non ! maman, soyez tranquille ! je n'aurai pas *d'idée*, je vous assure. Laissez-nous aller seuls tous les deux ; l'âne est si doux !

MADAME DE RÉAN

L'âne est doux quand on ne le tourmente pas ; mais, si tu te mets à le piquer comme tu as fait l'autre jour, il fera culbuter la voiture.

PAUL

Oh ! ma tante, Sophie ne recommencera pas... ni moi non plus ; car j'ai mérité d'être grondé autant qu'elle, puisque je l'ai aidée à percer son soulier avec l'épingle.

MADAME DE RÉAN

Voyons, je veux bien vous laisser aller seuls, mais ne sortez pas du jardin ; n'allez pas sur la grande route, et n'allez pas trop vite.

— Merci, maman, merci, ma tante », s'écrièrent les enfants ; et ils coururent à l'écurie pour atteler leur âne.

Quand il fut prêt, ils virent arriver les deux petits garçons du fermier qui revenaient de l'école.

« Vous allez promener en voiture, m'sieur ? dit l'aîné, qui s'appelait André.

PAUL

Oui ; veux-tu venir avec nous ?

161

ANDRÉ

Je ne peux pas laisser mon frère, m'sieur !

SOPHIE

Eh bien, emmène ton frère avec toi.

ANDRÉ

Je veux bien, mamzelle ; merci bien.

SOPHIE

Voyons, qui est-ce qui monte sur le siège pour mener ?

PAUL

Si tu veux commencer, voilà le fouet.

SOPHIE

Non, j'aime mieux mener plus tard, quand l'âne sera un peu fatigué et moins vif. »

Les enfants montèrent tous les quatre dans la voiture ; ils se promenèrent pendant deux heures, tantôt au pas, tantôt au trot ; ils menaient chacun à leur tour. Mais l'âne commençait à se fatiguer ; il ne sentait pas beaucoup le petit fouet avec lequel les enfants le tapaient, de sorte qu'il ralentissait de plus en plus, malgré les coups de fouet et les hue ! hue donc ! de Sophie qui menait.

« Ah ! mamzelle, si vous voulez le faire marcher, je vais vous avoir une branche de houx ; en tapant avec, il marchera, bien sûr.

SOPHIE

C'est une bonne idée cela ; nous allons le faire marcher, ce paresseux », dit Sophie.

Elle arrêta ; André descendit et alla casser une grosse branche de houx qui était au bord du chemin.

« Prends garde, Sophie, dit Paul ; tu sais que ma tante a défendu de piquer l'âne.

SOPHIE

Tu crois que le houx va le piquer comme l'épingle de l'autre jour ? Il ne le sentira pas seulement.

PAUL

Alors pourquoi as-tu laissé André casser cette branche de houx ?

SOPHIE

Parce qu'elle est plus grosse que notre fouet. »

Et Sophie donna un grand coup sur le dos de l'âne qui prit le trot. Sophie, enchantée d'avoir réussi, lui en donna un second coup, puis un troisième ; l'âne trottait de plus en plus fort. Sophie riait, les deux petits fermiers aussi ; Paul ne riait pas ; il était un peu inquiet, et il craignait qu'il n'arrivât quelque chose et que Sophie ne fût grondée et punie. Ils arrivaient à une descente longue et assez raide. Sophie

163

redouble de coups ; l'âne s'impatiente et part au grand galop. Sophie veut l'arrêter, mais trop tard ; l'âne était emporté et courait tant qu'il avait de jambes. Les enfants criaient tous à la fois, ce qui effrayait l'âne et le faisait courir plus fort ! Enfin il passa sur une grosse motte de terre, et la voiture versa ; les enfants restèrent par terre, et l'âne continua de traîner la voiture renversée jusqu'à ce qu'elle fût brisée.

La voiture était si basse que les enfants ne furent pas blessés, mais ils eurent tous le visage et les mains écorchés. Ils se relevèrent tristement ; les petits fermiers s'en allèrent à la ferme ; Sophie et Paul retournèrent à la maison. Sophie était honteuse et inquiète ; Paul était triste. Après avoir marché quelque temps sans rien dire, Sophie dit à Paul :

« Oh ! Paul, j'ai peur de maman ! Que va-t-elle me dire ?

PAUL, tristement.

Je pensais bien que tu ferais mal à ce pauvre âne en prenant ce houx ; j'aurais dû te le dire plus vivement, tu m'aurais peut-être écouté.

SOPHIE

Non, Paul, je ne t'aurais pas écouté, parce que je croyais que le houx ne pouvait pas piquer à travers les poils épais de l'âne. Mais que va dire maman ?

164

PAUL

Hélas ! Sophie, pourquoi es-tu désobéissante ? Si tu écoutais ma tante, tu serais moins souvent punie et grondée.

SOPHIE

Je tâcherai de me corriger ; je t'assure que je tâcherai. C'est que c'est si ennuyeux d'obéir !

PAUL

C'est bien plus ennuyeux d'être puni. Et puis, j'ai remarqué que les choses qu'on nous défend sont dangereuses ; quand nous les faisons, il nous arrive toujours quelque malheur, et après, nous avons peur de voir ma tante et maman.

SOPHIE

C'est vrai ! Ah ! mon Dieu ! Voilà maman qui arrive ! Entends-tu la voiture ? Courons vite, pour rentrer avant qu'elle ne nous voie. »

Mais ils eurent beau courir, la voiture marchait plus vite qu'eux ; elle arrêtait devant le perron au moment où les enfants y arrivaient.

Mme de Réan et Mme d'Aubert virent tout de suite les écorchures du visage et des mains.

« Allons ! voilà encore des accidents ! s'écria Mme de Réan. Que vous est-il arrivé ?

SOPHIE

Maman, c'est l'âne.

MADAME DE RÉAN

J'en étais sûre d'avance ; aussi ai-je été inquiète tout le temps de ma visite. Mais cet âne est donc enragé ? Qu'a-t-il fait pour vous écorcher ainsi ?

SOPHIE

Il nous a versés, maman, et je crois que la voiture est un peu cassée, car il a continué à courir après qu'elle a été renversée.

MADAME D'AUBERT

Je suis sûre que vous avez eu encore quelque invention qui aura taquiné ce pauvre âne. »

Sophie baisse la tête et ne répond pas. Paul rougit et ne dit rien.

MADAME DE RÉAN

« Sophie, je vois à vos mines que ta tante a deviné. Dis la vérité, et raconte-nous ce qui est arrivé. »

Sophie hésita un instant, mais elle se décida à dire la vérité, et elle la raconta tout entière à sa maman et à sa tante.

« Mes chers enfants, dit Mme de Réan, depuis que vous avez cet âne, il vous arrive sans cesse des malheurs, et Sophie a continuellement des idées qui n'ont pas le sens commun. Je vais donc faire vendre ce malheureux animal, cause de tant de sottises.

SOPHIE ET PAUL, *ensemble*.

Oh ! maman, oh ! ma tante, je vous en prie, ne le vendez pas. Jamais nous ne recommencerons, jamais.

166

Vous ne recommencerez pas la même sottise ; mais Sophie en inventera d'autres, peut-être plus dangereuses que les premières.

SOPHIE

Non, maman, je vous assure que je ne ferai que ce que vous me permettrez ; je serai obéissante, je vous le promets.

MADAME DE RÉAN

Je veux bien attendre quelques jours encore ; mais je vous préviens qu'à la première idée de Sophie, vous n'aurez plus d'âne. »

Les enfants remercièrent Mme de Réan qui leur demanda où était l'âne. Ils se rappelèrent alors qu'il avait continué à courir, traînant après lui la voiture renversée.

Mme de Réan appela Bouland, lui raconta ce qui était arrivé et lui dit d'aller voir où était cet âne. Bouland y courut ; il revint une heure après ; les enfants l'attendaient.

« Eh bien, Bouland ? s'écrièrent-ils ensemble.

BOULAND

Eh bien, monsieur Paul et mademoiselle Sophie, il est arrivé malheur à votre âne.

SOPHIE ET PAUL, *ensemble.*

Quoi ? Quel malheur ?

167

Il paraîtrait que la peur l'a prise, cette pauvre bête ; il a toujours couru du côté de la route ; la barrière était ouverte ; il s'y est précipité ; la diligence arrivait tout juste comme il traversait la grande route ; le conducteur n'a pas pu arrêter à temps ses chevaux qui ont culbuté l'âne et la voiture ; ils ont piétiné dessus ; ils sont tombés ; ils ont manqué verser la diligence. Quand on les a relevés et dételés, l'âne était écrasé, mort ; il ne remuait pas plus qu'une pierre. »

Aux cris que poussèrent les enfants, les mamans et tous les domestiques accoururent ; Bouland raconta de nouveau le malheur arrivé au pauvre âne. Les mamans emmenèrent Sophie et Paul pour tâcher de les consoler ; mais elles eurent de la peine, tant ils étaient affligés. Sophie se reprochait d'avoir été cause de la mort de son âne ; Paul se reprochait d'avoir laissé faire Sophie ; la journée s'acheva fort tristement. Longtemps après, Sophie pleurait quand elle voyait un âne qui ressemblait au sien. Elle n'en voulut plus avoir, et elle fit bien, car sa maman ne voulait plus lui en donner.

Chapitre 21
La tortue

Sophie aimait les bêtes : elle avait déjà eu un POULET, un ÉCUREUIL, un CHAT, un ÂNE ; sa maman ne voulait pas lui donner un chien, de peur qu'il ne devînt enragé, ce qui arrive assez souvent.

« Quelle bête pourrais-je donc avoir ? demanda-t-elle un jour à sa maman. J'en voudrais une qui ne pût pas me faire de mal, qui ne pût pas se sauver et qui ne fût pas difficile à soigner.

MADAME DE RÉAN, *riant.*

Alors je ne vois que la tortue qui puisse te convenir.

SOPHIE

C'est vrai, cela ! C'est très gentil, une tortue, et il n'y a pas de danger qu'elle se sauve.

169

MADAME DE RÉAN, *riant.*

Et si elle voulait se sauver, tu aurais toujours le temps de la rattraper.

SOPHIE

Achetez-moi une tortue, maman, achetez-moi une tortue.

MADAME DE RÉAN

Quelle folie ! C'est en plaisantant que je te parlais d'une tortue, c'est une affreuse bête, lourde, laide, bête, ennuyeuse ; je ne pense pas que tu puisses aimer un si sot animal.

SOPHIE

Oh ! maman, je vous en prie ! elle m'amusera beaucoup. Je serai bien sage pour la gagner.

MADAME DE RÉAN

Puisque tu as envie d'une si laide bête, je puis bien te la donner, mais à deux conditions : la première, c'est que tu ne la laisseras pas mourir de faim ; la seconde, c'est qu'à la première grosse faute que tu feras, je te l'ôterai.

SOPHIE

J'accepte les conditions, maman, j'accepte. Quand aurai-je ma tortue ?

Tu l'auras après-demain. Je vais écrire ce matin même à ton père, qui est à Paris, de m'en acheter une ; il l'enverra demain soir par la diligence, et tu l'auras après-demain matin de bonne heure.

SOPHIE

Je vous remercie mille fois, maman. Paul va précisément arriver demain, il restera quinze jours avec nous : il aura le temps de s'amuser avec la tortue. »

Le lendemain, Paul arriva à la grande joie de Sophie. Quand elle lui annonça qu'elle attendait une tortue, Paul se moqua d'elle et lui demanda ce qu'elle ferait d'une si affreuse bête.

« Nous lui donnerons de la salade, nous lui ferons un lit de foin ; nous la porterons sur l'herbe ; nous nous amuserons beaucoup, je t'assure. »

Le lendemain la tortue arriva ; elle était grosse comme une assiette, épaisse comme une cloche à couvrir les plats ; sa couleur était laide et sale ; elle avait rentré sa tête et ses pattes.

« Dieu ! que c'est laid ! s'écria Paul.

— Moi je la trouve assez jolie, répondit Sophie un peu piquée.

PAUL, *d'un air moqueur.*

Elle a surtout une jolie physionomie et un sourire gracieux !

SOPHIE

Laisse-nous tranquilles ; tu te moques de tout.

171

Ce que j'aime en elle, c'est sa jolie tournure, sa marche légère.

SOPHIE, *se fâchant.*

Tais-toi, je te dis ; je vais emporter ma tortue si tu te moques d'elle.

PAUL

Emporte, emporte, je t'en prie ; ce n'est pas son esprit que je regretterai. »

Sophie avait bien envie de se jeter sur Paul et de lui donner une tape, mais elle se souvint de sa promesse et de la menace de sa maman, et elle se contenta de lancer à Paul un regard furieux. Elle voulut prendre la tortue pour la porter sur l'herbe, mais elle était trop lourde ; elle la laissa retomber. Paul, qui se repentait de l'avoir taquinée, accourut pour l'aider ; il lui donna l'idée de mettre la tortue dans un mouchoir et de la porter à deux, tenant chacun un bout du mouchoir. Sophie, que la chute de la tortue avait effrayée, consentit à se laisser aider par Paul. Quand la tortue sentit l'herbe fraîche, elle sortit ses pattes, puis sa tête, et se mit à manger l'herbe. Sophie et Paul la regardaient avec étonnement.

« Tu vois bien, dit Sophie, que ma tortue n'est pas si bête, ni si ennuyeuse.

— Non, c'est vrai, répondit Paul, mais elle est bien laide.

— Cela, c'est vrai, dit Sophie, j'avoue qu'elle est laide ; elle a une affreuse tête.

172

— Et d'horribles pattes », ajouta Paul.

Les enfants continuèrent à soigner la tortue pendant dix jours sans que rien d'extraordinaire arrivât. La tortue couchait dans un cabinet sur du foin ; elle mangeait de la salade, de l'herbe, et paraissait heureuse.

Un jour, Sophie eut une idée ; elle pensa qu'il faisait chaud, que la tortue devait avoir besoin de se rafraîchir, et qu'un bain dans la mare la rafraîchirait beaucoup. Elle appela Paul et lui proposa de baigner la tortue.

PAUL

« La baigner ? où donc ?

SOPHIE

Dans la mare du potager ; l'eau y est fraîche et claire.

PAUL

Mais je crains que cela ne lui fasse mal.

SOPHIE

Au contraire ; les tortues aiment beaucoup à se baigner ; elle sera enchantée.

PAUL

Comment sais-tu que les tortues aiment à se baigner ? Je crois, moi, qu'elles n'aiment pas l'eau.

173

Je suis sûre qu'elles l'aiment beaucoup. Est-ce que les écrevisses n'aiment pas l'eau ? Est-ce que les huîtres n'aiment pas l'eau ? Ces bêtes-là ressemblent un peu à la tortue.

PAUL

Tiens, c'est vrai. D'ailleurs, nous pouvons essayer. »

Et ils allèrent prendre la pauvre tortue qui se chauffait tranquillement au soleil, sur l'herbe ; ils la portèrent à la mare et la plongèrent dedans. Aussitôt que la tortue sentit l'eau, elle sortit précipitamment sa tête et ses pattes pour tâcher de s'en tirer ; ses pattes gluantes ayant touché aux mains de Paul et de Sophie, tous deux la lâchèrent et elle tomba au fond de la mare.

Les enfants, effrayés, coururent à la maison du jardinier pour lui demander de repêcher la pauvre tortue, Le jardinier, qui savait que l'eau la tuerait, courut vers la mare qui n'était pas profonde, et se jeta dedans après avoir ôté ses sabots et retroussé les jambes de son pantalon. Il voyait la tortue qui se débattait au fond de la mare, et il la retira tout de suite. Il la porta ensuite près du feu pour la sécher ; la pauvre bête avait rentré sa tête et ses pattes et ne bougeait plus. Quand elle fut bien chauffée, les enfants voulurent la reporter sur l'herbe au soleil.

« Attendez, monsieur, mademoiselle, dit le jardinier, je vais vous la porter. Je crois bien qu'elle ne mangera guère, ajouta-t-il.

— Est-ce que vous croyez que le bain lui a fait du mal ? demanda Sophie.

Certainement que oui, il lui a fait mal ; l'eau ne va pas aux tortues.

Croyez-vous qu'elle sera malade ?

Malade, je n'en sais rien ; mais je crois bien qu'elle va mourir.

— Ah ! mon Dieu ! s'écria Sophie.

Ne t'effraie pas ; il ne sait ce qu'il dit. Il croit que les tortues sont comme les chats qui n'aiment pas l'eau. »

Ils étaient revenus sur l'herbe ; le jardinier posa doucement la tortue et retourna à son potager. Les enfants regardaient de temps en temps la tortue, mais elle restait immobile ; ni sa tête ni ses pattes ne se montraient. Sophie était inquiète ; Paul la rassurait.

« Il faut la laisser faire comme elle veut, dit-il ; demain elle mangera et se promènera. »

Ils la reportèrent vers le soir sur son lit de foin et lui mirent des salades fraîches. Le lendemain, quand ils allèrent la voir, les salades étaient entières ; la tortue n'y avait pas touché.

« C'est singulier, dit Sophie, en général elle mange tout dans la nuit.

— Portons-la sur l'herbe, répondit Paul ; elle n'aime peut-être pas la salade. »

Paul, qui était inquiet mais qui ne voulait pas l'avouer à Sophie, examinait attentivement la tortue qui continuait à ne pas bouger.

« Laissons-la, dit-il à Sophie ; le soleil va la chauffer et lui faire du bien.

SOPHIE

Est-ce que tu crois qu'elle est malade ?

PAUL

Je crois que oui. »

Il ne voulut pas ajouter : *Je crois qu'elle est morte,* comme il commençait à le craindre.

Pendant deux jours, Paul et Sophie continuèrent à porter la tortue sur l'herbe, mais elle ne bougeait pas, et ils la retrouvaient toujours comme ils l'avaient posée ; les salades qu'ils lui mettaient le soir se retrouvaient entières le lendemain. Enfin, un jour, en la portant sur l'herbe, ils s'aperçurent qu'elle sentait mauvais.

« Elle est morte, dit Paul ; elle sent déjà mauvais.

— Morte ! répéta Sophie ; c'est le bain qui l'a tuée. »

Ils étaient tous deux près de la tortue, se désolant et ne sachant que faire d'elle, quand Mme de Réan arriva près d'eux.

« Que faites-vous là, mes enfants ? Vous êtes immobiles comme des statues près de cette tortue...

176

qui est aussi immobile que vous », ajouta-t-elle en se baissant pour la prendre.

En l'examinant, Mme de Réan s'aperçut qu'elle sentait mauvais.

« Mais... elle est morte, s'écria-t-elle en la rejetant par terre ; elle sent déjà mauvais.

PAUL

Oui, ma tante, je crois qu'elle est morte.

MADAME DE RÉAN

De quoi a-t-elle pu mourir ? Ce n'est pas de faim, puisque vous la mettiez tous les jours sur l'herbe. C'est singulier qu'elle soit morte sans qu'on sache pourquoi.

SOPHIE

Je crois, maman, que c'est le bain qui l'a fait mourir.

MADAME DE RÉAN

Un bain ? Qui est-ce qui a imaginé de lui faire prendre un bain ?

SOPHIE, *honteuse.*

C'est moi, maman ; je croyais que les tortues aimaient l'eau fraîche, et je l'ai baignée dans la mare du potager ; elle est tombée au fond ; nous n'avons pas pu la rattraper ; c'est le jardinier qui l'a repêchée ; elle est restée longtemps dans l'eau.

177

Ah ! c'est une de tes idées. Tu t'es punie toi-même, au reste ; je n'ai rien à te dire. Seulement, souviens-toi qu'à l'avenir tu n'auras aucun animal à soigner ni à élever. Toi et Paul, vous les tuez ou vous les laissez mourir tous. Il faut jeter cette tortue, ajouta Mme de Réan. Bouland, venez prendre cette bête qui est morte, et jetez-la dans un trou quelconque. »

Ainsi finit la pauvre tortue qui fut le dernier animal qu'eut Sophie. Quelques jours après, elle demanda à sa maman si elle ne pouvait pas avoir de charmants petits cochons d'Inde qu'on voulait lui donner à la ferme. Mme de Réan refusa. Il fallut bien obéir et Sophie vécut seule avec Paul, qui venait souvent passer quelques jours avec elle.

Chapitre 22

Le départ

« Paul, dit un jour Sophie, pourquoi ma tante d'Aubert et maman causent-elles toujours tout bas ? Maman pleure et ma tante aussi ; sais-tu pourquoi ?

PAUL

Non, je ne sais pas du tout ; pourtant j'ai entendu l'autre jour maman qui disait à ma tante : "Ce serait terrible d'abandonner nos parents, nos amis, notre pays" ; ma tante a répondu : "Surtout pour un pays comme l'Amérique."

SOPHIE

Eh bien, qu'est-ce que cela veut dire ?

PAUL

Je crois que cela veut dire que maman et ma tante veulent aller en Amérique.

SOPHIE

Mais ce n'est pas du tout terrible ; au contraire, ce sera très amusant. Nous verrons des tortues en Amérique.

PAUL

Et des oiseaux superbes ! Des corbeaux rouges, orange, bleus, violets, roses, et pas comme nos affreux corbeaux noirs.

SOPHIE

Et des perroquets et des oiseaux-mouches. Maman m'a dit qu'il y en avait beaucoup en Amérique.

PAUL

Et puis des sauvages noirs, jaunes, rouges.

SOPHIE

Oh ! pour les sauvages, j'en aurais peur ; je ne voudrais pas demeurer avec des sauvages ; ils nous mangeraient peut-être.

PAUL

Mais nous n'irions pas demeurer chez eux ; nous les verrions seulement quand ils viendraient se promener dans les villes.

Mais pourquoi irions-nous en Amérique ? Nous sommes très bien ici.

PAUL

Certainement. Je te vois très souvent, notre château est tout près du tien. Ce qui serait mieux encore, c'est que nous demeurions ensemble en Amérique ! Oh ! alors, j'aimerais bien l'Amérique.

SOPHIE

Tiens, voilà maman qui se promène avec ma tante ; elles pleurent encore ; cela me fait de la peine de les voir pleurer... Les voilà qui s'assoient sur le banc. Allons les consoler.

PAUL

Mais comment les consolerons-nous ?

SOPHIE

Je n'en sais rien : mais essayons toujours. »

Les enfants coururent à leurs mamans. « Chère maman, dit Sophie, pourquoi pleurez-vous ?

MADAME DE RÉAN

Pour quelque chose qui me fait de la peine, chère petite, et que tu ne peux comprendre.

SOPHIE

Si fait, maman, je comprends très bien que cela vous fait de la peine d'aller en Amérique, parce que vous croyez que j'en serai très fâchée. D'abord, puisque ma tante et Paul viennent avec nous, nous serons très heureux. Ensuite, j'aime beaucoup l'Amérique, c'est un très joli pays. »

Mme de Réan regarda d'abord sa sœur, Mme d'Aubert, d'un air étonné, et puis ne put s'empêcher de sourire quand Sophie parla de l'Amérique qu'elle ne connaissait pas du tout.

MADAME DE RÉAN

« Qui t'a dit que nous allons en Amérique ? Et pourquoi crois-tu que ce soit cela qui nous donne du chagrin ?

PAUL

Oh ! ma tante, c'est que je vous ai entendue parler d'aller en Amérique, et vous pleuriez ; mais je vous assure que Sophie a raison et que nous serons très heureux en Amérique, si nous demeurons ensemble.

MADAME D'AUBERT

Oui, mes chers enfants, vous avez deviné. Nous devons bien réellement aller en Amérique.

PAUL

Et pourquoi donc, maman ?

MADAME D'AUBERT

Parce qu'un de nos amis, M. Fichini, qui vivait en Amérique, vient de mourir ; il n'avait pas de parents, il était très riche ; il nous a laissé toute sa fortune. Ton père et celui de Sophie sont obligés d'aller en Amérique pour avoir cette fortune ; ta tante et moi, nous ne voulons pas les laisser partir seuls, et pourtant nous sommes tristes de quitter nos parents, nos amis, nos terres, notre pays.

SOPHIE

Mais ce ne sera pas pour toujours, n'est-ce pas ?

MADAME DE RÉAN

Non, mais pour un an ou deux, peut-être.

SOPHIE

Eh bien, maman, il ne faut pas pleurer pour cela. Pensez donc que ma tante et Paul seront avec nous tout ce temps-là. Et puis, papa et mon oncle seront bien contents de ne pas être seuls. »

Mme de Réan embrassa Sophie, pendant que Mme d'Aubert embrassait Paul.

« Ils ont pourtant raison, ces enfants ! dit-elle à sa sœur ; nous serons ensemble, et deux ans sont bien vite passés. »

Depuis ce jour elles ne pleurèrent plus et Sophie dit à Paul :

« Vois-tu que nous les avons consolées ! J'ai remarqué que les enfants consolent très facilement leurs mamans.

PAUL

C'est parce qu'elles les aiment. »

Peu de jours après les enfants allèrent avec leurs mamans faire une visite d'adieu à leurs amies, Camille et Madeleine de Fleurville, qui furent très étonnées d'apprendre que Sophie et Paul allaient partir pour l'Amérique.

« Combien de temps y resterez-vous ? demanda Camille.

SOPHIE

Deux ans, je crois. C'est si loin !

PAUL

Quand nous reviendrons, Sophie aura six ans et moi huit ans.

MADELEINE

Et moi j'aurai huit ans aussi, et Camille neuf ans !

SOPHIE

Que tu seras vieille, Camille ! neuf ans !

CAMILLE

Rapporte-nous de jolies choses d'Amérique, des choses curieuses.

SOPHIE

Veux-tu que je te rapporte une tortue ?

184

Quelle horreur ! Une tortue ! C'est si bête et si laid ! »

Paul rit. « Pourquoi ris-tu, Paul ? demanda Camille.

PAUL

C'est parce que Sophie avait une tortue et qu'elle s'est fâchée un jour contre moi parce que je lui disais absolument ce que tu viens de dire.

CAMILLE

Et qu'est-elle devenue, cette tortue ?

PAUL

Elle est morte après un bain que nous lui avons fait prendre dans la mare.

CAMILLE

Pauvre bête ! Je regrette de ne l'avoir pas vue. »

Sophie, qui n'aimait pas qu'on parlât de la tortue, proposa de cueillir des bouquets dans les champs : Camille leur offrit d'aller plutôt cueillir des fraises dans le bois. Ils acceptèrent tous avec plaisir et en trouvèrent beaucoup, qu'ils mangeaient à mesure qu'ils les trouvaient. Ils restèrent deux heures à s'amuser, après quoi il fallut se séparer. Sophie et Paul promirent de rapporter d'Amérique des fruits, des fleurs, des oiseaux-mouches, des perroquets. Sophie promit même d'apporter un petit sauvage, si on voulait bien lui en vendre un. Les jours suivants,

185

ils continuèrent à faire des visites d'adieu, puis commencèrent les paquets. M. de Réan et M. d'Aubert attendaient à Paris leurs femmes et leurs enfants.

Le jour du départ fut un triste jour. Sophie et Paul même pleurèrent en quittant le château, les domestiques, les gens du village. « Peut-être, pensaient-ils, ne reviendrons-nous jamais ! » Tous ces pauvres gens avaient la même pensée, et tous étaient tristes.

Les mamans et les enfants montèrent dans une voiture attelée de quatre chevaux de poste ; les bonnes et les femmes de chambre suivaient, dans une calèche attelée de trois chevaux. Il y avait un domestique sur chaque siège. Après s'être arrêtés une heure en route pour manger, ils arrivèrent à Paris pour dîner. On ne devait rester à Paris que huit jours, pour acheter tout ce qui était nécessaire au voyage et au temps qu'on croyait passer en Amérique.

Pendant ces huit jours, les enfants s'amusèrent beaucoup. Ils allaient avec leurs mamans promener au Bois de Boulogne, aux Tuileries, au Jardin des plantes ; ils allaient acheter toutes sortes de choses : des habits, des chapeaux, des souliers, des gants, des livres d'histoires, des joujoux, des provisions pour la route. Sophie avait envie de toutes les bêtes qu'elle voyait à vendre : elle demanda même à acheter la petite girafe du Jardin des plantes. Paul avait envie de tous les livres, de toutes les images. On leur acheta à chacun un petit sac de voyage pour leurs affaires de toilette, leurs provisions de la journée et leurs joujoux, comme dominos, cartes, jonchets, billes, etc.

Enfin arriva le jour tant désiré du départ pour Le Havre, port où ils devaient monter sur le navire qui les menait en Amérique. Ils surent, en arrivant au Havre, que leur navire, LA SIBYLLE, ne devait partir que dans trois jours. On profita de ces trois jours pour se promener dans la ville ; le bruit, le mouvement des rues, les bassins pleins de vaisseaux, les quais couverts de marchands de perroquets, de singes, de toutes sortes de choses venant d'Amérique amusaient beaucoup les enfants. Si Mme de Réan avait écouté Sophie, elle lui aurait acheté une dizaine de singes, autant de perroquets, de perruches, de petits oiseaux, de tortues. Mais elle fut inflexible, elle refusa tout malgré les prières de Sophie.

Ces trois jours passèrent comme avaient passé les huit jours à Paris, comme avaient passé les quatre années de la vie de Sophie, les six années de celle de Paul ; ils passèrent pour ne plus revenir. Mme de Réan et Mme d'Aubert pleuraient de quitter leur chère et belle France ; M. de Réan et M. d'Aubert étaient tristes et cherchaient à consoler leurs femmes en leur promettant de revenir le plus tôt possible. Sophie et Paul étaient enchantés ; leur seul chagrin était de voir pleurer leurs mamans. Ils entrèrent dans le navire qui devait les emporter si loin, au milieu des orages et des dangers de la mer. Quelques heures après, ils étaient établis dans leurs cabines qui étaient de petites chambres contenant chacune deux lits, leurs malles et les meubles nécessaires pour la toilette. Sophie coucha avec Mme de Réan, Paul avec Mme d'Aubert, les deux papas ensemble. Ils mangeaient tous ensemble à la table du capitaine qui aimait beaucoup Sophie ; elle lui rappelait sa petite Marguerite qui restait en France. Le capitaine jouait souvent avec Paul et Sophie ; il leur expliquait tout ce qui les étonnait dans le vaisseau, comment il marchait sur l'eau, comment on l'aidait à avancer en ouvrant les voiles, et bien d'autres choses encore.

Paul disait toujours :

« Je serai marin quand je serai grand ; je voyagerai avec le capitaine.

— Pas du tout, répondait Sophie ; je ne veux pas que tu sois marin ; tu resteras toujours avec moi.

PAUL

Pourquoi ne viendrais-tu pas avec moi sur le vaisseau du capitaine ?

SOPHIE

Parce que je ne veux pas quitter maman ; je resterai toujours avec elle. Et toi, tu resteras avec moi. Entends-tu ?

PAUL

J'entends, j'entends. Je resterai, puisque tu le veux. »

Le voyage fut long ; il dura bien des jours. Si vous désirez savoir ce que devint Sophie, demandez à vos mamans de vous faire lire *Les Petites Filles modèles,* où vous retrouverez Sophie. Si vous voulez savoir ce qu'est devenu Paul, vous le saurez en lisant *Les Vacances,* où vous le retrouverez ; mais vous devrez attendre que *Les Vacances* soient finies ; l'auteur est en train de les écrire.

Table

Les as-tu tous lus ?

La trilogie de Fleurville . . . .

1. Les Malheurs
de Sophie

2. Les Petites
Filles Modeles

3. Les Vacances

Le Général
Dourakine

Mémoires
d'un âne

Un bon Petit
Diable

Les Deux
Nigauds

L'auberge de
l'Ange-Gardien

Nouveaux
Contes de Fées

Quel Amour
d'Enfant !

Les bons enfants

François le bossu

Jean qui grogne
et Jean qui rit

Le mauvais
génie

Composition Jouve — 45770 Saran
N° 895725X

Produit complet : Hung Hing Offset Printing (Chine)
Dépôt légal : septembre 2012
Achevé d'imprimer : septembre 2012

Loi n° 49-956 du 16 juillet 1949
sur les publications destinées à la jeunesse

Les petites
filles modèles

Retrouvez la Comtesse de Ségur dans la Bibliothèque Rose

TEXTE INTÉGRAL

© Hachette Livre, 1991, 2000, 2006, 2012.

Tous droits de traduction, de reproduction
et d'adaptation réservés pour tous pays.

Hachette Livre, 43, quai de Grenelle, 75015 Paris.

Comtesse de Ségur
née Rostopchine

Les petites filles modèles

Illustrations
Iris de Moüy

Mes petites filles modèles *ne sont pas une création ; elles existent bien réellement : ce sont des portraits ; la preuve en est dans leurs imperfections mêmes. Elles ont des défauts, des ombres légères qui font ressortir le charme du portrait et attestent l'existence du modèle. Camille et Madeleine sont une réalité dont peut s'assurer toute personne qui connaît l'auteur.*

COMTESSE DE SÉGUR,
née ROSTOPCHINE.

Chapitre 1

Camille et Madeleine

Mme de Fleurville était la mère de deux petites filles, bonnes, gentilles, aimables, et qui avaient l'une pour l'autre le plus tendre attachement. On voit souvent des frères et des sœurs se quereller, se contredire et venir se plaindre à leurs parents après s'être disputés de manière qu'il soit impossible de démêler de quel côté vient le premier tort. Jamais on n'entendait une discussion entre Camille et Madeleine. Tantôt l'une, tantôt l'autre cédait au désir exprimé par sa sœur.

Pourtant leurs goûts n'étaient pas exactement les mêmes. Camille, plus âgée d'un an que Madeleine, avait huit ans. Plus vive, plus étourdie, préférant les jeux bruyants aux jeux tranquilles, elle aimait à courir, à faire et à entendre du tapage. Jamais elle ne s'amusait autant que lorsqu'il y avait une grande réunion d'enfants, qui lui permettait de se livrer sans réserve à ses jeux favoris.

Madeleine préférait au contraire à tout ce joyeux tapage les soins qu'elle donnait à sa poupée et à celle de Camille, qui, sans Madeleine, eût risqué souvent de passer la nuit sur une chaise et de ne changer de linge et de robe que tous les trois ou quatre jours.

Mais la différence de leurs goûts n'empêchait pas leur parfaite union. Madeleine abandonnait avec plaisir son livre ou sa poupée dès que sa sœur exprimait le désir de se promener ou de courir ; Camille, de son côté, sacrifiait son amour pour la promenade et pour la chasse aux papillons dès que Madeleine témoignait l'envie de se livrer à des amusements plus calmes.

Elles étaient parfaitement heureuses, ces bonnes petites sœurs, et leur maman les aimait tendrement ; toutes les personnes qui les connaissaient les aimaient aussi et cherchaient à leur faire plaisir.

Chapitre 2

La promenade, l'accident

Un jour, Madeleine peignait sa poupée ; Camille lui présentait les peignes, rangeait les robes, les souliers, changeait de place les lits de poupée, transportait les armoires, les commodes, les chaises, les tables. Elle voulait, disait-elle, faire leur déménagement : car ces dames (les poupées) avaient changé de maison.

MADELEINE

Je t'assure, Camille, que les poupées étaient mieux logées dans leur ancienne maison ; il y avait bien plus de place pour leurs meubles.

CAMILLE

Oui, c'est vrai, Madeleine ; mais elles étaient ennuyées de leur vieille maison. Elles trouvent d'ailleurs qu'ayant une plus petite chambre elles y auront plus chaud.

7

Oh ! quant à cela, elles se trompent bien, car elles sont près de la porte, qui leur donnera du vent, et leurs lits sont tout contre la fenêtre, qui ne leur donnera pas de chaleur non plus.

Eh bien, quand elles auront demeuré quelque temps dans cette nouvelle maison, nous tâcherons de leur en trouver une plus commode. Du reste, cela ne te contrarie pas, Madeleine ?

Oh ! pas du tout, Camille, surtout si cela te fait plaisir. »

Camille, ayant achevé le déménagement des poupées, proposa à Madeleine, qui avait fini de son côté de les coiffer et de les habiller, d'aller chercher leur bonne pour faire une longue promenade. Madeleine y consentit avec plaisir ; elles appelèrent donc Élisa.

« Ma bonne, lui dit Camille, voulez-vous venir vous promener avec nous ?

Je ne demande pas mieux, mes petites ; de quel côté irons-nous ?

Du côté de la grande route, pour voir passer les voitures ; veux-tu, Madeleine ?

Certainement ; et, si nous voyons de pauvres femmes et de pauvres enfants, nous leur donnerons de l'argent. Je vais emporter cinq sous.

Oh ! oui, tu as raison, Madeleine ; moi j'emporterai dix sous. »

Voilà les petites filles bien contentes ; elles courent devant leur bonne et arrivent à la barrière qui les séparait de la route ; en attendant le passage des voitures, elles s'amusent à cueillir des fleurs pour en faire des couronnes à leurs poupées.

« Ah ! j'entends une voiture, s'écrie Madeleine.

— Oui. Comme elle va vite ! Nous allons bientôt la voir.

— Écoute donc, Camille ; n'entends-tu pas crier ?

— Non, je n'entends que la voiture qui roule. »

Madeleine ne s'était pas trompée : car, au moment où Camille achevait de parler, on entendit bien distinctement des cris perçants, et, l'instant d'après, les petites filles et la bonne, qui étaient restées immobiles de frayeur, virent arriver une voiture attelée de trois chevaux de poste lancés ventre à terre, et que le postillon cherchait vainement à retenir.

Une dame et une petite fille de quatre ans, qui étaient dans la voiture, poussaient les cris qui avaient alarmé Camille et Madeleine.

À cent pas de la barrière, le postillon fut renversé de son siège, et la voiture lui passa sur le corps ; les chevaux, ne se sentant plus retenus ni dirigés, redoublèrent de vitesse et s'élancèrent vers un fossé très profond, qui séparait la route d'un champ labouré. Arrivée en face de la barrière où étaient Camille, Madeleine et leur bonne, toutes trois pâles d'effroi, la voiture versa dans le fossé, les chevaux furent entraînés dans la chute ; on entendit un cri perçant, un gémissement plaintif, puis plus rien.

Quelques instants se passèrent avant que la bonne fût assez revenue de sa frayeur pour songer à secourir cette malheureuse dame et cette pauvre enfant, qui probablement avaient été tuées par la violence de la chute. Aucun cri ne se faisait plus entendre. Et le malheureux postillon, écrasé par la voiture, ne fallait-il pas aussi lui porter secours ?

Enfin, elle se hasarda à s'approcher de la voiture culbutée dans le fossé. Camille et Madeleine la suivirent en tremblant.

Un des chevaux avait été tué ; un autre avait la cuisse cassée et faisait des efforts impuissants pour se relever ; le troisième, étourdi et effrayé de sa chute, était haletant et ne bougeait pas.

« Je vais essayer d'ouvrir la portière, dit la bonne ; mais n'approchez pas, mes petites : si les chevaux se relevaient, ils pourraient vous tuer. »

Elle ouvre et voit la dame et l'enfant sans mouvement et couvertes de sang.

« Ah ! mon Dieu ! la pauvre dame et la petite fille sont mortes ou grièvement blessées. »

Camille et Madeleine pleuraient. Élisa, espérant encore que la mère et l'enfant n'étaient qu'évanouies, essaya de détacher la petite fille des bras de sa mère, qui la tenait fortement serrée contre sa poitrine ; après quelques efforts, elle parvient à dégager l'enfant, qu'elle retire pâle et sanglante. Ne voulant pas la poser sur la terre humide, elle demande aux deux sœurs si elles auront la force et le courage d'emporter la pauvre petite jusqu'au banc qui est de l'autre côté de la barrière.

« Oh ! oui, ma bonne, dit Camille ; donnez-la-nous, nous pourrons la porter, nous la porterons. Pauvre petite, elle est couverte de sang ; mais elle n'est pas morte, j'en suis sûre. Oh ! non, non, elle ne l'est pas. Donnez, donnez, ma bonne. Madeleine, aide-moi.

— Je ne peux pas, Camille, répondit Madeleine d'une voix faible et tremblante. Ce sang, cette pauvre mère morte, cette pauvre petite morte aussi, je crois, m'ôtent la force nécessaire pour t'aider. Je ne puis... que pleurer.

— Je l'emporterai donc seule, dit Camille. J'en aurai la force, car il le faut, le bon Dieu m'aidera. »

En disant ces mots, elle relève la petite, la prend dans ses bras et, malgré ce poids trop lourd pour ses forces et son âge, elle cherche à gravir le fossé ; mais son pied glisse, ses bras vont laisser échapper son fardeau, lorsque Madeleine, surmontant sa frayeur et sa répugnance, s'élance au secours de sa sœur et l'aide à porter l'enfant ; elles arrivent au haut du fossé, traversent la route et vont tomber épuisées sur le banc que leur avait indiqué Élisa.

Camille étend la petite fille sur ses genoux ; Madeleine apporte de l'eau qu'elle a été chercher dans un fossé ; Camille lave et essuie avec son mouchoir le sang qui inonde le visage de l'enfant, et ne peut retenir un cri de joie lorsqu'elle voit que la pauvre petite n'a pas de blessure.

« Madeleine, ma bonne, venez vite ; la petite fille n'est pas blessée... elle vit ! elle vit... elle vient de pousser un soupir... Oui, elle respire, elle ouvre les yeux. »

Madeleine accourt ; l'enfant venait en effet de reprendre connaissance. Elle regarde autour d'elle d'un air effrayé.

« Maman ! dit-elle, maman ! je veux voir maman !

— Ta maman va venir, ma bonne petite, répond Camille en l'embrassant. Ne pleure pas ; reste avec moi et avec ma sœur Madeleine.

— Non, non, je veux voir maman ; ces méchants chevaux ont emporté maman.

— Les méchants chevaux sont tombés dans un grand trou ; ils n'ont pas emporté ta maman, je t'assure. Tiens, vois-tu ? Voilà ma bonne Élisa ; elle apporte ta maman qui dort. »

La bonne, aidée de deux hommes qui passaient sur la route, avait retiré de la voiture la mère de la petite fille. Elle ne donnait aucun signe de vie ; elle avait à la tête une large blessure ; son visage, son cou, ses bras étaient inondés de sang. Pourtant, son cœur battait encore ; elle n'était pas morte.

La bonne envoya l'un des hommes qui l'avaient aidée avertir bien vite Mme de Fleurville d'envoyer du monde pour transporter au château la dame et l'enfant, relever le postillon, qui restait étendu sur la route, et dételer les chevaux qui continuaient à se débattre et à ruer contre la voiture.

L'homme part. Un quart d'heure après, Mme de Fleurville arrive elle-même avec plusieurs domestiques et une voiture, dans laquelle on dépose la dame. On secourt le postillon, on relève la voiture versée dans le fossé.

La petite fille, pendant ce temps, s'était entièrement

remise : elle n'avait aucune blessure ; son évanouissement n'avait été causé que par la peur et la secousse de la chute.

De crainte qu'elle ne s'effrayât à la vue du sang qui coulait toujours de la blessure de sa mère, Camille et Madeleine demandèrent à leur maman de la ramener à pied avec elles. La petite, habituée déjà aux deux sœurs, qui la comblaient de caresses, croyant sa mère endormie, consentit avec plaisir à faire la course à pied.

Tout en marchant, Camille et Madeleine causaient avec elle.

MADELEINE

Comment t'appelles-tu, ma chère petite ?

MARGUERITE

Je m'appelle Marguerite.

CAMILLE

Et comment s'appelle ta maman ?

MARGUERITE

Ma maman s'appelle maman.

CAMILLE

Mais son nom ? Elle a un nom, ta maman ?

MARGUERITE

Oh ! oui, elle s'appelle maman.

MADELEINE, *riant.*

Mais les domestiques ne l'appellent pas maman ?

MARGUERITE

Ils l'appellent madame.

MADELEINE

Mais, madame qui ?

MARGUERITE

Non, non. Pas madame qui : seulement madame.

CAMILLE

Laisse-la, Madeleine ; tu vois bien qu'elle est trop petite ; elle ne sait pas. Dis-moi, Marguerite, où allais-tu avec ces méchants chevaux qui t'ont fait tomber dans le trou ?

MARGUERITE

J'allais voir ma tante ; je n'aime pas ma tante ; elle est méchante, elle gronde toujours. J'aime mieux rester avec maman... et avec vous », ajouta-t-elle en baisant la main de Camille et de Madeleine.

Camille et Madeleine embrassèrent la petite Marguerite.

MARGUERITE

Comment vous appelle-t-on ?

Moi, je m'appelle Camille, et ma sœur s'appelle Madeleine.

MARGUERITE

Eh bien, vous serez mes petites mamans. Maman Camille et maman Madeleine. »

Tout en causant, elles étaient arrivées au château. Mme de Fleurville s'était empressée d'envoyer chercher un médecin et avait fait coucher Mme de Rosbourg dans un bon lit. Son nom était gravé sur une cassette qui se trouvait dans sa voiture, et sur les malles attachées derrière. On avait bandé sa blessure pour arrêter le sang, et elle reprenait connaissance par degrés. Au bout d'une demi-heure, elle demanda sa fille, qu'on lui amena.

Marguerite entra bien doucement, car on lui avait dit que sa maman était malade. Camille et Madeleine l'accompagnaient.

« Pauvre maman, dit-elle en entrant, vous avez mal à la tête ?

— Oui, mon enfant, bien mal.

— Je veux rester avec vous, maman.

— Non, ma chère petite ; embrasse-moi seulement, et puis tu t'en iras avec ces bonnes petites filles ; je vois à leur physionomie qu'elles sont bien bonnes.

— Oh ! oui, maman, bien bonnes ; Camille m'a donné sa poupée ; une bien jolie poupée ;... et Madeleine m'a fait manger une tartine de confitures. »

Mme de Rosbourg sourit de la joie de la petite Marguerite, qui allait parler encore, lorsque Mme de Fleurville, trouvant que la malade s'était déjà trop agitée, conseilla à Marguerite d'aller jouer avec ses deux petites mamans, pour que sa grande maman pût dormir.

Marguerite, après avoir embrassé Mme de Rosbourg, sortit avec Camille et Madeleine.

Chapitre 3

Marguerite

MADELEINE

Prends tout ce que tu voudras, ma chère Marguerite ; amuse-toi avec nos joujoux.

MARGUERITE

Oh ! les belles poupées ! En voilà une aussi grande que moi... En voilà encore deux bien jolies !... Ah ! cette grande qui est couchée dans un beau petit lit ! elle est malade comme pauvre maman... Oh ! le beau petit chien ! comme il a de beaux cheveux ! on dirait qu'il est vivant. Et le joli petit âne... Oh ! les belles petites assiettes ! des tasses, des cuillers, des four-chettes ! et des couteaux aussi ! Un petit huilier, des salières ! Ah ! la jolie petite diligence !... Et cette petite commode pleine de robes, de bonnets, de bas, de chemises aux poupées !... Comme c'est bien rangé !... Les jolis petits livres ! Quelle quantité d'images ! il y en a plein l'armoire ! »

Camille et Madeleine riaient de voir Marguerite courir d'un jouet à l'autre, ne sachant lequel prendre, ne pouvant tout tenir ni tout regarder à la fois, en poser un, puis le reprendre, puis le laisser encore, et, dans son indécision, rester au milieu de la chambre, se tournant à droite, à gauche, sautant, battant des mains de joie et d'admiration. Enfin elle prit la petite diligence attelée de quatre chevaux, et elle demanda à Camille et à Madeleine de sortir avec elles pour mener la voiture dans le jardin.

Elles se mirent toutes trois à courir dans les allées et sur l'herbe ; après quelques tours, la diligence versa. Tous les voyageurs qui étaient dedans se trouvèrent culbutés les uns sur les autres ; une glace de la portière était cassée.

« Ah ! mon Dieu, mon Dieu ! s'écria Marguerite en pleurant, j'ai cassé votre voiture, Camille. J'en suis bien fâchée ; bien sûr, je ne le ferai plus.

CAMILLE

Ne pleure pas, ma petite Marguerite, ce ne sera rien. Nous allons ouvrir la portière, rasseoir les voyageurs à leurs places, et je demanderai à maman de faire mettre une autre glace.

MARGUERITE

Mais si les voyageurs ont mal à la tête, comme maman ?

MADELEINE

Non, non, ils ont la tête trop dure. Tiens, vois-tu, les voilà tous remis, et ils se portent à merveille.

Tant mieux ! J'avais peur de vous faire de la peine. »

La diligence relevée, Marguerite continua à la traîner, mais avec plus de précaution, car elle avait un très bon cœur, et elle aurait été bien fâchée de faire de la peine à ses petites amies.

Elles rentrèrent au bout d'une heure pour dîner et couchèrent ensuite la petite Marguerite, qui était très fatiguée.

Chapitre 4

Réunion sans séparation

Pendant que les enfants jouaient, le médecin était venu voir Mme de Rosbourg : il ne trouva pas la blessure dangereuse, et il jugea que la quantité de sang qu'elle avait perdu rendait une saignée inutile et empêcherait l'inflammation. Il mit sur la blessure un certain onguent de colimaçons, recouvrit le tout de feuilles de laitue qu'on devait changer toutes les heures, recommanda la plus grande tranquillité, et promit de revenir le lendemain.

Marguerite venait voir sa mère plusieurs fois par jour ; mais elle ne restait pas longtemps dans la chambre, car sa vivacité et son babillage agitaient Mme de Rosbourg tout en l'amusant. Sur un coup d'œil de Mme de Fleurville, qui ne quittait presque pas le chevet de la malade, les deux sœurs emmenaient leur petite protégée.

Les soins attentifs de Mme de Fleurville remplirent de reconnaissance et de tendresse le cœur de Mme de

Rosbourg ; pendant sa convalescence elle exprimait souvent le regret de quitter une personne qui l'avait traitée avec tant d'amitié.

« Et pourquoi donc me quitteriez-vous, chère amie ? dit un jour Mme de Fleurville. Pourquoi ne vivrions-nous pas ensemble ? Votre petite Marguerite est parfaitement heureuse avec Camille et Madeleine, qui seraient désolées, je vous assure, d'être séparées de Marguerite ; je serai enchantée si vous me promettez de ne pas me quitter.

MADAME DE ROSBOURG

Mais ne serait-ce pas bien indiscret aux yeux de votre famille ?

MADAME DE FLEURVILLE

Nullement. Je vis dans un grand isolement depuis la mort de mon mari. Je vous ai raconté sa fin cruelle dans un combat contre les Arabes, il y a six ans. Depuis, j'ai toujours vécu à la campagne. Vous n'avez pas de mari non plus, puisque vous n'avez reçu aucune nouvelle du vôtre depuis le naufrage du vaisseau sur lequel il s'était embarqué.

MADAME DE ROSBOURG

Hélas ! oui ; il a sans doute péri avec ce fatal vaisseau : car depuis deux ans, malgré toutes les recherches de mon frère, le marin qui a presque fait le tour du monde, nous n'avons pu découvrir aucune trace de mon pauvre mari, ni d'aucune des personnes qui l'accompagnaient. Eh bien, puisque vous me pressez si amicalement de rester ici, je consens volontiers

21

à ne faire qu'un ménage avec vous et à laisser ma petite Marguerite sous la garde de ses deux bonnes et aimables amies.

MADAME DE FLEURVILLE

Ainsi donc, chère amie, c'est une chose décidée ?

MADAME DE ROSBOURG

Oui, puisque vous le voulez bien ; nous demeurerons ensemble.

MADAME DE FLEURVILLE

Que vous êtes bonne d'avoir cédé si promptement à mes désirs, chère amie ! je vais porter cette heureuse nouvelle à mes filles ; elles en seront enchantées. »

Mme de Fleurville entra dans la chambre où Camille et Madeleine prenaient leurs leçons bien attentivement, pendant que Marguerite s'amusait avec les poupées et leur racontait des histoires tout bas, pour ne pas empêcher ses deux amies de bien s'appliquer.

MADAME DE FLEURVILLE

Mes petites filles, je viens vous annoncer une nouvelle qui vous fera grand plaisir. Mme de Rosbourg et Marguerite ne nous quitteront pas, comme nous le craignions.

CAMILLE

Comment ! maman, elles resteront toujours avec nous ?

Oui, toujours, ma fille, Mme de Rosbourg me l'a promis.

— Oh ! quel bonheur ! dirent les trois enfants à la fois.

Marguerite courut embrasser Mme de Fleurville, qui, après lui avoir rendu ses caresses, dit à Camille et à Madeleine :

« Mes chères enfants, si vous voulez me rendre toujours heureuse comme vous l'avez fait jusqu'ici, il faut redoubler encore d'application au travail, d'obéissance à mes ordres et de complaisance entre vous. Marguerite est plus jeune que vous. C'est vous qui serez chargées de son éducation, sous la direction de sa maman et de moi. Pour la rendre bonne et sage, il faut lui donner toujours de bons conseils et surtout de bons exemples.

CAMILLE

Oh ! ma chère maman, soyez tranquille ; nous élèverons Marguerite aussi bien que vous nous élevez. Je lui montrerai à lire, à écrire ; et Madeleine lui apprendra à travailler, à tout arranger, à tout mettre en ordre ; n'est-ce pas, Madeleine ?

MADELEINE

Oui, certainement ; d'ailleurs, elle est si gentille, si douce, qu'elle ne nous donnera pas beaucoup de peine.

— Je serai toujours bien sage, reprit Marguerite en embrassant tantôt Camille, tantôt Madeleine. Je vous

23

écouterai et je chercherai toujours à vous faire plaisir.

CAMILLE

Eh bien, ma petite Marguerite, puisque tu veux être bien sage, fais-moi l'amitié d'aller te promener pendant une heure, comme je te l'ai déjà dit. Depuis que nous avons commencé nos leçons, tu n'es pas sortie ; si tu restes toujours assise, tu perdras tes couleurs et tu deviendras malade.

MARGUERITE

Oh ! Camille, je t'en prie, laisse-moi avec toi ! Je t'aime tant ! »

Camille allait céder, mais Madeleine pressentit la faiblesse de sa sœur : elle prévit tout de suite qu'en cédant une fois à Marguerite il faudrait lui céder toujours et qu'elle finirait par ne faire jamais que ses volontés. Elle prit donc Marguerite par la main, et, ouvrant la porte, elle lui dit :

« Ma chère Marguerite, Camille t'a déjà dit deux fois d'aller te promener ; tu demandes toujours à rester encore un instant. Camille a la bonté de t'écouter ; mais cette fois nous *voulons* que tu sortes. Ainsi, pour être sage, comme tu nous le promettais tout à l'heure, il faut te montrer obéissante. Va, ma petite ; dans une heure, tu reviendras. »

Marguerite regarda Camille d'un air suppliant, mais Camille, qui sentait bien que sa sœur avait raison, n'osa pas lever les yeux, de crainte de se laisser attendrir. Marguerite, voyant qu'il fallait se soumettre, sortit lentement et descendit dans le jardin.

Mme de Fleurville avait écouté, sans mot dire, cette petite scène ; elle s'approcha de Madeleine et l'embrassa tendrement. « Bien ! Madeleine, lui dit-elle. Et toi, Camille, courage ; fais comme ta sœur. » Puis elle sortit.

Chapitre 5

Les fleurs cueillies et remplacées

« Mon Dieu ! mon Dieu ! que je m'ennuie toute seule ! pensa Marguerite après avoir marché un quart d'heure. Pourquoi donc Madeleine m'a-t-elle forcée de sortir ?... Camille voulait bien me garder, je l'ai bien vu !... Quand je suis seule avec Camille, elle me laisse faire tout ce que je veux... Comme je l'aime, Camille !... J'aime beaucoup Madeleine aussi ; mais... je m'amuse davantage avec Camille. Qu'est-ce que je vais faire pour m'amuser ?... Ah ! j'ai une bonne idée : je vais nettoyer et balayer leur petit jardin. »

Elle courut vers le jardin de Camille et de Madeleine, le nettoya, balaya les feuilles tombées et se mit ensuite à examiner toutes les fleurs. Tout à coup, l'idée lui vint de cueillir un beau bouquet pour Camille et pour Madeleine.

« Comme elles seront contentes ! se dit-elle. Je vais prendre toutes les fleurs, j'en ferai un magnifique bouquet : elles le mettront dans leur chambre, qui sentira bien bon ! »

Voilà Marguerite enchantée de son idée ; elle cueille œillets, giroflées, marguerites, roses, dahlias, réséda, jasmin, enfin tout ce qui se trouvait dans le jardin. Elle jetait les fleurs à mesure dans son tablier dont elle avait relevé les coins, les entassait tant qu'elle pouvait et ne leur laissait presque pas de queue.

Quand elle eut tout cueilli, elle courut à la maison, entra précipitamment dans la chambre où travaillaient encore Camille et Madeleine, et, courant à elles d'un air radieux :

« Tenez, Camille, tenez, Madeleine, regardez ce que je vous apporte, comme c'est beau ! »

Et, ouvrant son tablier, elle leur fit voir toutes ces fleurs fripées, fanées, écrasées.

« J'ai cueilli tout cela pour vous, leur dit-elle : nous les mettrons dans notre chambre, pour qu'elle sente bon ! »

Camille et Madeleine se regardèrent en souriant. La gaieté les gagna à la vue de ces paquets de fleurs flétries et de l'air triomphant de Marguerite ; enfin, elles se mirent à rire aux éclats en voyant la figure rouge, déconcertée et mortifiée de Marguerite. La pauvre petite avait laissé tomber les fleurs par terre ; elle restait immobile, la bouche ouverte, et regardait rire Camille et Madeleine.

Enfin, Camille put parler.

« Où as-tu cueilli ces belles fleurs, Marguerite ?

— Dans votre jardin.

— Dans notre jardin ! s'écrièrent à la fois les deux sœurs, qui n'avaient plus envie de rire. Comment ! tout cela dans notre jardin ?

— Tout, tout, même les boutons. »

Camille et Madeleine se regardèrent d'un air consterné et douloureux. Marguerite, sans le vouloir, leur causait un grand chagrin. Elles réservaient toutes ces fleurs pour offrir un bouquet à leur maman le jour de sa fête, qui avait lieu le surlendemain, et voilà qu'il n'en restait plus une seule ! Pourtant ni l'une ni l'autre n'eut le courage de gronder la pauvre Marguerite, qui arrivait si joyeuse et qui avait cru leur causer une si agréable surprise.

Marguerite, étonnée de ne pas recevoir les remerciements et les baisers auxquels elle s'attendait, regarda attentivement les deux sœurs et, lisant leur chagrin sur leurs figures consternées, elle comprit vaguement qu'elle avait fait quelque chose de mal, et se mit à pleurer.

Madeleine rompit enfin le silence.

« Ma petite Marguerite, nous t'avons dit bien des fois de ne toucher à rien sans en demander la permission. Tu as cueilli nos fleurs et tu nous as fait de la peine. Nous voulions donner après-demain à maman, pour sa fête, un beau bouquet de fleurs plantées et arrosées par nous. Maintenant, par ta faute, nous n'avons plus rien à lui donner. »

Les pleurs de Marguerite redoublèrent.

« Nous ne te grondons pas, reprit Camille, parce que nous savons que tu ne l'as pas fait par méchanceté ; mais tu vois comme c'est vilain de ne pas nous écouter. »

Marguerite sanglotait.

« Console-toi, ma petite Marguerite, dit Madeleine en l'embrassant ; tu vois bien que nous ne sommes pas fâchées contre toi.

— Parce que... vous... êtes... trop bonnes..., dit

28

Marguerite, qui suffoquait ; mais... vous... êtes... tristes... Cela... me... fait de la... peine... Pardon... pardon.... Camille... Madeleine... Je ne... le... ferai plus..., bien sûr. »

Camille et Madeleine, touchées du chagrin de Marguerite, l'embrassèrent et la consolèrent de leur mieux. À ce moment, Mme de Rosbourg entra ; elle s'arrêta, étonnée en voyant les yeux rouges et la figure gonflée de sa fille.

« Marguerite ! qu'as-tu, mon enfant ? Serais-tu méchante, par hasard ?

— Oh ! non, madame, répondit Madeleine ; nous la consolons.

MADAME DE ROSBOURG

De quoi la consolez-vous, chères petites ?

MADELEINE

De..., de... »

Madeleine rougit et s'arrêta.

« Madame, reprit Camille, nous la consolons, nous... nous... l'embrassons... parce que..., parce que... »

Elle rougit et se tut à son tour.

La surprise de Mme de Rosbourg augmentait.

MADAME DE ROSBOURG

Marguerite, dis-moi toi-même pourquoi tu pleures et pourquoi tes amies te consolent.

— Oh ! maman, chère maman, s'écria Marguerite en se jetant dans les bras de sa mère, j'ai été bien méchante ; j'ai fait de la peine à mes amies, mais c'était sans le vouloir. J'ai cueilli toutes les fleurs de leur jardin ; elles n'ont plus rien à donner à leur maman pour sa fête, et, au lieu de me gronder, elles m'embrassent. Mon Dieu ! mon Dieu ! que j'ai de chagrin !

— Tu fais bien de m'avouer tes sottises, ma chère enfant, je tâcherai de les réparer. Tes petites amies sont bien bonnes de ne pas t'en vouloir. Sois indulgente et douce comme elles, chère petite, tu seras aimée comme elles et tu seras bénie de Dieu et de ta maman. »

Mme de Rosbourg embrassa Camille, Madeleine et Marguerite d'un air attendri, quitta la chambre, sonna son domestique et demanda immédiatement sa voiture.

Une demi-heure après, la calèche de Mme de Rosbourg était prête. Elle y monta et se fit conduire à la ville de Moulins, qui n'était qu'à cinq kilomètres de la maison de campagne de Mme de Fleurville.

Elle descendit chez un marchand de fleurs et choisit les plus belles et les plus jolies.

« Ayez la complaisance, monsieur, dit-elle au marchand, de m'apporter vous-même tous ces pots de fleurs chez Mme de Fleurville. Je vous ferai indiquer la place où ils doivent être plantés, et vous surveillerez ce travail. Je désire que ce soit fait la nuit, pour ménager une surprise aux petites de Fleurville.

— Madame peut être tranquille ; tout sera fait selon ses ordres. Au soleil couchant, je chargerai sur une charrette les fleurs que madame a choisies, et je me conformerai aux ordres de madame.

— Combien vous devrai-je, monsieur, pour les fleurs et la plantation ?

— Ce sera quarante francs, madame ; il y a

soixante plantes avec leurs pots, et de plus le travail. Madame ne trouve pas que ce soit trop cher ?

— Non, non, c'est très bien ; les quarante francs vous seront remis aussitôt votre ouvrage terminé. »

Mme de Rosbourg remonta en voiture et retourna au château de Fleurville (c'était le nom de la terre de Mme de Fleurville). Elle donna ordre à son domestique d'attendre le marchand à l'entrée de la nuit et de lui faire planter les fleurs dans le petit jardin de Camille et de Madeleine. Son absence avait été si courte que ni Mme de Fleurville ni les enfants ne s'en étaient aperçues.

À peine Mme de Rosbourg avait-elle quitté les petites, que toutes trois se dirigèrent vers leur jardin.

« Peut-être, pensait Camille, restait-il encore quelques fleurs oubliées, seulement de quoi faire un tout petit bouquet. »

Hélas ! il n'y avait rien : tout était cueilli. Camille et Madeleine regardaient tristement et en silence leur jardin vide. Marguerite avait bien envie de pleurer.

« C'est fait, dit enfin Madeleine ; il n'y a pas de remède. Nous tâcherons d'avoir quelques plantes nouvelles, qui fleuriront plus tard.

MARGUERITE

Prenez tout mon argent pour en acheter, Madeleine ; j'ai quatre francs !

MADELEINE

Merci, ma chère petite, il vaut mieux garder ton argent pour les pauvres.

31

Mais si vous n'avez pas assez d'argent, Madeleine, vous prendrez le mien, n'est-ce pas ?

Oui, oui, ma bonne petite, sois sans inquiétude, ne pensons plus à tout cela et préparons notre jardin pour y replanter de nouvelles fleurs. »

Les trois petites se mirent à l'ouvrage ; Marguerite fut chargée d'arracher les vieilles tiges et de les brouetter dans le bois. Camille et Madeleine bêchèrent avec ardeur ; elles suaient à grosses gouttes toutes les trois quand Mme de Rosbourg, revenue de sa course, les rejoignit au jardin.

« Oh ! les bonnes ouvrières ! s'écria-t-elle. Voilà un jardin bien bêché ! Les fleurs y pousseront toutes seules, j'en suis sûre.

— Nous en aurons bientôt, madame, vous verrez.

— Je n'en doute pas, car le bon Dieu récompensera toujours les bonnes petites filles comme vous. »

La besogne était finie ; Camille, Madeleine et Marguerite eurent soin de ranger leurs outils et jouèrent pendant une heure dans l'herbe et dans le bois. Alors la cloche sonna le dîner, et chacun rentra.

Le lendemain, après déjeuner, les enfants allèrent à leur petit jardin pour achever de le nettoyer.

Camille courait en avant. Le jardin lui apparut plein de fleurs mille fois plus belles et plus nombreuses que celles qui y étaient la veille. Elle s'arrêta stupéfaite ; elle ne comprenait pas.

Madeleine et Marguerite arrivèrent à leur tour, et

toutes trois restèrent muettes de surprise et de joie devant ces fleurs si fraîches, si variées, si jolies.

Enfin, un cri général témoigna de leur bonheur ; elles se précipitèrent dans le jardin, sentant une fleur, en caressant une autre, les admirant toutes, folles de joie, mais ne comprenant toujours pas comment ces fleurs avaient poussé et fleuri en une nuit, et ne devinant pas qui les avait apportées.

« C'est le bon Dieu, dit Camille.

— Non, c'est plutôt la Sainte Vierge, dit Madeleine.

— Je crois que ce sont nos petits anges », reprit Marguerite.

Mme de Fleurville arrivait avec Mme de Rosbourg.

« Voici l'ange qui a fait pousser vos fleurs, dit Mme de Fleurville en montrant Mme de Rosbourg. Votre douceur et votre bonté l'ont touchée ; elle a été acheter tout cela à Moulins, pendant que vous vous mettiez en nage pour réparer le mal causé par Marguerite. »

On peut juger du bonheur et de la reconnaissance des trois enfants. Marguerite était peut-être plus heureuse que Camille et Madeleine, car le chagrin qu'elle avait fait à ses amies pesait sur son cœur.

Le lendemain, toutes les trois offrirent un bouquet composé de leurs plus belles fleurs, non seulement à Mme de Fleurville pour sa fête, mais aussi à Mme de Rosbourg, comme témoignage de leur reconnaissance.

Chapitre 6

Un an après.
Le chien enragé

Un jour, Marguerite, Camille et Madeleine jouaient devant la maison, sous un grand sapin. Un grand chien noir qui s'appelait Calino, et qui appartenait au garde, était couché près d'elles.

Marguerite cherchait à lui mettre au cou une couronne de pâquerettes que Camille venait de terminer. Quand la couronne était à moitié passée, le chien secouait la tête, la couronne tombait, et Marguerite le grondait.

« Méchant Calino, veux-tu te tenir tranquille ! si tu recommences, je te donnerai une tape. »

Et elle ramassait la couronne.

« Baisse la tête, Calino. »

Calino obéissait d'un air indifférent.

Marguerite passait avec effort la couronne à moitié. Calino donnait un coup de tête : la couronne tombait encore.

« Mauvaise bête ! entêté, désobéissant ! » dit Marguerite en lui donnant une petite tape sur la tête.

Au même moment, un chien jaune, qui s'était approché sans bruit, donna un coup de dent à Calino. Marguerite voulut le chasser : le chien jaune se jeta sur elle et lui mordit la main ; puis il continua son chemin la queue entre les jambes, la tête basse, la langue pendante. Marguerite poussa un petit cri ; puis, voyant du sang à sa main, elle pleura.

Camille et Madeleine s'étaient levées précipitamment au cri de Marguerite. Camille suivit des yeux le chien jaune ; elle dit quelques mots tout bas à Madeleine, puis elle courut chez Mme de Fleurville.

« Maman, lui dit-elle tout bas, Marguerite a été mordue par un chien enragé.

— Comment sais-tu que le chien est enragé ?

— Je l'ai bien vu, maman, à sa queue traînante, à sa tête basse, à sa langue pendante, à sa démarche trottinante ; et puis il a mordu Calino et Marguerite sans aboiement, sans bruit ; et Calino, au lieu de se défendre ou de crier, s'est étendu à terre sans bouger.

— Tu as raison, Camille ! Quel malheur, mon Dieu ! Lavons bien vite les morsures dans l'eau fraîche, ensuite dans l'eau salée.

— Madeleine l'a menée dans la cuisine, maman. Mais que faire ? »

Mme de Fleurville, pour toute réponse, alla avec Camille trouver Marguerite ; elle regarda la morsure et vit un petit trou peu profond qui ne saignait plus.

« Vite, Rosalie (c'était la cuisinière), un seau d'eau fraîche ! Donne-moi ta main, Marguerite ! Trempe-la dans le seau. Trempe encore, encore ; remue-la bien. Donne-moi une forte poignée de sel, Camille... bien... Mets-le dans un peu d'eau... Trempe ta main dans l'eau salée, chère Marguerite.

— J'ai peur que le sel ne me pique, dit Marguerite en pleurant.

— Non, n'aie pas peur : ce ne sera pas grand-chose. Mais, quand même cela te piquerait, il faut te tremper la main, sans quoi tu serais très malade. »

Pendant dix minutes, Mme de Fleurville obligea Marguerite à tenir sa main dans l'eau salée. S'apercevant de la frayeur de la pauvre enfant, qui contenait difficilement ses larmes, elle l'embrassa et lui dit :

« Ne t'effraie pas, ma petite Marguerite ; ce ne sera rien, je pense. Tous les jours, matin et soir, tu tremperas ta main dans l'eau salée pendant un quart d'heure ; tous les jours, tu mangeras deux fortes pincées de sel et une petite gousse d'ail. Dans huit jours, ce sera fini.

— Maman, dit Camille, n'en parlons pas à Mme de Rosbourg, elle serait trop inquiète.

— Tu as raison, chère enfant, dit Mme de Fleurville en l'embrassant. Nous le lui raconterons dans un mois. »

Camille et Madeleine recommandèrent bien à Marguerite de ne rien dire à sa maman, pour ne pas la tourmenter. Marguerite, qui était obéissante et qui n'était pas bavarde, n'en dit pas un mot. Pendant huit jours, elle fit exactement ce que lui avait ordonné Mme de Fleurville ; au bout de trois jours, sa petite main était guérie.

Après un mois, quand tout danger fut passé, Marguerite dit un jour à sa maman :

« Maman, chère maman, vous ne savez pas que votre pauvre Marguerite a manqué mourir.

— Mourir, mon amour ! dit la maman en riant. Tu n'as pas l'air bien malade.

— Tenez, maman, regardez ma main. Voyez-vous cette toute petite tache rouge ?

— Oui, je vois bien ; c'est un cousin qui t'a piquée !

— C'est un chien enragé qui m'a mordue. »

Mme de Rosbourg poussa un cri étouffé, pâlit et demanda d'une voix tremblante :

« Qui t'a dit que le chien était enragé ? Pourquoi ne me l'as-tu pas dit tout de suite ?

— Mme de Fleurville m'a recommandé de faire bien exactement ce qu'elle avait dit, sans quoi je deviendrais enragée et je mourrais. Elle m'a défendu de vous en parler avant un mois, chère maman, pour ne pas vous faire peur.

— Et qu'a-t-on fait pour te guérir, ma pauvre petite ? Est-ce qu'on a appliqué un fer rouge sur la morsure ?

— Non, maman, pas du tout, Mme de Fleurville, Camille et Madeleine m'ont tout de suite lavé la main à grande eau dans un seau, puis elles me l'ont fait tremper dans de l'eau salée, longtemps, longtemps ; elles m'ont fait faire cela tous les matins et tous les soirs, pendant une semaine, et m'ont fait manger, tous les jours, deux pincées de sel et de l'ail. »

Mme de Rosbourg embrassa Marguerite avec une vive émotion et courut chercher Mme de Fleurville pour avoir des renseignements plus précis.

Mme de Fleurville confirma le récit de la petite et rassura Mme de Rosbourg sur les suites de cette morsure.

« Marguerite ne court plus aucun danger, chère amie, soyez-en sûre ; l'eau est le remède infaillible pour les morsures des bêtes enragées ; l'eau salée est bien meilleure encore. Soyez bien certaine qu'elle est sauvée. »

Mme de Rosbourg embrassa tendrement Mme de Fleurville ; elle exprima toute la reconnaissance que lui inspiraient la tendresse et les soins de Camille et de Madeleine, et se promit tout bas de la leur témoigner à la première occasion.

Chapitre 7

Camille punie

Il y avait à une lieue du château de Fleurville une petite fille âgée de six ans, qui s'appelait Sophie. À quatre ans, elle avait perdu sa mère dans un naufrage ; son père se remaria et mourut aussi peu de temps après. Sophie resta avec sa belle-mère, Mme Fichini ; elle était revenue habiter une terre qui avait appartenu à M. de Réan, père de Sophie. Il avait pris plus tard le nom de Fichini, que lui avait légué, avec une fortune considérable, un ami mort en Amérique ; Mme Fichini et Sophie venaient quelquefois chez Mme de Fleurville. Nous allons voir si Sophie était aussi bonne que Camille et Madeleine.

Un jour que les petites sœurs et Marguerite sortaient pour aller se promener, on entendit le roulement d'une voiture, et, bientôt après, une brillante calèche s'arrêta devant le perron du château ; Mme Fichini et Sophie en descendirent.

« Bonjour, Sophie, dirent Camille et Madeleine ;

nous sommes bien contentes de te voir ; bonjour, madame, ajoutèrent-elles en faisant une petite révérence.

— Bonjour, mes petites ; je vais au salon voir votre maman. Ne vous dérangez pas de votre promenade ; Sophie vous accompagnera. Et vous, mademoiselle, ajouta-t-elle en s'adressant à Sophie d'une voix dure et d'un air sévère, soyez sage, sans quoi vous aurez le fouet au retour. »

Sophie n'osa pas répliquer ; elle baissa les yeux. Mme Fichini s'approcha d'elle les yeux étincelants :

« Vous n'avez pas de langue pour répondre, petite impertinente ?

— Oui, maman », s'empressa de répondre Sophie.

Mme Fichini jeta sur elle un regard de colère, lui tourna le dos et entra au salon.

Camille et Madeleine étaient restées stupéfaites.

Marguerite s'était cachée derrière une caisse d'oranger. Quand Mme Fichini eut fermé la porte du salon, Sophie leva lentement la tête, s'approcha de Camille et de Madeleine, et dit tout bas :

« Sortons ; n'allons pas au salon : ma belle-mère y est.

CAMILLE

Pourquoi ta belle-mère t'a-t-elle grondée, Sophie ? Qu'est-ce que tu as fait ?

SOPHIE

Rien du tout. Elle est toujours comme cela.

MADELEINE

Allons dans notre jardin où nous serons bien tranquilles. Marguerite, viens avec nous.

SOPHIE, *apercevant Marguerite.*

Ah ! qu'est-ce que c'est que cette petite ? Je ne l'ai pas encore vue.

CAMILLE

C'est notre petite amie, et une bonne petite fille ; tu ne l'as pas encore vue, parce qu'elle était malade quand nous avons été te voir et qu'elle n'a pu venir avec nous ; j'espère, Sophie, que tu l'aimeras. Elle s'appelle Marguerite. »

Madeleine raconta à Sophie comment elles avaient fait connaissance avec Mme de Rosbourg. Sophie embrassa Marguerite, et toutes quatre coururent au jardin.

SOPHIE

Les belles fleurs ! Mais elles sont bien plus belles que les miennes. Où avez-vous eu ces magnifiques œillets, ces beaux géraniums et ces charmants rosiers ? Quelle délicieuse odeur !

MADELEINE

C'est Mme de Rosbourg qui nous a donné tout cela.

MARGUERITE

Prenez garde, Sophie ; vous écrasez un beau fraisier ; reculez-vous.

41

Laissez-moi donc. Je veux sentir les roses.

MARGUERITE

Mais vous écrasez les fraises de Camille. Il ne faut pas écraser les fraises de Camille.

SOPHIE

Et moi, je te dis de me laisser tranquille, petite sotte. »

Et comme Marguerite cherchait à préserver les fraises en tenant la jambe de Sophie, celle-ci la poussa avec tant de colère et si rudement, que la pauvre Marguerite alla rouler à trois pas de là.

Aussitôt que Camille vit Marguerite par terre, elle s'élança sur Sophie et lui appliqua un vigoureux soufflet.

Sophie se mit à crier, Marguerite pleurait, Madeleine cherchait à les apaiser. Camille était toute rouge et toute honteuse. Au même instant, parurent Mme de Fleurville, Mme de Rosbourg et Mme Fichini.

Mme Fichini commença par donner un bon soufflet à Sophie, qui criait.

SOPHIE, *criant.*

Cela m'en fait deux ; cela m'en fait deux !

MADAME FICHINI

Deux quoi, petite sotte ?

Deux soufflets qu'on m'a donnés.

MADAME FICHINI, *lui donnant encore un soufflet.*

Tiens, voilà le second pour ne pas te faire mentir.

CAMILLE

Elle ne mentait pas, madame ; c'est moi qui lui ai donné le premier. »

Mme Fichini regarda Camille avec surprise.

MADAME DE FLEURVILLE

Que dis-tu, Camille ? Toi, si bonne, tu as donné un soufflet à Sophie, qui vient en visite chez toi ?

CAMILLE, *les yeux baissés.*

Oui, maman.

MADAME DE FLEURVILLE, *avec sévérité.*

Et pourquoi t'es-tu laissé emporter à une pareille brutalité ?

CAMILLE, *avec hésitation.*

Parce que, parce que... *(Elle lève les yeux sur Sophie, qui la regarde d'un air suppliant.)* Parce que Sophie écrasait mes fraises.

MARGUERITE, *avec feu.*

Non, ce n'est pas cela, c'est pour me...

43

CAMILLE, *lui mettant la main sur la bouche, avec vivacité.*

Si fait, si fait ; c'est pour mes fraises. *(Tout bas à Marguerite.)* Tais-toi, je t'en prie.

MARGUERITE, *tout bas.*

Je ne veux pas qu'on te croie méchante, quand c'est pour me défendre que tu t'es mise en colère.

CAMILLE

Je t'en supplie, ma petite Marguerite, tais-toi jusqu'après le départ de Mme Fichini. »

Marguerite baisa la main de Camille et se tut.

Mme de Fleurville voyait bien qu'il s'était passé quelque chose qui avait excité la colère de Camille, toujours si douce ; mais elle devinait qu'on ne voulait pas le raconter, par égard pour Sophie. Pourtant, elle voulait donner satisfaction à Mme Fichini et punir Camille de cette vivacité inusitée ; elle lui dit d'un air mécontent :

« Montez dans votre chambre, mademoiselle ; vous ne descendrez que pour dîner et vous n'aurez ni dessert ni plat sucré. »

Camille fondit en larmes et se disposa à obéir à sa maman ; avant de se retirer, elle s'approcha de Sophie et lui dit :

« Pardonne-moi, Sophie ; je ne recommencerai pas, je te le promets. »

Sophie, qui au fond n'était pas méchante, embrassa Camille et lui dit tout bas :

« Merci, ma bonne Camille, de n'avoir pas dit que j'avais poussé Marguerite ; ma belle-mère m'aurait fouettée jusqu'au sang. »

44

Camille lui serra la main et se dirigea en pleurant vers la maison. Madeleine et Marguerite pleuraient à chaudes larmes de voir pleurer Camille. Marguerite avait bien envie d'excuser Camille en racontant ce qui s'était passé ; mais elle se souvint que Camille l'avait priée de n'en pas parler.

« Méchante Sophie, se disait-elle, c'est elle qui est cause du chagrin de ma pauvre Camille. Je la déteste. »

Mme Fichini remonta en voiture avec Sophie, qu'on entendit crier quelques instants après ; on supposa que sa belle-mère la battait ; on ne se trompait pas, car, à peine en voiture, Mme Fichini s'était mise à gronder Sophie et, pour terminer sa morale, elle lui avait tiré fortement les cheveux.

À peine furent-elles parties que Madeleine et Marguerite racontèrent à Mme de Fleurville comment et pourquoi Camille s'était emportée contre Sophie.

« Cette explication diminue beaucoup sa faute, mes enfants, mais elle a été coupable de s'être laissée aller à une pareille colère. Je lui permets de sortir de sa chambre, pourtant elle n'aura ni dessert ni plat sucré. »

Madeleine et Marguerite coururent chercher Camille et lui dirent que sa punition se bornait à ne pas manger de dessert et de plat sucré. Camille soupira et resta bien triste.

C'est qu'il faut bien avouer que la bonne, la charmante Camille avait un défaut : elle était un peu gourmande ; elle aimait les bonnes choses, et surtout les fruits. Elle savait que justement ce jour-là on devait servir d'excellentes pêches et du raisin que son oncle avait envoyés de Paris. Quelle privation de ne pas goûter à cet excellent dessert dont elle s'était fait une fête ! Elle continuait donc d'avoir les yeux pleins de larmes.

« Ma pauvre Camille, lui dit Madeleine, tu es donc bien triste de ne pas avoir de dessert ?

CAMILLE, *pleurant.*

Cela me fait de la peine de voir tout le monde manger le beau raisin et les belles pêches que mon oncle a envoyés, et de ne pas même y goûter.

MADELEINE

Eh bien, ma chère Camille, je n'en mangerai pas non plus, ni de plat sucré : cela te consolera un peu.

CAMILLE

Non, ma chère Madeleine, je ne veux pas que tu te prives pour moi ; tu en mangeras, je t'en prie.

MADELEINE

Non, non, Camille, j'y suis décidée. Je n'aurais aucun plaisir à manger de bonnes choses dont tu serais privée. »

Camille se jeta dans les bras de Madeleine ; elles s'embrassèrent vingt fois avec la plus vive tendresse. Madeleine demanda à Camille de ne parler à personne de sa résolution.

« Si maman le savait, dit-elle, ou bien elle me forcerait d'en manger, ou bien j'aurais l'air de vouloir la forcer à te pardonner. »

Camille lui promit de n'en pas parler pendant le dîner : mais elle résolut de raconter ensuite la généreuse privation que s'était imposée sa bonne petite sœur, car Madeleine avait d'autant plus de mérite qu'elle était, comme Camille, un peu gourmande.

L'heure du dîner vint ; les enfants étaient tristes toutes les trois. Le plat sucré se trouva être des croquettes de riz, que Madeleine aimait extrêmement.

MADAME DE FLEURVILLE

Madeleine, donne-moi ton assiette, que je te serve des croquettes.

MADELEINE

Merci, maman, je n'en mangerai pas.

MADAME DE FLEURVILLE

Comment ! tu n'en mangeras pas, toi qui les aimes tant !

MADELEINE

Je n'ai plus faim, maman.

MADAME DE FLEURVILLE

Tu m'as demandé tout à l'heure des pommes de terre, et je t'en ai refusé parce que je pensais aux croquettes de riz, que tu aimes mieux que tout autre plat sucré.

MADELEINE, *embarrassée et rougissante.*

J'avais encore un peu faim, maman, mais je n'ai plus faim du tout. »

Mme de Fleurville regarde d'un air surpris Madeleine, rouge et confuse ; elle regarde Camille, qui rou-

47

git aussi et qui s'agite, dans la crainte que Madeleine ne paraisse capricieuse et ne soit grondée. Mme de Fleurville se doute qu'il y a quelque chose qu'on lui cache, et n'insiste plus.

Le dessert arrive ; on apporte une superbe corbeille de pêches et une corbeille de raisin ; les yeux de Camille se remplissent de larmes ; elle pense avec chagrin que c'est pour elle que sa sœur se prive de si bonnes choses. Madeleine soupire en jetant sur les deux corbeilles des regards d'envie.

« Veux-tu commencer par le raisin ou par une pêche, Madeleine ? demanda Mme de Fleurville.

— Merci, maman, je ne mangerai pas de dessert.

— Mange au moins une grappe de raisin, dit Mme de Fleurville de plus en plus surprise ; il est excellent.

— Non, maman, répondit Madeleine qui se sentait faiblir à la vue de ces beaux fruits dont elle respirait le parfum ; je suis fatiguée, je voudrais me coucher.

— Tu n'es pas souffrante, chère petite ? lui demanda sa mère avec inquiétude.

— Non, maman, je me porte très bien ; seulement je voudrais me coucher. »

Et Madeleine, se levant, alla dire adieu à sa maman et à Mme de Rosbourg ; elle allait embrasser Camille, quand celle-ci demanda d'une voix tremblante à Mme de Fleurville la permission de suivre Madeleine. Mme de Fleurville, qui avait pitié de son agitation, le lui permit. Les deux sœurs partirent ensemble.

Cinq minutes après, tout le monde sortit de table ; on trouva dans le salon Camille et Madeleine s'embrassant et se serrant dans les bras l'une de l'autre.

Madeleine quitta enfin Camille et monta pour se coucher.

Camille était restée au milieu du salon, suivant des yeux Madeleine et répétant :

« Cette bonne Madeleine ! comme je l'aime ! comme elle est bonne !

— Dis-moi donc, Camille, demanda Mme de Fleurville, ce qui passe par la tête de Madeleine. Elle refuse le plat sucré, elle refuse le dessert, et elle va se coucher une heure plus tôt qu'à l'ordinaire.

— Si vous saviez, ma chère maman, comme Madeleine m'aime et comme elle est bonne ! Elle a fait tout cela pour me consoler, pour être privée comme moi ; et elle est allée se coucher parce qu'elle avait peur de ne pouvoir résister au raisin, qui était si beau et qu'elle aime tant !

— Viens la voir avec moi, Camille ; allons l'embrasser ! » s'écria Mme de Fleurville.

Avant de quitter le salon, elle alla dire quelques mots à l'oreille de Mme de Rosbourg, qui passa immédiatement dans la salle à manger.

Mme de Fleurville et Camille montèrent chez Madeleine qui venait de se coucher ; ses grands yeux bleus étaient fixés sur un portrait de Camille, auquel elle souriait.

Mme de Fleurville s'approcha de son lit, la serra tendrement dans ses bras et lui dit :

« Ma chère petite, ta générosité a racheté la faute de ta sœur et effacé la punition. Je lui pardonne à cause de toi, et vous allez toutes deux manger des croquettes, du raisin et des pêches que j'ai fait apporter. »

Au même moment, Élisa la bonne entra, apportant

des croquettes de riz sur une assiette, du raisin et des pêches sur une autre. Tout le monde s'embrassa. Mme de Fleurville descendit pour rejoindre Mme de Rosbourg. Camille raconta à Élisa combien Madeleine avait été bonne ; toutes deux donnèrent à Élisa une part de leur dessert, et après avoir bien causé, s'être bien embrassées, avoir fait leur prière de tout leur cœur, Camille se déshabilla, et toutes deux s'endormirent pour rêver soufflets, gronderies, tendresse, pardon et raisin.

Chapitre 8

Les hérissons

Un jour, Camille et Madeleine lisaient hors de la maison, assises sur leurs petits pliants, lorsqu'elles virent accourir Marguerite.

« Camille, Madeleine, leur cria-t-elle, venez vite voir des hérissons qu'on a attrapés ; il y en a quatre, la mère et les trois petits. »

Camille et Madeleine se levèrent promptement et coururent voir les hérissons, qu'on avait mis dans un panier.

CAMILLE

Mais on ne voit rien que des boules piquantes ; ils n'ont ni tête ni pattes.

MADELEINE

Je crois qu'ils sont roulés en boule et que leurs têtes et leurs pattes sont cachées.

Nous allons bien voir ; je vais les faire sortir du panier.

Mais ils te piqueront ; comment les prendras-tu ?

Tu vas voir. »

Camille prend le panier, le renverse : les hérissons se trouvent par terre. Au bout de quelques secondes, un des petits hérissons se déroule, sort sa tête, puis ses pattes ; les autres petits font de même et commencent à marcher, à la grande joie des petites filles, qui restaient immobiles pour ne pas les effrayer. Enfin, la mère commença aussi à se dérouler lentement et avança un peu la tête. Quand elle aperçut les trois enfants, elle resta quelques instants indécise ; puis, voyant que personne ne bougeait, elle s'allongea tout à fait, poussa un cri en appelant ses petits et se mit à trottiner pour se sauver.

« Les hérissons se sauvent ! s'écria Marguerite ; les voilà qui courent tous du côté du bois. »

Au même moment, le garde accourut.

« Eh ! eh ! dit-il, mes pelotes qui se sont déroulées ! Il ne fallait pas les lâcher, mesdemoiselles ; je vais avoir du mal à les rattraper. »

Et le garde courut après les hérissons, qui allaient presque aussi vite que lui ; déjà, ils avaient gagné la lisière du bois ; la mère pressait et poussait ses petits. Ils n'étaient plus qu'à un pas d'un vieux chêne creux dans lequel ils devaient trouver un refuge assuré ; le garde était encore à sept ou huit pas en arrière, ils avaient le temps de se soustraire au danger qui les menaçait, lorsqu'une détonation se fit entendre. La mère roula morte à l'entrée du chêne creux ; les petits, voyant leur mère arrêtée, s'arrêtèrent également.

Le garde, qui avait tiré son coup de fusil sur la mère, se précipita sur les petits et les jeta dans son carnier.

Camille, Madeleine et Marguerite accoururent.

« Pourquoi avez-vous tué cette pauvre bête, méchant Nicaise ? dit Camille avec indignation.

MADELEINE

Les pauvres petits vont mourir de faim à présent.

NICAISE

Pour cela non, mademoiselle ; ce n'est pas de faim qu'ils vont mourir : je vais les tuer.

MARGUERITE, *joignant les mains.*

Oh ! pauvres petits ! ne les tuez pas, je vous en prie, Nicaise.

NICAISE

Ah ! il faut bien les faire mourir, mademoiselle ; c'est mauvais, le hérisson ; ça détruit les petits lapins, les petits perdreaux. D'ailleurs, ils sont trop jeunes ; ils ne vivraient pas sans leur mère.

53

Viens, Madeleine ; viens, Marguerite ; allons demander à maman de sauver ces malheureuses petites bêtes. »

Toutes trois coururent au salon, où travaillaient Mme de Fleurville et Mme de Rosbourg.

LES TROIS PETITES ENSEMBLE

Maman, maman, madame, les pauvres hérissons ! ce méchant Nicaise va les tuer ! La pauvre mère est morte ! Il faut les sauver, vite, vite !

MADAME DE FLEURVILLE

Qui ? Qu'est-ce ? Qui tuer ? Qui sauver ? Pourquoi « méchant Nicaise » ?

LES TROIS PETITES ENSEMBLE

Il faut aller vite. C'est Nicaise. Il ne nous écoute pas. Ces pauvres petits !

MADAME DE ROSBOURG

Vous parlez toutes trois à la fois, mes chères enfants ; nous ne comprenons pas ce que vous demandez. Madeleine, parle seule, toi qui es moins agitée et moins essoufflée.

MADELEINE

C'est Nicaise qui a tué une mère hérisson ; il y a trois petits, il veut les tuer aussi ; il dit que les hérissons sont mauvais, qu'ils tuent les petits lapins.

Et je crois qu'il ment ; ils ne mangent que de mauvaises bêtes.

Et pourquoi mentirait-il, Camille ?

Parce qu'il veut tuer ces pauvres petits, maman.

Tu le crois donc bien méchant ? Pour avoir le plaisir de tuer de pauvres petites bêtes inoffensives, il inventerait contre elles des calomnies !

C'est vrai, maman, j'ai tort ; mais si vous pouviez sauver ces petits hérissons ? Ils sont si gentils !

Des hérissons gentils ? c'est une rareté. Mais, chère amie, nous pourrions aller voir ce qu'il en est et s'il y a moyen de laisser vivre ces pauvres orphelins. »

Ces dames et les trois petites filles sortirent et se dirigèrent vers le bois où on avait laissé le garde et les hérissons.

Plus de garde, plus de hérissons, ni morts ni vivants. Tout avait disparu.

Ô mon Dieu ! ces pauvres hérissons ! je suis sûre que Nicaise les a tués.

MADAME DE FLEURVILLE

Nous allons voir cela ; allons jusque chez lui. »

Les trois petites coururent en avant. Elles se précipitèrent avec impétuosité dans la maison du garde.

LES TROIS PETITES ENSEMBLE

Où sont les hérissons ? Où les avez-vous mis, Nicaise ? »

Le garde dînait avec sa femme. Il se leva lentement et répondit avec la même lenteur :

« Je les ai jetés à l'eau, mesdemoiselles ; ils sont dans la mare du potager.

LES TROIS PETITES ENSEMBLE

Comme c'est méchant ! comme c'est vilain ! Maman, maman, voilà Nicaise qui a jeté les petits hérissons dans la mare. »

Mmes de Fleurville et de Rosbourg arrivaient à la porte.

MADAME DE FLEURVILLE

Vous avez eu tort de ne pas attendre, Nicaise : mes petites désiraient garder ces hérissons.

NICAISE

Pas possible, madame ; ils auraient péri avant deux jours : ils étaient trop petits. D'ailleurs c'est une méchante race que le hérisson. Il faut la détruire. »

Mme de Fleurville se retourna vers les petites, muettes et consternées.

« Que faire, mes chères petites, sinon oublier ces hérissons ? Nicaise a cru bien faire en les tuant ; et, en vérité, qu'en auriez-vous fait ? Comment les nourrir, les soigner ? »

Les petites trouvaient que Mme de Fleurville avait raison, mais ces hérissons leur faisaient pitié ; elles ne répondirent rien et revinrent à la maison un peu abattues.

Elles allaient reprendre leurs leçons, lorsque Sophie arriva sur un âne avec sa bonne.

Mme Fichini faisait dire qu'elle viendrait dîner et qu'elle se débarrassait de Sophie en l'envoyant d'avance.

SOPHIE

Bonjour, mes bonnes amies ; bonjour, Marguerite ! Eh bien, Marguerite, tu t'éloignes ?

MARGUERITE

Vous avez fait punir l'autre jour ma chère Camille : je ne vous aime pas, mademoiselle.

CAMILLE

Écoute, Marguerite, je méritais d'être punie pour m'être mise en colère : c'est très vilain de s'emporter.

C'est pour moi, ma chère Camille, que tu t'es mise en colère. Tu es toujours si bonne ! Jamais tu ne te fâches. »

Sophie avait commencé par rougir de colère ; mais le mouvement de tendresse de Marguerite arrêta ce mauvais sentiment ; elle sentit ses torts, s'approcha de Camille et lui dit, les larmes aux yeux :

« Camille, ma bonne Camille, Marguerite a raison : c'est moi qui suis la coupable, c'est moi qui ai eu le premier tort en répondant durement à la pauvre petite Marguerite, qui défendait tes fraises. C'est moi qui ai provoqué ta juste colère en repoussant Marguerite et la jetant à terre ; j'ai abusé de ma force, j'ai froissé tous tes bons et affectueux sentiments. Tu as bien fait de me donner un soufflet ; je l'ai mérité, bien mérité. Et toi aussi, ma bonne petite Marguerite, pardonne-moi ; sois généreuse comme Camille. Je sais que je suis méchante ; mais, ajouta-t-elle en fondant en larmes, je suis si malheureuse ! »

À ces mots, Camille, Madeleine, Marguerite se précipitèrent vers Sophie, l'embrassèrent, la serrèrent dans leurs bras.

« Ma pauvre Sophie, disaient-elles toutes trois, ne pleure pas, nous t'aimons bien ; viens nous voir souvent, nous tâcherons de te distraire. »

Sophie sécha ses larmes et essuya ses yeux.

« Merci, mille fois merci, mes chères amies, je tâcherai de vous imiter, de devenir bonne comme vous. Ah ! si j'avais comme vous une maman douce et bonne, je serais meilleure ! Mais j'ai si peur de ma belle-mère ! elle ne me dit pas ce que je dois faire, mais elle me bat toujours.

— Pauvre Sophie ! dit Marguerite. Je suis bien fâchée de t'avoir détestée.

— Non, tu avais raison, Marguerite, parce que j'ai été vraiment détestable le jour où je suis venue. »

Camille et Madeleine demandèrent à Sophie de leur permettre d'achever un devoir de calcul et de géographie.

« Dans une demi-heure, nous aurons fini et nous irons vous rejoindre au jardin.

MARGUERITE

Veux-tu venir avec moi, Sophie ? je n'ai pas de devoir à faire.

SOPHIE

Très volontiers ; nous allons courir dehors.

MARGUERITE

Je vais te raconter ce qui est arrivé ce matin à trois pauvres petits hérissons et à leur maman. »

Et tout en marchant, Marguerite raconta toute la scène du matin.

SOPHIE

Et où les a-t-on jetés, ces hérissons ?

MARGUERITE

Dans la mare du potager.

59

Allons les voir ; ce sera très amusant.

Mais il ne faut pas trop approcher de l'eau ; maman l'a défendu.

Non, non ; nous regarderons de loin. »

Elles coururent vers la mare, et, comme elles ne voyaient rien, elles approchèrent un peu.

En voilà un, en voilà un ! je le vois ; il n'est pas mort, il se débat. Approche, approche ; vois-tu ?

Oui, je le vois ! Pauvre petit, comme il se débat ! les autres sont morts.

Si nous l'enfoncions dans l'eau avec un bâton pour qu'il meure plus vite ? Il souffre, ce pauvre malheureux.

Tu as raison. Pauvre bête ! le voici tout près de nous.

Voilà un grand bâton : donne-lui un coup sur la tête, il enfoncera.

Non, je ne veux pas achever de tuer ce pauvre petit hérisson ; et puis, maman ne veut pas que j'approche de la mare.

Pourquoi ?

Parce que je pourrais glisser et tomber dedans.

Quelle idée ! Il n'y a pas le moindre danger.

C'est égal ! il ne faut pas désobéir à maman.

Eh bien, à moi on n'a rien défendu ; ainsi je vais tâcher d'enfoncer ce petit hérisson. »

Et Sophie, s'avançant avec précaution vers le bord de la mare, allongea le bras et donna un grand coup au hérisson, avec la longue baguette qu'elle tenait à la main. Le pauvre animal disparut un instant, puis revint sur l'eau, où il continua à se débattre. Sophie courut vers l'endroit où il avait reparu et le frappa d'un second coup de sa baguette. Mais, pour l'at-

teindre, il lui avait fallu allonger beaucoup le bras ;
au moment où la baguette retombait, le poids de son
corps l'entraînant, Sophie tomba dans l'eau ; elle
poussa un cri désespéré et disparut.

Marguerite s'élança pour secourir Sophie, aperçut
sa main qui s'était accrochée à une touffe de genêt,
la saisit, la tira à elle, parvint à faire sortir de l'eau
le haut du corps de la malheureuse Sophie et lui présenta l'autre main pour achever de la retirer.

Pendant quelques secondes, elle lutta contre le
poids trop lourd qui l'entraînait elle-même dans la
mare ; enfin ses forces trahirent son courage, et la
pauvre petite Marguerite se sentit tomber avec Sophie.

La courageuse enfant ne perdit pas la tête, malgré
l'imminence du danger ; elle se souvint d'avoir
entendu dire à Mme de Fleurville que, lorsqu'on arrivait au fond de l'eau, il fallait, pour remonter à la
surface, frapper le sol du pied ; aussitôt qu'elle sentit
le fond, elle donna un fort coup de pied, remonta
immédiatement au-dessus de l'eau, saisit un poteau
qui se trouva à portée de ses mains et réussit, avec
cet appui, à sortir de la mare.

N'apercevant plus Sophie, elle courut toute ruisse-
lante d'eau vers la maison en criant : « Au secours,
au secours ! » Des faucheurs et des faucheuses qui travaillaient près de là accoururent à ses cris.

« Sauvez Sophie, sauvez Sophie ! elle est dans la
mare ! criait Marguerite.

— Mlle Marguerite est tombée dans l'eau, criaient
les bonnes femmes ; au secours !

— Sophie se noie, Sophie se noie, sanglotait
Marguerite désolée ; allez vite à son secours. »

Une des faneuses, plus intelligente que les autres, courut à la mare, aperçut la robe blanche de Sophie qui apparaissait un peu à la surface de l'eau, y plongea un long crochet qui servait à charger le foin, accrocha la robe, la tira vers le bord, allongea le bras, saisit la petite fille par la taille et l'enleva non sans peine.

Pendant que la bonne femme sauvait l'enfant, Marguerite, oubliant le danger qu'elle avait couru elle-même, et ne pensant qu'à celui de Sophie, pleurait à chaudes larmes et suppliait qu'on ne s'occupât pas d'elle et qu'on retournât à la mare.

Camille, Madeleine, qui accoururent au bruit, augmentèrent le tumulte en criant et pleurant avec Marguerite.

Mme de Rosbourg et Mme de Fleurville, entendant une rumeur extraordinaire, arrivèrent précipitamment et poussèrent toutes deux un cri de terreur à la vue de Marguerite, dont les cheveux et les vêtements ruisselaient.

« Mon enfant, mon enfant ! s'écria Mme de Rosbourg. Que t'est-il donc arrivé ? Pourquoi ces cris ?

— Maman, ma chère maman, Sophie se noie, Sophie est tombée dans la mare ! »

À ces mots, Mme de Fleurville se précipita vers la mare, suivie du garde et des domestiques. Elle ne tarda pas à rencontrer la faneuse avec Sophie dans ses bras, qui, elle aussi, pleurait à chaudes larmes.

Mme de Rosbourg, voyant l'agitation, le désespoir de Marguerite, ne comprenant pas bien ce qui la désolait ainsi, et sentant la nécessité de la calmer, lui dit avec assurance :

« Sophie est sauvée, chère enfant ; elle va très bien, calme-toi, je t'en conjure.

— Mais qui l'a sauvée ? je n'ai vu personne.

— Tout le monde y a couru pendant que tu revenais. »

Cette assurance calma Marguerite ; elle se laissa emporter sans résistance.

Quand elle fut bien essuyée, séchée et rhabillée, sa maman lui demanda ce qui était arrivé. Marguerite lui raconta tout, mais en atténuant ce qu'elle sentait être mauvais dans l'insistance de Sophie à faire périr le pauvre hérisson et à approcher de la mare, malgré l'avertissement qu'elle avait reçu.

« Tu vois, chère enfant, dit Mme de Rosbourg en l'embrassant mille fois, si j'avais raison de te défendre d'approcher de la mare. Tu as agi comme une petite fille sage, courageuse et généreuse... Allons voir ce que devient Sophie. »

Sophie avait été emportée par Mme de Fleurville et Élisa chez Camille et Madeleine, qui l'accompagnaient. On l'avait également déshabillée, essuyée, frictionnée, et on lui passait une chemise de Camille, quand la porte s'ouvrit violemment, et Mme Fichini entra.

Sophie devint rouge comme une cerise ; l'apparition furieuse et inattendue de Mme Fichini avait stupéfié tout le monde.

« Qu'est-ce que j'apprends, mademoiselle ? vous avez sali, perdu votre jolie robe en vous laissant sottement tomber dans la mare ! Attendez, j'apporte de quoi vous rendre plus soigneuse à l'avenir. »

Et, avant que personne eût eu le temps de s'y opposer, elle tira de dessous son châle une forte verge, s'élança sur Sophie et la fouetta à coups redoublés, malgré les cris de la pauvre petite, les pleurs et les supplications de Camille et de Madeleine, et les remontrances de Mme de Fleurville et d'Élisa, indignées de tant de sévérité. Elle ne cessa de frapper que lorsque la verge se brisa entre ses mains ; alors elle en jeta les morceaux et sortit de la chambre. Mme de Fleurville la suivit pour lui exprimer son mécontentement d'une punition aussi injuste que barbare.

« Croyez, chère dame, répondit Mme Fichini, que c'est le seul moyen d'élever des enfants ; le fouet est le meilleur des maîtres. Pour moi, je n'en connais pas d'autres. »

Si Mme de Fleurville n'eût écouté que son indignation, elle eût chassé de chez elle une si méchante femme ; mais Sophie lui inspirait une pitié profonde : elle pensa que se brouiller avec la belle-mère, c'était priver la pauvre enfant de consolations et d'appui. Elle se fit donc violence et se borna à discuter avec Mme Fichini les inconvénients d'une répression trop sévère. Tous ces raisonnements échouèrent devant la sécheresse de cœur et l'intelligence bornée de la mauvaise mère, et Mme de Fleurville se vit obligée de patienter et de subir son odieuse compagnie.

Quand Mme de Rosbourg et Marguerite entrèrent chez Camille et Madeleine, elles furent surprises de les trouver toutes deux pleurant, et Sophie en chemise, criant, courant et sautant par excès de souffrance, le corps rayé et rougi par la verge dont les débris gisaient à terre.

Mme de Rosbourg et Marguerite restèrent immobiles d'étonnement.

« Camille, Madeleine, pourquoi pleurez-vous ? dit

enfin Marguerite, prête elle-même à pleurer. Qu'a donc la pauvre Sophie et pourquoi est-elle couverte de raies rouges ?

— C'est sa méchante belle-mère qui l'a fouettée, chère Marguerite. Pauvre Sophie ! pauvre Sophie ! »

Les trois petites entourèrent Sophie et parvinrent à la consoler à force de caresses et de paroles amicales. Pendant ce temps, Élisa avait raconté à Mme de Rosbourg la froide cruauté de Mme Fichini, qui n'avait vu dans l'accident de sa fille qu'une robe salie et qui avait puni ce manque de soin par une si cruelle flagellation. L'indignation de Mme de Rosbourg égala celle de Mme de Fleurville et d'Élisa ; les mêmes motifs lui firent supporter la présence de Mme Fichini.

Camille, Madeleine et Marguerite eurent besoin de faire de grands efforts pour être polies à table avec Mme Fichini. La pauvre Sophie n'osait ni parler ni lever les yeux ; immédiatement après le dîner les enfants allèrent jouer dehors. Quand Mme Fichini partit, elle promit d'envoyer souvent Sophie à Fleurville, comme le lui demandaient ces dames.

« Puisque vous voulez bien recevoir cette mauvaise créature, dit-elle en jetant sur Sophie un regard de mépris, je serai enchantée de m'en débarrasser le plus souvent possible ; elle est si méchante, qu'elle gâte toutes mes parties de plaisir chez mes voisins. Au revoir, chères dames... Montez en voiture, petite sotte ! » ajouta-t-elle en donnant à Sophie une grande tape sur la tête.

Quand la voiture fut partie, Camille et Madeleine, qui n'étaient pas revenues de leur consternation, ne voulurent pas aller jouer ; elles rentrèrent au salon où avec leur maman et avec Mme de Rosbourg elles causèrent de Sophie et des moyens de la tirer le plus souvent possible de la maison maternelle. Marguerite était couchée depuis longtemps ; Camille et Madeleine finirent par se coucher aussi, en réfléchissant au malheur de Sophie et en remerciant le bon Dieu de leur avoir donné une si excellente mère.

Chapitre 9

Poires volées

Quelques jours après l'aventure des hérissons, Mme de Fleurville avait à dîner quelques voisins, parmi lesquels elle avait engagé Mme Fichini et Sophie.

Camille et Madeleine n'étaient jamais élégantes ; leur toilette était simple et propre. Les jolis cheveux blonds et fins de Camille et les cheveux châtain clair de Madeleine, doux comme de la soie, étaient partagés en deux touffes bien lissées, bien nattées et rattachées au-dessus de l'oreille par de petits peignes ; lorsqu'on avait du monde à dîner, on y ajoutait un nœud en velours noir. Leurs robes étaient en percale blanche tout unie ; un pantalon à petits plis et des brodequins en peau complétaient cette simple toilette. Marguerite était habillée de même ; seulement, ses cheveux noirs, au lieu d'être relevés, tombaient en boucles sur son joli petit cou blanc et potelé. Toutes trois avaient le cou et les bras nus quand il faisait chaud ; le jour dont nous parlons, la chaleur était étouffante.

Quelques instants avant l'heure du dîner, Mme Fichini arriva avec une toilette d'une élégance ridicule pour la campagne. Sa robe de soie lilas clair était garnie de trois amples volants bordés de ruches, de dentelles, de velours ; son corsage était également bariolé de mille enjolivures qui le rendaient aussi ridicule que sa jupe ; l'ampleur de cette jupe était telle que Sophie avait été reléguée sur le devant de la voiture, au fond de laquelle s'étalaient majestueusement Mme Fichini et sa robe. La tête de Sophie paraissait seule au milieu de cet amas de volants qui la couvraient. La calèche était découverte ; la société était sur le perron. Mme Fichini descendit, triomphante, grasse, rouge, bourgeonnée. Ses yeux étincelaient d'orgueil satisfait ; elle croyait devoir être l'objet de l'admiration générale avec sa robe de mère Gigogne, ses gros bras nus, son petit chapeau à plumes de mille couleurs couvrant ses cheveux roux, et son cordon de diamants sur son front bourgeonné. Elle vit avec une satisfaction secrète les toilettes simples de toutes ces dames ; Mmes de Fleurville et de Rosbourg avaient des robes de taffetas noir uni ; aucune coiffure n'ornait leurs cheveux relevés en simples bandeaux et nattés par-derrière ; les dames du voisinage étaient les unes en mousseline unie, les autres en soie légère ; aucune n'avait ni volants, ni bijoux, ni coiffure extraordinaire. Mme Fichini ne se trompait pas en pensant à l'effet que ferait sa toilette ; elle se trompa seulement sur la nature de l'effet qu'elle devait produire : au lieu d'être de l'admiration, ce fut une pitié moqueuse.

« Me voici, chères dames, dit-elle en descendant de voiture et en montrant son gros pied.chaussé de souliers de satin lilas pareil à la robe, et à bouffettes de dentelle ; me voici avec Sophie comme saint Roch et son chien. »

Sophie, masquée d'abord par la robe de sa belle-mère, apparut à son tour, mais dans une toilette bien différente : elle avait une robe de grosse percale faite comme une chemise, attachée à la taille avec un cordon blanc ; elle tenait ses deux mains étalées sur son ventre.

« Faites la révérence, mademoiselle, lui dit Mme Fichini. Plus bas donc ! À quoi sert le maître de danse que j'ai payé tout l'hiver dix francs par leçon et qui vous a appris à saluer, à marcher et à avoir de la grâce ? Quelle tournure a cette sotte avec ses mains sur son ventre !

— Bonjour, ma petite Sophie, dit Mme de Fleurville ; va embrasser tes amies. Quelle belle toilette vous avez, madame ! ajouta-t-elle pour détourner les pensées de Mme Fichini de sa belle-fille. Nous ne méritons pas de pareilles élégances avec nos toilettes toutes simples.

— Comment donc, chère dame ! vous valez bien la peine qu'on s'habille. Il faut bien user ses vieilles robes à la campagne. »

Et Mme Fichini voulut prendre place sur un fauteuil près de Mme de Rosbourg ; mais la largeur de sa robe, la raideur de ses jupons repoussèrent le fauteuil au moment où elle s'asseyait, et l'élégante Mme Fichini tomba par terre...

Un rire général salua cette chute, rendue ridicule par le ballonnement de tous les jupons qui restèrent bouffants, faisant un énorme cerceau au-dessus de Mme Fichini, et laissant à découvert deux grosses jambes dont l'une gigotait avec emportement, tandis que l'autre restait immobile dans toute son ampleur.

Mme de Fleurville, voyant Mme Fichini étendue sur le plancher, comprima son envie de rire, s'approcha d'elle et lui offrit son aide pour la relever ; mais ses efforts furent impuissants, et il fallut que deux voisins, MM. de Vortel et de Plan, lui vinssent en aide.

À trois, ils parvinrent à relever Mme Fichini ; elle était rouge, furieuse, moins de sa chute que des rires excités par cet accident, et se plaignait d'une foulure à la jambe.

Sophie se tint prudemment à l'écart, pendant que sa belle-mère recevait les soins de ces dames ; quand le mouvement fut calmé et que tout fut rentré dans l'ordre, elle demanda tout bas à Camille de s'éloigner.

« Pourquoi veux-tu t'en aller ? dit Camille ; nous allons dîner à l'instant. »

Sophie, sans répondre, écarta un peu ses mains de son ventre, et découvrit une énorme tache de café au lait.

SOPHIE, *très bas.*

Je voudrais laver cela.

CAMILLE, *bas.*

Comment as-tu pu faire cette tache en voiture ?

SOPHIE, *bas.*

Ce n'est pas en voiture, c'est ce matin à déjeuner : j'ai renversé mon café sur moi.

Pourquoi n'as-tu pas changé de robe pour venir ici ?

SOPHIE, *bas.*

Maman ne veut pas ; depuis que je suis tombée dans la mare, elle veut que j'aie des robes faites comme des chemises, et que je les porte pendant trois jours.

CAMILLE, *bas.*

Ta bonne aurait dû au moins laver cette tache, et repasser ta robe.

SOPHIE, *bas.*

Maman le défend ; ma bonne n'ose pas. »

Camille appelle tout bas Madeleine et Marguerite, toutes quatre s'en vont. Elles courent dans leur chambre ; Madeleine prend de l'eau, Marguerite du savon ; elles lavent, elles frottent avec tant d'activité que la tache disparaît ; mais la robe reste mouillée, et Sophie continue à y appliquer ses mains jusqu'à ce que tout soit sec. Elles rentrent toutes au salon au moment où l'on allait se mettre à table. Mme Fichini boite un peu ; elle est enchantée de l'intérêt qu'elle croit inspirer et ne fait pas attention à Sophie, qui en profite pour manger comme quatre.

Après dîner, toute la société va se promener. On se dirige vers le potager ; Mme de Fleurville fait admirer une poire d'espèce nouvelle d'une grosseur et

d'une saveur remarquables. Le poirier qui la produi-
sait était tout jeune et n'en avait que quatre.

Tout le monde s'extasiait sur la grosseur extraordinaire de ces poires.

« Je vous engage, mesdames et messieurs, à venir
les manger dans huit jours ; elles auront encore grossi
et seront mûres à point », dit Mme de Fleurville.

Chacun accepta l'invitation ; on continua la revue
des fruits et des fleurs.

Sophie suivait avec Camille, Madeleine et
Marguerite. Les belles poires la tentaient ; elle aurait
bien voulu les cueillir et les manger ; mais comment
faire ? Tout le monde la verrait... « Si je pouvais rester toute seule en arrière ! se dit-elle. Mais comment
pourrai-je éloigner Camille, Madeleine et Marguerite ? Qu'elles sont ennuyeuses de ne jamais me laisser seule ! »

Tout en cherchant le moyen de rester seule derrière
ses amies, elle sentit que sa jarretière tombait.

« Bon, voilà un prétexte. »

Et, s'arrêtant près du poirier tentateur, elle se mit
à arranger sa jarretière, regardant du coin de l'œil si
ses amies continuaient leur chemin.

« Que fais-tu là ? dit Camille en se retournant.

SOPHIE

J'arrange ma jarretière, qui est défaite.

CAMILLE

Veux-tu que je t'aide ?

73

SOPHIE

Non, non, merci ; j'aime mieux m'arranger moi-même.

CAMILLE

Je vais t'attendre alors.

SOPHIE, *avec impatience.*

Mais non, va-t'en, je t'en supplie ! tu me gênes. »
Camille, surprise de l'irritation de Sophie, alla rejoindre Madeleine et Marguerite.

Aussitôt qu'elle fut éloignée, Sophie allongea le bras, saisit une poire, la détacha et la mit dans sa poche. Une seconde fois elle étendit le bras, et, au moment où elle cueillait la seconde poire, Camille se retourna et vit Sophie retirer précipitamment sa main et cacher quelque chose sous sa robe.

Camille, la sage, l'obéissante Camille, qui eût été incapable d'une si mauvaise action, ne se douta pas de celle que venait de commettre Sophie.

CAMILLE, *riant.*

Que fais-tu donc là, Sophie ? Qu'est-ce que tu mets dans ta poche ? et pourquoi es-tu si rouge ?

SOPHIE, *avec colère.*

Je ne fais rien du tout, mademoiselle ; je ne mets rien dans ma poche et je ne suis pas rouge du tout.

CAMILLE, *avec gaieté.*

Pas rouge ! Ah ! vraiment oui, tu es rouge. Made-leine, Marguerite, regardez donc Sophie : elle dit qu'elle n'est pas rouge.

SOPHIE, *pleurant.*

Tu ne sais pas ce que tu dis ; c'est pour me taqui-ner, pour me faire gronder que tu cries tant que tu peux que je suis rouge ; je ne suis pas rouge du tout. C'est bien méchant à toi.

CAMILLE, *avec la plus grande surprise.*

Sophie, ma pauvre Sophie, mais qu'as-tu donc ? Je ne voulais certainement pas te taquiner, encore moins te faire gronder. Si je t'ai fait de la peine, pardonne-moi. »

Et la bonne petite Camille courut à Sophie pour l'embrasser. En s'approchant, elle sentit quelque chose de dur et de gros qui la repoussait ; elle baissa les yeux, vit l'énorme poche de Sophie, y porta involon-tairement la main, sentit les poires, regarda le poirier et comprit tout.

« Ah ! Sophie, Sophie ! lui dit-elle d'un ton de reproche, comme c'est mal, ce que tu as fait !

— Laisse-moi tranquille, petite espionne, répondit Sophie avec emportement ; je n'ai rien fait : tu n'as pas le droit de me gronder ; laisse-moi, et ne t'avise pas de rapporter contre moi.

— Je ne rapporte jamais, Sophie. Je te laisse ; je ne veux pas rester près de toi et de ta poche pleine de poires volées. »

La colère de Sophie fut alors à son comble ; elle

75

levait la main pour frapper Camille, lorsqu'elle réfléchit qu'une scène attirerait l'attention et qu'elle serait surprise avec les poires. Elle abaissa son bras levé, tourna le dos à Camille et, s'échappant par une porte du potager, courut se cacher dans un massif pour manger les fruits dérobés.

Camille resta immobile, regardant Sophie qui s'enfuyait ; elle ne s'aperçut pas du retour de toute la société et de la surprise avec laquelle la regardaient sa maman, Mme de Rosbourg et Mme Fichini. « Hélas ! chère madame, s'écria Mme Fichini, deux de vos belles poires ont disparu ! »

Camille tressaillit et regarda le poirier, puis ces dames.

« Sais-tu ce qu'elles sont devenues, Camille ? » demanda Mme de Fleurville.

Camille ne mentait jamais.

« Oui, maman, je le sais.

— Tu as l'air d'une coupable. Ce n'est pas toi qui les as prises ?

— Oh ! non, maman.

— Mais alors où sont-elles ? Qui est-ce qui s'est permis de les cueillir ? »

Camille ne répondit pas.

MADAME DE ROSBOURG

Réponds, ma petite Camille ; puisque tu sais où elles sont, tu dois le dire.

CAMILLE, *hésitant.*

Je..., je... ne crois pas, madame..., je... ne dois pas dire...

MADAME FICHINI, *riant aux éclats.*

Ha ! ha ! ha ! c'est comme Sophie, qui vole et mange mes fruits et qui ment ensuite. Ha ! ha ! ha ! ce petit ange qui ne vaut pas mieux que mon démon ! Ha ! ha ! ha ! fouettez-la, chère madame, elle avouera.

CAMILLE, *avec vivacité.*

Non, madame, je ne fais pas comme Sophie ; je ne vole pas, et je ne mens jamais !

MADAME DE FLEURVILLE

Mais pourquoi, Camille, si tu sais ce que sont devenues ces poires, ne veux-tu pas le dire ? »

Camille baisse les yeux, rougit et répond tout bas : « Je ne peux pas. »

Mme de Rosbourg avait une telle confiance dans la sincérité de Camille, qu'elle n'hésita pas à la croire innocente ; elle soupçonna vaguement que Camille se taisait par générosité ; elle le dit tout bas à Mme de Fleurville, qui regarda longuement sa fille, secoua la tête et s'éloigna avec Mme de Rosbourg et Mme Fichini. Cette dernière riait toujours d'un air moqueur. La pauvre Camille, restée seule, fondit en larmes.

Elle sanglotait depuis quelques instants, lorsqu'elle s'entendit appeler par Madeleine, Sophie et Marguerite.

« Camille ! Camille ! où es-tu donc ? nous te cherchons depuis un quart d'heure. »

Camille sécha promptement ses larmes, mais elle ne put cacher la rougeur de ses yeux et le gonflement de son visage.

« Camille, ma chère Camille, pourquoi pleures-tu ? lui demanda Marguerite avec inquiétude.

— Je... ne pleure pas : seulement... j'ai..., j'ai... du chagrin. »

Et, ne pouvant retenir ses pleurs, elle recommença à sangloter. Madeleine et Marguerite l'entourèrent de leurs bras et la couvrirent de baisers, en lui demandant avec instance de leur confier son chagrin.

Aussitôt que Camille put parler, elle leur raconta qu'on la soupçonnait d'avoir mangé les belles poires que leur maman conservait si soigneusement. Sophie, qui était restée impassible jusqu'alors, rougit, se troubla, et demanda enfin d'une voix tremblante d'émotion : « Est-ce que tu n'as pas dit... que tu savais..., que tu connaissais...

CAMILLE

Oh ! non, je ne l'ai pas dit ; je n'ai rien dit.

MADELEINE

Comment ! est-ce que tu sais qui a pris les poires ?

CAMILLE, *très bas.*

Oui.

MADELEINE

Et pourquoi ne l'as-tu pas dit ? »

Camille leva les yeux, regarda Sophie et ne répondit pas.

Sophie se troublait de plus en plus ; Madeleine et Marguerite s'étonnaient de l'embarras de Camille, de l'agitation de Sophie. Enfin Sophie, ne pouvant plus contenir son sincère repentir et sa reconnaissance envers la généreuse Camille, se jeta à genoux devant elle en sanglotant : « Pardon, oh ! pardon, Camille, bonne Camille ! J'ai été méchante, bien méchante ; ne m'en veux pas. »

Marguerite regardait Sophie d'un œil enflammé de colère ; elle ne lui pardonnait pas d'avoir causé un si vif chagrin à sa chère Camille.

« Méchante Sophie, s'écria-t-elle, tu ne viens ici que pour faire du mal ; tu as fait punir un jour ma chère Camille, aujourd'hui tu la fais pleurer ; je te déteste, et cette fois-ci c'est pour tout de bon, car, grâce à toi, tout le monde croit Camille gourmande, voleuse et menteuse. »

Sophie tourna vers Marguerite son visage baigné de larmes et lui répondit avec douceur :

« Tu me fais penser, Marguerite, que j'ai encore autre chose à faire qu'à demander pardon à Camille ; je vais de ce pas, ajouta-t-elle en se levant, dire à ma belle-mère et à ces dames que c'est moi qui ai volé les poires, que c'est moi qui dois subir une sévère punition ; et que toi, bonne et généreuse Camille, tu ne mérites que des éloges et des récompenses.

— Arrête, Sophie, s'écria Camille en la saisissant par le bras ; et toi, Marguerite, rougis de ta dureté, sois touchée de son repentir. »

Marguerite, après une lutte visible, s'approcha de Sophie et l'embrassa les larmes aux yeux. Sophie pleurait toujours et cherchait à dégager sa main de celle de Camille pour courir à la maison et tout avouer. Mais Camille la retint fortement et lui dit :

« Écoute-moi, Sophie, tu as commis une faute, une très grande faute ; mais tu l'as déjà réparée en partie par ton repentir. Fais-en l'aveu à maman et à Mme de Rosbourg ; mais pourquoi le dire à ta belle-mère, qui est si sévère et qui te fouettera impitoyablement ?

— Pourquoi ? pour qu'elle ne te croie plus coupable. Elle me fouettera, je le sais ; mais ne l'aurai-je pas mérité ? »

À ce moment, Mme de Rosbourg sortit de la serre à laquelle étaient adossés les enfants et dont la porte était ouverte.

« J'ai tout entendu, mes enfants, dit-elle ; j'arrivais dans la serre au moment où vous accouriez près de Camille, et c'est moi qui me charge de toute l'affaire. Je raconterai à Mme de Fleurville la vérité ; je la cacherai à Mme Fichini, à laquelle je dirai seulement que l'innocence de Camille a été reconnue par l'aveu du coupable, que je me garderai bien de nommer. Ma petite Camille, ta conduite a été belle, généreuse, au-dessus de tout éloge. La tienne, Sophie, a été bien mauvaise au commencement, belle et noble à la fin ; toi, Marguerite, tu as été trop sévère, ta tendresse pour Camille t'a rendue cruelle pour Sophie ; et toi, Madeleine, tu as été bonne et sage. Maintenant, tâchons de tout oublier et de finir gaiement la journée. Je vous ai ménagé une surprise : on va tirer une loterie ; il y a des lots pour chacune de vous. »

Cette annonce dissipa tous les nuages ; les visages reprirent un air radieux, et les quatre petites filles, après s'être embrassées, coururent au salon. On les attendait pour commencer.

Sophie gagna un joli ménage et une papeterie ;

Camille, un joli bureau avec une boîte de couleurs, cent gravures à enluminer, et tout ce qui est nécessaire pour dessiner, peindre et écrire ;

Madeleine, quarante volumes de charmantes histoires et une jolie boîte à ouvrage avec tout ce qu'il fallait pour travailler ;

Marguerite, une charmante poupée en cire et un trousseau complet dans une jolie commode.

Chapitre 10

La poupée mouillée

Après avoir bien joué, bien causé, pris des glaces et des gâteaux, Sophie partit avec sa belle-mère ; Camille, Madeleine et Marguerite allèrent se coucher.

Mme de Fleurville embrassa mille fois Camille ; Mme de Rosbourg lui avait raconté l'histoire des poires, et toutes deux avaient expliqué à Mme Fichini l'innocence de Camille sans faire soupçonner Sophie.

Marguerite était enchantée de sa jolie poupée et de son trousseau. Dans le tiroir d'en haut de la commode, elle avait trouvé :

1 chapeau rond en paille avec une petite plume blanche et des rubans de velours noir ;

1 capote en taffetas bleu avec des roses pompons ;

1 ombrelle verte à manche d'ivoire ;

6 paires de gants ;

4 paires de brodequins ;

2 écharpes en soie ;

1 manchon et une pèlerine en hermine.

Dans le second tiroir :

6 chemises de jour ;
6 chemises de nuit ;
6 pantalons ;
6 jupons festonnés et garnis de dentelle ;
6 paires de bas ;
6 mouchoirs ;
6 bonnets de nuit ;
6 cols ;
6 paires de manches ;
2 corsets ;
2 jupons de flanelle ;
6 serviettes de toilette ;
6 draps ;
6 taies d'oreiller ;
6 petits torchons ;

1 sac contenant des éponges, un démêloir, un peigne fin, une brosse à tête, une brosse à peignes.

Dans le troisième tiroir étaient toutes les robes et les manteaux et mantelets ; il y avait :

1 robe en mérinos écossais ;
1 robe en popeline rose ;
1 robe en taffetas noir ;
1 robe en étoffe bleue ;
1 robe en mousseline blanche ;
1 robe en nankin ;
1 robe en velours noir ;
1 robe de chambre en taffetas lilas ;
1 casaque en drap gris ;
1 casaque en velours noir ;
1 talma en soie noire ;
1 mantelet en velours gros bleu ;
1 mantelet en mousseline blanche brodée.

Marguerite avait appelé Camille et Madeleine pour voir toutes ces belles choses ; ce jour-là et les jours suivants, elles employèrent leur temps à habiller, déshabiller, coucher et lever la poupée.

Un après-midi, Mme de Fleurville les appela.

« Camille, Madeleine, Marguerite, mettez vos chapeaux ; nous allons faire une promenade.

CAMILLE

Allons vite avec maman ! Marguerite, laisse ta poupée et courons.

MARGUERITE

Non, j'emporte ma poupée avec moi ; je veux l'avoir toujours dans mes bras.

MADELEINE

Si tu la laisses traîner, elle sera sale et chiffonnée.

MARGUERITE

Mais je ne la laisserai pas traîner, puisque je la porterai dans mes bras.

CAMILLE

C'est bon, c'est bon ; laissons-la faire, Madeleine, elle verra bien tout à l'heure qu'une poupée gêne pour courir. »

Marguerite s'entêta à garder sa poupée, et toutes trois rejoignirent bientôt Mme de Fleurville.

« Où allons-nous, maman ? dit Camille.

— Au moulin de la forêt, mes enfants. »

Marguerite fit une petite grimace, parce que le moulin était au bout d'une longue avenue et que la poupée était un peu lourde pour ses petits bras.

Arrivée à la moitié du chemin, Mme de Fleurville, qui craignait que les enfants ne fussent fatiguées, s'assit au pied d'un gros arbre et leur dit de se reposer pendant qu'elle lirait ; elle tira un livre de sa poche ; Marguerite s'assit près d'elle, mais Camille et Madeleine, qui n'étaient pas fatiguées, couraient à droite, à gauche, cueillant des fleurs et des fraises.

« Camille, Camille, s'écria Madeleine, viens vite ; voici une grande place pleine de fraises. »

Camille accourut et appela Marguerite.

« Marguerite, Marguerite, viens vite aussi cueillir des fraises : elles sont mûres et excellentes. »

Marguerite se dépêcha de rejoindre ses amies, qui déposaient leurs fraises dans de grandes feuilles de châtaignier. Elle se mit aussi à en cueillir ; mais, gênée par sa poupée, elle ne pouvait à la fois les ramasser et les tenir dans sa main, où elles s'écrasaient à mesure qu'elle les cueillait.

« Que faire, mon Dieu ! de cette ennuyeuse poupée ? se dit-elle tout bas ; elle me gêne pour courir, pour cueillir et garder mes fraises. Si je la posais au pied de ce gros chêne ?... il y a de la mousse ; elle sera très bien. »

Elle assit la poupée au pied de l'arbre, sauta de joie d'en être débarrassée et cueillit des fraises avec ardeur.

Au bout d'un quart d'heure, Mme de Fleurville leva les yeux, regarda le ciel qui se couvrait de nuages, mit son livre dans la poche, se leva et appela les enfants.

« Vite, vite, mes petites, retournons à la maison : voilà un orage qui s'approche ; tâchons de rentrer avant que la pluie commence. »

Les trois petites accoururent avec leurs fraises et en offrirent à Mme de Fleurville.

MADAME DE FLEURVILLE

Nous n'avons pas le temps de nous régaler de fraises, mes enfants ; emportez-les avec vous. Voyez comme le ciel devient noir ; on entend déjà le tonnerre.

MARGUERITE

Ah ! mon Dieu ! j'ai peur.

MADAME DE FLEURVILLE

De quoi as-tu peur, Marguerite ?

MARGUERITE

Du tonnerre. J'ai peur qu'il ne tombe sur moi.

MADAME DE FLEURVILLE

D'abord, quand le tonnerre tombe, c'est généralement sur les arbres ou sur les cheminées, qui sont plus élevés et présentent une pointe aux nuages ; ensuite, le tonnerre ne te ferait aucun mal quand même il tomberait sur toi, parce que tu as un fichu de soie et des rubans de soie à ton chapeau.

MARGUERITE

Comment ? la soie chasse le tonnerre ?

86

Oui, le tonnerre ne touche jamais aux personnes qui ont sur elles quelque objet en soie. L'été dernier, un de mes amis qui demeure à Paris, rue de Varenne, revenait chez lui par un orage épouvantable ; le tonnerre est tombé sur lui, a fondu sa montre, sa chaîne, les boucles de son gilet, les clefs qui étaient dans sa poche, les boutons d'or de son habit, sans lui faire aucun mal, sans même l'étourdir, parce qu'il avait une ceinture de soie qu'il porte pour se préserver de l'humidité.

MARGUERITE

Ah ! que je suis contente de savoir cela ! je n'aurai plus peur du tonnerre.

MADAME DE FLEURVILLE

Voilà le vent d'orage qui s'élève ; courons vite, dans dix minutes la pluie tombera à torrents. »

Les trois enfants se mirent à courir.

Mme de Fleurville suivait en marchant très vite ; mais elles avaient beau se dépêcher, l'orage marchait plus vite qu'elles, les gouttes commencèrent à tomber plus serrées, le vent soufflait avec violence ; les enfants avaient relevé leurs jupons sur leurs têtes, elles riaient tout en courant ; elles s'amusaient beaucoup de leurs jupons gonflés par le vent, des larges gouttes qui les mouillaient, et elles espéraient bien recevoir tout l'orage avant d'arriver à la maison. Mais elles entraient dans le vestibule au moment où la grêle et la pluie commençaient à leur fouetter le visage et à les tremper.

« Allez vite changer de souliers, de bas et de jupons, mes enfants », dit Mme de Fleurville.

Et elle-même monta dans sa chambre pour ôter ses vêtements mouillés.

Il fut impossible de sortir pendant tout le reste de la soirée ; la pluie continua de tomber avec violence ; les petites jouèrent à cache-cache dans la maison ; Mmes de Fleurville et de Rosbourg jouèrent avec elles jusqu'à huit heures. Marguerite alla se coucher ; Camille et Madeleine, fatiguées de leurs jeux, prirent chacune un livre ; elles lisaient attentivement : Camille, le *Robinson suisse,* Madeleine, les contes de Grimm, lorsque Marguerite accourut en chemise, nu-pieds, sanglotant et criant.

Camille et Madeleine jetèrent leurs livres et se précipitèrent avec terreur vers Marguerite. Mmes de Fleurville et de Rosbourg s'étaient aussi levées précipitamment et interrogeaient Marguerite sur la cause de ses cris.

Marguerite ne pouvait répondre ; les larmes la suffoquaient. Mme de Rosbourg examina ses bras, ses jambes, son corps et, s'étant assurée que la petite fille n'était pas blessée, elle s'inquiéta plus encore du désespoir de Marguerite.

Enfin elle put articuler : « Ma... poupée... ma... poupée...

— Qu'est-il donc arrivé ? demanda Mme de Rosbourg ; Marguerite... parle... je t'en prie.

— Ma... poupée... Ma belle... poupée est restée... dans... la forêt... au pied... d'un arbre... Ma poupée, ma pauvre poupée ! »

Et Marguerite recommença à sangloter de plus belle.

« Ta poupée neuve dans la forêt ! s'écria Mme de Rosbourg. Comment peut-elle être dans la forêt ?

— Je l'ai emportée à la promenade et je l'ai assise sous un gros chêne, parce qu'elle me gênait pour cueillir des fraises ; quand nous nous sommes sauvées à cause de l'orage, j'ai eu peur du tonnerre et je l'ai oubliée sous l'arbre.

— Peut-être le chêne l'aura-t-il préservée de la pluie. Mais pourquoi l'as-tu emportée ? Je t'ai toujours dit de ne pas emporter de poupée quand on va faire une promenade un peu longue.

— Camille et Madeleine m'ont conseillé de la laisser, mais je n'ai pas voulu.

— Voilà, ma chère Marguerite, comment le bon Dieu punit l'entêtement et la déraison ; il a permis que tu oubliasses ta pauvre poupée, et tu auras jusqu'à demain l'inquiétude de la savoir peut-être trempée et gâtée, peut-être déchirée par les bêtes qui habitent la forêt, peut-être volée par quelque passant.

— Je vous en prie, ma chère maman, dit Marguerite en joignant les mains, envoyez le domestique chercher ma poupée dans la forêt ; je lui expliquerai si bien où elle est qu'il la trouvera tout de suite.

— Comment ! tu veux qu'un pauvre domestique s'en aille par une pluie battante dans une forêt noire, au risque de se rendre malade ou d'être attaqué par un loup ? Je ne reconnais pas là ton bon cœur.

— Mais ma poupée, ma pauvre poupée, que va-t-elle devenir ? Mon Dieu, mon Dieu ! elle sera trempée, salie, perdue !

— Chère enfant, je suis très peinée de ce qui t'arrive, quoique ce soit par ta faute ; mais maintenant nous ne pouvons qu'attendre avec patience jusqu'à demain matin. Si le temps le permet, nous irons chercher ta malheureuse poupée. »

Marguerite baissa la tête et s'en alla dans sa chambre en pleurant et en disant qu'elle ne dormirait pas de la nuit. Elle ne voulait pas se coucher, mais sa bonne la mit de force dans son lit ; après avoir sangloté pendant quelques minutes, elle s'endormit et ne se réveilla que le lendemain matin.

Il faisait un temps superbe : Marguerite sauta de son lit pour s'habiller et courir bien vite à la recherche de sa poupée.

Quand elle fut lavée, coiffée et habillée, et qu'elle eut déjeuné, elle courut rejoindre ses amies et sa maman, qui étaient prêtes depuis longtemps et qui l'attendaient pour partir.

« Partons, s'écrièrent-elles toutes ensemble ; partons vite, chère maman, nous voici toutes les trois.

— Allons, marchons d'un bon pas et arrivons à l'arbre où la pauvre poupée a passé une si mauvaise nuit. »

Tout le monde se mit en route ; les mamans marchaient vite, vite ; les petites filles couraient plutôt qu'elles ne marchaient, tant elles étaient impatientes d'arriver ; aucune d'elles ne parlait, leur cœur battait à mesure qu'elles approchaient.

« Je vois le grand chêne au pied duquel elle doit être », dit Marguerite.

Encore quelques minutes, et elles arrivèrent près de l'arbre. Pas de poupée ; rien qui indiquât qu'elle aurait dû être là.

Marguerite regardait ses amies d'un air consterné ; Camille et Madeleine étaient désolées.

« Mais, demanda Mme de Rosbourg, es-tu bien sûre de l'avoir laissée ici ?

— Bien sûre, maman, bien sûre.

— Hélas ! en voici la preuve », dit Madeleine en ramassant dans une touffe d'herbe une petite pantoufle de satin bleu.

Marguerite prit la pantoufle, la regarda, puis se mit à pleurer. Personne ne dit rien ; les mamans reprirent le chemin de la maison, et les petites filles les suivirent tristement. Chacune se demandait :

« Qu'est donc devenue cette poupée ? Comment n'en est-il rien resté ? La pluie pouvait l'avoir trempée et salie, mais elle n'a pu la faire disparaître ! Les loups ne mangent pas les poupées ; ce n'est donc pas un loup qui l'a emportée. »

Tout en réfléchissant et en se désolant, elles arrivèrent à la maison. Marguerite alla dans sa chambre, prit toutes les affaires de sa poupée perdue, les plia proprement et les remit dans les tiroirs de la commode, comme elle les avait trouvées ; elle ferma les tiroirs, retira la clef et alla la porter à Camille.

« Tiens, Camille, lui dit-elle, voici la clef de ma petite commode ; mets-la, je te prie, dans ton bureau ; puisque ma pauvre poupée est perdue, je veux garder ses affaires. Quand j'aurai assez d'argent, j'en achèterai une tout à fait pareille, à laquelle les robes et les chapeaux pourront aller. »

Camille ne répondit pas, embrassa Marguerite, prit la clef et la serra dans un des tiroirs de son bureau, en disant : « Pauvre Marguerite ! »

Madeleine n'avait rien dit ; elle souffrait du chagrin de Marguerite et ne savait comment la consoler. Tout à coup, son visage s'anime, elle se lève, court à

91

son sac à ouvrage, en tire une bourse et revient en courant près de Marguerite.

« Tiens, ma chère Marguerite, voici de quoi acheter une poupée ; j'ai amassé trente-cinq francs pour faire emplette de livres dont je n'ai pas besoin ; je suis enchantée de ne pas les avoir encore achetés, tu auras une poupée exactement semblable à celle que tu as perdue.

— Merci, ma bonne, ma chère Madeleine ! dit Marguerite, qui était devenue rouge de joie. Oh ! merci, merci. Je vais demander à maman de me la faire acheter. »

Et elle courut chez Mme de Rosbourg qui lui promit de lui faire acheter sa poupée la prochaine fois que l'on irait à Paris.

Chapitre 11

Jeannette la voleuse

Madeleine avait reçu les éloges que méritait son généreux sacrifice ; trois jours s'étaient passés depuis la disparition de la poupée ; Marguerite attendait avec une vive impatience que quelqu'un allât à Paris pour lui apporter la poupée promise. En attendant, elle s'amusait avec celle de Madeleine. Il faisait chaud, et les enfants étaient établies dans le jardin, sous des arbres touffus. Madeleine lisait. Camille tressait une couronne de pâquerettes pour la poupée, que Marguerite peignait avant de lui mettre la couronne sur la tête. La petite boulangère, nommée Suzanne, qui apportait deux pains à la cuisine, passa près d'elle. Elle s'arrêta devant Marguerite, regarda attentivement la poupée et dit :

« Elle est tout de même jolie, votre poupée, mam'selle !

MARGUERITE

Tu n'en as jamais vu de si jolie, Suzanne ?

SUZANNE

Pardon, mam'selle, j'en ai vu une plus belle que la vôtre, et pas plus tard qu'hier encore.

MARGUERITE

Plus jolie que celle-ci ! Et où donc, Suzanne ?

SUZANNE

Ah ! près d'ici, bien sûr. Elle a une belle robe de soie lilas ; c'est Jeannette qui l'a.

MARGUERITE

Jeannette, la petite meunière ! Et qui lui a donné cette belle poupée ?

SUZANNE

Ah ! je ne sais pas, mam'selle ; elle l'a depuis trois jours. »

Camille, Madeleine et Marguerite se regardèrent d'un air étonné : toutes trois commençaient à soupçonner que la jolie poupée de Jeannette pouvait bien être celle de Marguerite.

CAMILLE

Et cette poupée a-t-elle des sabots ?

Oh ! pour ça non, mam'selle ; elle a un pied chaussé d'un beau petit soulier bleu, et l'autre est nu ; elle a aussi un petit chapeau de paille avec une plume blanche.

MARGUERITE, *s'élançant de sa chaise.*

C'est ma poupée, ma pauvre poupée que j'ai laissée il y a trois jours sous un chêne, lorsqu'il a fait un si gros orage, et que je n'ai pas retrouvée depuis.

SUZANNE

Ah bien ! Jeannette m'a dit qu'on lui avait donné la belle poupée, mais qu'il ne fallait pas en parler, parce que ça ferait des jaloux.

CAMILLE, *bas à Marguerite.*

Laisse aller Suzanne, et courons dire à maman ce qu'elle vient de nous raconter. »

Camille, Madeleine et Marguerite se levèrent et coururent au salon, où Mme de Fleurville était à écrire, pendant que Mme de Rosbourg jouait du piano.

CAMILLE ET MADELEINE, *très précipitamment.*

Madame, madame, voulez-vous nous laisser aller au moulin ? Jeannette a la poupée de Marguerite ; il faut qu'elle la rende.

MADAME DE ROSBOURG

Quelle folie ! mes pauvres enfants, vous perdez la tête ! Comment est-il possible que la poupée de

95

Marguerite se soit sauvée dans la maison de Jeannette ?

MADELEINE

Mais, madame, Suzanne l'a vue ! Jeannette lui a dit de ne pas en parler et qu'on la lui avait donnée.

MADAME DE FLEURVILLE

Ma pauvre fille, c'est quelque poupée de vingt-cinq sous habillée en papier qu'on aura donnée à Jeannette, et que Suzanne trouve superbe, parce qu'elle n'en a jamais vu de plus belle.

MARGUERITE

Mais non, madame, c'est bien sûr ma poupée ; elle a une robe de taffetas lilas, un seul soulier de satin bleu, et un chapeau de paille avec une plume blanche.

MADAME DE ROSBOURG

Écoute, ma petite Marguerite, va me chercher Suzanne ; je la questionnerai moi-même, et, si j'ai des raisons de penser que Jeannette a ta poupée, nous allons partir tout de suite pour le moulin. »

Marguerite partit comme une flèche et revint deux minutes après, traînant la petite Suzanne, toute honteuse de se trouver dans un si beau salon, en présence de ces dames.

MADAME DE ROSBOURG

N'aie pas peur, ma petite Suzanne ; je veux seulement te demander quelques détails sur la belle poupée de Jeannette. Est-il vrai qu'elle a une poupée très jolie et très bien habillée ?

Pour ça, oui, madame ; elle est tout à fait jolie.

Comment est sa robe ?

En soie lilas, madame.

Et son chapeau ?

En paille, madame ; et tout rond, avec une plume blanche et des affiquets de velours noir.

T'a-t-elle dit qui lui avait donné cette poupée ?

Pour ça non, madame ; elle n'a point voulu nommer personne parce qu'on le lui a défendu, qu'elle dit.

Y a-t-il longtemps qu'elle a cette poupée ?

97

Il y a trois jours, madame ; elle dit qu'elle l'a rapportée de la ville le jour de l'orage.

MADAME DE ROSBOURG

Merci, ma petite Suzanne ; tu peux t'en aller ; voici des pralines pour t'amuser en route. »

Et elle lui mit dans la main un gros cornet de pralines ; Suzanne rougit de plaisir, fit une révérence et s'en alla.

« Chère amie, dit Mme de Fleurville à Mme de Rosbourg, il me paraît certain que Jeannette a la poupée de Marguerite ; allons-y toutes. Mettez vos chapeaux, petites, et dépêchons-nous de nous rendre au moulin. »

Les enfants ne se le firent pas dire deux fois ; en trois minutes, elles furent prêtes à partir. Tout le monde se mit en marche ; au lieu de la consternation et du silence qui avaient attristé la même promenade, trois jours auparavant, les enfants s'agitaient, allaient et venaient, se dépêchaient et parlaient toutes à la fois.

Elles marchèrent si vite, qu'on arriva en moins d'une demi-heure. Les petites allaient se précipiter toutes trois dans le moulin en appelant Jeannette et en demandant la poupée. Mme de Rosbourg les arrêta et leur dit :

« Ne dites pas un mot, mes enfants, ne témoignez aucune impatience ; tenez-vous près de moi et ne parlez que lorsque vous verrez la poupée. »

Les petites eurent de la peine à se contenir ; leurs yeux étincelaient, leurs narines se gonflaient, leur bouche s'ouvrait pour parler, leurs jambes les emportaient malgré elles ; mais les mamans les firent passer derrière, et toutes cinq entrèrent ainsi au moulin.

La meunière vint ouvrir, fit beaucoup de révérences et présenta des chaises.

« Asseyez-vous, mesdames, mesdemoiselles, voici des chaises basses. »

Mme de Fleurville, Mme de Rosbourg et les enfants s'assoient ; les trois petites s'agitent sur leurs chaises ; Mme de Rosbourg leur fait signe de ne pas montrer d'impatience.

MADAME DE FLEURVILLE

Eh bien, mère Léonard, comment cela va-t-il ?

LA MEUNIÈRE

Madame est bien honnête ; ça va bien, Dieu merci.

MADAME DE FLEURVILLE

Et votre fille, Jeannette, où est-elle ?

MÈRE LÉONARD

Ah ! je ne sais point, madame ; peut-être bien au moulin.

MADAME DE FLEURVILLE

Mes filles voudraient la voir ; appelez-la donc...

MÈRE LÉONARD, *allant à la porte.*

Jeannette, Jeannette ! *(Après un moment d'attente.)* Jeannette, arrive donc ! où t'es-tu fourrée ? Elle ne vient point ! faut croire qu'elle n'ose pas.

Pourquoi n'ose-t-elle pas ?

Ah ! quand elle voit ces dames, ça lui fait toujours quelque chose ; elle s'émotionne de la joie qu'elle a.

Je voudrais bien lui parler pourtant ; si elle est sage et bonne fille, je lui ai apporté un joli fichu de soie et un beau tablier pour les dimanches. »

La mère Léonard s'agite, appelle sa fille, court de la maison au moulin et ramène, en la traînant par le bras, Jeannette qui s'était cachée et qui se débat vivement.

Vas-tu pas finir, méchante, malapprise ?

Je veux m'en aller ; lâchez-moi ; j'ai peur.

De quoi que t'as peur, sans-cœur ? Ces dames vont-elles pas te manger ? »

Jeannette cesse de se débattre ; la mère Léonard lui lâche le bras ; Jeannette se sauve et s'enfuit dans sa chambre. La mère Léonard est furieuse, elle craint que le fichu et le tablier ne lui échappent ; elle appelle Jeannette :

« Méchante enfant, s'écrie-t-elle, petite drôlesse, je

te vas quérir et je te vas cingler les reins ; tu vas voir. »

Mme de Fleurville l'arrête et lui dit : « N'y allez pas, mère Léonard ; laissez-moi lui parler : je la trouverai, allez, je connais bien la maison. »

Et Mme de Fleurville entra chez Jeannette, suivie de la mère Léonard. Elles la trouvèrent cachée derrière une chaise. Mme de Fleurville, sans mot dire, la tira de sa cachette, s'assit sur la chaise et, lui tenant les deux mains, lui dit :

« Pourquoi te caches-tu, Jeannette ? Les autres fois, tu accourais au-devant de moi quand je venais au moulin. »

Pas de réponse ; Jeannette reste la tête baissée.

« Jeannette, où as-tu trouvé la belle poupée qu'on a vue chez toi l'autre jour ?

JEANNETTE, *avec vivacité.*

Suzanne est une menteuse ; elle n'a point vu de poupée ; je ne lui ai rien dit ; je n'ai parlé de rien, c'est des menteries qu'elle vous a faites.

MADAME DE FLEURVILLE

Comment sais-tu que c'est Suzanne qui me l'a dit ?

JEANNE, *très vivement.*

Parce qu'elle me fait toujours de méchantes choses ; elle vous a conté des sottises.

MADAME DE FLEURVILLE

Mais encore une fois, pourquoi accuses-tu Suzanne, puisque je ne te l'ai pas nommée ?

JEANNETTE

Faut pas croire Suzanne ni les autres ; je n'ai point dit qu'on m'avait donné la poupée ; je n'en ai point, de poupée ; c'est tout des menteries.

MADAME DE FLEURVILLE

Plus tu parles et plus je vois que c'est toi qui mens ; tu as peur que je ne te reprenne la poupée que tu as trouvée dans le bois le jour de l'orage.

JEANNETTE

Je n'ai peur de rien ; je n'ai rien trouvé sous le chêne et je n'ai point la poupée de Mlle Marguerite.

MADAME DE FLEURVILLE

Comment sais-tu que c'est de la poupée de Mlle Marguerite que je te parle et qu'elle était sous le chêne ? »

Jeannette, voyant qu'elle se trahissait de plus en plus, se mit à crier et à se débattre. Mme de Fleurville la laissa aller et commença la recherche de la poupée ; elle ouvrit l'armoire et le coffre, mais n'y trouva rien ; enfin, voyant que Jeannette s'était réfugiée près du lit, comme pour empêcher qu'on ne cherchât de ce côté, elle se baissa et aperçut la poupée sous le lit, tout au fond ; elle se retourna vers la mère Léonard et lui ordonna d'un air sévère de retirer la poupée. La mère Léonard obéit en tremblant et remit la poupée à Mme de Fleurville.

« Saviez-vous, dit Mme de Fleurville, que votre fille avait cette poupée ?

— Pour ça non, ma bonne chère dame, répondit la mère Léonard ; si je l'avais su, je la lui aurais fait reporter au château, car elle sait bien que cette poupée est à Mlle Marguerite ; nous l'avions trouvée bien jolie, la dernière fois que Mlle Marguerite l'a apportée. *(Se retournant vers Jeannette.)* Ah ! mauvaise créature, vilaine petite voleuse, tu vas voir comme je te corrigerai. Je t'apprendrai à faire des voleries et puis des menteries encore, que j'en suis toute tremblante. Je voyais bien que tu mentais à madame, dès que tu as ouvert ta bouche pleine de menteries. Tu vas avoir le fouet tout à l'heure : tu ne perdras rien pour attendre. »

Jeannette pleurait, criait, suppliait, protestait qu'elle ne le ferait plus jamais. La mère Léonard, loin de se laisser attendrir, la repoussait de temps en temps avec un soufflet ou un bon coup de poing. Mme de Fleurville, craignant que la correction ne fût trop forte, chercha à calmer la mère Léonard et réussit à lui faire promettre qu'elle ne fouetterait pas Jeannette et qu'elle se contenterait de l'enfermer dans sa chambre pour le reste de la journée. Les enfants étaient consternées de cette scène ; les mensonges répétés de Jeannette, sa confusion devant la poupée retrouvée, la colère et les menaces de la mère Léonard les avaient fait trembler. Mme de Fleurville remit à Marguerite sa poupée sans mot dire, dit adieu à la mère Léonard et sortit avec Mme de Rosbourg, suivie des trois enfants. Elles marchaient depuis quelques instants en silence, lorsqu'un cri perçant les fit toutes s'arrêter ; il fut suivi d'autres cris plus perçants, plus aigus encore : c'était Jeannette qui recevait le fouet de la mère Léonard. Elle la fouetta longtemps : car, à une grande distance, les enfants, qui s'étaient remises en marche, entendaient encore les hurlements, les supplications de la petite voleuse. Cette fin tragique de l'histoire de la poupée perdue les laissa pour toute la journée sous l'impression d'une grande tristesse, d'une vraie terreur.

Chapitre 12

Visite chez Sophie

« Mais chairs amie, veuné dinné chés moi demin ; mamman demand ça à votr mamman ; nous dinron à sainq eure pour joué avan é allé promené aprais. Je pari que j'ai fé de fôtes ; ne vous moké pas de moi, je vous pri !

Sofie, votr ami. »

Camille reçut ce billet quelques jours après l'histoire de la poupée ; elle ne put s'empêcher de rire en voyant ces énormes fautes d'orthographe ; comme elle était très bonne, elle ne les montra pas à Madeleine et à Marguerite ; elle alla chez sa maman.

CAMILLE

Maman, Sophie m'écrit que Mme Fichini nous engage toutes à dîner chez elle demain.

105

Aïe, aïe ! quel ennui ! Est-ce que ce dîner t'amusera, Camille ?

CAMILLE

Beaucoup, maman. J'aime assez cette pauvre Sophie, qui est si malheureuse.

MADAME DE FLEURVILLE

C'est bien généreux à toi, ma pauvre Camille, car elle t'a fait punir et gronder deux fois.

CAMILLE

Oh ! maman, elle a été si fâchée après !

MADAME DE FLEURVILLE, *embrassant Camille.*

C'est bien, très bien, ma bonne petite Camille ; réponds-lui donc que nous irons demain bien certainement. »

Camille remercia sa maman, courut prévenir, Madeleine et Marguerite, et répondit à Sophie :

« Ma chère Sophie,

« Maman et Mme de Rosbourg iront dîner demain chez ta belle-mère ; elles nous emmèneront, Madeleine, Marguerite et moi. Nous sommes très contentes ; nous ne mettrons pas de belles robes pour pouvoir jouer à notre aise. Adieu, ma chère Sophie, je t'embrasse.

Camille de FLEURVILLE. »

106

Toute la journée, les petites filles furent occupées de la visite du lendemain. Marguerite voulait mettre une robe de mousseline blanche ; Madeleine et Camille voulaient de simples robes en toile. Mme de Rosbourg trancha la question en conseillant les robes de toile.

Marguerite voulait emporter sa belle poupée ; Camille et Madeleine lui dirent :

« Prends garde, Marguerite : souviens-toi du gros chêne et de Jeannette.

MARGUERITE

Mais demain il n'y aura pas d'orage, ni de forêt, ni de Jeannette.

MADELEINE

Non, mais tu pourrais l'oublier quelque part, ou la laisser tomber et la casser.

MARGUERITE

C'est ennuyeux de toujours laisser ma pauvre poupée à la maison. Pauvre petite ! elle s'ennuie ! Jamais elle ne sort ! jamais elle ne voit personne ! »

Camille et Madeleine se mirent à rire ; Marguerite, après un instant d'hésitation, rit avec elles et avoua qu'il était plus raisonnable de laisser la poupée à la maison.

Le lendemain matin, les petites filles travaillèrent comme de coutume ; à deux heures, elles allèrent s'habiller, et à deux heures et demie elles montèrent en calèche découverte ; Mmes de Rosbourg et de Fleurville s'assirent au fond ; les trois petites prirent place sur le devant. Il faisait un temps magnifique, et, comme le château de Mme Fichini n'était qu'à une lieue, le voyage dura à peine vingt minutes. La grosse Mme Fichini les attendait sur le perron ; Sophie se tenait en arrière, n'osant pas se montrer, de crainte des soufflets.

« Bonjour, chères dames, s'écria Mme Fichini ; bonjour, chères demoiselles ; comme c'est aimable d'arriver de bonne heure ! les enfants auront le temps de jouer, et nous autres mamans, nous causerons. J'ai une grâce à vous demander, chères dames ; je vous expliquerai cela ; c'est pour ma vaurienne de Sophie ; je veux vous en faire cadeau pour quelques semaines, si vous voulez bien l'accepter et la garder pendant un voyage que je dois faire. »

Mme de Fleurville, surprise, ne répondit rien ; elle attendit que Mme Fichini lui expliquât le cadeau incommode qu'elle désirait lui faire. Ces dames entrèrent dans le salon, les enfants restèrent dans le vestibule.

« Qu'est-ce qu'a dit ta belle-mère, Sophie ? demanda Marguerite, qu'elle voulait te donner à maman ? Où veut-elle donc aller sans toi ?

— Je n'en sais rien, répondit Sophie en soupirant ; je sais seulement que depuis deux jours elle me bat souvent et qu'elle veut me laisser seule ici pendant qu'elle fera un voyage en Italie.

— En seras-tu fâchée ? dit Camille.

— Oh ! pour cela non, surtout si je vais demeurer chez vous : je serai si heureuse avec vous ! Jamais battue, jamais injustement grondée, je ne serai plus seule, abandonnée pendant des journées entières, n'apprenant rien, ne sachant que faire, m'ennuyant. Il m'arrive bien souvent de pleurer plusieurs heures de suite, sans que personne y fasse attention, sans que personne cherche à me consoler. »

Et la pauvre Sophie versa quelques larmes ; les trois petites l'entourèrent, l'embrassèrent et réussirent à la consoler ; dix minutes après, elles couraient dans le jardin et jouaient à cache-cache ; Sophie riait et s'amusait autant que les autres.

Après deux heures de courses et de jeux, comme elles avaient très chaud, elles rentrèrent à la maison.

« Dieu ! que j'ai soif ! dit Sophie.

MADELEINE

Pourquoi ne bois-tu pas ?

SOPHIE

Parce que ma belle-mère me le défend.

MARGUERITE

Comment ! Tu ne peux même pas boire un verre d'eau ?

SOPHIE

Rien absolument, jusqu'au dîner, et à dîner un verre seulement.

MARGUERITE

Pauvre Sophie, mais c'est affreux cela. »

« Sophie, Sophie ! criait en ce moment la voix

109

furieuse de Mme Fichini. Venez ici, mademoiselle, tout de suite. »

Sophie, pâle et tremblante, se dépêcha d'entrer au salon où était Mme Fichini. Camille, Madeleine et Marguerite avaient peur pour la pauvre Sophie ; elles restèrent dans le petit salon, tremblant aussi et écoutant de toutes leurs oreilles.

MADAME FICHINI, *avec colère.*

Approchez, petite voleuse ; pourquoi avez-vous bu le vin ?

SOPHIE, *tremblante.*

Quel vin, maman ? Je n'ai pas bu de vin.

MADAME FICHINI, *la poussant rudement.*

Quel vin, menteuse ? Celui du carafon qui est dans mon cabinet de toilette.

SOPHIE, *pleurant.*

Je vous assure, maman, que je n'ai pas bu votre vin, que je ne suis pas entrée dans votre cabinet.

MADAME FICHINI

Ah ! vous n'êtes pas entrée dans mon cabinet ! et vous n'êtes pas entrée par la fenêtre ! et qu'est-ce donc que ces marques que vos pieds ont laissées sur le sable, devant la fenêtre du cabinet ?

 110

Je vous assure, maman... »

Mme Fichini ne lui permit pas d'achever : elle se précipita sur elle, la saisit par l'oreille, l'entraîna dans la chambre à côté, et malgré les protestations et les pleurs de Sophie elle se mit à la fouetter, à la battre jusqu'à ce que ses bras fussent fatigués. Mme Fichini sortit du cabinet toute rouge de colère. La malheureuse Sophie la suivait en sanglotant ; au moment où elle s'apprêtait à quitter le salon pour aller retrouver ses amies, Mme Fichini se retourna vers elle et lui donna un dernier soufflet, qui la fit trébucher ; après quoi, essoufflée, furieuse, elle revint s'asseoir sur le canapé. L'indignation empêchait ces dames de parler ; elles craignaient, si elles laissaient voir ce qu'elles éprouvaient, que l'irritation de cette méchante femme ne s'en accrût encore, et qu'elle ne renonçât à l'idée de laisser Sophie à Fleurville pendant le voyage qu'elle devait bientôt commencer. Toutes trois gardaient le silence ; Mme Fichini s'éventait. Mmes de Fleurville et de Rosbourg travaillaient à leur tapisserie sans mot dire.

MADAME FICHINI

Ce qui vient de se passer, mesdames, me donne plus que jamais le désir de me séparer de Sophie ; je crains seulement que vous ne vouliez pas recevoir chez vous une fille si méchante et si insupportable.

MADAME DE FLEURVILLE, *froidement.*

Je ne redoute pas, madame, la méchanceté de Sophie ; je suis bien sûre que je me ferai obéir d'elle sans difficulté.

MADAME FICHINI

Ainsi donc, vous voulez bien consentir à m'en débarrasser ? Je vous préviens que mon absence sera longue ; je ne reviendrai pas avant deux ou trois mois.

MADAME DE FLEURVILLE, *toujours avec froideur.*

Ne vous inquiétez pas du temps que durera votre absence, madame, je suis enchantée de vous rendre ce service.

MADAME FICHINI

Dieu ! que vous êtes bonne, chère dame ! que je vous remercie ! Ainsi je puis faire mes préparatifs de voyage ?

MADAME DE FLEURVILLE, *sèchement.*

Quand vous voudrez, madame.

MADAME FICHINI

Comment ! je pourrais partir dans trois jours ?

MADAME DE FLEURVILLE

Demain, si vous voulez.

112

Quel bonheur ! que vous êtes donc aimable ! Ainsi, je vous enverrai Sophie après-demain.

MADAME DE FLEURVILLE

Très bien, madame ; je l'attendrai.

MADAME FICHINI

Surtout, chère dame, ne la gâtez pas, corrigez-la sans pitié : vous voyez comment il faut s'y prendre avec elle. »

Cependant Sophie allait rejoindre ses amies, pâles d'effroi et d'inquiétude ; elles avaient tout entendu ; elles croyaient que Sophie, tourmentée par la soif, avait réellement bu le vin du cabinet de toilette et qu'elle n'avait pas osé l'avouer, dans la crainte d'être battue.

« Ma pauvre Sophie, dit Camille en serrant la main de Sophie qui pleurait, que je te plains ! comme je suis peinée que tu n'aies pas avoué à ta belle-mère que tu avais bu ce vin parce que tu mourais de soif ! Elle ne t'aurait pas fouettée plus fort : c'eût été le contraire, peut-être.

— Je n'ai pas bu ce vin, répondit Sophie en sanglotant ; je t'assure que je ne l'ai pas bu.

— Mais qu'est-ce donc que ces pas sur le sable dont parlait ta belle-mère ? Ce n'est pas toi qui as sauté par la fenêtre ? demanda Madeleine.

— Non, non, ce n'est pas moi ; je ne mentirais pas avec toi, et je t'assure que je n'ai pas passé par la fenêtre et que je n'ai pas touché à ce vin. »

Après quelques explications qui ne leur apprirent

113

pas quel pouvait être le vrai coupable, les enfants réparèrent de leur mieux le désordre de la toilette de la pauvre Sophie ; Camille lui rattacha sa robe, Madeleine lui peigna les cheveux, Marguerite lui lava les mains et la figure ; ses yeux restèrent pourtant gonflés. Elles allèrent ensuite au jardin pour voir les fleurs, cueillir des bouquets et faire une visite à la jardinière.

Chapitre 13

Visite au potager

Sophie, qui avait toujours le cœur bien gros et la démarche gênée par les coups qu'elle avait reçus, laissa ses amies admirer les fleurs et cueillir des bouquets, et alla s'asseoir chez la jardinière.

MÈRE LOUCHET

Bonjour, mam'selle ; je vous voyais venir boitinant, vous avez l'air tout chose. Seriez-vous malade comme Palmyre, qui s'est donné une entorse et qui ne peut quasi pas marcher ?

SOPHIE

Non, mère Louchet, je ne suis pas malade.

MÈRE LOUCHET

Ah ! bien, c'est que votre maman a encore fait des siennes ; elle frappe dur quand elle tape sur vous.

C'est qu'elle n'y regarde pas : la tête, le cou, les bras, tout lui est bon. »

Sophie ne répondit pas ; elle pleurait.

MÈRE LOUCHET

Voyons, mam'selle, faut pas pleurer comme ça ; faut pas être honteuse ; ça fait de la peine, voyez-vous ; nous savons bien que ce n'est pas tout rose pour vous. Je disais bien à ma Palmyre : « Ah ! si je te corrigeais comme madame corrige mam'selle Sophie, tu ne serais pas si désobéissante. » Si vous aviez vu, tantôt, comme elle m'est revenue, sa robe pleine de taches, sa main et sa figure couvertes de sable ! c'est qu'elle est tombée rudement, allez !

SOPHIE

Comment est-elle tombée ?

MÈRE LOUCHET

Ah ! je n'en sais rien ! elle ne veut pas le dire, tout de même. Sans doute qu'elle jouait au château, puisque nous n'avons point de sable ici ; puis sa robe a des taches rouges comme du vin ; nous n'avons que du cidre ; nous ne connaissons pas le vin, nous.

SOPHIE, étonnée.

Du vin ! où a-t-elle eu du vin ?

MÈRE LOUCHET

Ah ! je n'en sais rien ; elle ne veut pas le dire.

Est-ce qu'elle a pris le vin du cabinet de ma belle-mère ?

MÈRE LOUCHET

Ah ! peut-être bien ; elle y va souvent porter des herbes pour les bains de votre maman ; ça se pourrait bien qu'elle eût bu un coup et qu'elle n'osât pas le dire. Ah ! c'est que, si je le savais, je la fouetterais ferme, tout comme votre maman vous fouette.

SOPHIE

Ma belle-mère m'a fouettée parce qu'elle a cru que j'avais bu son vin, et ce n'est pas moi pourtant. »

La mère Louchet changea de visage ; elle prit un air indigné :

« Serait-il possible, s'écria-t-elle, pauvre petite mam'selle, que ma Palmyre ait fait ce mauvais coup et que vous ayez souffert pour elle ? Ah ! mais... elle ne l'emportera pas en paradis, bien sûr... Palmyre, viens donc un peu que je te parle.

PALMYRE, *dans la chambre à côté.*

Je ne peux pas, maman ; mon pied me fait trop mal.

MÈRE LOUCHET

Eh bien, je vais aller près de toi, et mam'selle Sophie aussi. »

Toutes deux entrent chez Palmyre, qui est étendue sur son lit, le pied nu et enflé.

117

Dis donc, la Malice, où t'es-tu foulé la jambe comme ça ? »

Palmyre rougit et ne répond pas.

MÈRE LOUCHET

Je te vas dire, moi : t'es entrée dans le cabinet de madame pour les herbes du bain ; t'as vu la bouteille, t'as voulu goûter, t'as répandu sur ta robe tout en goûtant, t'as voulu descendre par la fenêtre, t'as tombé et t'as pas osé me le dire, parce que tu savais bien que je te régalerais d'une bonne volée. Eh ?...

PALMYRE, *pleurant.*

Oui, maman, c'est vrai, c'est bien cela : mais le bon Dieu m'a punie, car je souffre bien de ma jambe et de mon bras.

MÈRE LOUCHET

Et sais-tu que la pauvre mam'selle a été fouettée par madame, qu'elle en est toute souffreteuse et tout éclopée ? Et tu crois que je te vas passer cela sans dire quoi et que je ne vas pas te donner une raclée ?

SOPHIE, *avec effroi.*

Oh ! ma bonne mère Louchet, si vous avez de l'amitié pour moi, je vous prie, ne la punissez pas ; voyez comme elle souffre de son pied. Maudit vin ! il a déjà causé bien du mal chez nous ; n'y pensez plus, ma bonne mère Louchet, et pardonnez à Palmyre comme je lui pardonne.

Oh ! mam'selle, que vous êtes bonne ! que j'ai de regret que vous ayez été battue pour moi ! Ah ! si j'avais su, jamais je n'aurais touché à ce vin de malheur. Oh ! mam'selle, pardonnez-moi ! le bon Dieu vous le revaudra. »

Sophie s'approcha du lit de Palmyre, lui prit les mains et l'embrassa. La mère Louchet essuya une larme et dit : « Tu vois, Palmyre, ce que c'est que d'avoir de la malice ; voilà mam'selle Sophie qu'est toute comme si elle s'était battue avec une armée de chats ; c'est toi qu'es cause de tout cela ; eh bien, est-ce qu'elle t'en tient de la rancune ? Pas la moindre, et encore elle demande ta grâce. Et que tu peux lui brûler encore une fière chandelle ! car je t'aurais châtiée de la bonne manière. Mais, par égard pour cette bonne mam'selle, je te pardonne ; prie le bon Dieu qu'il te pardonne bien aussi ; t'as fait une sottise pommée, vois-tu, ne recommence pas. »

Palmyre pleurait d'attendrissement et de repentir ; Sophie était heureuse d'avoir épargné à Palmyre les douleurs qu'elle venait de ressentir elle-même si rudement. La mère Louchet était reconnaissante de n'avoir pas à battre Palmyre, qu'elle aimait tendrement, et qu'elle ne punissait jamais sans un vif chagrin : elle remercia donc Sophie du fond du cœur. Au milieu de cette scène, Camille, Madeleine et Marguerite entrèrent ; la mère Louchet leur raconta ce qui venait de se passer et combien Sophie avait été généreuse pour Palmyre. Sophie fut embrassée et approuvée par ses trois amies.

« Ma bonne Sophie, lui demanda Camille, ne te

sens-tu pas heureuse d'avoir épargné à Palmyre la punition qu'elle méritait, et d'avoir résisté au désir de te venger de ce que tu avais injustement souffert par sa faute ?

— Oui, chère Camille, répondit Sophie ; je suis heureuse d'avoir obtenu son pardon, mais je ne me sentais aucun désir de vengeance ; je sais combien est terrible la punition dont elle était menacée et j'avais aussi peur pour elle que j'aurais eu peur pour moi-même. »

Camille et Madeleine embrassèrent encore Sophie ; puis toutes quatre dirent adieu à Palmyre et à la mère Louchet, et rentrèrent à la maison, car la cloche du dîner venait de sonner.

Chapitre 14

Départ

Sophie avait peur de rentrer au salon. Elle pria ses amies d'entrer les premières pour que sa belle-mère ne l'aperçût pas ; mais elle eut beau se cacher derrière Camille, Madeleine et Marguerite, elle ne put échapper à l'œil de Mme Fichini, qui s'écria :

« Comment oses-tu revenir au salon ? Crois-tu que je laisserai dîner à table une voleuse, une menteuse comme toi ?

— Madame, répliqua courageusement Madeleine, Sophie est innocente ; nous savons maintenant qui a bu votre vin ; elle a dit vrai en vous assurant que ce n'était pas elle.

— Ta, ta, ta, ma belle petite ; elle vous aura conté quelque mensonge ; je la connais, allez, et je la ferai dîner dans sa chambre.

— Madame, dit à son tour Marguerite avec colère, c'est vous qui êtes méchante ; Sophie est très bonne ; c'est Palmyre qui a bu le vin, et Sophie a demandé son pardon à sa maman qui voulait la fouetter, et vous avez voulu battre la pauvre Sophie sans vouloir l'écouter, et j'aime Sophie, et je ne vous aime pas.

MADAME FICHINI, *riant avec effort.*

Bravo, la belle ! vous êtes bien polie, bien aimable en vérité ! Votre histoire de Palmyre est bien inventée.

CAMILLE

Marguerite dit vrai, madame : Palmyre a apporté des herbes dans votre cabinet, a bu votre vin, a sauté par la fenêtre et s'est donné une entorse ; elle a tout avoué à sa maman, qui voulait la fouetter et qui lui a pardonné, grâce aux supplications de Sophie. Vous voyez, madame, que Sophie est innocente, qu'elle est très bonne, et nous avons toutes beaucoup d'amitié pour elle.

MADAME DE ROSBOURG

Vous voyez aussi, madame, que vous avez puni Sophie injustement et que vous lui devez un dédommagement. Vous disiez tout à l'heure que vous désiriez partir promptement, et que Sophie vous gênait pour faire vos paquets : voulez-vous nous permettre de l'emmener ce soir ? Vous auriez ainsi toute liberté pour faire vos préparatifs de voyage. »

Mme Fichini, honteuse d'avoir été convaincue d'injustice envers Sophie devant tout le monde, n'osa pas refuser la demande de Mme de Rosbourg et, appelant sa belle-fille, elle lui dit d'un air maussade :

« Vous partirez donc ce soir, mademoiselle ; je vais

faire préparer vos effets. *(Sophie ne peut dissimuler un mouvement de joie.)* Je pense que vous êtes enchantée de me quitter ; comme vous n'avez ni cœur ni reconnaissance, je ne compte pas sur votre tendresse, et vous ferez bien de ne pas trop compter sur la mienne. Je vous dispense de m'écrire, et je ne me tuerai pas non plus à vous donner de mes nouvelles, dont vous vous souciez autant que je me soucie des vôtres. *(Se tournant vers ces dames.)* Allons dîner, chères dames ; à mon retour, je vous inviterai avec tous nos voisins ; je vous ferai la lecture de mes impressions de voyage ; ce sera charmant. »

Et ces dames, suivies des enfants, allèrent se mettre à table. Sophie profita, comme d'habitude, de l'oubli de sa belle-mère pour manger de tout ; cet excellent dîner et la certitude d'être emmenée le soir même par Mme de Fleurville achevèrent d'effacer la triste impression de la scène du matin.

Après dîner, les petites allèrent avec Sophie dans le petit salon où étaient ses joujoux et ses petites affaires ; elles firent un paquet d'une poupée et de son trousseau, qui était assez misérable ; le reste ne valait pas la peine d'être emporté.

Mme de Fleurville et Mme de Rosbourg, qui attendaient avec impatience le moment de quitter Mme Fichini, demandèrent leur voiture.

MADAME FICHINI

Comment ! déjà, mes chères dames ? Il n'est que huit heures.

123

MADAME DE FLEURVILLE

Je regrette bien, madame, de vous quitter si tôt, mais je désire rentrer avant la nuit.

MADAME FICHINI

Pourquoi donc avant la nuit ? La route est si belle ! et vous aurez clair de lune.

MADAME DE ROSBOURG

Marguerite est encore bien petite pour veiller ; je crains qu'elle ne se trouve fatiguée.

MADAME FICHINI

Ah ! mesdames, pour la dernière soirée que nous passons ensemble, vous pouvez bien faire un peu veiller Marguerite.

MADAME DE ROSBOURG

Nous sommes bien fâchées, madame, mais nous tenons beaucoup à ce que les enfants ne veillent pas. »

Un domestique vient avertir que la voiture est avancée. Les enfants mettent leurs chapeaux ; Sophie se précipite sur le sien et se dirige vers la porte, de peur d'être oubliée ; Mme Fichini dit adieu à ces dames et aux enfants ; elle appelle Sophie d'un ton sec.

« Venez donc me dire adieu, mademoiselle. Vilaine sans cœur, vous avez l'air enchantée de vous en aller ; je suis bien sûre que ces demoiselles ne quitteraient pas leur maman sans pleurer.

— Maman ne voyagerait pas sans moi, certainement, dit Marguerite avec vivacité, ni Mme de Fleurville sans Camille et Madeleine ; nous aimons nos mamans parce qu'elles sont d'excellentes mamans ; si elles étaient méchantes, nous ne les aimerions pas. »

Sophie trembla, Camille et Madeleine sourirent. Mmes de Fleurville et de Rosbourg se mordirent les lèvres pour ne pas rire, et Mme Fichini devint rouge de colère ; ses yeux brillèrent comme des chandelles ; elle fut sur le point de donner un soufflet à Marguerite ; mais elle se contint et, appelant Sophie une seconde fois, elle lui donna sur le front un baiser sec et lui dit en la repoussant :

« Je vois, mademoiselle, que vous dites de moi de jolies choses à vos amies ! prenez garde à vous ; je reviendrai un jour ! Adieu ! »

Sophie voulut lui baiser la main ; Mme Fichini la frappa du revers de cette main en la lui retirant avec colère. La petite fille s'esquiva et monta avec précipitation dans la voiture.

Mmes de Fleurville et de Rosbourg dirent un dernier adieu à Mme Fichini, se placèrent dans le fond de la voiture, firent mettre Camille sur le siège, Madeleine, Sophie et Marguerite sur le devant, et les chevaux partirent. Sophie commençait à respirer librement, lorsqu'on entendit des cris : *Arrêtez ! arrêtez !* La pauvre Sophie faillit s'évanouir ; elle craignait que sa belle-mère n'eût changé d'idée et ne la rappelât. Le cocher arrêta ses chevaux : un domestique accourut tout essoufflé à la portière et dit :

« Madame... fait dire... à Mlle Sophie... qu'elle a... oublié... ses affaires..., qu'elle ne les recevra que demain matin..., à moins que mademoiselle n'aime mieux revenir... coucher à la maison. »

Sophie revint à la vie ; dans sa joie, elle tendit la main au domestique :

« Merci, merci, Antoine ; je suis fâchée que vous vous soyez essoufflé à courir si vite. Remerciez bien ma belle-mère ; dites-lui que je ne veux pas la déranger, que j'aime mieux me passer de mes affaires, que je les attendrai demain chez Mme de Fleurville. Adieu, adieu, Antoine. »

Mme de Fleurville, voyant l'inquiétude de Sophie, ordonna au cocher de continuer et d'aller bon train ; un quart d'heure après, la voiture s'arrêtait devant le perron de Fleurville, et l'heureuse Sophie sautait à terre, légère comme une plume et remerciant Dieu et Mme de Fleurville du bon temps qu'elle allait passer près de ses amies.

Mme de Fleurville la recommanda aux soins des deux bonnes ; il fut décidé qu'elle coucherait dans la même chambre que Marguerite, et elle y dormit paisiblement jusqu'au lendemain.

Chapitre 15

Sophie mange du cassis : ce qui en résulte

Sophie était depuis quinze jours à Fleurville ; elle se sentait si heureuse que tous ses défauts et ses mauvaises habitudes étaient comme engourdis. Le matin, quand on l'éveillait, elle sautait hors de son lit, se lavait, s'habillait, faisait sa prière avec ses amies ; ensuite, elles déjeunaient toutes ensemble ; Sophie n'avait plus besoin de voler de pain pour satisfaire son appétit ; on lui en donnait tant qu'elle en voulait. Les premiers jours, elle ne pouvait croire à son bonheur ; elle mangea et but tant qu'elle pouvait avaler. Au bout de trois jours, quand elle fut bien sûre qu'on lui donnerait à manger toutes les fois qu'elle aurait faim, et qu'il était inutile de remplir son estomac le matin pour toute la journée, elle devint plus raisonnable et se contenta, comme ses amies, d'une tranche de pain et de beurre avec une tasse de thé ou de chocolat. Dans les premiers jours, à déjeuner et à dîner, elle se dépêchait de manger, de peur qu'on ne la fît sortir de table avant que sa faim fût assouvie. Ses amies se moquèrent d'elle ; Mme de Fleurville lui promit de ne jamais la chasser de table et de la laisser toujours finir tranquillement son repas. Sophie rougit et promit de manger moins gloutonnement à l'avenir.

MADELEINE

Ma pauvre Sophie, tu as toujours l'air d'avoir peur ; tu te dépêches et tu te caches pour les choses les plus innocentes.

SOPHIE

C'est que je crois toujours entendre ma belle-mère ; j'oublie sans cesse que je suis avec vous qui êtes si bonnes, et que je suis heureuse, bien heureuse ! »

En disant ces mots, Sophie, les yeux pleins de larmes, baisa la main de Mme de Fleurville, qui, à son tour, l'embrassa tendrement.

SOPHIE, *attendrie.*

Oh ! madame, que vous êtes bonne ! Tous les jours je demande au bon Dieu qu'il me laisse toujours avec vous.

MADAME DE FLEURVILLE

Ce n'est pas là ce qu'il faut demander au bon Dieu, ma pauvre enfant ; il faut lui demander qu'il te rende si sage, si obéissante, si bonne, que le cœur de ta belle-mère s'adoucisse et que tu puisses vivre heureuse avec elle. »

Sophie ne répondit rien ; elle avait l'air de trouver le conseil de Mme de Fleurville trop difficile à suivre.

Marguerite paraissait tout interdite, comme si Mme de Fleurville avait dit une chose impossible à faire ; Mme de Rosbourg s'en aperçut.

MADAME DE ROSBOURG, *souriant.*

Qu'as-tu donc, Marguerite ? Quel petit air tu prends en regardant Mme de Fleurville.

MARGUERITE

Maman..., c'est que... je n'aime pas que..., je suis fâchée que... que... je ne sais comment dire ; mais je ne veux pas demander au bon Dieu que la méchante Mme Fichini revienne pour fouetter encore cette pauvre Sophie.

MADAME DE ROSBOURG

Mme de Fleurville n'a pas dit qu'il fallait demander cela au bon Dieu : elle a dit que Sophie devait demander d'être très bonne, pour que sa belle-mère l'aimât et la rendît heureuse.

MARGUERITE

Mais, maman, Mme Fichini est trop méchante pour devenir bonne ; elle déteste trop Sophie pour la rendre heureuse, et, si elle revient, elle reprendra Sophie pour la rendre malheureuse.

MADAME DE FLEURVILLE

Chère petite, le bon Dieu peut tout ce qu'il veut : il peut donc changer le cœur de Mme Fichini. Sophie, qui doit obéir à Dieu et respecter sa belle-mère, doit

demander de devenir assez bonne pour l'attendrir et
s'en faire aimer.

MARGUERITE

Je veux bien que Mme Fichini devienne bonne,
mais je voudrais bien qu'elle restât toujours là-bas et
qu'elle nous laissât toujours Sophie.

MADAME DE FLEURVILLE

Ce que tu dis là fait l'éloge de ton bon cœur, Marguerite ; mais, si tu réfléchissais, tu verrais que Sophie
serait plus heureuse aimée de sa belle-mère et vivant
chez elle, que chez des étrangers, qui ont certainement beaucoup d'amitié pour elle, mais qui ne lui
doivent rien, et desquels elle n'a le droit de rien exi-
ger.

SOPHIE

C'est vrai, cela, Marguerite : si ma belle-mère pouvait un jour m'aimer comme t'aime ta maman, je
serais heureuse comme tu l'es et je ne serais pas
inquiète de ce que je deviendrai dans quelques mois.

MARGUERITE, *soupirant.*

Et pourtant j'aurai bien peur quand Mme Fichini
reviendra.

SOPHIE, *tout bas.*

Et moi aussi. »

On se leva de table ; les mamans restèrent au salon
pour travailler, et les enfants s'amusèrent à bêcher leur

jardin ; Camille et Madeleine chargèrent Marguerite et Sophie de chercher quelques jeunes groseilliers et des framboisiers, de les arracher et de les apporter pour les planter.

« Où irons-nous ? dit Marguerite.

SOPHIE

J'ai vu pas loin d'ici, au bord d'un petit bois, des groseilliers et des framboisiers superbes.

MARGUERITE

Je crois qu'il vaut mieux demander au jardinier.

SOPHIE

Je vais toujours voir ceux que je veux dire ; si nous ne pouvons pas les arracher, nous demanderons au père Louffroy de nous aider. »

Elles partirent en courant et arrivèrent en peu de minutes près des arbustes qu'avait vus Sophie ; quelle fut leur joie quand elles les virent couverts de fruits ! Sophie se précipita dessus et en mangea avec avidité, surtout du cassis ; Marguerite, après y avoir goûté, s'arrêta.

« Mange donc, nigaude, lui dit Sophie ; profite de l'occasion.

MARGUERITE

Quelle occasion ? J'en mange tous les jours à table et au goûter !

131

SOPHIE, *avalant gloutonnement.*

C'est bien meilleur quand on les cueille soi-même ; et puis on en mange tant qu'on veut. Dieu, que c'est bon ! »

Marguerite la regardait faire avec surprise ; jamais elle n'avait vu manger avec une telle voracité, avec une telle promptitude ; enfin, quand Sophie ne put plus avaler, elle poussa un soupir de satisfaction et essuya sa bouche avec des feuilles.

MARGUERITE

Pourquoi t'essuies-tu avec des feuilles ?

SOPHIE

Pour qu'on ne voie pas de taches de cassis à mon mouchoir.

MARGUERITE

Qu'est-ce que cela fait ? Les mouchoirs sont faits pour avoir des taches.

SOPHIE

Si l'on voyait que j'ai mangé du cassis, on me punirait.

MARGUERITE

Quelle idée ! on ne te dirait rien du tout ; nous mangeons ce que nous voulons.

Ce que vous voulez ? et vous n'êtes jamais malades d'avoir trop mangé ?

MARGUERITE

Jamais ; nous ne mangeons jamais trop, parce que nous savons que la gourmandise est un vilain défaut. »

Sophie, qui sentait combien elle avait été gourmande, ne put s'empêcher de rougir et voulut détourner l'attention de Marguerite en lui proposant d'arracher quelques pieds de groseilliers pour les porter à ses amies. Elles allaient se mettre à l'œuvre, quand elles entendirent appeler : « Sophie, Marguerite, où êtes-vous ?

SOPHIE, MARGUERITE

Nous voici, nous voici ; nous arrachons des arbres. »

Camille et Madeleine accoururent.

CAMILLE

Qu'est-ce que vous faites donc depuis près d'une heure ? Nous vous attendions toujours ; voilà maintenant notre heure de récréation passée : il faut aller travailler.

MADELEINE

Mais à quoi vous êtes-vous amusées ? Il n'y a pas seulement un arbrisseau d'arraché !

MARGUERITE, *riant.*

C'est que Sophie s'en donnait et man...

SOPHIE, *vivement.*

Tais-toi donc, rapporteuse, tu vas me faire gronder.

MARGUERITE

Mais je te dis qu'on ne te grondera pas : ma maman n'est pas comme la tienne.

CAMILLE

Quoi ? Qu'est-ce que c'est ? Dis, Marguerite ; et toi, Sophie, laisse-la donc parler.

MARGUERITE

Eh bien, depuis près d'une heure, au lieu d'arracher des groseilliers, nous sommes là, Sophie à manger des groseilles et du cassis, et moi à la regarder manger. C'est étonnant comme elle mangeait vite ! Jamais je n'ai vu tant manger en si peu de temps. Cela m'amusait beaucoup.

MADELEINE

Pourquoi as-tu tant mangé, Sophie ? tu vas être malade.

SOPHIE, *embarrassée.*

Oh ! non, je ne serai pas malade ; j'avais très faim.

CAMILLE

Comment, faim ? Mais nous sortions de table !

SOPHIE

Faim, non pas de viande, mais de cassis.

CAMILLE

Ah ! ah ! ah ! faim de cassis !... Mais comme tu es pâle ! je suis sûre que tu as mal au cœur.

SOPHIE, *un peu fâchée.*

Pas du tout, mademoiselle, je n'ai pas mal au cœur ; j'ai encore très faim et je mangerais encore un panier plein de cassis.

MADELEINE

Je ne te conseille pas d'essayer. Mais voyons, ma petite Sophie, ne te fâche pas et reviens avec nous. »

Sophie se sentait un peu mal à l'aise et ne répondit rien ; elle suivit ses amies, qui reprirent le chemin de la maison. Tout le long de la route, elle ne dit pas un mot. Camille, Madeleine et Marguerite, croyant qu'elle boudait, causaient entre elles sans adresser la parole à Sophie ; elles arrivèrent ainsi jusqu'à leur chambre de travail, où leurs mamans les attendaient pour leur donner leurs leçons.

« Vous arrivez bien tard, mes petites, dit Mme de Rosbourg.

C'est que nous avons été jusqu'au petit bois pour avoir des groseilliers ; c'est un peu loin, maman.

MADAME DE FLEURVILLE

Allons, à présent, mes enfants, travaillons ; que chacune reprenne ses livres et ses cahiers. »

Camille, Madeleine et Marguerite se placent vivement devant leurs pupitres ; Sophie avance lentement, sans dire une parole. La lenteur de ses mouvements attire l'attention de Mme de Fleurville, qui la regarde et dit :

« Comme tu es pâle, Sophie ! Tu as l'air de souffrir ! qu'as-tu ? »

Sophie rougit légèrement ; les trois petites la regardent ; Marguerite s'écrie : « C'est le cassis !

MADAME DE FLEURVILLE

Quel cassis ! Que veux-tu dire, Marguerite ?

SOPHIE, *reprenant un peu de vivacité.*

Ce n'est rien, madame ; Marguerite ne sait ce qu'elle dit ; je n'ai rien ; je vais... très bien... seulement... j'ai un peu... mal au cœur... ce n'est rien... »

Mais, à ce moment même, Sophie se sent malade ; son estomac ne peut garder les fruits dont elle l'a surchargé ; elle les rejette sur le parquet.

Mme de Fleurville, mécontente, prend sans rien dire la main de Sophie et l'emmène chez elle ; on la déshabille, on la couche et on lui fait boire une tasse de tilleul bien chaud. Sophie est si honteuse qu'elle n'ose rien dire ; quand elle est couchée, Mme de Fleurville lui demande comment elle se trouve.

SOPHIE

Mieux, madame, je vous remercie ; pardonnez-moi, je vous prie ; vous êtes bien bonne de ne m'avoir pas fouettée.

MADAME DE FLEURVILLE

Ma chère Sophie, tu as été gourmande, et le bon Dieu s'est chargé de ta punition en permettant cette indigestion qui va te faire rester couchée jusqu'au dîner ; elle te privera de la promenade que nous devons faire dans une heure pour aller manger des cerises chez Mme de Vertel. Quant à être fouettée, tu peux te tranquilliser là-dessus : je ne fouette jamais ; et je suis bien sûre que, sans avoir été fouettée, tu ne recommenceras pas à te remplir l'estomac comme une gourmande. Je ne défends pas les fruits et autres friandises ; mais il faut en manger sagement si l'on ne veut pas s'en trouver mal. »

Sophie ne répondit rien ; elle était honteuse et elle reconnaissait la justesse de ce que disait Mme de Fleurville. La bonne, qui restait près d'elle, l'engagea à se tenir tranquille, mais un reste de mal de cœur l'empêcha de dormir ; elle eut tout le temps de réfléchir aux dangers de la gourmandise, et elle se promit bien de ne jamais recommencer.

Chapitre 16

Le cabinet de pénitence

Une heure après, Camille, Madeleine et Marguerite revinrent savoir des nouvelles de Sophie ; elles avaient leurs chapeaux et des robes propres.

SOPHIE

Pourquoi vous êtes-vous habillées ?

CAMILLE

Pour aller goûter chez Mme de Vertel ; tu sais que nous devons y cueillir des cerises.

MADELEINE

Quel dommage que tu ne puisses pas venir, Sophie ! nous nous serions bien plus amusées avec toi.

MARGUERITE

L'année dernière, c'était si amusant ! on nous faisait grimper dans les cerisiers, et nous avons cueilli des cerises plein des paniers, pour faire des confitures, et nous en mangions tant que nous en voulions ; seulement nous ne nous sommes pas donné d'indigestion, comme tu as fait ce matin avec ton cassis.

MADELEINE

Ne lui parle plus de son cassis, Marguerite : tu vois qu'elle est honteuse et fâchée.

SOPHIE

Oh ! oui, je suis bien fâchée d'avoir été si gourmande ; une autre fois, bien certainement que je n'en mangerai qu'un peu, puisque je serai sûre de pouvoir en manger le lendemain et les jours suivants. C'est que je n'ai pas l'habitude de manger de bonnes choses ; et, quand j'en trouvais, j'en mangeais autant que mon estomac pouvait en contenir ; à présent je ne le ferai plus : c'est trop désagréable d'avoir mal au cœur ; et puis c'est honteux.

MARGUERITE

C'est vrai ; maman me dit toujours que lorsqu'on s'est donné une indigestion, on ressemble aux petits cochons. »

Cette comparaison ne fut pas agréable à Sophie, qui commençait à se fâcher et à s'agiter dans son lit ; Madeleine dit tout bas à Marguerite de se taire, et Marguerite obéit. Toutes trois embrassèrent Sophie et allèrent attendre leurs mamans sur le perron. Quelques minutes après, Sophie entendit partir la voiture. Elle s'ennuya pendant deux heures, au bout desquelles elle obtint de la bonne la permission de se lever ; ses amies rentrèrent peu de temps après, enchantées de leur matinée ; elles avaient cueilli et mangé des cerises ; on leur en avait donné un grand panier à emporter.

Le lendemain, Camille dit à Sophie :

« Et sais-tu, Sophie, que ce soir nous ferons des confitures de cerises ? Mme de Vertel nous a fait voir comment elle les faisait ; tu nous aideras, et maman dit que ces confitures seront à nous, puisque les cerises sont à nous, et que nous en ferons ce que nous voudrons.

— Bravo ! dit Sophie ; quels bons goûters nous allons faire !

MADELEINE

Il faudra en donner à la pauvre femme Jean, qui est malade et qui a six enfants.

SOPHIE

Tiens, c'est trop bon pour une pauvre femme !

CAMILLE

Pourquoi est-ce trop bon pour la mère Jean, quand ce n'est pas trop bon pour nous ? Ce n'est pas bien ce que tu dis là, Sophie.

SOPHIE

Ah ! par exemple ! Vas-tu pas me faire croire que la femme Jean est habituée à vivre de confitures ?

CAMILLE

C'est précisément parce qu'elle n'en a jamais que nous lui en donnerons quand nous en aurons.

SOPHIE

Pourquoi ne mange-t-elle pas du pain, des légumes et du beurre ? Je ne me donnerai certainement pas la peine de faire des confitures pour une pauvresse.

MARGUERITE

Et qui te demande d'en faire, orgueilleuse ? Est-ce que nous avons besoin de ton aide ? ne vois-tu pas que c'est pour s'amuser que Camille t'a proposé de nous aider ?

SOPHIE

D'abord, mademoiselle, il y a des cerises qui sont pour moi là-dedans ; et j'ai droit à les avoir.

MARGUERITE

Tu n'as droit à rien ; on ne t'a rien donné ; mais, comme je ne veux pas être gourmande et avare comme toi, tiens, tiens. »

En disant ces mots, Marguerite prit une grande poignée de cerises et les lança à la tête de Sophie, qui, déjà un peu en colère, devint furieuse en les recevant ; elle s'élança sur Marguerite et lui donna un coup de poing sur l'épaule ; Camille et Madeleine se jetèrent entre elles pour empêcher Marguerite de continuer la bataille commencée, Madeleine retenait avec peine Sophie, pendant que Camille maintenait Marguerite et

141

lui faisait honte de son emportement. Marguerite s'apaisa immédiatement et fut désolée d'avoir répondu si vivement à Sophie ; celle-ci résistait à Madeleine et voulait absolument se venger de ce qu'on lui avait lancé des cerises à la figure.

« Laisse-moi, criait-elle, laisse-moi lui donner autant de coups que j'ai reçu de cerises à la tête ; lâche-moi, ou je te tape aussi. »

Les cris de Sophie, ajoutés à ceux de Camille et de Madeleine, qui l'exhortaient vainement à la douceur, attirèrent Mme de Rosbourg et Mme de Fleurville : elles parurent au moment où Sophie, se débarrassant de Camille et de Madeleine par un coup de pied et un coup de poing, s'élançait sur Marguerite, qui ne bougeait pas plus qu'une statue. La présence de ces dames arrêta subitement le bras levé de Sophie ; elle resta terrifiée, craignant la punition et rougissant de sa colère.

Mme de Fleurville s'approcha d'elle en silence, la prit par le bras, l'emmena dans une chambre que Sophie ne connaissait pas encore et qui s'appelait le *cabinet de pénitence,* la plaça sur une chaise devant une table, et, lui montrant du papier, une plume et de l'encre, elle lui dit :

« Vous allez achever votre journée dans ce cabinet, mademoiselle, vous allez...

SOPHIE

Ce n'est pas moi, madame, c'est Marguerite...

Taisez-vous !... vous allez copier dix fois toute la prière : *Notre Père qui êtes aux cieux.* Quand vous serez calmée, je reviendrai vous faire demander pardon au bon Dieu de votre colère ; je vous enverrai votre dîner ici, et vous irez vous coucher sans revoir vos amies.

SOPHIE, *avec emportement.*

Je vous dis, madame, que c'est Marguerite...

MADAME DE FLEURVILLE, *avec force.*

Taisez-vous et écrivez. »

Mme de Fleurville sortit de la chambre, dont elle ferma la porte à clef, et alla chez les enfants savoir la cause de l'emportement de Sophie. Elle trouva Camille et Madeleine seules et consternées ; elles lui racontèrent ce qui était arrivé à leur retour de chez Mme de Vertel, et combien Mme de Rosbourg était fâchée contre Marguerite, qui, malgré son repentir, était condamnée à dîner dans sa chambre et à ne pas venir au salon de la soirée.

MADAME DE FLEURVILLE

C'est fort triste, mes chères enfants, mais Mme de Rosbourg a bien fait de punir Marguerite.

CAMILLE

Pourtant, maman, Marguerite avait raison de vouloir donner des confitures à la pauvre mère Jean, et c'était très mal à Sophie d'être orgueilleuse et méchante.

MADAME DE FLEURVILLE

C'est vrai, Camille ; mais Marguerite n'aurait pas dû s'emporter. Ce n'est pas en se fâchant qu'elle lui aurait fait du bien ; elle aurait dû lui démontrer tout doucement qu'elle devait secourir les pauvres et travailler pour eux.

CAMILLE

Mais, maman, Sophie ne voulait pas l'écouter.

MADAME DE FLEURVILLE

Sophie est vive, mal élevée, elle n'a pas l'habitude de pratiquer la charité, mais elle a bon cœur, et elle aurait compris la leçon que vous lui auriez toutes donnée par votre exemple ; elle en serait devenue meilleure, tandis qu'à présent elle est furieuse et elle offense le bon Dieu.

MADELEINE

Oh ! maman, permettez-moi d'aller lui parler ; je suis sûre qu'elle pleure, qu'elle se désole et qu'elle se repent de tout son cœur.

MADAME DE FLEURVILLE

Non, Madeleine, je veux qu'elle reste seule jusqu'à ce soir ; elle est encore trop en colère pour t'écouter ; j'irai lui parler dans une heure. »

Et Mme de Fleurville alla avec Camille et Madeleine rejoindre Mme de Rosbourg ; les petites étaient tristes ; tout en jouant avec leurs poupées, elles pensaient combien on était plus heureuse quand on est sage.

Pendant ce temps, Sophie, restée seule dans le cabinet de pénitence, pleurait, non pas de repentir, mais de rage ; elle examina le cabinet pour voir si on ne pouvait pas s'en échapper : la fenêtre était si haute que, même en mettant la chaise sur la table, on ne pouvait pas y atteindre ; la porte, contre laquelle elle s'élança avec violence, était trop solide pour pouvoir être enfoncée. Elle chercha quelque chose à briser, à déchirer : les murs étaient nus, peints en gris ; il n'y avait d'autre meuble qu'une chaise en paille commune, une table de bois blanc commun ; l'encrier était un trou fait dans la table et rempli d'encre ; restaient la plume, le papier et le livre dans lequel elle devait copier. Sophie saisit la plume, la jeta par terre, l'écrasa sous ses pieds : elle déchira le papier en mille morceaux, se précipita sur le livre, en arracha toutes les pages, qu'elle chiffonna et le mit en pièces ; elle voulut aussi briser la chaise, mais elle n'en eut pas la force et retomba par terre haletante et en sueur. Quand elle n'eut plus rien à casser et à déchirer, elle fut bien obligée de rester tranquille. Petit à petit, sa colère se calma, elle se mit à réfléchir et elle fut épouvantée de ce qu'elle avait fait.

« Que va dire Mme de Fleurville ? pensa-t-elle, quelle punition va-t-elle m'infliger ? car elle me punira certainement... Ah bah ! elle me fouettera. Ma belle-mère m'a tant fouettée que j'y suis habituée. N'y pensons plus, et tâchons de dormir... »

Sophie ferme les yeux, mais le sommeil ne vient

pas ; et elle est inquiète ; elle tressaille au moindre bruit ; elle croit toujours voir la porte s'ouvrir. Une heure se passe, elle entend la clef tourner dans la serrure ; elle ne s'est pas trompée cette fois : la porte s'ouvre, Mme de Fleurville entre. Sophie se lève et reste interdite. Mme de Fleurville regarde les papiers et dit à Sophie d'un ton calme :

« Ramassez tout cela, mademoiselle. »

Sophie ne bouge pas.

« Je vous dis de ramasser ces papiers, mademoiselle », répète Mme de Fleurville.

Sophie reste immobile. Mme de Fleurville, toujours calme :

« Vous ne voulez pas, vous avez tort : vous aggravez votre faute et votre punition. »

Mme de Fleurville appelle : « Élisa, venez, je vous prie, un instant. »

Élisa entre et reste ébahie devant tout ce désordre.

« Ma bonne Élisa, lui dit Mme de Fleurville, voulez-vous ramasser tous ces débris ? c'est Mlle Sophie qui a mis en pièces un livre et du papier. Voulez-vous ensuite m'apporter une autre *Journée du Chrétien,* du papier et une plume ? »

Pendant qu'Élisa balayait les papiers, Mme de Fleurville s'assit sur la chaise et regarda Sophie, qui, tremblante devant le calme de Mme de Fleurville, aurait tout donné pour n'avoir pas déchiré le livre, le papier et écrasé la plume. Quand Élisa eut apporté les objets demandés, Mme de Fleurville se leva, appela tranquillement Sophie, la fit asseoir sur la chaise et lui dit :

« Vous allez écrire dix fois *Notre Père,* mademoiselle, comme je vous l'avais dit tantôt ; vous n'aurez pour votre dîner que de la soupe, du pain et de l'eau ; vous paierez les objets que vous avez déchirés avec l'argent que vous devez avoir toutes les semaines pour vos menus plaisirs. Au lieu de revenir avec vos amies, vous passerez vos journées ici, sauf deux heures de promenade que vous ferez avec Élisa, qui aura ordre de ne pas vous parler. Je vous enverrai votre repas ici. Vous ne serez délivrée de votre prison que lorsque le repentir, un vrai repentir, sera entré dans votre cœur, lorsque vous aurez demandé pardon au bon Dieu de votre dureté envers les pauvres, de votre gourmandise égoïste, de votre emportement envers Marguerite, de votre esprit de colère et de votre méchanceté, qui vous a portée à déchirer tout ce que vous pouviez briser et déchirer, de votre esprit de révolte, qui vous a excitée à résister à mes ordres. J'espérais vous trouver en bonne disposition pour vous ramener au repentir, pour faire votre paix avec Dieu et avec moi ; mais, d'après ce que je vois, j'attendrai à demain. Adieu, mademoiselle. Priez le bon Dieu qu'il ne vous fasse pas mourir cette nuit avant de vous être reconnue et repentie. »

Mme de Fleurville se dirigea vers la porte ; elle avait déjà tourné la clef, lorsque Sophie, se précipitant vers elle, l'arrêta par sa robe, se jeta à ses genoux, lui saisit les mains, qu'elle couvrit de baisers et de larmes, et à travers ses sanglots fit entendre ces mots, les seuls qu'elle put articuler : *Pardon ! Pardon !*

Mme de Fleurville restait immobile, considérant Sophie toujours à genoux ; enfin elle se baissa vers elle, la prit dans ses bras et lui dit avec douceur :

« Ma chère enfant, le repentir expie bien des fautes. Tu as été très coupable envers le bon Dieu d'abord, envers moi ensuite ; le regret sincère que tu en éprouves te méritera sans doute le pardon, mais ne t'affranchit pas de la punition : tu ne reviendras pas avec tes amies avant demain soir, et tout le reste se fera comme je te l'ai dit.

SOPHIE, *avec véhémence.*

Oh ! madame, chère madame, la punition me sera douce, car elle sera une expiation ; votre bonté me touche profondément, votre pardon est tout ce que je demande. Oh ! madame, j'ai été si méchante, si détestable ! Pourrez-vous me pardonner ?

MADAME DE FLEURVILLE, *l'embrassant.*

Du fond du cœur, chère enfant ; crois bien que je ne conserve aucun mauvais sentiment contre toi. Demande pardon au bon Dieu comme tu viens de me demander pardon à moi-même. Je vais t'envoyer à dîner ; tu écriras ensuite ce que je t'avais dit d'écrire, et tu achèveras ta soirée en lisant un livre qu'on t'apportera tout à l'heure. »

Mme de Fleurville embrassa encore Sophie, qui lui baisait les mains et ne pouvait se détacher d'elle ; elle se dégagea et sortit, sans prendre cette fois la précaution de fermer la porte à clef. Cette preuve de confiance toucha Sophie et augmenta encore son regret d'avoir été si méchante.

« Comment, se dit-elle, ai-je pu me livrer à une telle colère ? Comment ai-je été si méchante avec des amies aussi bonnes que celles que j'ai ici, et si hardie envers une personne aussi douce, aussi tendre que Mme de Fleurville ! Comme elle a été bonne avec moi ! Aussitôt que j'ai témoigné du repentir, elle a

148

repris sa voix douce et son visage si indulgent ; toute sa sévérité a disparu comme par enchantement. Le bon Dieu me pardonnera-t-il aussi facilement ? Oh ! oui, car il est la bonté même et il voit combien je suis affligée de m'être si mal comportée ! »

En achevant ces mots, elle se mit à genoux et pria du fond de son cœur pour que ses fautes lui fussent pardonnées et qu'elle eût la force de ne plus en commettre à l'avenir. À peine sa prière était-elle finie qu'Élisa entra, lui apportant une assiettée de soupe, un gros morceau de pain et une carafe d'eau.

ÉLISA

Voici, mademoiselle, un vrai repas de prisonnier ; mais si vous avez faim, vous le trouverez bon tout de même.

SOPHIE

Hélas ! ma bonne Élisa, je n'en mérite pas tant ; c'est encore trop bon pour une méchante fille comme moi.

ÉLISA

Ah ! ah ! nous avons changé de ton depuis tantôt ; j'en suis bien aise, mademoiselle. Si vous vous étiez vue ! vous aviez un air ! mais un air !... Vrai, on aurait dit d'un petit démon.

SOPHIE

C'est que je l'étais réellement ; mais j'en ai bien du regret, je vous assure, et j'espère bien ne jamais recommencer. »

Sophie se mit à table et mangea sa soupe : elle avait faim ; après sa soupe, elle entama son morceau de pain et but deux verres d'eau. Élisa la regardait avec pitié.

« Voyez, pourtant, mademoiselle, lui dit-elle, comme on est malheureux d'être méchant ; nos petites, qui sont toujours sages, ne seront jamais punies que pour des fautes bien légères : aussi on les voit toujours gaies et contentes.

SOPHIE

Oh ! oui, je le vois bien : mais c'est singulier ! quand j'étais méchante et que ma belle-mère me punissait, je me sentais encore plus méchante après ; je détestais ma belle-mère : tandis que Mme de Fleurville, qui m'a punie, je l'aime au contraire plus qu'avant et j'ai envie d'être meilleure.

ÉLISA

C'est que votre belle-mère vous punissait avec colère, et quelquefois par caprice, tandis que Mme de Fleurville vous punit par devoir et pour votre bien. Vous sentez cela malgré vous.

SOPHIE

Oui, c'est bien cela, Élisa ; vous dites vrai. »

Sophie avait fini son repas ; Élisa emporta les restes, et Sophie se mit au travail ; elle fut longtemps à faire sa pénitence, parce qu'elle s'appliqua à très bien écrire ; quand elle eut fini, elle se mit à lire. Le jour commença bientôt à baisser ; Sophie posa son livre et eut le temps de réfléchir aux ennuis de la captivité, pendant la grande heure qui se passa avant qu'Élisa vînt la chercher pour la coucher. Marguerite dormait déjà profondément ; Sophie s'approcha de son lit et l'embrassa tout doucement, comme pour lui demander pardon de sa colère ; ensuite elle fit sa prière, se coucha et ne tarda pas à s'endormir.

Chapitre 17

Le lendemain

La journée du lendemain se passa assez tristement. Marguerite, honteuse encore de sa colère de la veille, se reprochait d'avoir causé la punition de Sophie ; Camille et Madeleine souffraient de la tristesse de Marguerite et de l'absence de leur amie.

Sophie passa la journée dans le cabinet de pénitence ; personne ne vint la voir qu'Élisa, qui lui apporta son déjeuner.

SOPHIE

Comment vont mes amies, Élisa ?

ÉLISA

Elles vont bien ; seulement elles ne sont pas gaies.

Ont-elles parlé de moi ? Me trouvent-elles bien méchante ? M'aiment-elles encore ?

ÉLISA

Je crois bien, qu'elles partent de vous ! Elles ne font pas autre chose. « Pauvre Sophie ! disent-elles ; comme elle doit être malheureuse ! Pauvre Sophie ! comme elle doit s'ennuyer ! Comme la journée lui paraîtra longue ! »

SOPHIE, *attendrie.*

Elles sont bien bonnes ! Et Marguerite, est-elle en colère contre moi ?

ÉLISA

En colère ! Ah bien oui ! Elle se désole d'avoir été méchante ; elle dit que c'est sa faute si vous vous êtes emportée ; que c'est elle qui devrait être punie à votre place, et que, lorsque vous sortirez de prison, c'est elle qui vous demandera bien pardon et qui vous priera d'oublier sa méchanceté.

SOPHIE

Pauvre petite Marguerite ! c'est moi qui ai eu tous les torts. Mais, Élisa, savent-elles combien j'ai été méchante ici, dans le cabinet ; que j'ai tout déchiré, que j'ai refusé d'obéir à Mme de Fleurville ?

Oui, elles le savent, je le leur ai raconté ; mais elles savent aussi combien vous vous êtes repentie et tout ce que vous avez fait pour témoigner vos regrets, pour expier votre faute ; elles ne vous en veulent pas : elles vous aiment tout comme auparavant. »

Sophie remercia Élisa et se mit à l'ouvrage.

Mme de Fleurville vint lui apporter des devoirs à faire, elle les lui expliqua ; elle lui apporta aussi des livres amusants, son ouvrage de tapisserie, et, la voyant si sage, si docile et si repentante, elle lui dit qu'avant de se coucher elle pourrait venir embrasser ses amies au salon et faire la prière en commun. Sophie lui promit de mériter cette récompense par sa bonne conduite et la remercia vivement de sa bonté. Mme de Fleurville l'embrassa encore et lui dit en la quittant qu'avant la promenade elle viendrait examiner ses devoirs et lui en donner d'autres pour l'après-midi.

Sophie travailla tant et si bien qu'elle ne s'ennuya pas ; elle fut étonnée quand Élisa vint lui apporter son second déjeuner.

« Déjà, dit-elle ; est-ce qu'il est l'heure de déjeuner ?

Certainement, et l'heure est même passée ; vous n'avez donc pas faim ?

SOPHIE

Si fait, j'ai faim, et je m'en étonnais, je ne croyais pas qu'il fût si tard. Qu'est-ce que j'ai pour mon déjeuner ?

154

Un œuf frais, que voici, avec une tartine de beurre, une côtelette, une cuisse de poulet, des pommes de terre sautées, mais pas de dessert par exemple ; Mme de Fleurville m'a dit que les prisonnières n'en mangeaient pas, et que vous étiez si raisonnable que vous ne vous en étonneriez pas. »

Sophie rougit de plaisir à ce petit éloge, qu'elle n'espérait pas avoir mérité.

« Merci, ma chère Élisa, dit-elle, et remerciez Mme de Fleurville de vouloir bien penser si favorablement de moi ; elle est si bonne, qu'on ne peut s'empêcher de devenir bon près d'elle. J'espère que dans peu de temps je deviendrai aussi sage, aussi aimable que mes amies. »

Élisa, touchée de cette humilité, embrassa Sophie et lui dit : « Soyez tranquille, mademoiselle, vous commencez déjà à être bonne ; vous allez voir ce que vous serez ; quand votre belle-mère reviendra, elle ne vous reconnaîtra pas. »

Cette idée du retour de sa belle-mère fit peu de plaisir à Sophie ; elle tâcha de n'y pas songer, et elle acheva son déjeuner. Élisa lui dit qu'elle allait remporter le plateau et qu'elle reviendrait ensuite la chercher pour la promener.

« Je vais vous faire marcher pendant une heure, mademoiselle, puis vous reviendrez travailler ; après votre dîner je vous promènerai encore pendant une bonne heure. »

La journée se passa ainsi sans trop d'ennui pour Sophie. Camille, Madeleine et Marguerite attendaient

chaque fois Élisa à sa sortie de la chambre de pénitence pour la questionner sur ce que faisait Sophie,
sur ce que disait Sophie.

CAMILLE

Est-elle bien triste ?

MADELEINE

S'ennuie-t-elle beaucoup ?

MARGUERITE

Est-elle fâchée contre moi ? Cause-t-elle un peu ? »

Élisa les rassurait et leur disait que Sophie prenait
sa punition avec une telle douceur et une telle résignation qu'en sortant de là elle serait certainement
tout à fait corrigée et ne se ferait plus jamais punir.

Le soir, Mme de Fleurville vint elle-même chercher Sophie pour la mener au salon, où l'attendaient
avec anxiété Camille, Madeleine et Marguerite.

« Voilà Sophie que je vous ramène, mes chères
enfants, non pas la Sophie d'avant-hier, colère, menteuse, gourmande et méchante ; mais une Sophie
douce, sage, raisonnable ; nous la plaignions jadis,
aimons-la bien maintenant : elle le mérite. »

Sophie se jeta dans les bras de ses amies ; elle pleurait de joie en les embrassant. Elle et Marguerite se
demandèrent réciproquement pardon ; elles s'étaient
déjà pardonné de bon cœur. Quand arriva l'heure de
la prière, Mme de Fleurville ajouta à celle qu'elles
avaient l'habitude de faire une action de grâces pour
remercier Dieu d'avoir ouvert au repentir le cœur des

156

coupables, et pour avoir ainsi tiré un grand bien d'un grand mal.

Après cette prière, qui fut faite du fond du cœur, les enfants s'embrassèrent tendrement et allèrent se coucher.

Chapitre 18

Le rouge-gorge

Un mois après, Camille et Madeleine étaient assises sur un banc dans le jardin ; elles tressaient des paniers avec des joncs que Sophie et Marguerite cueillaient dans un fossé.

« Madeleine, Madeleine ! cria Sophie en accourant, je t'apporte un petit oiseau très joli ; je te le donne, c'est pour toi.

— Voyons, quel oiseau ? dit Camille en jetant ses joncs et s'élançant à la rencontre de Sophie.

SOPHIE

Un rouge-gorge : c'est Marguerite qui l'a vu, et c'est moi qui l'ai attrapé ; regarde comme il est déjà gentil.

Il est charmant. Pauvre petit ! il doit avoir bien peur ! Et sa maman ! elle se désole sans doute.

MARGUERITE

Pas du tout ! C'est elle qui l'a jeté hors de son nid ; j'entendais un petit bruit dans un buisson, je regarde, et je vois ce pauvre petit oiseau se débattant contre sa maman qui voulait le jeter hors du nid ; elle lui a donné des coups de bec et elle l'a précipité à terre ; le pauvre petit est tombé tout étourdi ; je n'osais pas le toucher ; Sophie l'a pris en disant que ce serait pour toi, Madeleine.

MADELEINE

Oh ! merci, Sophie ! Portons-le vite à la maison pour lui donner à manger. Camille, vois comme mon petit oiseau est gentil ! Quel joli petit ventre rouge.

CAMILLE

Il est charmant ; mettons-le dans un panier en attendant que nous ayons une cage. »

Les quatre petites filles laissèrent leurs joncs et coururent à la maison pour montrer leur rouge-gorge et demander un panier.

ÉLISA

Tenez, mes petites, voici un panier.

MARGUERITE

Mais il faut lui faire un petit lit.

ÉLISA

Non, il faut mettre de la mousse et un peu de laine par-dessus : il aura ainsi un petit nid bien chaud.

MARGUERITE

Si Madeleine le mettait à coucher avec elle, il aurait bien plus chaud encore.

MADELEINE

Mais je pourrais l'écraser en dormant ; non, non, il vaut mieux faire comme dit Élisa. Tu vas voir comme je l'arrangerai bien.

SOPHIE

Oh ! Madeleine, laisse-moi faire ; je sais très bien arranger des nids d'oiseaux ; Palmyre en faisait souvent pour les petits qu'elle dénichait.

MADELEINE

Je veux bien ; qu'est-ce que tu vas mettre ?

SOPHIE

Ne me regardez pas ; vous verrez quand ce sera fini. Élisa, il me faut du coton et un petit linge.

ÉLISA

Pour quoi faire, du linge ? Allez-vous lui mettre une chemise ? »

Les enfants rirent tous.

« Mais non, Élisa, répond Sophie ; ce n'est pas

pour l'habiller ; vous allez voir ; donnez-moi seulement ce que je vous demande. »

Élisa donna une poignée de coton et du linge.
Sophie prit le rouge-gorge, se mit dans un coin, arrangea pendant dix minutes le coton, le linge et l'oiseau ;
puis, se retournant triomphalement, elle s'écria :
« C'est fini ! »

Les enfants, qui attendaient avec une grande impatience, s'élancèrent vers Sophie et cherchèrent vainement l'oiseau.

MADELEINE

Eh bien ! Où sont donc le rouge-gorge et son nid ?

SOPHIE

Mais les voici.

MADELEINE

Où cela ?

SOPHIE

Dans le panier.

MADELEINE

Je ne vois qu'une boule de coton.

SOPHIE

C'est précisément cela.

MADELEINE

Mais où est l'oiseau ?

Dans le coton bien chaudement. »

Toutes trois poussèrent un cri ; toutes les mains se plongèrent à la fois dans le panier pour en retirer le pauvre oiseau, étouffé sans doute. Élisa accourut, déroula vivement le coton, le linge, et en retira le rouge-gorge qui semblait mort ; ses yeux étaient fermés, son bec entrouvert, ses ailes étendues : il ne bougeait pas.

« Pauvre petit ! s'écrièrent à la fois Élisa et les trois petites.

— Imbécile de Sophie ! » ajouta Marguerite.

Sophie était aussi étonnée que confuse.

« Je ne savais pas..., je ne croyais pas..., dit-elle en balbutiant.

MARGUERITE

Aussi pourquoi veux-tu toujours faire quand tu ne sais pas ?

ÉLISA

Chut ! Marguerite, pas de colère ; vous voyez bien que Sophie est aussi peinée que vous de ce qu'elle a fait. Tâchons de ranimer le pauvre oiseau ; peut-être n'est-il pas encore mort.

MADELEINE, *tristement.*

Croyez-vous qu'il puisse revivre ?

ÉLISA

Essayons toujours ; Sophie, allez me chercher un peu de vin. »

Sophie se précipita pour faire la commission ; pendant son absence, Élisa entrouvrit le bec du petit oiseau et souffla doucement dedans ; quand Sophie eut apporté le vin et qu'elle en eut mis deux gouttes dans le bec, l'oiseau fit un léger mouvement avec ses ailes.

« Il a bougé ! il a bougé ! » s'écrièrent ensemble les quatre petites. En effet, au bout de cinq minutes le rouge-gorge était revenu à la vie ; il s'agitait, il déployait et repliait ses ailes, il redevenait vif comme avant d'avoir été emmailloté.

MARGUERITE, d'un air moqueur.

C'est Palmyre qui t'a appris ce moyen de soigner des oiseaux ?

SOPHIE

Oui, c'est Palmyre ; elle les enveloppe tous comme cela.

MARGUERITE, de même.

En a-t-elle élevé beaucoup ?

SOPHIE

Oh ! non, ils mouraient tous ; nous ne comprenions pas pourquoi.

ÉLISA

Comment ? vous ne compreniez pas que les oiseaux, n'ayant pas d'air, étouffaient dans les chiffons et le coton ?

163

Mais non ; je croyais que les oiseaux n'avaient pas besoin de respirer.

ÉLISA

Ah ! ah ! ah ! en voilà une bonne ! Tous les oiseaux respirent et ont besoin d'air, mademoiselle, et ils étouffent quand ils n'en ont pas.

SOPHIE, *d'un air confus.*

Je ne savais pas.

ÉLISA

Allons, laissez-moi cet oiseau ; ne vous en occupez plus ; je m'en charge et je vous l'élèverai, Madeleine. »

En effet, Élisa dirigea l'éducation du rouge-gorge. Madeleine partageait les soins qu'elle lui donnait, elle l'aidait à changer la laine de son nid, à nettoyer sa cage, à faire une pâtée d'œufs, de pain et de lait. Le petit oiseau s'était attaché à elle ; elle l'avait nommé Mimi ; il venait quand elle l'appelait et se posait souvent sur son bras pendant qu'elle prenait ses leçons. Il finit par ne plus la quitter ; la porte de sa cage restait toujours ouverte, et il y entrait pour manger et dormir ; le reste du temps il volait dans les chambres ; quand la fenêtre était ouverte, il allait se percher sur les arbres voisins, mais il ne s'éloignait jamais beaucoup, et, lorsque Madeleine l'appelait : *Mimi ! Mimi !* il revenait à tire-d'aile se poser sur sa tête ou sur son épaule et la becquetait comme pour l'embrasser. Le matin Madeleine était souvent éveillée au petit jour par Mimi, qui, perché sur son épaule, allongeait son cou et lui becquetait l'oreille ou les lèvres. « Va-t'en, Mimi, lui disait-elle, laisse-moi dormir. » Mimi rentrait dans sa cage, y restait quelques instants et, quand sa maîtresse s'était endormie, revenait se poser sur son épaule et se mettait à lui siffler dans l'oreille ses plus jolis airs. « Tais-toi, Mimi, lui disait encore Madeleine : tu m'ennuies. » Mimi se taisait, tournait sa petite tête à droite et à gauche, puis, changeant de position, faisait un petit saut et se trouvait sur le nez de la pauvre Madeleine.

Réveillée encore par les petites griffes aiguës de Mimi : « Petit lutin, disait-elle en lui donnant une légère tape, je t'enfermerai demain si tu m'ennuies encore. » Mais Mimi recommençait toujours, et Madeleine ne l'enfermait pas.

« Qu'as-tu donc, Madeleine ? Tu parais fatiguée ce soir, dit un jour Mme de Fleurville à Madeleine, qui s'endormait.

MADELEINE

Oui, maman, j'ai envie de dormir ; mes yeux se ferment malgré moi.

MARGUERITE

Je parie que c'est à cause de Mimi.

MADAME DE ROSBOURG

Comment Mimi peut-il donner sommeil à Madeleine ? Tu parles trop souvent sans réfléchir, Marguerite.

165

MARGUERITE

Pardon, maman ; vous allez voir que j'ai très bien réfléchi. Quand on a sommeil, c'est qu'on a envie de dormir.

MADAME DE ROSBOURG, *riant.*

Oh ! c'est positif, et je vois que tu raisonnes au moins aussi bien que Mimi. *(Tout le monde rit.)*

MARGUERITE

Attendez un peu, maman, pour vous moquer de moi. Je continue : quand on a envie de dormir, c'est qu'on a besoin de dormir. *(Tout le monde rit plus fort ; Marguerite, sans se troubler, continue son raisonnement.)* Quand on a besoin de dormir, c'est qu'on n'a pas assez dormi ; quand on n'a pas assez dormi, c'est que quelque chose ou quelqu'un vous a empêché de dormir. Ce quelqu'un est Mimi, qui éveille Madeleine tous les matins au petit jour en lui becquetant la figure, ou en lui gazouillant dans l'oreille, ou en se promenant sur son visage ; c'est pourquoi Madeleine a sommeil et le coupable est Mimi.

MADAME DE FLEURVILLE

Bravo, Marguerite ! c'est très bien raisonné, mais comment Mimi fait-il pour commettre tous ces méfaits ?

Madame, Madeleine ne veut pas que Mimi soit enfermé dans sa cage ; elle le gâte ; elle est beaucoup trop bonne pour lui, et c'est elle qui en souffre.

MADAME DE FLEURVILLE

Et c'est ce qui arrive toujours, ma petite Marguerite, quand on gâte les gens ; mais sérieusement, ma chère Madeleine, il ne faut pas laisser prendre à Mimi de ces mauvaises habitudes. Tu es pâle depuis quelques jours ; tu tomberas malade à la longue ; je te conseille d'aller te coucher et de fermer ce soir la porte de la cage de Mimi ; tu la lui ouvriras quand tu seras levée.

MADELEINE

Oui, maman, je vais me coucher, car je me sens réellement bien fatiguée et j'enfermerai Mimi ; seulement j'ai peur que demain matin il ne crie comme un désespéré.

MADAME DE FLEURVILLE

Eh ! laisse-le crier : il finira par s'y habituer. »

Madeleine embrassa sa maman, ses amies, Mme de Rosbourg, et alla se coucher ; elle avait eu soin de pousser et de fixer la porte de la cage, et elle s'endormit immédiatement.

Le lendemain, quand il fit jour, Mimi voulut aller tourmenter sa maîtresse comme d'habitude ; il fut étonné et irrité de trouver sa porte fermée ; il chercha longtemps à l'ouvrir avec son bec, mais, ne pou-

167

vant y réussir, il se fâcha, il donna des coups de tête dans la porte et il se fit mal. Alors commença une suite de petits cris furieux, entremêlés de grands coups de bec dans son chènevis et son millet, qu'il faisait voler dans sa cage et à travers les barreaux ; puis il lançait de l'eau de tous côtés. Madeleine s'éveilla un instant à ces bruits, qui indiquaient la colère de Mimi ; mais elle se rendormit immédiatement et dormit jusqu'à ce que sa bonne vînt l'éveiller. Alors elle s'empressa d'ouvrir à Mimi, qui s'élança hors de la cage avec humeur et donna deux grands coups de bec dans la joue de Madeleine, comme pour se venger d'avoir été enfermé.

« Ah ! petit méchant ! s'écria Madeleine, tu es en colère ! Viens ici, Mimi, viens tout de suite. »

Mimi n'obéissait pas ; il s'était perché sur un bâton de croisée, où il avait l'air de bouder.

« Mimi, obéissez, monsieur, venez ici tout de suite. »

Mimi, pour toute réponse, se retourne et fait une ordure dans la main que lui tendait Madeleine.

« Petit sale ! petit dégoûtant ! petit méchant ! attends, attends, je t'attraperai, va. Élisa, viens, je t'en prie, m'aider à attraper Mimi et à le mettre en pénitence. »

Élisa, qui avait tout vu et qui riait de l'humeur de Mimi, prit un balai et poursuivit Mimi jusqu'à ce qu'il se réfugiât tout essoufflé dans sa cage. Aussitôt qu'il y fut entré, Madeleine ferma la porte, et Mimi resta prisonnier, maussade et furieux.

Ce ne fut qu'après deux heures de prison que Sophie, Marguerite et Camille auxquelles Madeleine et Élisa avaient raconté la méchanceté de Mimi, obtinrent sa grâce ; les quatre petites filles vinrent processionnellement ouvrir la cage. Mimi dédaigna de bouger.

« Allons, Mimi, dit Camille, sois bon garçon et ne boude plus ; viens nous dire bonjour comme tu fais tous les matins. »

M. Mimi avait encore de l'humeur ; il ne bougea pas.

« Dieu ! qu'il est méchant ! s'écria Marguerite.

SOPHIE

Hélas ! il fait comme moi jadis : il s'est fâché dans sa prison comme je me suis fâchée dans la mienne, et il a cherché à tout briser comme j'ai déchiré et brisé le livre, le papier et la plume. J'espère qu'il se repentira comme moi. Mimi ! Mimi ! viens demander pardon.

CAMILLE

Il ne veut pas venir ? Eh bien, laissons-le tranquille ; quand il ne boudera plus, nous verrons à lui pardonner. »

On ouvrit les fenêtres. Quand Mimi aperçut les arbres et le ciel, il n'y tint pas ; il s'élança joyeux hors de sa cage et vola sur un des sapins les plus élevés du jardin. Les enfants allèrent se promener de leur côté, laissant Mimi au bonheur de la liberté et à l'amertume du repentir.

Quand elles revinrent au bout d'une heure, Mimi sautait et volait toujours d'arbre en arbre. Madeleine l'appela : « Mimi, mon petit Mimi, il faut rentrer ; viens manger du pain.

— Cuic ! répondit Mimi en faisant aller sa petite tête d'un air moqueur.

— Voyons, Mimi, obéissez et rentrez tout de suite.

— Cuic ! » répondit encore Mimi ; et il s'envola dans le bois.

« Est-il méchant et rancunier ! dit Sophie ; il mérite vraiment une punition.

— Et il l'aura, dit Madeleine : quand il rentrera, je l'enfermerai dans sa cage, et il y restera jusqu'à ce qu'il demande pardon.

— Comment veux-tu, dit Sophie, qu'un pauvre oiseau demande pardon ?

— Je veux que, lorsque je mettrai ma main dans sa cage, il vienne se poser dessus gentiment, en la becquetant, et non pas en donnant de grands coups de bec comme il a fait ce matin.

— Oui, Madeleine, dit Camille, tu as raison ; il faut le traiter un peu sévèrement : tu l'as trop gâté. »

Et les enfants se remirent à leur travail, reprirent leurs jeux et firent leurs repas, sans que Mimi reparût. À la fin de la journée elles commencèrent à s'inquiéter de cette longue absence ; elles allèrent plusieurs fois le chercher et l'appeler dans le jardin et dans le bois : mais Mimi ne répondait ni ne paraissait.

MADELEINE

Je crains qu'il ne soit arrivé quelque chose à ce pauvre Mimi.

MARGUERITE

Peut-être est-il perdu et ne retrouve-t-il pas son chemin ?

Oh ! non, c'est impossible ; les oiseaux ne peuvent pas se perdre : ils voient si bien et de si loin qu'ils aperçoivent toujours leur maison.

SOPHIE

Peut-être boude-t-il encore ?

MADELEINE

S'il boude, il a un bien mauvais caractère, et je serais bien aise qu'il passât la nuit dehors pour qu'il voie la différence qu'il y a entre une bonne cage chaude avec des grains et de l'eau, et un bois humide sans rien à manger ni à boire.

SOPHIE

Pauvre Mimi ! comme il est bête d'être méchant ! »

La nuit arriva, et les petites allèrent se coucher sans que Mimi reparût ; elles en parlèrent souvent dans la soirée, se promettant bien d'aller le lendemain à sa recherche.

« Et il y gagnera de ne plus aller se promener dehors », dit Madeleine.

Le lendemain, quand les enfants furent prêtes à sortir, Mme de Rosbourg les emmena à la recherche de Mimi ; elles parcoururent tout le bois en appelant *Mimi ! Mimi !* Elles revenaient tristes et inquiètes de leur inutile recherche, lorsque Marguerite, qui marchait en avant, fit un bond et poussa un cri.

« Qu'est-ce ? demandèrent à la fois les trois petites.

— Regardez ! Regardez ! dit Marguerite d'une

voix terrifiée en montrant du doigt un petit amas de plumes et à côté la tête très reconnaissable de l'infortuné Mimi.

— Mimi ! Mimi ! malheureux Mimi ! s'écrièrent les enfants. Pauvre Mimi ! mangé par un vautour ou par un émouchet ! »

Mme de Rosbourg se baissa pour mieux examiner les plumes et la tête : c'étaient bien les restes de Mimi, qui périt ainsi misérablement, victime de son humeur.

Les enfants ne dirent rien, Madeleine pleurait. Elles ramassèrent ce qui restait de Mimi pour l'enterrer et lui ériger un petit tombeau. Quand elles furent rentrées à la maison, Mme de Rosbourg leur obtint facilement un congé pour enterrer Mimi ; elles creusèrent une fosse dans leur petit jardin ; elles y descendirent les restes de Mimi, enveloppés de chiffons et de rubans, et enfermés dans une petite boîte ; elles mirent des fleurs dessus et dessous la boîte ; puis elles remplirent de terre la fosse ; elles élevèrent ensuite, avec l'aide du maçon, quelques briques formant un petit temple, et elles attachèrent au-dessus une petite planche sur laquelle Camille, qui avait la plus belle écriture, écrivit :

« Ci-gît Mimi, qui par sa grâce et sa gentillesse faisait le bonheur de sa maîtresse jusqu'au jour où il périt victime d'un moment d'humeur. Sa fin fut cruelle : il fut dévoré par un vautour. Ses restes, retrouvés par sa maîtresse inconsolable, reposent ici.

« Fleurville, 1856, 20 août. »

Ainsi finit Mimi, à l'âge de trois mois.

Chapitre 19

L'illumination

Depuis un an que Sophie était à Fleurville, elle n'avait encore aucune nouvelle de sa belle-mère ; loin de s'en inquiéter, ce silence la laissait calme et tranquille ; être oubliée de sa belle-mère lui semblait l'état le plus désirable. Elle vivait heureuse chez ses amies ; chaque journée passée avec ces enfants modèles la rendait meilleure et développait en elle tous les bons sentiments que l'excessive sévérité de sa belle-mère avait comprimés et presque détruits. Mme de Fleurville et son amie Mme de Rosbourg étaient très bonnes, très tendres pour leurs enfants, mais sans les gâter ; constamment occupées du bonheur et du plaisir de leurs filles, elles n'oubliaient pas leur perfectionnement, et elles avaient su, tout en les rendant très heureuses, les rendre bonnes et toujours disposées à s'oublier pour se dévouer au bien-être des autres. L'exemple des mères n'avait pas été perdu pour leurs enfants, et Sophie en profitait comme les autres.

Un jour Mme de Fleurville entra chez Sophie ; elle tenait une lettre.

« Chère enfant, dit-elle, voici une lettre de ta belle-mère... »

Sophie saute de dessus sa chaise, rougit, puis pâlit ; elle retombe sur son siège, cache sa figure dans ses mains et retient avec peine ses larmes.

Mme de Fleurville, qui avait interrompu sa phrase au mouvement de Sophie, voit son agitation et lui dit : « Ma pauvre Sophie, tu crois sans doute que ta belle-mère va arriver et te reprendre ; rassure-toi : elle m'écrit au contraire que son absence doit se prolonger indéfiniment ; qu'elle est à Naples, où elle s'est remariée avec un comte Blagowski, et qu'une des conditions du mariage a été que tu n'habiterais plus chez elle. En conséquence, ta belle-mère me demande de te mettre dans une pension quelconque *(Sophie rougit encore et regarde Mme de Fleurville d'un air suppliant et effrayé)* à moins, continue Mme de Fleurville en souriant, que je ne préfère garder près de moi un si mauvais garnement. Qu'en dis-tu, ma petite Sophie ? Veux-tu aller en pension ou aimes-tu mieux rester avec nous, être ma fille et la sœur de tes amies ?

— Chère, chère madame, dit Sophie en se jetant dans ses bras et en l'embrassant tendrement, gardez-moi près de vous, continuez-moi votre affectueuse bonté, permettez-moi de vous aimer comme une mère, de vous obéir, de vous respecter comme si j'étais vraiment votre fille, et de m'appliquer à devenir digne de votre tendresse et de celle de mes amies.

174

MADAME DE FLEURVILLE, *la serrant contre son cœur.*

C'est donc convenu, chère petite : tu resteras chez moi ; tu seras ma fille comme Camille, Madeleine et Marguerite. Je savais bien que tu nous préférerais à la meilleure, à la plus agréable pension de Paris.

SOPHIE

Chère madame, je vous remercie de m'avoir si bien devinée. Je crains seulement de vous causer une dépense considérable...

MADAME DE FLEURVILLE

Sois sans inquiétude là-dessus, chère enfant ; ton père a laissé une grande fortune qui est à toi et qui suffirait à une dépense dix fois plus considérable que la tienne. »

Après avoir embrassé encore Mme de Fleurville, Sophie courut chez ses amies pour leur annoncer ces grandes nouvelles. Ce fut une joie générale ; elles se mirent à danser une ronde si bruyante, accompagnée de tels cris de joie qu'Élisa accourut au bruit.

ÉLISA

Qu'est-ce ? Qu'y a-t-il, mon Dieu ? Quoi ! c'est une danse ! des cris de joie ! Ah bien ! une autre fois je ne serai pas si bête : vous aurez beau crier, je resterai bien tranquillement chez moi ! Mais a-t-on jamais vu des petites filles crier et se démener ainsi, comme de petits démons ?

Si tu savais, ma chère Élisa, si tu savais quel bonheur ! Viens danser avec nous. Quel bonheur ! quel bonheur !

ÉLISA

Mais quoi donc ? Pour quoi, pour qui faut-il que je me démène comme un lutin ? M'expliquerez-vous enfin ?

MARGUERITE

Sophie reste avec nous toujours ! toujours ! Mme Fichini s'est mariée. Ha ! ha ! ha ! elle s'est mariée avec un comte Blagowski ! ils ne veulent plus de Sophie... quel bonheur ! quel bonheur ! »

Et la ronde, les sauts, les cris recommencèrent de plus belle. Élisa s'était mise de la partie, et le tapage devint tel que successivement toute la maison vint savoir la cause de ce bruit sans pareil.

Chacun s'en allait heureux de la bonne nouvelle, car tous aimaient Sophie et la plaignaient d'avoir une si méchante belle-mère.

Enfin les petites filles se lassèrent de danser ; toutes quatre tombèrent sur des chaises ; Élisa s'y laissa tomber comme elles.

« Mes enfants, dit-elle, vous savez que pour les grandes fêtes on fait des illuminations : faisons-en une ce soir en l'honneur de Sophie.

CAMILLE

Comment cela ? Il faudrait des lampions.

ÉLISA

Eh ! nous allons en faire.

MADELEINE

Avec quoi ? comment ?

ÉLISA

Avec des coquilles de noix et de noisettes, de la cire jaune et de la chandelle.

MARGUERITE

Bravo, Élisa ! Que d'esprit tu as ! Viens que je t'embrasse. »

Et Marguerite se jeta sur Élisa pour l'embrasser ; Camille, Madeleine, Sophie en firent autant, de sorte qu'Élisa enlacée, étouffée, chercha à esquiver ces élans de reconnaissance ; elle voulut se sauver : les quatre petites se pendirent après elle, et ce ne fut qu'après bien des courses qu'elle parvint à leur échapper. On l'entendit s'enfermer dans sa chambre : impossible d'y entrer ; la porte était solidement verrouillée.

MARGUERITE

Élisa ! Élisa ! ouvre-nous, je t'en prie.

CAMILLE

Élisa ! ma bonne Élisa, nous ne t'embrasserons plus que cent cinquante fois.

MADELEINE

Élisa, excellente Élisa, ouvre ; nous avons à te parler.

SOPHIE

Élisa, Élisa, une petite ronde encore, et c'est fini.

ÉLISA

C'est bon, c'est bon ; cassez-vous le nez à ma porte, pendant que je casse autre chose. »

En effet, les enfants entendaient un bruit sec extraordinaire, qui ne discontinuait pas. Crac, crac, crac. « Qu'est-ce qu'elle fait là-dedans ? dit tout bas Sophie ; on dirait qu'elle fait frire des marrons qui éclatent.

MARGUERITE

Attends, attends, je vais regarder par le trou de la serrure... Je ne vois rien ; elle est debout ; elle nous tourne le dos et elle paraît très occupée, mais je ne vois pas ce qu'elle fait.

CAMILLE

J'ai une idée ; sortons tout doucement, faisons le tour par-dehors, et regardons par la fenêtre, qui n'est pas bien haute. Comme elle ne s'y attend pas, elle n'aura pas le temps de se cacher.

SOPHIE

C'est une bonne idée, mais pas de bruit ; allons toutes sur la pointe des pieds, et pas un mot. »

178

En effet, elles se retirèrent tout doucement, sortirent, firent le tour de la maison sur la pointe des pieds et arrivèrent ainsi sous la fenêtre d'Élisa. Quoique cette fenêtre fût au rez-de-chaussée, elle était encore trop haute pour les petites filles. À un signe de Camille, elles s'élancèrent sur le treillage qui garnissait les murs, et en une seconde leurs quatre têtes se trouvèrent à la hauteur de la fenêtre. Élisa poussa un cri et jeta promptement son tablier sur la commode devant laquelle elle travaillait. Il était trop tard, les petites avaient vu.

« Des noix, des noix ! crièrent-elles toutes ensemble ; Élisa casse des noix, c'est pour l'illumination de ce soir.

— Allons, voyons, puisque vous m'avez découverte, venez m'aider à préparer les lampions. »

Les enfants sautèrent à bas du treillage, refirent en courant, et cette fois pas sur la pointe des pieds, le tour de la maison, et se précipitèrent dans la chambre d'Élisa, dont la porte n'était plus fermée. Elles trouvèrent déjà une centaine de coquilles de noix toutes prêtes à être remplies de cire ou de graisse. Chacune des petites tira son couteau, et elles se mirent à l'ouvrage avec un zèle si ardent qu'en moins d'une heure elles préparèrent deux cents lampions.

« Bon, dit Élisa ; à présent, allons chercher un pot de graisse, une boîte de veilleuses, une casserole à bec et un réchaud. »

Elles coururent avec Élisa à la cuisine et à l'antichambre pour demander les objets nécessaires à leur illumination. En revenant chez Élisa, Camille prit avec une cuiller de la graisse, qu'elle mit dans la casserole ; Madeleine entassa du charbon dans le réchaud ;

Élisa alluma et souffla le feu ; Sophie et Marguerite rangèrent les coquilles de noix sur la commode. Quand la graisse fut fondue, Élisa en remplit les coquilles, et, pendant qu'elle était encore chaude et liquide, les enfants mirent une mèche de veilleuse dans chacun des petits lampions.

Cette opération leur prit une bonne heure. Elles attendirent que la graisse fût bien refroidie et durcie, puis elles mirent tous les lampions dans deux paniers.

« Allons, dit Élisa, voilà notre ouvrage terminé ; il ne nous reste plus qu'à placer tous ces petits lampions sur les croisées, sur les cheminées, sur les tables, et nous les allumerons après dîner, quand il fera nuit. »

Mme de Fleurville et Mme de Rosbourg travaillaient dans le salon quand les enfants et Élisa entrèrent avec leurs paniers.

MADAME DE ROSBOURG

Qu'apportez-vous là, mes enfants ?

CAMILLE

Des lampions, madame, pour célébrer ce soir par une illumination le mariage de Mme Fichini et l'abandon qu'elle nous fait de Sophie.

MADAME DE FLEURVILLE

Mais c'est très joli, tous ces petits lampions ; où les avez-vous eus ?

MADELEINE

Nous les avons faits, maman ; Élisa nous en a donné l'idée et nous a aidées à les faire. »

Mme de Fleurville et Mme de Rosbourg trouvèrent l'idée très bonne ; elles aidèrent les enfants à placer les lampions. L'heure du dîner étant arrivée, Élisa emmena les petites filles pour les laver et les arranger. Le dîner leur parut bien long ; elles étaient impatientes de voir l'effet de leur illumination. Après dîner, il fallut encore attendre qu'il fît nuit. Elles firent une très petite promenade avec leurs mamans, jusqu'au moment où l'obscurité vint. Enfin, Marguerite s'écria qu'elle voyait une étoile, ce qui prouvait bien qu'il faisait assez sombre pour commencer leur illumination. Tout le monde rentra un peu en courant ; les mamans comme les petites filles se mirent à allumer les lampions.

Quand ils furent tous allumés, les enfants se mirent au milieu du salon pour juger de l'effet.

Tous ces cordons de lumière formaient un coup d'œil charmant. Les petites étaient enchantées ; elles battaient des mains, sautaient ; les mamans leur proposèrent une partie de cache-cache, qui fut acceptée avec des cris de joie : Élisa, Mme de Fleurville et Mme de Rosbourg jouèrent avec elles, on se cachait dans toutes les chambres, on courait dans les corridors, dans les escaliers, on trichait un peu, on riait beaucoup et l'on était heureux,

Après deux heures de courses et de rires, il fallut pourtant finir cette bonne journée. Mais, avant de se coucher, les enfants eurent un petit souper de gâteaux, de crèmes, de fruits. Élisa fut invitée à souper avec les petites filles. Comme elle était fort modeste, elle s'en défendit un peu ; mais les enfants, qui voyaient dans ses yeux que toutes ces bonnes choses lui faisaient envie, l'entourèrent, la traînèrent vers la table,

181

la firent asseoir et lui servirent de tout en telle quantité qu'elle déclara ne plus pouvoir avaler. Alors les enfants firent un grand tas de gâteaux et de fruits, qu'elles enveloppèrent dans une immense feuille de papier, et la forcèrent à emporter le tout chez elle. Élisa les remercia, les embrassa et alla préparer leur coucher.

Sophie, de son côté, remercia Camille, Madeleine et Marguerite de leur amitié, et se retira le cœur rempli de reconnaissance et de bonheur.

Chapitre 20

La pauvre femme

« Mes chères enfants, dit un jour Mme de Fleur-ville, allons faire une longue promenade. Le temps est magnifique, il ne fait pas chaud ; nous irons dans la forêt qui mène au moulin.

MARGUERITE

Et cette fois je n'emporterai certainement pas ma jolie poupée.

MADAME DE ROSBOURG

Je crois que tu feras bien.

CAMILLE, *souriant.*

À propos du moulin, savez-vous, maman, ce qu'est devenue Jeannette ?

MADAME DE FLEURVILLE

Le maître d'école est venu m'en parler il y a peu de jours ; il en est très mécontent ; elle ne travaille pas, ne l'écoute pas : elle cherche à entraîner les autres petites filles à mal faire. Ce qui est pis encore, c'est qu'elle vole tout ce qu'elle peut attraper, les mouchoirs de ses petites compagnes, leurs provisions, les plumes, le papier, tout ce qui est à sa portée.

MADELEINE

Mais comment sait-on si c'est Jeannette qui vole ? Les petites filles perdent peut-être elles-mêmes leurs affaires.

MADAME DE FLEURVILLE

On l'a surprise déjà trois fois pendant qu'elle volait, ou qu'elle emportait sous ses jupons les objets qu'elle avait volés ! Depuis ce temps, la maîtresse d'école la fouille tous les soirs avant de la laisser partir.

MARGUERITE

Et sa mère, qui l'a tant fouettée l'année dernière pour la poupée, ne la punit donc pas ?

MADAME DE ROSBOURG

Sa mère l'a fouettée sévèrement pour la poupée parce que ce vol lui avait fait perdre les présents que je devais lui donner ; mais il paraît qu'elle l'élève très mal et qu'elle lui donne de mauvais exemples.

Est-ce que sa mère vole aussi ?

MADAME DE FLEURVILLE

Elle vole dans un autre genre que sa fille ; ainsi quand on lui apporte du grain à moudre, elle en cache une partie. Elle va la nuit avec son mari voler du bois dans la forêt qui m'appartient ; elle vole du poisson de mes étangs et elle va le vendre au marché. Jeannette voit tout cela, et elle fait comme ses parents. C'est un grand malheur : le bon Dieu les punira un jour, et personne ne les plaindra. »

La promenade fut très agréable. On suivit un chemin qui entrait dans le bois ; les enfants virent de loin Jeannette, qui se sauva dans le moulin aussitôt qu'elle les aperçut.

MARGUERITE

Regarde, Sophie ; vois-tu la tête de Jeannette qui passe par la lucarne du grenier ?

SOPHIE

Ah ! elle la rentre ! la voici qui reparaît à l'autre bout du grenier.

CAMILLE

Prenez garde. Jeannette nous lance des pierres ! »

En effet, cette méchante fille cherchait à attraper les enfants avec des pierres tranchantes qu'elle lançait de toute sa force. Mme de Fleurville en fut très mécontente et promit qu'en rentrant elle ferait venir le père de Jeannette pour se plaindre de sa méchante fille.

On continua la promenade et l'on finit par s'asseoir à l'ombre des vieux chênes chargés de glands. Pendant que les enfants s'amusaient à en ramasser et à remplir leurs poches, elles crurent entendre un léger bruit ; elles s'arrêtèrent et écoutèrent : des gémissements et des sanglots arrivèrent distinctement à leurs oreilles.

« Allons voir qui est-ce qui pleure », dit Camille.

Et toutes quatre s'élancèrent dans le bois, du côté où elles entendaient gémir. À peine eurent-elles fait quelques pas qu'elles virent une petite fille de douze à treize ans, couverte de haillons, assise par terre ; sa tête était cachée dans ses mains ; les sanglots soulevaient sa poitrine, et elle était si absorbée dans son chagrin qu'elle n'entendit pas venir les enfants.

« Pauvre petite, dit Madeleine, comme elle pleure ! »

La petite fille releva la tête et parut effrayée à la vue des quatre enfants qui l'entouraient ; elle se leva et fit un mouvement pour s'enfuir.

CAMILLE

Ne te sauve pas, ma petite fille ; n'aie pas peur, nous ne te ferons pas de mal.

MADELEINE

Pourquoi pleures-tu, ma pauvre petite ? »

Le son de voix si plein de douceur et de pitié avec lequel avaient parlé Camille et Madeleine attendrit la petite fille, qui recommença à sangloter plus fort qu'auparavant.

Marguerite et Sophie, touchées jusqu'aux larmes, s'approchèrent de la pauvre enfant, la caressèrent, l'encouragèrent et réussirent enfin, aidées de Camille et de Madeleine, à sécher ses pleurs et à obtenir d'elle quelques paroles.

LA PETITE FILLE

Mes bonnes petites demoiselles, nous sommes dans le pays depuis un mois : ma pauvre maman est tombée malade en arrivant ; elle ne peut plus travailler. J'ai vendu tout ce que nous avions pour avoir du pain, je n'ai plus rien ; j'avais pourtant bien espéré qu'on m'achèterait au moulin ma pauvre robe qui cache mes haillons, mais on n'en a pas voulu ; j'ai été chassée, et même une petite fille m'a lancé des pierres.

MARGUERITE

Je suis sûre que c'est la méchante Jeannette.

LA PETITE FILLE

Oui, tout juste ; sa mère l'a appelée de ce nom et lui a dit de finir, mais elle m'a encore attrapée au bras, si fort que j'en ai saigné. Ce ne serait rien si j'avais pu avoir quelque argent pour rapporter du pain à ma pauvre maman ; elle est si faible, et elle n'a rien mangé depuis hier !

SOPHIE

Rien mangé !... Mais alors... toi aussi, ma pauvre petite, tu n'as rien mangé !

Oh ! moi, mademoiselle, je ne suis pas malade : je puis bien supporter la faim ; d'ailleurs, en allant au moulin, j'ai ramassé et mangé quelques glands.

CAMILLE

Des glands ! Pauvre, pauvre enfant ! attends-nous un instant, ma petite ; nous avons dans un panier du pain et des prunes, nous allons t'en apporter.

— Oui, oui, s'écrièrent tout d'une voix Madeleine, Marguerite et Sophie, donnons-lui notre goûter et demandons de l'argent à nos mamans pour elle.

Elles coururent rejoindre leurs mamans ; elles arrivèrent toutes haletantes, et, pendant que Camille et Madeleine racontaient ce que leur avait dit la petite fille, Sophie et Marguerite couraient lui porter le panier qui renfermait les provisions ; elles virent bientôt arriver Mme de Fleurville et Mme de Rosbourg.

La petite fille n'avait pas encore touché au pain ni aux fruits.

MADAME DE FLEURVILLE

Mange, ma petite fille ; tu nous diras ensuite où tu demeures et qui tu es.

LA PETITE FILLE, *faisant une révérence.*

Je vous remercie bien, madame, vous êtes bien bonne ; j'aime mieux garder le pain et les fruits pour les donner à maman ; je vais tout de suite les lui porter.

MADAME DE ROSBOURG

Et toi, ma petite, tu n'en mangeras donc pas ?

LA PETITE FILLE

Oh ! madame, merci bien, je n'en ai pas besoin ; je ne suis pas malade, je suis forte. »

En disant ces mots, la petite fille, pâle, maigre et à peine assez forte pour se soutenir, essaya de porter le panier et fléchit sous son poids ; elle se retint au buisson, rougit et répéta d'une voix faible et éteinte : « Je suis forte, mesdemoiselles, ne vous inquiétez pas de moi. »

MADAME DE ROSBOURG, *se mettant en marche.*

Donne-moi ce panier, ma pauvre enfant, je le porterai jusque chez toi ; où demeures-tu ?

LA PETITE FILLE

Ici, tout près, madame, sur la lisière du bois.

MADAME DE FLEURVILLE

Comment s'appelle ta maman ?

LA PETITE FILLE

On l'appelle la mère la Frégate, mais son vrai nom est Françoise Lecomte.

MADAME DE FLEURVILLE

Et pourquoi donc, mon enfant, l'appelle-t-on la mère la Frégate ?

189

Parce qu'elle est la femme d'un marin.

MADAME DE ROSBOURG, avec intérêt.

Où est ton père ? N'est-il pas avec vous ?

LA PETITE FILLE

Hélas ! non, madame, et c'est pour cela que nous sommes si malheureuses. Mon père est parti il y a quelques années ; on dit que son vaisseau a péri ; nous n'en avons plus entendu parler ; maman en a eu tant de chagrin qu'elle a fini par tomber malade. Nous avons vendu tout ce que nous avions pour acheter du pain, et maintenant nous n'avons plus rien à vendre. Que va devenir ma pauvre mère ? Que pourrais-je faire pour la sauver ? »

Et la petite fille recommença à sangloter.

Mme de Rosbourg avait été fort émue et fort agitée par ce récit.

« Sur quel vaisseau était monté ton père, demanda-t-elle d'une voix tremblante, et comment s'appelait le commandant ?

LA PETITE FILLE

C'était la frégate la Sibylle, commandant de Rosbourg. »

Mme de Rosbourg poussa un cri et saisit dans ses bras la petite fille effrayée.

« Mon mari !... son vaisseau !... répétait-elle. Pauvre enfant, toi aussi, tu es restée orpheline comme ma pauvre Marguerite ! Ta pauvre mère pleure comme moi un mari perdu, mais vivant peut-être. Ah ! ne t'inquiète plus de ta mère ni de ton avenir ; vite, conduis-moi près d'elle, que je la voie, que je la console ! »

Et elle pressa le pas, tenant par la main la petite Lucie (c'était son nom) ; Mme de Fleurville et les enfants suivaient en silence. Lucie n'avait pas bien compris l'exclamation et les promesses de Mme de Rosbourg, mais elle sentait que c'était du bonheur qui lui arrivait et que sa mère serait secourue ; elle marchait aussi vite que le lui permettait sa faiblesse ; en peu d'instants, elles arrivèrent à une vieille masure.

C'était une cabane, une hutte de bûcheron, abandonnée et délabrée. Le toit était percé de tous côtés ; il n'y avait pas de fenêtre ; la porte était si peu élevée que Mme de Rosbourg dut se baisser pour y entrer ; l'obscurité ne lui permit pas au premier moment de distinguer, au fond de la cabane, une femme, à peine couverte de mauvais haillons, étendue sur un tas de mousse : c'était le lit de la mère et de la fille. Aucun meuble, aucun ustensile de ménage ne garnissait la cabane ; aucun vêtement n'était accroché aux murs. Mme de Rosbourg eut peine à retenir ses larmes à la vue d'une si profonde misère ; elle s'approcha de la malheureuse femme pâle, amaigrie, qui attendait avec anxiété le retour de Lucie et la nourriture qu'elle devait acheter avec le prix de sa pauvre vieille robe. Mme de Rosbourg comprit que la faim était en ce moment la plus cruelle souffrance de la mère et de la fille ; elle fit approcher Lucie, ouvrit le panier et partagea entre elles le pain et les fruits, qu'elles dévorèrent avec avidité. Elle attendit la fin de ce petit repas pour expliquer à la pauvre femme qu'elle était Mme de Rosbourg, femme du commandant de la *Sibylle,* et que la petite Lucie lui avait raconté leur misère, leur chagrin depuis la perte du vaisseau que montait son mari.

« Je me charge de votre avenir, ma pauvre Françoise, ajouta-t-elle ; ne vous inquiétez ni de votre petite Lucie ni de vous-même. En rentrant à Fleurville, je vais immédiatement vous envoyer une charrette qui vous amènera au village. Je m'occuperai de vous loger, de vous faire soigner, de vous procurer tout ce qui vous est nécessaire. Dans deux heures, vous aurez quitté cette habitation malsaine et misérable. »

Mme de Rosbourg ne donna ni à Françoise ni à Lucie le temps de revenir de leur surprise ; elle sortit précipitamment, emmenant avec elle Mme de Fleurville et les enfants, qui étaient restées à la porte de la cabane. Aucune d'elles ne parla ; Mme de Rosbourg était absorbée dans ses tristes souvenirs, Mme de Fleurville et les enfants respectaient sa douleur. En approchant du village, Mme de Rosbourg proposa à Mme de Fleurville de venir avec elle visiter une maison qui était à louer depuis quelque temps et qui pouvait convenir à la pauvre femme. Mme de Fleurville accepta la proposition avec empressement, et l'on se dirigea vers une maison petite, mais propre, et entièrement mise à neuf. Il y avait trois pièces, une cave et un grenier, un joli jardin et un potager planté d'arbres fruitiers ; les chambres étaient claires, assez grandes pour servir, l'une de cuisine et de salle à manger, l'autre de chambre pour la mère Françoise et sa fille, la troisième de pièce de réserve.

« Chère amie, dit Mme de Rosbourg à Mme de Fleurville, pendant que j'irai chez le propriétaire de cette maison, ayez la bonté de rentrer au château et d'envoyer une charrette qui ramènera la femme Lecomte, et une seconde voiture qui apportera ici les meubles et les effets indispensables pour ce soir. La pauvre femme pourra dès aujourd'hui passer la nuit dans un bon lit, en attendant que je lui achète de quoi se meubler convenablement. »

Mme de Fleurville et les enfants partirent sans plus attendre. Les enfants, aidées d'Élisa, se chargèrent de rassembler tout ce qu'il fallait pour le coucher et le dîner de Françoise et de Lucie. Mais, quand chacune d'elles eut fait apporter les objets qu'elle croyait absolument nécessaires, il y en avait une telle quantité qu'une seule charrette n'aurait pu en contenir même la moitié. C'étaient des tables, des chaises, des fauteuils, des tabourets, des flambeaux, des vases, des casseroles, des cafetières, des tasses, des verres, des assiettes, des carafes, des balais, des brosses, des tapis, un pain de sucre, deux pains de six livres chacun, une marmite pleine de viande, une cruche de lait, une motte de beurre, un panier d'œufs, dix bouteilles de vin, toutes sortes de provisions en légumes, en fruits, en saucissons, jambons, etc., etc.

Quand Élisa vit cet amas d'objets inutiles, elle se mit à rire si fort que Marguerite et Sophie se fâchèrent, pendant que Camille et Madeleine rougissaient de contrariété.

« Pourquoi ris-tu, Élisa ? dit Marguerite avec animation. Il n'y a rien de si risible à voir préparer des provisions pour une pauvre femme.

193

Et vous croyez que votre maman enverra tout cet amas de choses inutiles ?

SOPHIE, *piquée.*

Il n'y a rien que de très utile dans ce que nous avons fait apporter.

ÉLISA

Utile pour une maison comme la nôtre ; mais pour une pauvre femme qui n'a pas seulement un lit à elle, que voulez-vous qu'elle fasse de tout cela ? Et comment viendrait-elle à bout de ranger et de nettoyer tous ces meubles ? et comment mangerait-elle tout ce pain, qui serait dur comme une pierre avant qu'elle arrivât à la dernière bouchée ? cette viande, qui serait gâtée avant qu'elle en eût mangé la moitié ? ce beurre, ces œufs, ces légumes ? Tout serait perdu, vous le voyez bien.

CAMILLE

Mais toi-même, Élisa, tu as préparé des matelas, des oreillers, des draps, des couvertures.

ÉLISA

Certainement, parce que c'est nécessaire pour le coucher de la mère Lecomte et de sa fille. Mais tout cela ?... Allons, laissez-moi faire ; je vais arranger les choses pour le mieux. Joseph, venez nous aider à ranger nos affaires dans la charrette pour la petite maison blanche du village. Tenez, voilà Nicaise qui

194

passe ; appelez-le, qu'il nous donne un coup de main...
Bon... ; prenez les matelas... c'est cela... ; à présent,
le paquet de couvertures, de draps et d'oreillers..., très
bien... Placez dans un coin ce pain, ce petit pot de
beurre, ces six œufs... ; bon... et puis la petite marmite de bouillon..., une bouteille de vin à présent...,
un paquet de chandelles et un flambeau. Là..., ajou-
tez cette petite table, deux chaises de paille, deux
verres, deux assiettes..., et c'est tout. Allez, maintenant, et attendez madame pour décharger la voiture. »

Chapitre 21

Installation de Françoise et de Lucie

CAMILLE

Maman, voulez-vous nous permettre d'aller avec Élisa à la petite maison blanche, pour préparer les lits et les provisions de la pauvre Lucie et de sa maman ? Nous la verrons arriver et nous jouirons de sa surprise.

MADAME DE FLEURVILLE

Oui, chères enfants, allez achever votre bonne œuvre et arrangez tout pour le mieux. Vous achèterez au village ce qui manquera pour leur petit repas du soir. Moi, je reste ici pour écrire des lettres et préparer vos leçons pour demain ; vous me raconterez la joie de la pauvre femme et de sa fille.

MADELEINE

Maman, pouvons-nous emporter une de nos chemises, un jupon, une robe, des bas, des souliers et un
mouchoir pour la pauvre Lucie, qui est en haillons ?

MADAME DE FLEURVILLE

Certainement, ma petite Madeleine ; tu as là une
bonne et charitable pensée. Emportez aussi du linge
pour la pauvre mère et ma vieille robe de chambre,
en attendant que Mme de Rosbourg achète ce qui est
nécessaire pour les habiller.

MADELEINE

Merci, ma chère maman, que vous êtes bonne ! »
Mme de Fleurville embrassa tendrement Madeleine, qui courut annoncer cette heureuse nouvelle à
ses amies. Élisa fit un petit paquet des effets qu'elles
emportaient, et elles se remirent gaiement en route.

En arrivant à la maison blanche, elles y trouvèrent
Mme de Rosbourg qui faisait décharger la charrette ;
les enfants aidèrent Élisa à faire les lits et à placer
les objets qu'on avait apportés.

ÉLISA

Il nous faut du bois pour faire cuire la soupe.

CAMILLE

Et du sel pour mettre dedans !

MADELEINE

Et des cuillers pour la manger !

Et des couteaux pour couper le pain !

MARGUERITE

Et des terrines et des plats pour mettre le beurre et les œufs.

MADAME DE ROSBOURG

Ma chère Élisa, voulez-vous aller au village acheter ce qui est nécessaire ?

ÉLISA

Oui, madame, avec grand plaisir. Attendez-moi, enfants, je serai revenue dans cinq minutes. »

Les enfants s'occupèrent à mettre le couvert, ce qui ne leur prit pas beaucoup de temps ; elles placèrent la table au milieu de la cuisine, les deux chaises en face l'une de l'autre, les assiettes, les verres et la bouteille de vin sur la table, ainsi que le pain. Élisa revint en courant ; elle apportait ce qui manquait et, de plus, du sucre pour le vin chaud qu'elle voulait faire boire à Françoise.

« Voici encore une cruche pour mettre de l'eau, ajouta-t-elle ; nous n'y avions pas pensé. »

Après une attente de quelques minutes, pendant lesquelles Élisa eut le temps d'allumer le feu et de faire une bonne soupe et une omelette, on vit enfin arriver la charrette, dans laquelle était étendue la pauvre Françoise, la tête appuyée sur les genoux de la petite Lucie. Quand la voiture s'arrêta devant la porte, Mme de Rosbourg, aidée d'Élisa, en fit descendre

Françoise, plus faible, plus pâle encore que quelques heures auparavant. La pauvre femme n'eut pas la force de remercier Mme de Rosbourg ; mais son regard attendri indiquait assez la reconnaissance dont son cœur débordait. Lucie était si inquiète de cette grande faiblesse, qu'elle ne songea pas à regarder la maison ni la chambre où on la faisait entrer. Mais quand, rassurée sur sa mère, elle la vit couverte de linge blanc, couchée dans un bon lit, avec des draps, des couvertures, son visage, si inquiet jusqu'alors, devint radieux ; sa tête penchée vers sa mère se redressa ; ses yeux fixés sur ce pâle visage changèrent de direction ; elle regarda autour d'elle : la douleur et l'inquiétude firent place au bonheur ; ses joues se colorèrent ; des larmes de joie coulèrent sur sa figure ; l'émotion lui coupa la parole ; elle ne put que se jeter à genoux et saisir la main de Mme de Rosbourg, qu'elle tint appuyée sur ses lèvres en éclatant en sanglots.

« Remets-toi, mon enfant, lui dit Mme de Rosbourg avec bonté en la relevant ; ce n'est pas à moi que tu dois adresser de tels remerciements, mais au bon Dieu, qui m'a permis de te rencontrer et de soulager votre misère. Calme-toi pour ne pas agiter ta mère ; avec du repos et une bonne nourriture elle se remettra promptement. Voici Élisa qui lui apporte une soupe et un verre de vin chaud sucré. Et toi, ma pauvre enfant, qui es presque aussi exténuée que ta mère, mets-toi à table et mange le petit repas que t'a préparé Élisa. »

Les enfants entraînèrent Lucie dans la pièce à côté et lui servirent son dîner, pendant qu'Élisa et Mme de Rosbourg faisaient manger Françoise. Camille lui servit de la soupe, Madeleine un morceau de bœuf, Sophie de l'omelette, et Marguerite lui versait à boire. Lucie ne se lassait pas de regarder, d'admirer, de remercier ; elle appelait les enfants : *mes chères bien-faitrices,* ce qui amusa beaucoup Marguerite.

Quand Lucie eut fini de manger, les quatre petites se précipitèrent pour l'habiller ; elles faillirent la mettre en pièces, tant elles se dépêchaient de la débarrasser de ses haillons et de la revêtir des effets qu'elles avaient apportés. Lucie ne put s'empêcher de pousser quelques petits cris tandis que l'une lui arrachait des cheveux en enlevant son bonnet sale, que l'autre lui enfonçait une épingle dans le dos, que la troisième la pinçait en lui passant ses manches, et que la quatrième l'étranglait en lui nouant son bonnet blanc. Elle finit pourtant par se trouver admirablement habillée et elle courut se faire voir à sa maman, qui, joignant les mains, regardait Lucie avec admiration. Elle dit enfin d'une voix un peu plus forte :

« Chères demoiselles, chères dames, que le bon Dieu vous bénisse et vous récompense ; qu'il vous rende un jour le bien que vous me faites et le bonheur dont vous remplissez mon cœur ! Ma pauvre Lucie, approche encore, que je te regarde, que je te touche ! Ah ! si ton pauvre père pouvait te voir ainsi ! »

Elle retomba sur son oreiller, cacha sa tête dans ses mains et pleura. Mme de Rosbourg lui prit les mains avec affection et la consola de son mieux.

« Tout ce que nous envoie le bon Dieu est pour notre bien, ma bonne Françoise. Voyez ! si la méchante meunière n'avait pas chassé votre pauvre Lucie, mes petites ne l'auraient pas entendue pleurer, je ne l'aurais pas questionnée, je n'aurais pas connu votre misère. Il en est ainsi de tout ; Dieu nous envoie le bonheur et permet les chagrins ; recevons-les de lui et soyons assurés que le tout est pour notre bien. »

Les paroles de Mme de Rosbourg calmèrent Françoise ; elle essuya ses larmes et se laissa aller au bonheur de se trouver dans une maison bien close, bien propre, dans un bon lit avec du linge blanc, et avec la certitude de ne plus avoir à redouter ni pour elle ni pour Lucie les angoisses de la faim, du froid et de toutes les misères dont Mme de Rosbourg venait de la sortir.

« Demain, ma bonne Françoise, dit Mme de Rosbourg, j'irai à Laigle pour acheter les meubles, les vêtements et les autres objets nécessaires à votre ménage. Mes petites et moi, nous viendrons vous voir souvent ; si vous désirez quelque chose, faites-le-moi savoir. En attendant, voici vingt francs que je vous laisse pour vos provisions de bois, de chandelle, de viande, de pain, d'épicerie. Quand vous serez bien guérie, je vous donnerai de l'ouvrage ; ne vous inquiétez de rien ; mangez, dormez, prenez des forces et priez le bon Dieu avec moi qu'il nous rende un jour nos maris. »

Mme de Rosbourg appela les enfants, qui dirent adieu à Lucie en lui promettant de venir la voir le lendemain, et les ramena au château, où elles trouvèrent Mme de Fleurville un peu inquiète de leur absence prolongée, et prête à partir pour aller les chercher, l'heure du dîner étant passée depuis longtemps.

Les enfants racontèrent toute la joie de Lucie et de sa mère, leur reconnaissance, la bonté de Mme de Rosbourg ; elles parlèrent avec volubilité toute la soirée ; elles recommencèrent avec Élisa quand elles allèrent se coucher ; elles parlaient encore en se mettant au lit ; la nuit elles rêvèrent de Lucie, et le lendemain leur première pensée fut d'aller à la petite maison blanche. Quand Mme de Fleurville leur proposa de les y mener, Mme de Rosbourg était partie depuis longtemps pour acheter le mobilier promis la veille. Elles trouvèrent Françoise sensiblement mieux et levée ; Lucie avait demandé à un petit voisin obligeant de lui faire un balai ; elle avait nettoyé non seulement les chambres, mais le devant de la maison ; les lits étaient bien proprement faits, le bois qu'elle avait acheté était rangé en tas dans la cave ; avec un de ses vieux haillons elle avait essuyé la table, les chaises, les cheminées : tout était propre. Françoise et Lucie se promenaient avec délices dans leur nouvelle demeure quand Mme de Fleurville et les enfants arrivèrent ; elles apportaient quelques provisions pour le déjeuner ; Lucie se mit en devoir de préparer le repas. Les enfants lui proposèrent de l'aider.

LUCIE

Merci, mes bonnes chères demoiselles, je m'en tirerai bien toute seule ; il ne faut pas salir vos jolies mains blanches à faire le feu et à fondre le beurre.

MARGUERITE

Mais saurais-tu faire une omelette, une soupe ?

LUCIE

Oh ! que oui, mademoiselle ; j'ai fait des choses plus difficiles que cela, quand nous avions de quoi.

Pendant que maman travaillait, je faisais tout le ménage. »

Mme de Fleurville et les enfants rentrèrent au château pour les leçons, qui avaient été un peu négligées la veille. Mme de Rosbourg revint à midi ; elle demanda et obtint un dernier congé pour aider à placer et à ranger le mobilier de la maison blanche. Élisa, qui était fort complaisante et fort adroite, fut encore mise en réquisition par Mme de Rosbourg et les enfants, et l'on retourna après déjeuner chez Françoise, les enfants courant et sautant tout le long du chemin. Elles trouvèrent la mère et la fille folles de joie devant tous leurs trésors. Meubles, vaisselle, linge, vêtements, rien n'avait été oublié. Ce fut une longue occupation de tout mettre en place. On courut chercher le menuisier pour clouer des planches ; des clous à crochet. On accrocha et l'on décrocha dix fois les casseroles, les miroirs ; presque tous les meubles firent le tour des chambres avant de trouver la place où ils devaient rester ; chacune donnait son avis, criait, tirait, riait. Tout l'après-midi suffit à peine pour tout mettre en place. Jamais Lucie n'avait été si heureuse, son cœur débordait de joie ; de temps à autre, elle se jetait à genoux et s'écriait : « Mon Dieu, je vous remercie ! Mes chères dames, que je vous suis reconnaissante ! Mes bonnes petites demoiselles, merci, oh ! merci. » Les petites étaient aussi joyeuses que Lucie et Françoise. La vue de tant de bonheur leur était une excellente leçon de charité. Sophie se promettait de toujours être charitable, de donner aux pauvres tout l'argent de ses menus plaisirs. La journée se termina par un repas excellent, que Mme de Fleurville avait fait apporter chez Françoise. Tous dînèrent ensemble sur la table neuve avec la vaisselle et le linge de Françoise. Élisa fut de la partie ; Camille et Madeleine la placèrent entre elles et eurent soin de remplir son assiette tout le temps du dîner. On servit de la soupe, un gigot rôti, une fricassée de poulet, une salade et une tourte aux pêches. Lucie se léchait les doigts ; les enfants jouissaient de son bonheur, que partageait Françoise.

Après le dîner, Mme de Rosbourg et Mme de Fleurville retournèrent au château, laissant Élisa avec les enfants, qui avaient instamment demandé de rester pour aider Lucie à laver, à essuyer la vaisselle et à tout mettre en ordre.

Quand tout fut propre et rangé, quand on eut soigneusement renfermé dans le buffet les restes du repas, Élisa et les enfants se retirèrent ; Lucie aida sa mère à se coucher et se reposa elle-même des fatigues de cette heureuse journée.

Chapitre 22

Sophie veut exercer la charité

Sophie avait été fortement impressionnée de l'aventure de Françoise et de Lucie ; elle avait senti le bonheur qu'on goûte à faire le bien. Jamais sa belle-mère ni aucune des personnes avec lesquelles elle avait vécu n'avaient exercé la charité et ne lui avaient donné de leçons de bienfaisance. Elle savait qu'elle aurait un jour une fortune considérable, et, en attendant qu'elle pût l'employer au soulagement des misères, elle désirait ardemment retrouver une autre Lucie et une autre Françoise. Un jour, la mère Leuffroy, la jardinière, avec laquelle elle aimait à causer, et qui était une très bonne femme, lui dit :

« Ah ! mam'selle, il y a bien des pauvres que vous ne connaissez pas, allez ! Je connais une bonne femme, moi, par-delà la forêt, qui est tout à fait malheureuse. Elle n'a pas toujours un morceau de pain à se mettre sous la dent.

SOPHIE

Où demeure-t-elle ? Comment s'appelle-t-elle ?

MÈRE LEUFFROY

Elle reste dans une maisonnette qui est à l'entrée du village en sortant de la forêt ; elle s'appelle la mère Toutain. C'est une pauvre petite vieille pas plus grande qu'un enfant de huit ans, avec de grandes mains, longues comme des mains d'homme. Elle a quatre-vingt-deux ans ; elle se tient encore droite, tout comme moi ; elle travaille le plus qu'elle peut ; mais, dame ! elle est vieille, ça ne va pas fort. Elle a une petite chaise qui semble faite pour un enfant, elle couche dans un four, sur de la fougère, et elle ne mange que du pain et du fromage, quand elle en a.

SOPHIE

Oh ! que je voudrais bien la voir ! Est-ce bien loin ?

MÈRE LEUFFROY

Pour ça non, mam'selle : une demi-heure de marche au plus. Vous irez bien en vous promenant. »

Sophie ne dit plus rien, mais elle forma en elle-même le projet d'y aller ; et, pour en avoir seule le mérite, elle résolut de le faire sans aide, sans en parler à personne, sinon à Marguerite, avec laquelle elle était plus particulièrement liée ; d'ailleurs, elle craignait que Camille et Madeleine, qui ne faisaient jamais rien sans demander la permission à leur maman, ne l'empêchassent de s'éloigner sans sa bonne. Elle attendit donc que Marguerite fût seule pour lui raconter ce qu'elle savait de la misère de cette pauvre petite vieille, et pour lui proposer d'aller la voir et la secourir.

MARGUERITE

Je ne demande pas mieux ; allons-y tout de suite, si maman le permet, et emmenons avec nous Camille, Madeleine et Élisa.

SOPHIE

Mais non, Marguerite, il ne faut en parler à personne, cela sera bien plus beau, bien plus charitable, d'aller seules, de ne nous faire aider de personne, de donner à cette petite mère Toutain l'argent que nous avons pour nos gâteaux et nos plaisirs. Moi, j'ai trois francs vingt centimes dans ma bourse ; et toi, combien as-tu ?

MARGUERITE

Moi, j'ai deux francs quarante-cinq centimes. Je sais bien que nous sommes riches ; mais pourquoi est-ce mieux, pourquoi est-ce plus charitable de nous cacher de Mme de Fleurville, de maman, de Camille, de Madeleine, et d'aller seules chez cette bonne femme ?

SOPHIE

Parce que j'ai entendu dire, l'autre jour, à ta maman, qu'il ne faut pas s'enorgueillir du bien qu'on fait, et qu'il faut se cacher pour ne pas en recevoir d'éloges. Alors, tu vois bien que nous ferons mieux

207

de nous cacher pour faire la charité à cette bonne vieille.

MARGUERITE

Il me semble pourtant que je dois le dire au moins à maman.

SOPHIE

Mais pas du tout. Si tu le dis à ta maman, ils voudront tous venir avec nous, ils voudront tous donner de l'argent ; et nous, que ferons-nous ? Nous resterons là à écouter et à regarder, comme l'autre jour dans la cabane de Françoise et de Lucie. Quel bien avons-nous fait là-bas ? Aucun ; c'est Mme de Rosbourg qui a parlé et qui a tout donné.

MARGUERITE

Sophie, je crois que nous sommes trop petites pour nous en aller toutes seules dans la forêt.

SOPHIE

Trop petites ! Tu as six ans, moi j'en ai huit, et tu trouves que nous ne pouvons pas sortir sans nos mamans ou sans une bonne ? Ha ! ha ! ha ! J'allais seule bien plus loin que cela, quand j'avais cinq ans. »

Marguerite hésitait encore.

SOPHIE

Je vois bien que tu as tout bonnement peur ; tu n'oses pas faire cent pas sans ta maman. Tu crains peut-être que le loup ne te croque ?

208

Du tout, mademoiselle, je ne suis pas aussi sotte que tu le crois ; je sais bien qu'il n'y a pas de loups, je n'ai pas peur, et, pour te le prouver, nous allons partir tout de suite.

SOPHIE

À la bonne heure ! Partons vite ; nous serons de retour en moins d'une heure. »

Et elles se mirent en route, ne prévoyant pas les dangers et les terreurs auxquels elles s'exposaient. Elles marchaient vite et en silence ; Marguerite ne se sentait pas la conscience bien à l'aise : elle comprenait qu'elle commettait une faute, et elle regrettait de n'avoir pas résisté à Sophie. Sophie n'était guère plus tranquille : les objections de Marguerite lui revenaient à la mémoire ; elle craignait de l'avoir entraînée à mal faire. « Nous serons grondées », se dit-elle. Elle n'en continua pas moins à marcher et s'étonnait de ne pas être arrivée, depuis près d'une heure qu'elles étaient parties.

« Connais-tu bien le chemin ? demanda Marguerite avec un peu d'inquiétude.

— Certainement, la jardinière me l'a bien expliqué, répondit Sophie d'une voix assurée, malgré la peur qui commençait à la gagner.

— Serons-nous bientôt arrivées ?

— Dans dix minutes au plus tard. »

Elles continuèrent à marcher en silence ; la forêt n'avait pas de fin ; on n'apercevait ni maison ni village, mais le bois, toujours le bois.

« Je suis fatiguée, dit Marguerite.

— Et moi aussi, dit Sophie.

— Il y a bien longtemps que nous sommes parties. »

Sophie ne répondit pas : elle était trop agitée, trop inquiète pour dissimuler plus longtemps sa terreur.

« Si nous retournions à la maison ? dit Marguerite.

— Oh ! oui, retournons.

— Qu'est-ce que tu as, Sophie, on dirait que tu as envie de pleurer ?

— Nous sommes perdues, dit Sophie en éclatant en sanglots ; je ne sais plus mon chemin, nous sommes perdues.

— Perdues ! répéta Marguerite avec terreur ; perdues ! Qu'allons-nous devenir, mon Dieu ?

— Je me suis probablement trompée de chemin, s'écria Sophie en sanglotant, à l'endroit où il y en a plusieurs qui se croisent ; je ne sais pas du tout où nous sommes. »

Marguerite, la voyant si désolée, chercha à la rassurer en se rassurant elle-même.

« Console-toi, Sophie, nous finirons bien par nous retrouver. Retournons sur nos pas et marchons vite ; il y a longtemps que nous sommes parties ; maman et Mme de Fleurville seront inquiètes ; je suis sûre que Camille et Madeleine nous cherchent partout. »

Sophie essuya ses larmes et suivit le conseil de Marguerite : elles retournèrent sur leurs pas et marchèrent longtemps ; enfin, elles arrivèrent à l'endroit où se croisaient plusieurs chemins exactement semblables. Là, elles s'arrêtèrent.

« Quel chemin faut-il prendre ? demanda Marguerite.

— Je ne sais pas ; ils se ressemblent tous.

210

— Tâche de te rappeler celui par lequel nous sommes venues. »

Sophie regardait, recueillait ses souvenirs et ne se rappelait pas.

« Je crois, dit-elle, que c'est celui où il y a de la mousse.

— Il y en a deux avec de la mousse ; mais il me semble qu'il n'y avait pas de mousse dans le chemin que nous avons pris pour venir.

— Oh ! si, il y en avait beaucoup.

— Je crois me rappeler que nous avons eu de la poussière tout le temps.

— Pas du tout ; c'est que tu n'as pas regardé à tes pieds. Prenons ce chemin à gauche, nous serons arrivées en moins d'une demi-heure. »

Marguerite suivit Sophie ; toutes deux continuèrent à marcher en silence ; inquiètes toutes deux, elles gardaient pour elles leurs pénibles réflexions. Au bout d'une heure, pourtant, Marguerite s'arrêta.

MARGUERITE

Je ne vois pas encore le bout de la forêt ; je suis bien fatiguée.

SOPHIE

Et moi donc ! mes pieds me font horriblement souffrir.

MARGUERITE

Asseyons-nous un instant ; je ne peux plus marcher. »

Elles s'assirent au bord du chemin ; Marguerite

211

appuya sa tête sur ses genoux et pleura tout bas ; elle espérait que Sophie ne s'en apercevrait pas ; elle avait peur de l'affliger, car c'était Sophie qui l'avait mise et s'était mise elle-même dans cette pénible position. Sophie se désolait intérieurement et sentait combien elle avait mal agi en entraînant Marguerite à faire cette course si longue, dans une forêt qu'elles ne connaissaient pas.

Elles restèrent assez longtemps sans parler ; enfin, Marguerite essuya ses yeux et proposa à Sophie de se remettre en marche. Sophie se leva avec difficulté ; elles avançaient lentement ; la fatigue augmentait à chaque instant, ainsi que l'inquiétude. Le jour commençait à baisser ; la peur se joignit à l'inquiétude ; la faim et la soif se faisaient sentir,

« Chère Marguerite, dit enfin Sophie, pardonne-moi : c'est moi qui t'ai persuadée de m'accompagner ; tu es trop généreuse de ne pas me le reprocher.

— Pauvre Sophie, répondit Marguerite, pourquoi te ferais-je des reproches ? Je vois bien que tu souffres plus que moi. Qu'allons-nous devenir, si nous sommes obligées de passer la nuit dans cette terrible forêt ?

— C'est impossible, chère Marguerite ; on doit déjà être inquiet à la maison, et l'on nous enverra chercher.

— Si nous pouvions au moins trouver de l'eau ! J'ai si soif que la gorge me brûle.

— N'entends-tu pas le bruit d'un ruisseau dans le bois ?

— Je crois que tu as raison ; allons voir. »

Elles entrèrent dans le fourré en se frayant un passage à travers les épines et les ronces qui leur déchiraient les jambes et les bras. Après avoir fait ainsi une centaine de pas, elles entendirent distinctement le murmure de l'eau. L'espoir leur redonna du courage ; elles arrivèrent au bord d'un ruisseau très étroit, mais assez profond ; cependant, comme il coulait à pleins bords, il leur fut facile de boire en se mettant à genoux. Elles étanchèrent leur soif, se lavèrent le visage et les bras, s'essuyèrent avec leurs tabliers et s'assirent au bord du ruisseau. Le soleil était couché ; la nuit arrivait ; la terreur des pauvres petites augmentait avec l'obscurité ; elles ne se contraignaient plus et pleuraient franchement de compagnie. Aucun bruit ne se faisait entendre ; personne ne les appelait ; on ne pensait probablement pas à les chercher si loin.

« Il faut tâcher, dit Sophie, de revenir sur le chemin que nous avons quitté ; peut-être verrons-nous passer quelqu'un qui pourra nous ramener ; et puis il fera moins humide qu'au bord de l'eau.

— Nous allons encore nous déchirer dans les épines, dit Marguerite.

— Il faut pourtant essayer de nous retrouver ; nous ne pouvons pas rester ici. »

Marguerite se leva en soupirant et suivit Sophie, qui chercha à lui rendre le passage moins pénible en marchant la première. Après bien du temps et des efforts, elles se retrouvèrent enfin sur le chemin. La nuit était venue tout à fait ; elles ne voyaient plus où elles allaient et elles se résolurent à attendre jusqu'au lendemain.

Il y avait une heure environ qu'elles étaient assises près d'un arbre, lorsqu'elles entendirent un frou-frou dans le bois ; ce bruit semblait être produit par un animal qui marchait avec précaution. Immobiles de terreur, les pauvres petites avaient peine à respirer ; le frou-frou approchait, approchait ; tout à coup, Marguerite sentit un souffle chaud près de son cou ; elle poussa un cri, auquel Sophie répondit par un cri plus fort ; elles entendirent alors un bruit de branches cassées et elles virent un gros animal qui s'enfuyait dans le bois. Moitié mortes de peur, elles se resserrèrent l'une contre l'autre, n'osant ni parler, ni faire un mouvement, et elles restèrent ainsi jusqu'à ce qu'un nouveau bruit, plus effrayant, vînt leur rendre le courage de se lever et de chercher leur salut dans la fuite : c'étaient des branches cassées violemment et un grognement entremêlé d'un souffle bruyant, auquel répondaient des grognements plus faibles. Tous ces bruits partaient également du bois en se rapprochant du chemin. Sophie et Marguerite, épouvantées, se mirent à courir ; elles se heurtèrent contre un arbre dont les branches traînaient presque à terre ; dans leur frayeur, elles s'élancèrent dessus et, grimpant de branche en branche, elles se trouvèrent bientôt à une grande hauteur et à l'abri de toute attaque. Combien elles remercièrent le bon Dieu de leur avoir fait rencontrer cet arbre protecteur ! et en effet elles venaient d'échapper à un grand danger : l'animal qui arrivait droit sur elles était un sanglier suivi de sept à huit petits. Si elles étaient restées sur son passage, il les aurait déchirées avec ses défenses. La peur qu'avaient eue et qu'avaient encore Sophie et Marguerite faisait claquer leurs dents et les avait rendues si tremblantes qu'elles pouvaient à peine se tenir sur l'arbre où elles étaient montées. Le sanglier s'était éloigné, et tout redevenait tranquille, lorsque le bruit du roulement d'une voiture vint ranimer les forces défaillantes des pauvres petites. Leur espérance augmentait à mesure

que la voiture se rapprochait ; enfin le pas d'un cheval résonna distinctement ; bientôt, elles entendirent
siffler l'homme qui menait la charrette. Il approchait,
elles allaient être sauvées.

« Au secours ! au secours ! » crièrent-elles plusieurs fois.

La voiture s'arrêta. L'homme sembla écouter.

« Au secours ! sauvez-nous ! » s'écrièrent-elles
encore.

L'HOMME, *entre ses dents.*

Qui diantre appelle au secours ? Je ne vois personne, il fait noir comme dans l'enfer... Holà ! qui
est-ce qui appelle ?

SOPHIE ET MARGUERITE

C'est nous, c'est nous ; sauvez-nous, mon cher
monsieur, nous sommes perdues dans la forêt.

L'HOMME

Tiens ! c'est des voix d'enfants, cela. Où êtes-vous
donc, les mioches ? Qui êtes-vous ?

SOPHIE

Je suis Sophie.

MARGUERITE

Je suis Marguerite ; nous venons de Fleurville.

215

L'HOMME

De Fleurville ? C'est donc au château ? Mais où diantre êtes-vous ? Pour vous sauver, faut-il pas que je vous trouve ?

SOPHIE

Nous sommes sur l'arbre ; nous ne pouvons pas descendre.

L'HOMME, *levant la tête*

C'est, ma foi, vrai. Faut-il qu'elles aient eu peur, les pauvres petites ! Attendez, ne bougez pas, je vais vous descendre. »

Et le brave homme grimpa de branche en branche, tâtant à chacune d'elles si les enfants y étaient.

Enfin, il empoigna Marguerite.

L'HOMME

Ne bougez pas, les autres ; je vais descendre celle-ci et je regrimperai. Combien êtes-vous dans ce beau nid ?

MARGUERITE

Nous sommes deux.

L'HOMME

Bon ; ce ne sera pas long. Attendez-moi là, numéro 2, que je place le numéro 1 dans ma carriole. »

Le brave homme descendit lestement, tenant Marguerite dans ses bras ; il la déposa dans la carriole et remonta sur l'arbre où Sophie attendait avec anxiété :

il la saisit dans ses bras et la plaça dans sa carriole près de Marguerite. Il y remonta lui-même et fouetta son cheval, qui repartit au trot ; puis, se tournant vers les enfants :

L'HOMME

Ah ! ça, mes mignonnes, où faut-il vous mener ? où demeurez-vous, et comment, par tous les saints ! vous trouvez-vous ici toutes seules ?

SOPHIE

Nous demeurons au château de Fleurville, nous nous sommes perdues dans la forêt en voulant aller secourir la pauvre mère Toutain.

L'HOMME

Vous êtes donc du château ?

MARGUERITE

Oui, je suis Marguerite de Rosbourg ; et voilà mon amie, Sophie Fichini.

L'HOMME

Comment, ma petite demoiselle, vous êtes la fille de cette bonne dame de Rosbourg ; et votre maman vous laisse aller si loin toute seule ?

MARGUERITE, *honteuse*

Nous sommes parties sans rien dire.

217

Ah ! ah ! on fait l'école buissonnière ! Et voilà ! Quand on est petit, faut pas faire comme les grands.

SOPHIE

Sommes-nous loin de Fleurville ?

L'HOMME

Ah ! je crois bien ! Deux bonnes lieues pour le moins ; nous ne serons pas arrivés avant une heure. Je vais tout de même pousser mon cheval ; on doit être tourmenté de vous au château. »

Et le brave homme fouetta son cheval et se remit à siffler, laissant les enfants à leurs réflexions. Trois quarts d'heure après, il s'arrêta devant le perron du château ; la porte s'ouvrit ; Élisa, pâle, effarée, demanda si l'on avait des nouvelles des enfants.

« Les voici, dit l'homme, je vous les ramène ; elles n'étaient pas à la noce, allez, quand je les ai déni-chées dans la forêt. »

L'homme descendit Sophie et Marguerite, qu'Élisa reçut dans ses bras.

ÉLISA

Vite, vite, venez au salon ; on vous a cherchées par-tout ; on a envoyé des hommes à cheval dans toutes les directions ; ces dames se désolent ; Camille et Madeleine se désespèrent. Attendez une minute, mon brave homme, que madame vous remercie.

Bah ! il n'y a pas de quoi ; faut que je m'en retourne chez nous ; j'ai encore deux lieues à faire.

Où demeurez-vous ? Comment vous appelez-vous ?

Je demeure à Aube ; je m'appelle Hurel le boucher.

Nous irons vous remercier, mon brave Hurel ; au revoir, puisque vous ne pouvez pas attendre. »

Pendant cette conversation, Marguerite et Sophie avaient couru au salon. En entrant, Marguerite se jeta dans les bras de Mme de Rosbourg ; Sophie s'était jetée à ses pieds ; toutes deux sanglotaient.

La surprise et la joie faillirent être fatales à Mme de Rosbourg ; elle pâlit, retomba sur son fauteuil et ne trouva pas la force de prononcer une parole.

« Maman, chère maman, s'écria Marguerite, parlez-moi, embrassez-moi, dites que vous me pardonnez.

— Malheureuse enfant, répondit Mme de Rosbourg d'une voix émue, en la saisissant dans ses bras et en la couvrant de baisers, comment as-tu pu me causer une si terrible inquiétude ? Je te croyais perdue, morte ; nous t'avons cherchée jusqu'à la nuit ; maintenant encore on vous cherche avec des flambeaux dans toutes les directions. Où as-tu été ? Pourquoi reviens-tu si tard ?

— Chère madame, dit Sophie, qui était restée à genoux aux pieds de Mme de Rosbourg, c'est à moi à demander grâce, car c'est moi qui ai entraîné Marguerite à m'accompagner. Je voulais aller chez une pauvre femme qui demeure de l'autre côté de la forêt, et je voulais y aller seule avec Marguerite, pour ne partager avec personne la gloire de cet acte de charité. Marguerite a résisté ; je l'ai entraînée ; elle m'a suivie avec répugnance, et nous avons été bien punies, moi surtout, qui avais sur la conscience la faute de Marguerite ajoutée à la mienne. Nous avons bien souffert ; et jamais, à l'avenir, nous ne ferons rien sans vous consulter.

— Relève-toi, Sophie, répliqua Mme de Rosbourg avec douceur, je pardonne à ton repentir ; mais désormais, je m'arrangerai de manière à n'avoir plus à souffrir ce que j'ai souffert aujourd'hui... Et toi, Marguerite, je te croyais plus raisonnable et plus obéissante, sans quoi je t'aurais toujours fait accompagner par la bonne quand Madeleine et Camille ne pouvaient sortir avec toi ; c'est ce que je ferai à l'avenir. »

Camille et Madeleine, qu'on avait envoyées se coucher depuis une heure (car il était près de minuit), mais qui n'avaient pu s'endormir, tant elles étaient inquiètes, accoururent toutes déshabillées, poussant des cris de joie ; elles embrassèrent vingt fois leurs amies perdues et retrouvées.

CAMILLE

Où avez-vous été ? que vous est-il arrivé ?

MARGUERITE

Nous nous sommes perdues dans la forêt.

MADELEINE

Pourquoi avez-vous été dans la forêt ? Comment avez-vous eu le courage d'y aller seules ?

SOPHIE

Nous espérions arriver jusque chez une pauvre petite mère Toutain pour lui donner de l'argent.

CAMILLE

Mais pourquoi ne nous avez-vous pas prévenues ? Nous y aurions été toutes ensemble. »

Sophie et Marguerite baissèrent la tête et ne répondirent pas. Avant qu'on eût eu le temps de demander et de donner d'autres explications, Élisa entra, apportant deux grandes tasses de bouillon avec une bonne croûte de pain grillée. Elle les posa devant Sophie et Marguerite.

ÉLISA

Mangez, mes pauvres enfants ; vous n'avez peut-être pas dîné !

MARGUERITE

Non, nous avons bu seulement à un ruisseau que nous avons trouvé dans la forêt.

Pauvres petites ! vite, mangez ce que je vous apporte ; vous boirez ensuite un petit verre de malaga ; et puis, ajouta-t-elle en se tournant vers Mme de Rosbourg et Mme de Fleurville, il faudrait les faire coucher ; elles doivent être épuisées de fatigue.

MADAME DE FLEURVILLE

Élisa a raison. Les voici retrouvées ; à demain les détails ; ce soir, contentons-nous de remercier Dieu de nous avoir rendu ces pauvres enfants, qui auraient pu ne jamais revenir. »

Sophie et Marguerite avaient avalé avec voracité tout ce qu'Élisa leur avait apporté ; après avoir embrassé tendrement tout le monde, elles allèrent se coucher. Aussitôt qu'elles eurent la tête sur l'oreiller, elles tombèrent dans un sommeil si profond qu'elles ne s'éveillèrent que le lendemain, à deux heures de l'après-midi !

Chapitre 23
Les récits

Camille et Madeleine attendaient avec impatience chez Mme de Fleurville le réveil de leurs amies. Mme de Rosbourg ne quittait pas la chambre de Marguerite : elle voulait avoir sa première parole et son premier sourire.

« Maman, dit Camille, vous disiez hier que Marguerite et Sophie auraient pu ne jamais revenir ; elles auraient toujours fini par retrouver leur chemin ou par rencontrer quelqu'un, du moment qu'elles n'étaient pas perdues.

MADAME DE FLEURVILLE

Tu oublies, chère petite, qu'elles étaient dans une forêt de plusieurs lieues de longueur, qu'elles n'avaient rien à manger, et qu'elles devaient passer la nuit dans cette forêt, remplie de bêtes fauves.

Il n'y a pas de loups, pourtant ?

MADAME DE FLEURVILLE

Au contraire, beaucoup de loups et de sangliers. Tous les ans, on en tue plusieurs. As-tu remarqué que leurs robes, leurs bas étaient déchirés et salis ? Je parie qu'elles vont nous raconter des aventures plus graves que tu ne le supposes.

CAMILLE

Que je voudrais qu'elles fussent éveillées !

MADAME DE FLEURVILLE

Précisément les voici. »
Mme de Rosbourg entra, tenant Marguerite par la main.

MADAME DE FLEURVILLE

Et Sophie ? est-ce qu'elle dort encore ?

MADAME DE ROSBOURG

Elle s'éveille à l'instant et se dépêche de s'habiller et de manger pour venir nous joindre.

CAMILLE, *embrassant Marguerite.*

Chère petite Marguerite, raconte-nous ce qui t'est arrivé, et si vous avez eu des dangers à courir. »
Marguerite fit le récit de toutes leurs aventures : elle raconta sa répugnance à partir, sa peur quand elle se vit perdue, sa désolation de l'inquiétude qu'elle

avait dû causer au château, sa frayeur quand le jour commença à tomber, la faim, la soif, la fatigue qui l'accablaient, son bonheur en trouvant de l'eau, sa terreur en entendant remuer les feuilles sèches, en sentant un souffle chaud sur son cou et en voyant passer un gros animal brun ; son épouvante en entendant les branches craquer et de légers grognements répondre de plusieurs côtés à un fort grognement et à un souffle qui semblait être celui d'une bête en colère, l'agilité avec laquelle elle avait couru et grimpé de branche en branche jusqu'au haut d'un arbre ; la fatigue et la peine avec lesquelles elle s'y était maintenue ; le bonheur qu'elle avait éprouvé en entendant une voiture approcher, une voix leur répondre, et en se sentant enlevée et déposée dans la carriole. Elle dit combien Sophie avait témoigné de repentir de s'être engagée et de l'avoir entraînée dans cette folle entreprise.

Camille et Madeleine avaient écouté ce récit avec un vif intérêt mêlé de terreur.

CAMILLE

Quelles sont les bêtes qui vous ont fait si peur ? As-tu pu les voir ?

MARGUERITE

Je ne sais pas du tout : j'étais si effrayée que je ne distinguais rien.

MADAME DE FLEURVILLE

D'après ce que dit Marguerite, le premier animal doit être un loup, et le second un sanglier avec ses petits.

225

MARGUERITE

Quel bonheur que le loup ne nous ait pas mangées !
j'ai senti son haleine sur ma nuque.

MADAME DE FLEURVILLE

Ce sont probablement les deux cris que vous avez
poussés qui lui ont fait peur et qui vous ont sauvées ;
quand les loups ne sont pas affamés, ils sont poltrons,
et dans cette saison ils trouvent du gibier dans les bois.

MARGUERITE

Le sanglier ne nous aurait pas dévorées, il ne
mange pas de chair.

MADAME DE FLEURVILLE

Non, mais d'un coup de défense il t'aurait déchiré
le corps. Quand les sangliers ont des petits, ils
deviennent très méchants. »

Sophie, qui entra, interrompit la conversation ; elle
fut aussi embrassée, entourée, questionnée ; elle parla
avec chaleur de ses remords, de son chagrin d'avoir
entraîné la pauvre Marguerite ; elle assura que cette
journée ne s'effacerait jamais de son souvenir, et dit
que, lorsqu'elle serait grande, elle ferait faire par un
bon peintre un tableau de cette aventure. Après avoir
complété le récit de Marguerite par quelques épisodes
oubliés :

« Et vous, chère madame, et vous, mes pauvres
amies, dit-elle, avez-vous été longtemps à vous apercevoir de notre disparition ? et qu'a-t-on fait pour nous
retrouver ?

 226

— Il y avait plus d'une heure que vous aviez quitté la chambre d'étude, dit Mme de Rosbourg, lorsque Camille vint me demander d'un air inquiet si Marguerite et Sophie étaient chez moi. « Non, répondis-je, je ne les ai pas vues ; mais ne sont-elles pas dans le jardin ? — Nous les cherchons depuis une demi-heure avec Élisa sans pouvoir les trouver », me dit Camille. L'inquiétude me gagna ; je me levai, je cherchai dans toute la maison, puis dans le potager, dans le jardin. Mme de Fleurville, qui partageait notre inquiétude, nous donna l'idée que vous étiez peut-être allées chez Françoise ; j'accueillis cet espoir avec empressement, et nous courûmes toutes à la maison blanche : personne ne vous y avait vues ; nous allâmes de porte en porte, demandant à tout le monde si l'on ne vous avait pas rencontrées. Le souvenir de la chute dans la mare, il y a trois ans, me frappa douloureusement ; nous retournâmes en courant à la maison, et, malgré le peu de probabilités que vous fussiez toutes deux tombées à l'eau, on fouilla en tous sens avec des râteaux et des perches. Aucun de nous n'eut la pensée que vous aviez été dans la forêt. Rien ne vous y attirait : pourquoi vous seriez-vous exposées à un danger inutile ? Ne sachant plus où vous trouver, j'allai de maison en maison demander qu'on m'aidât dans mes recherches. Une foule de personnes partirent dans toutes les directions ; nous envoyâmes les domestiques, à cheval, de différents côtés, pour vous rattraper, si vous aviez eu l'idée bizarre de faire un voyage lointain. Jusqu'au moment de votre retour, je fus dans un état violent de chagrin et d'affreuse inquiétude. Le bon Dieu a permis que vous fussiez sauvées et ramenées par cet excellent homme qui est boucher à Aube et qui s'appelle Hurel. Aujourd'hui, il est trop tard ; mais demain nous irons lui faire une visite de remerciements et nous nous y rendrons en voiture, pour ne pas nous perdre de compagnie.

MARGUERITE

Où demeure-t-il ? est-ce bien loin ?

MADAME DE ROSBOURG

À deux bonnes lieues d'ici ; il y a un bois à traverser.

SOPHIE

Est-ce que nous vous accompagnerons, madame ?

MADAME DE ROSBOURG

Certainement, Sophie ; c'est toi et Marguerite qu'il a secourues, et probablement sauvées de la mort. Il est indispensable que vous veniez.

SOPHIE

Ça m'ennuie de le revoir ; il va se moquer de nous : il avait l'air de trouver ridicule notre course dans la forêt.

MADAME DE FLEURVILLE

Et il avait raison, chère enfant ; vous avez fait véritablement une escapade ridicule. S'il se moque de vous, acceptez ses plaisanteries avec douceur et en expiation de la faute que vous avez commise.

228

MARGUERITE

Moi, je crois qu'il ne se moquera pas : il avait l'air si bon.

MADAME DE FLEURVILLE

Nous verrons cela demain. En attendant, commençons nos leçons ; nous irons ensuite faire une promenade. »

Chapitre 24

Visite chez Hurel

« La calèche découverte et le phaéton pour deux heures », dit Élisa au cocher de Mme de Fleurville.

LE COCHER

Tout le monde sort donc à la fois, aujourd'hui ?

ÉLISA

Oui ; madame vous fait demander si vous savez le chemin pour aller au village d'Aube ?

LE COCHER

Aube ? Attendez donc... N'est-ce pas de l'autre côté de Laigle, sur la route de Saint-Hilaire ?

Je crois que oui ; mais informez-vous-en avant de vous mettre en route ; ces demoiselles se sont perdues l'autre jour à pied, il ne faudrait pas qu'elles se perdissent aujourd'hui en voiture. »

Le cocher prit ses renseignements près du garde Nicaise, et, quand on fut prêt à partir, les deux cochers n'hésitèrent pas sur la route qu'il fallait prendre.

Le pays était charmant, la vallée de Laigle est connue par son aspect animé, vert et riant ; le village d'Aube est sur la grande route ; la maison d'Hurel était presque à l'entrée du village. Ces dames se la firent indiquer ; elles descendirent de voiture et se dirigèrent vers la maison du boucher. Tout le village était aux portes ; on regardait avec surprise ces deux élégantes voitures et l'on se demandait quelles pouvaient être ces belles dames et ces jolies demoiselles qui entraient chez Hurel. Le brave homme ne fut pas moins surpris ; sa femme et sa fille restaient la bouche ouverte, ne pouvant croire qu'une si belle visite fût pour eux.

Hurel ne reconnaissait pas les enfants, qu'il avait à peine entrevues dans l'obscurité ; il ne pensait plus à son aventure de la forêt :

« Ces dames veulent-elles faire une commande de viande ? demanda Hurel. J'en ai de bien fraîche, du mouton superbe, du bœuf, du...

— Merci, mon brave Hurel, interrompit en souriant Mme de Rosbourg ; ce n'est pas pour cela que nous venons, c'est pour acquitter une dette.

231

HUREL

Une dette ? Madame ne me doit rien ; je ne me souviens pas d'avoir livré à madame ni mouton, ni bœuf, ni...

MADAME DE ROSBOURG

Non pas de mouton ni de bœuf, mais deux petites filles que voici et que vous avez trouvées dans la forêt.

HUREL, *riant.*

Bah ! ce sont là ces petites demoiselles que j'ai cueillies sur un arbre ? Pauvres petites ! elles étaient dans un état à faire pitié. Eh ! mes mignonnes ! vous n'avez plus envie d'arpenter la forêt, pas vrai ?

MARGUERITE

Non, non. Sans vous, mon cher monsieur Hurel, nous serions certainement mortes de fatigue, de terreur et de faim ; aussi maman, Mme de Fleurville et nous, nous venons toutes vous remercier. »

Marguerite, en achevant ces mots, s'approcha de Hurel et se dressa sur la pointe des pieds pour l'embrasser. Le brave homme l'enleva de terre, lui donna un gros baiser sur chaque joue, et dit :

« C'eût été bien dommage de laisser périr une gentille et bonne demoiselle comme vous. Et comme ça vous aviez donc bien peur ?

MARGUERITE

Oh ! oui, bien peur, bien peur. On entendait marcher, craquer, souffler.

Ah bah ! Tout cela est terrible pour de belles petites demoiselles comme vous ; mais pour des gens comme nous on n'y fait pas seulement attention. Mais... asseyez-vous donc, mesdames ; Victorine, donne des chaises, apporte du cidre, du bon ! »

Victorine était une jolie fille de dix-huit ans, fraîche, aux yeux noirs. Elle avança des chaises ; tout le monde s'assit ; on causa, on but du cidre à la santé d'Hurel et de sa famille. Au bout d'une demi-heure, Mme de Rosbourg demanda l'heure. Hurel regarda à son coucou.

« Il n'est pas loin de quatre heures ! dit-il ; mais le coucou est dérangé, il ne marque pas l'heure juste. »

Mme de Rosbourg tira de sa poche une boîte, qu'elle donna à Hurel.

« Je vois, mon bon Hurel, dit-elle, que vous n'avez de montre ni sur vous ni dans la maison ; en voilà une que vous voudrez bien accepter en souvenir des petites filles de la forêt.

— Merci bien, madame, répondit Hurel : vous êtes en vérité trop bonne ; ça ne méritait pas... »

Il venait d'ouvrir la boîte et il s'arrêta muet de surprise et de bonheur à la vue d'une belle montre en or avec une longue et lourde chaîne également en or.

Ma bonne chère dame, c'est trop beau ; vrai, je n'oserai jamais porter une si belle chaîne et une si belle montre.

233

Portez-les pour l'amour de nous ; et songez que c'est encore moi qui vous serai redevable ; car vous m'avez rendu un trésor en me ramenant mon enfant, et ce n'est qu'un bijou que je vous donne. »

Se tournant ensuite vers Mme Hurel et sa fille :

« Vous voudrez bien aussi accepter un petit souvenir. »

Et elle leur donna à chacune une boîte qu'elles s'empressèrent d'ouvrir ; à la vue de belles boucles d'oreilles et d'une broche en or et en émail, elles devinrent rouges de plaisir. Toute la famille fit à Mme de Rosbourg les plus vifs remerciements. Ces dames et les enfants remontèrent en voiture, entourées d'une foule de personnes qui enviaient le bonheur des Hurel et qui bénissaient l'aimable bonté de Mme de Rosbourg.

Chapitre 25

Un événement tragique

Quelque temps se passa depuis cette visite à Hurel ; il était venu de temps en temps au château, quand ses occupations le lui permettaient. Un jour qu'on l'attendait dans l'après-midi, Élisa proposa aux enfants d'aller chercher des noisettes le long des haies pour en envoyer un panier à Victorine Hurel ; elles acceptèrent avec empressement et, emportant chacune un panier, elles coururent du côté d'une haie de noisetiers. Pendant qu'Élisa travaillait, elles remplirent leurs paniers, puis elles se réunirent pour voir laquelle en avait le plus.

« C'est moi... — C'est moi... — Non, c'est moi... Je crois que c'est moi », disaient-elles toutes quatre.

MARGUERITE

Regardez donc si ce n'est pas mon panier qui est le plus plein ! Voyez quelle différence avec les autres !

C'est vrai !

SOPHIE

Bah ! j'en ai tout autant, moi !

MARGUERITE

Pas du tout ; j'en ai un tiers de plus !

SOPHIE, *avec humeur.*

Laisse donc ! quelle sottise ! Tu veux toujours avoir fait mieux que tout le monde !

MARGUERITE

Ce n'est pas pour faire mieux que les autres ; c'est parce que c'est la vérité. Et toi, tu te fâches parce que tu es jalouse.

SOPHIE

Ah ! ah ! ah ! Jalouse de tes méchantes noisettes.

MARGUERITE

Oui, oui, jalouse ; et tu voudrais bien que je te donnasse mes méchantes noisettes.

SOPHIE

Tiens, voilà le cas que je fais de ta belle récolte. »
Et disant ces mots, et avant qu'Élisa et les petites eussent eu le temps de l'en empêcher, elle donna un coup de poing sous le panier de Marguerite, et toutes les noisettes tombèrent par terre.

Mes noisettes, mes pauvres noisettes ! »

Camille et Madeleine jetèrent à Sophie un regard de reproche et s'empressèrent d'aider Marguerite à ramasser ses noisettes.

CAMILLE

Tiens, ma petite Marguerite ; pour te consoler, prends les miennes.

MADELEINE

Et les miennes aussi ; les trois paniers seront pour toi. »

Marguerite, qui avait les yeux un peu humides, les essuya et embrassa tendrement ses bonnes petites amies. Sophie était honteuse et cherchait un moyen de réparer sa faute.

« Prends aussi les miennes, dit-elle en présentant son panier et sans oser lever les yeux sur Marguerite.

— Merci, mademoiselle ; j'en ai assez sans les vôtres.

— Marguerite, dit Madeleine, tu n'es pas gentille ! Sophie, en t'offrant ses noisettes, reconnaît qu'elle a eu tort ; il ne faut pas que tu continues à être fâchée. »

Marguerite regarda Sophie un peu en dessous, ne sachant trop ce qu'elle devait faire : l'air malheureux de Sophie l'attendrissait un peu, mais elle n'avait pas encore surmonté sa rancune.

Camille et Madeleine les regardaient alternativement.

CAMILLE

Voyons, Sophie, voyons, Marguerite, embrassez-vous. Tu vois bien, toi, Sophie, que Marguerite n'est plus fâchée ; et toi, Marguerite, tu vois que Sophie est triste d'avoir eu de l'humeur.

SOPHIE

Chère Camille, je vois que je resterai toujours méchante ; jamais je ne serai bonne comme vous. Vois comme je m'emporte facilement, comme j'ai été brutale envers la pauvre Marguerite !

MARGUERITE

N'y pense plus, ma pauvre Sophie ; embrasse-moi, et soyons bonnes amies, comme nous le sommes toujours. »

Quand Marguerite et Sophie se furent embrassées et réconciliées, ce qu'elles firent de très bon cœur, Camille dit à Sophie :

« Ma petite Sophie, ne te décourage pas ; on ne se corrige pas si vite de ses défauts. Tu es devenue bien meilleure que tu ne l'étais en arrivant chez nous, et chaque mois il y a une différence avec le mois précédent.

SOPHIE

Je te remercie, chère Camille, de me donner du courage, mais, dans toutes les occasions où je me compare à toi et à Madeleine, je vous trouve tellement meilleures que moi...

MADELEINE, *l'embrassant.*

Tais-toi, tais-toi, ma pauvre Sophie ; tu es trop modeste, n'est-ce pas, Marguerite ?

MARGUERITE

Non, je trouve que Sophie a raison ; elle et moi, nous sommes bien loin de vous valoir.

CAMILLE

Ah ! ah ! ah ! quelle modestie ! Bravo, ma petite Marguerite ; tu es plus humble que moi, donc tu vaux mieux que moi.

MARGUERITE, *très sérieusement.*

Camille, aurais-tu fait la sottise que nous avons commise l'autre jour en allant dans la forêt ?

CAMILLE, *embarrassée.*

Mais... je ne sais... peut-être... aurais-je...

MARGUERITE, *avec vivacité.*

Non, non, tu ne l'aurais pas faite. Et te serais-tu querellée avec Sophie comme je l'ai fait le jour de la fameuse scène des cerises ?

CAMILLE, *embarrassée.*

Mais... il y a un an de cela... à présent... tu...

MARGUERITE, *avec vivacité.*

Il y a un an, il y a un an ! C'est égal, tu ne l'aurais pas fait. Et tout à l'heure aurais-tu renversé mon

239

panier comme a fait Sophie ? aurais-tu boudé comme je l'ai fait ?... Tu ne réponds pas ! tu vois bien que tu es obligée de convenir que toi et Madeleine, vous êtes meilleures que nous.

CAMILLE, *l'embrassant.*

Nous sommes plus âgées que vous, et par conséquent plus raisonnables ; voilà tout. Pense donc que je me prépare à faire ma première communion l'année prochaine.

SOPHIE

Et moi, mon Dieu, quand serai-je digne de la faire ?

CAMILLE

Quand tu auras mon âge, chère Sophie ; ne te décourage pas ; chaque journée te rend meilleure.

SOPHIE

Parce que je la passe près de vous.

MARGUERITE

J'entends une voiture : c'est maman et Mme de Fleurville qui rentrent de leur promenade ; allons leur demander si elles n'ont pas rencontré Hurel. Élisa, Élisa, Élisa, nous rentrons. »

Élisa se leva et suivit les enfants, qui coururent à la maison ; elles arrivèrent au moment où les mamans descendaient de voiture.

MARGUERITE

Eh bien, maman, avez-vous rencontré Hurel ? Va-t-il venir bientôt ? Nous avons cueilli un grand panier de noisettes que nous lui donnerons pour Victorine.

MADAME DE ROSBOURG

Nous ne l'avons pas rencontré, chère petite, mais il ne peut tarder : il vient en général de bonne heure. »

Les mamans rentrèrent pour ôter leurs chapeaux ; les petites attendaient toujours. Sophie et Marguerite s'impatientaient ; Camille et Madeleine travaillaient.

« C'est trop fort, dit Sophie en tapant du pied ; voilà deux heures que nous attendons, et il ne vient pas. Il ne se gêne pas, vraiment ! Nous devrions ne pas lui donner de noisettes.

MARGUERITE

Oh ! Sophie. Pauvre Hurel ! il est très ennuyeux de nous faire attendre si longtemps, c'est vrai : mais ce n'est peut-être pas sa faute.

SOPHIE

Pas sa faute. Pas sa faute ! Pourquoi fait-il dire qu'il viendra à midi, qu'il nous apportera des écrevisses ? et voilà qu'il est deux heures ! Un homme comme lui ne devrait pas se permettre de faire attendre des demoiselles comme nous.

241

MARGUERITE, *vivement.*

Des demoiselles comme nous ont été bien heureuses de rencontrer dans la forêt *un homme comme lui,* mademoiselle ; c'est très ingrat ce que tu dis là.

MADELEINE

Marguerite, Marguerite, voilà que tu t'emportes encore ! Ne peux-tu pas raisonner avec Sophie sans lui dire des choses désagréables ?

MARGUERITE

Mais, enfin, pourquoi Sophie attaque-t-elle ce pauvre Hurel ?

SOPHIE, *piquée.*

Je ne l'ai pas attaqué, mademoiselle ; je suis seulement ennuyée d'attendre, et je m'en vais chez moi apprendre mes leçons, J'aime encore mieux travailler que de perdre mon temps à attendre cet Hurel.

MARGUERITE

Entends-tu, entends-tu, Madeleine, comme elle parle de cet excellent Hurel ? Si j'étais à sa place, je ne donnerais pas les écrevisses qu'il nous a promises, et... Mais... le voilà ; voici son cheval qui arrive. »

En effet, le cheval d'Hurel s'arrêtait devant le perron ; il était ruisselant d'eau et paraissait fatigué.

CAMILLE

Où est donc Hurel ? Comment son cheval vient-il tout seul ?

242

MARGUERITE

Hurel est sans doute descendu pour ouvrir et refermer la barrière, et le cheval aura continué tout seul.

CAMILLE

Mais regarde comme il a l'air fatigué !

MARGUERITE

C'est qu'il a fait une longue course.

SOPHIE

Mais pourquoi est-il si mouillé ?

MADELEINE

C'est qu'il aura traversé la rivière. »

Les enfants attendirent quelques instants ; ne voyant pas venir Hurel, elles appelèrent Élisa.

« Élisa, dit Camille, veux-tu venir avec nous à la rencontre d'Hurel ? Voici son cheval qui est arrivé, mais sans lui. »

Élisa descendit, regarda le cheval.

« C'est singulier, dit-elle, que le cheval soit venu sans son maître. Et dans quel état ce pauvre animal ! Venez, enfants, allons voir si nous rencontrerons Hurel... Pourvu qu'il ne soit pas arrivé un malheur ! » se dit-elle tout bas.

Elles se mirent à marcher précipitamment, en prenant le chemin qu'avait dû suivre le cheval. À mesure qu'elles avançaient, l'inquiétude les gagnait ; elles redoutaient un accident, une chute. En approchant de la grande route qui bordait la rivière, elles virent un attroupement assez considérable ; Élisa, prévoyant un malheur, arrêta les enfants.

« N'avancez pas, mes chères petites ; laissez-moi aller voir la cause de ce rassemblement ; je reviens dans une minute. »

Les enfants restèrent sur la route, pendant qu'Élisa se dirigeait vers un groupe qui causait avec animation.

« Messieurs, dit-elle en s'approchant, pouvez-vous me dire quelle est la cause du mouvement extraordinaire que j'aperçois là-bas, sur le bord de la rivière ?

UN OUVRIER

C'est un grand malheur qui vient d'arriver, madame ! On a trouvé dans la rivière le corps d'un brave boucher nommé Hurel !...

ÉLISA

Hurel !... pauvre Hurel ! Nous l'attendions ; il venait au château. Mais est-il réellement mort ? N'y a-t-il aucun espoir de le sauver ?

UN OUVRIER

Hélas ! non, madame : le médecin a essayé pendant deux heures de le ranimer, et il n'a pas fait un mouvement. Que faire maintenant ? Comment apprendre ce malheur à sa femme ? Il y a de quoi la tuer, la pauvre créature !

ÉLISA

Mon Dieu, mon Dieu, quel malheur ! je ne sais quel conseil vous donner. Mais il faut que j'aille rejoindre mes petites, qui venaient au-devant de ce pauvre Hurel et que j'ai laissées sur le chemin. »

Élisa retourna en courant près des enfants, qu'elle trouva où elle les avait laissées, malgré leur impatience d'apprendre quelque chose sur Hurel. Sa pâleur et son air triste les préparèrent à une mauvaise nouvelle. Toutes à la fois demandèrent ce qu'il y avait.

« Pourquoi tout ce monde, Élisa ? Sait-on ce qu'il est devenu ?

ÉLISA

Mes chères enfants, nous n'avons pas besoin d'aller plus loin pour avoir de ses nouvelles... Pauvre homme, il lui est arrivé un accident, un terrible accident...

MARGUERITE, *avec terreur.*

Quoi ? quel accident ? est-il blessé ?

ÉLISA

Pis que cela, ma bonne Marguerite : le pauvre homme est tombé dans l'eau, et... et...

CAMILLE

Parle donc, Élisa ; quoi ! serait-il noyé ?

ÉLISA

Tout juste. On a retiré son corps de l'eau il y a deux heures...

Ainsi, pendant que je l'accusais si injustement, le malheureux homme était déjà mort !

MARGUERITE

Tu vois bien, Sophie, que ce n'était pas sa faute. Pauvre Hurel ! quel malheur ! »

Les enfants pleuraient. Élisa leur raconta le peu de détails qu'elle savait et leur conseilla de revenir à la maison.

ÉLISA

Nous informerons ces dames de ce malheureux événement ; elles trouveront peut-être le moyen d'adoucir le chagrin de la pauvre femme Hurel. Nous autres, nous ne pouvons rien ni pour le mort, ni pour ceux qui restent.

CAMILLE

Oh ! si, Élisa : nous pouvons prier le bon Dieu pour eux ; lui demander d'admettre le pauvre Hurel dans le paradis et de donner à sa femme et à ses enfants la force de se résigner et de souffrir sans murmure.

MARGUERITE

Bonne Camille, tu as toujours de nobles et pieuses pensées. Oui, nous prierons toutes pour eux.

MADELEINE

Et nous demanderons à maman de faire dire des messes pour Hurel. »

Tout en pleurant, elles arrivèrent au château et entrèrent au salon. Ni l'une ni l'autre ne pouvait parler ; leurs larmes coulaient malgré elles. Mme de Fleurville et Mme de Rosbourg, étonnées et peinées de ce chagrin, leur adressaient vainement une foule de questions. Enfin, Madeleine parvint à se calmer et raconta ce qu'elles venaient de voir et d'entendre. Les mamans partagèrent le chagrin de leurs enfants, et, après avoir discuté sur ce qu'il y avait de mieux à faire, elles se mirent en route pour aller voir par elles-mêmes s'il n'y avait aucun espoir de rappeler Hurel à la vie.

Elles revinrent peu de temps après et se virent entourées par les petites, impatientes d'avoir quelques nouvelles consolantes.

CAMILLE

Eh bien, chère maman, eh bien, y a-t-il quelque espoir ?

MADAME DE FLEURVILLE

Aucun, mes chères petites, aucun. Quand nous sommes arrivées, on venait de placer le corps froid et inanimé du pauvre Hurel sur une charrette pour le ramener chez lui ; un de ses beaux-frères et une sœur de Mme Hurel sont partis en avant pour la préparer à cet affreux malheur ; demain, se fera l'enterrement ; après-demain, nous irons, Mme de Rosbourg et moi, offrir quelques consolations à la femme Hurel et voir si elle n'a pas besoin d'être aidée pour vivre.

Mais ne va-t-elle pas continuer la boucherie, comme faisait son mari ?

MADAME DE FLEURVILLE

Je ne le pense pas ; pour être boucher, il faut courir le pays, aller au loin chercher des veaux, des moutons, des bœufs ; et puis une femme ne peut pas tuer ces pauvres animaux ; elle n'en a ni la force ni le courage.

CAMILLE

Et son fils Théophile, ne peut-il remplacer son père ?

MADAME DE FLEURVILLE

Non, parce qu'il est garçon boucher à Paris, et qu'il est encore trop jeune pour diriger une boucherie. »

Pendant le reste de la journée, on ne parla que du pauvre Hurel et de sa famille ; tout le monde était triste.

Le surlendemain, ces dames montèrent en voiture pour aller à Aube visiter la malheureuse veuve. Elles restèrent longtemps absentes ; les enfants guettaient leur retour avec anxiété, et au bruit de la voiture elles coururent sur le perron.

MARGUERITE

Eh bien, chère maman, comment avez-vous trouvé les pauvres Hurel ? Comment est Victorine ?

248

MADAME DE ROSBOURG

Pas bien, chères petites ; la pauvre femme est dans un désespoir qui fait pitié et que je n'ai pu calmer ; elle pleure jour et nuit et elle appelle son mari, qui est auprès du bon Dieu. Victorine est désolée, et Théophile n'est pas encore de retour ; on lui a écrit de revenir.

MADELEINE

Ont-ils de quoi vivre ?

MADAME DE ROSBOURG

Tout au plus ; les gens qui doivent de l'argent à Hurel ne s'empressent pas de payer, et ceux auxquels il devait veulent être payés tout de suite et menacent de faire vendre leur maison et leur petite terre.

SOPHIE

Je crois que nous pourrions leur venir en aide en leur donnant l'argent que nous avons pour nos menus plaisirs. Nous avons chacune deux francs par semaine ; en donnant un franc, cela ferait quatre par semaine et seize francs par mois ; ce serait assez pour leur pain du mois.

CAMILLE, *bas à Sophie.*

Tu vois, Sophie : l'année dernière, tu n'aurais jamais eu cette bonne pensée.

Sophie a raison ; c'est une excellente idée. Vous nous permettez, n'est-ce pas, maman, de faire cette petite pension à la mère Hurel ?

MADAME DE FLEURVILLE, *les embrassant.*

Certainement, mes excellentes petites filles ; vous êtes bonnes et charitables toutes les quatre. Sophie, tu n'auras bientôt rien à envier à tes amies. »

Enchantées de la permission, les quatre amies coururent demander leurs bourses à Élisa et remirent chacune un franc à Mme de Fleurville, qui les envoya à la mère Hurel en y ajoutant cent francs.

Elles continuèrent à lui envoyer chaque semaine bien exactement leurs petites épargnes ; elles y ajoutaient quelquefois un jupon, ou une camisole qu'elles avaient faite elles-mêmes, ou bien des fruits ou des gâteaux dont elles se privaient avec bonheur pour offrir un souvenir à la pauvre femme. Mme de Rosbourg et Mme de Fleurville y joignaient des sommes plus considérables. Grâce à ces secours, ni la veuve ni la fille d'Hurel ne manquèrent du nécessaire. Quelque temps après, Victorine se maria avec un brave garçon, aubergiste à deux lieues d'Aube ; et sa mère, vieillie par le chagrin et par la maladie, mourut en remerciant Dieu de la réunir à son cher Hurel.

Chapitre 26

La petite vérole

Un jour, Camille se plaignit de mal de tête, de mal de cœur. Son visage pâle et altéré inquiéta Mme de Fleurville, qui la fit coucher ; la fièvre, le mal de tête continuant, ainsi que le mal de cœur et les vomissements, on envoya chercher le médecin. Il ne vint que le soir, mais, quand il arriva, il trouva Camille plus calme ; Élisa lui avait mis aux pieds des cataplasmes saupoudrés de camphre qui l'avaient beaucoup soulagée ; elle buvait de l'eau de gomme fraîche. Le médecin complimenta Élisa sur les soins éclairés et affectueux qu'elle donnait à sa petite malade ; il complimenta Camille sur sa bonne humeur et sa docilité et dit à Mme de Fleurville de ne pas s'inquiéter et de continuer le même traitement. Le lendemain, Élisa aperçut des taches rouges sur le visage de Camille ; les bras et le corps en avaient aussi ; vers le soir, chaque tache devint un bouton, et en même temps le mal de cœur et le mal de tête se dissipèrent. Le médecin déclara que c'était la petite vérole : on éloigna immédiatement les trois autres enfants. Élisa et Mme de Fleurville restèrent seules auprès de Camille. Mme de Fleurville voulait aussi renvoyer Élisa, de peur de la contagion ; mais Élisa s'y refusa obstinément.

ÉLISA

Jamais, madame, je n'abandonnerai ma pauvre malade ; quand même je devrais gagner la petite vérole, je ne manquerai pas à mon devoir.

CAMILLE

Ma bonne Élisa, je sais combien tu m'aimes, mais, moi aussi, je t'aime, et je serais désolée de te voir malade à cause de moi.

ÉLISA

Ta, ta, ta ! restez tranquille, ne vous inquiétez de rien, ne parlez pas ; si vous vous agitez, le mal de tête reviendra. »

Camille sourit et remercia Élisa du regard ; ses pauvres yeux étaient à moitié fermés ; son visage était couvert de boutons. Quelques jours après, les boutons séchèrent, et Camille put quitter son lit ; il ne lui restait que de la faiblesse.

Pendant sa maladie, Madeleine, Marguerite et Sophie demandaient sans cesse de ses nouvelles ; on leur défendit d'approcher de la chambre de Camille, mais elles pouvaient voir Élisa et lui parler ; vingt fois par jour, quand elles entendaient sa voix dans la cuisine ou dans l'antichambre, elles accouraient pour s'informer de leur chère Camille ; elles lui envoyaient des découpures, des dessins, de petits paniers en jonc, tout ce qu'elles pensaient pouvoir la distraire et l'amuser. Camille leur faisait dire mille tendresses ; mais elle ne pouvait rien leur envoyer, car on lui défendait de travailler, de lire, de dessiner, de peur de fatiguer ses yeux.

Il y avait huit jours qu'elle était levée ; ses croûtes commençaient à tomber, lorsqu'elle fut frappée un matin de la pâleur d'Élisa.

CAMILLE, *avec inquiétude.*

Tu es malade, Élisa ; tu es pâle comme si tu allais mourir. Ah ! comme ta main est chaude ! tu as la fièvre.

ÉLISA

J'ai un affreux mal de tête depuis hier : je n'ai pas dormi de la nuit ; voilà pourquoi je suis pâle : mais ce ne sera rien.

CAMILLE

Couche-toi, ma chère Élisa, je t'en prie ; tu peux à peine te soutenir ; vois, tu chancelles. »

Élisa s'affaissa sur un fauteuil ; Camille courut appeler sa maman, qui la suivit immédiatement. Voyant l'état dans lequel était la pauvre Élisa, elle lui fit bassiner son lit et la fit coucher malgré sa résistance. Le médecin fut encore appelé ; il trouva beaucoup de fièvre, du délire, et déclara que c'était probablement la petite vérole qui commençait. Il ordonna divers remèdes, qui n'amenèrent aucun soulagement ; le lendemain, il fit poser des sangsues aux chevilles de la malade, pour lui dégager la tête et faire sortir les boutons. Depuis qu'Élisa était dans son lit, Camille ne la quittait plus ; elle lui donnait à boire, chauffait ses cataplasmes, lui mouillait la tête avec de l'eau fraîche. Il fallut toute son obéissance aux ordres de sa mère pour l'empêcher de passer la nuit auprès de sa chère Élisa.

« C'est en me soignant qu'elle est devenue malade, répétait-elle en pleurant : il est juste que je la soigne à mon tour. »

Élisa ne sentait pas la douceur de cette tendresse touchante : depuis la veille elle était sans connaissance ; elle ne parlait pas, n'ouvrait même pas les yeux. On lui mit vingt sangsues aux pieds sans qu'elle eût l'air de les sentir ; son sang coula abondamment et longtemps ; enfin, on l'arrêta, on lui enveloppa les pieds de coton. Le lendemain, tout son corps se couvrit de plaques rouges : c'était la petite vérole qui sortait. En même temps, elle éprouva un mieux sensible ; ses yeux purent s'ouvrir et supporter la lumière ; elle reconnut Camille qui la regardait avec anxiété, et lui sourit ; Camille saisit sa main brûlante et la porta à ses lèvres.

« Ne parle pas, ma pauvre Élisa, lui dit-elle, ne parle pas, maman et moi, nous sommes près de toi. »

Élisa ne pouvait pas encore répondre ; mais, en reprenant l'usage de ses sens, elle avait repris le sentiment des soins que lui avaient donnés Camille et Mme de Fleurville ; sa reconnaissance s'exprimait par tous les moyens possibles.

Pendant plusieurs jours encore, Élisa fut en danger. Enfin arriva le moment où le médecin déclara

254

qu'elle était sauvée ; les boutons commençaient à sécher ; ils étaient si abondants que tout son visage et sa tête en étaient couverts.

Quand elle fut mieux et qu'elle commença à prendre quelque nourriture, Camille, qui allait tout à fait bien, demanda à sa mère si elle ne pouvait pas sortir et voir sa sœur et ses amies.

« Tu peux te promener, chère enfant, dit Mme de Fleurville, et causer avec Madeleine et tes amies, mais pas encore les embrasser ni les toucher. »

Camille sauta hors de la chambre, courut dehors et, entendant les voix de Madeleine, de Sophie et de Marguerite, qui causaient dans leur petit jardin, elle se dirigea vers elles en criant :

« Madeleine, Marguerite, Sophie, je veux vous voir, vous parler ; venez vite, mais ne me touchez pas ! »

Trois cris de joie répondirent à l'appel de Camille ; elle vit accourir ses trois amies, se pressant, se poussant, à qui arriverait la première.

« Arrêtez ! cria Camille, s'arrêtant elle-même, maman m'a défendu de vous toucher. Je pourrais encore vous donner la petite vérole.

MADELEINE

Je voudrais tant t'embrasser, Camille, ma chère Camille !

MARGUERITE

Et moi donc ! Ah bah ! je t'embrasse tout de même. »

En disant ces mots, elle s'élançait vers Camille, qui sauta vivement en arrière.

255

« Imprudente ! dit-elle. Si tu savais ce que c'est que la petite vérole, tu ne t'exposerais pas à la gagner.

SOPHIE

Raconte-nous si tu t'es bien ennuyée, si tu as beaucoup souffert, si tu as eu peur.

CAMILLE

Oh ! oui, mais pas quand j'étais très malade. Je souffrais trop de la tête et du mal de cœur pour m'ennuyer ; mais la pauvre Élisa a souffert bien plus et plus longtemps que moi.

MADELEINE

Et comment est-elle aujourd'hui ? Quand pourrons-nous la revoir ?

CAMILLE

Elle va bien ; elle a mangé du poulet à déjeuner, elle se lève, elle croit que vous pourrez la voir par la fenêtre demain.

MADELEINE

Quel bonheur ! et quand pourrons-nous t'embrasser, ainsi que maman ?

CAMILLE

Maman, qui n'a pas eu comme moi la petite vérole, pourra vous embrasser tout à l'heure ; elle est allée changer ses vêtements, qui sont imprégnés de l'air de la chambre d'Élisa. »

Les enfants continuèrent à causer et à se raconter les événements de leur vie simple et uniforme. Bientôt arriva Mme de Fleurville avec Mme de Rosbourg ; les enfants se précipitèrent vers elle et l'embrassèrent bien des fois, pendant que Mme de Rosbourg embrassait Camille. Depuis trois semaines, Mme de Fleurville n'avait vu les enfants que de loin et à la fenêtre. Le matin même, le médecin avait déclaré qu'il n'y avait plus aucun danger de gagner la petite vérole ni par elle ni par Camille ; mais Élisa devait encore rester éloignée jusqu'à ce que ses croûtes fussent tombées.

Le lendemain, il y avait grande agitation parmi les enfants ; Élisa devait se montrer à la fenêtre après déjeuner. Une heure d'avance, elles étaient comme des abeilles en révolution ; elles allaient, venaient, regardaient à la pendule, regardaient à la fenêtre, préparaient des sièges ; enfin, elles se rangèrent toutes quatre sur des chaises, comme pour un spectacle, et attendirent, les yeux levés. Tout à coup, la fenêtre s'ouvrit, et Élisa parut.

« Élisa, Élisa, ma pauvre Élisa ! s'écrièrent Camille et Madeleine, que les larmes empêchèrent de continuer.

MARGUERITE

Bonjour, ma chère Élisa.

SOPHIE

Bonjour, ma chère Élisa.

257

Bonjour, bonjour, mes enfants ; voyez comme je suis devenue belle ; quel masque sur mon visage !

CAMILLE

Oh ! tu seras toujours ma belle et ma bonne Élisa ; crois-tu que j'oublie que c'est pour m'avoir soignée que tu es tombée malade ?

ÉLISA

Tu me l'as bien rendu aussi. Tu es une bonne, une excellente enfant ; tant que je vivrai, je n'oublierai ni la tendresse touchante que tu m'as témoignée pendant ma maladie, ni la bonté de Mme de Fleurville. »

Et la pauvre Élisa, attendrie, essuya ses yeux pleins de larmes ; son attendrissement gagna les enfants, qui se mirent à pleurer aussi. Mme de Fleurville et Mme de Rosbourg arrivèrent pendant que tout le monde pleurait.

« Qu'y a-t-il donc ? demandèrent-elles, un peu effrayées.

— Rien, maman ; c'est la pauvre Élisa qui est à sa fenêtre. »

Ces dames levèrent les yeux et, voyant pleurer Élisa, elles comprirent la scène de larmes joyeuses qui venait de se passer.

« Il s'agit bien de pleurer, aujourd'hui ! dit Mme de Rosbourg ; laissons Élisa se reposer et se bien rétablir, et allons, en attendant, arranger une fête pour célébrer son rétablissement.

— Une fête ! une fête ! s'écrièrent les enfants ;

258

oh ! merci, chère madame ! Ce sera charmant ! Une fête pour Élisa. »

Élisa était fatiguée ; elle se retira dans le fond de sa chambre ; les enfants suivirent Mme de Rosbourg et discutèrent les arrangements d'une fête en l'honneur d'Élisa. En passant au chapitre suivant, nous saurons ce qui aura été décidé.

Chapitre 27

La fête

Depuis quelques jours, tout était en rumeur au château ; on enfonçait des clous dans une orangerie attenante au salon ; on assemblait et on brouettait des fleurs ; on cuisait des pâtés, des gâteaux, des bonbons. Les enfants avaient avec Élisa un air mystérieux ; elles l'empêchaient d'aller du côté de l'orangerie ; elles la gardaient le plus possible avec elles, afin de ne pas la laisser causer dans la cuisine et à l'office. Élisa se doutait de quelque surprise ; mais elle faisait l'ignorante pour ne pas diminuer le plaisir que se promettaient les enfants.

Enfin, le jeudi suivant, à trois heures, il y eut dans la maison un mouvement extraordinaire. Élisa s'apprêtait à s'habiller, lorsqu'elle vit entrer les enfants, qui portaient un énorme panier couvert et qui avaient leurs belles toilettes du dimanche.

CAMILLE

Nous allons t'habiller, ma bonne Élisa ; nous apportons tout ce qu'il faut pour ta toilette.

ÉLISA

J'ai tout ce qu'il me faut ; merci, mes enfants.

MADELEINE

Mais tu n'as pas vu ce que nous t'apportons ; tiens, tiens, regarde. »

Et, en disant ces mots, Madeleine enleva la mousseline qui couvrait le panier. Élisa vit une belle robe en taffetas marron, un col et des manches en dentelle, un bonnet de dentelle garni de rubans et un mantelet de taffetas noir garni de volants pareils.

ÉLISA

Ce n'est pas pour moi, tout cela ; c'est trop beau ! Je ne mettrai pas une si élégante toilette ; je ressemblerais à Mme Fichini.

MARGUERITE

Non, non, tu ne ressembleras jamais à la grosse Mme Fichini.

CAMILLE

Il n'y a plus de Mme Fichini ; c'est la comtesse Blagowski qu'il faut dire.

261

Bah ! la comtesse Blagowski ou Mme Fichini, qu'importe ! Habillons Élisa. »

Avant qu'elle eût pu les empêcher, les quatre petites filles avaient dénoué le tablier et déboutonné la robe d'Élisa, qui se trouva en jupon en moins d'une minute.

CAMILLE

Baisse-toi, que je te mette ton col.

MADELEINE

Donne-moi ton bras, que je passe une manche.

MARGUERITE

Étends l'autre bras, que je te passe l'autre manche.

SOPHIE

Voici la robe : je la tiens toute prête ; et le bonnet. »

La robe fut passée, arrangée, boutonnée ; les enfants menèrent Élisa devant une glace de leur maman : elle se trouva si belle qu'elle ne pouvait se lasser de se regarder et de s'admirer. Elle remercia et embrassa tendrement les enfants, qui l'accompagnèrent chez Mmes de Fleurville et de Rosbourg, car Élisa voulait les remercier aussi.

« À présent, mes enfants, dit-elle en se dirigeant vers sa chambre, je vais ôter toutes ces belles affaires ; je les garderai pour la première occasion.

Mais non, Élisa ; il faut que tu restes toute la journée habillée comme tu es.

Pour quoi faire ?

Tu vas voir ; viens avec moi. »

Et, saisissant Élisa, les quatre enfants la conduisirent dans le salon, puis dans l'orangerie, qui était convertie en salle de spectacle et qui était pleine de monde. Les fermiers et les messieurs du voisinage étaient dans une galerie élevée, les domestiques et les gens du village occupaient le parterre. Les enfants entraînèrent Élisa toute confuse à des places réservées au milieu de la galerie ; elles s'assirent autour d'elle ! la toile se leva, et le spectacle commença.

Le sujet de la pièce était l'histoire d'une bonne Négresse qui, lors du massacre des Blancs par les Nègres à l'île Saint-Domingue, sauve les enfants de ses maîtres, les soustrait à mille dangers et finit par s'embarquer avec eux sur un vaisseau qui retournait en France ; elle dépose entre les mains du capitaine une cassette qu'elle a eu le bonheur de sauver, qui appartenait à ses maîtres massacrés et qui contenait une somme considérable en bijoux et en or ; elle déclare que cette somme appartient aux enfants.

On applaudit avec fureur ; les applaudissements redoublèrent, lorsque de tous côtés on lança des bouquets à Élisa, qui ne savait comment remercier de tous ces témoignages d'intérêt.

Après le spectacle, on passa dans la salle à manger, où l'on trouva la table couverte de pâtés, de jambons, de gâteaux, de crèmes, de gelées. Tout le monde avait faim ; on mangea énormément ; pendant que les voisins et les personnes du château faisaient ce repas, on servait dehors, aux gens du village, des pâtés, des galantines, des galettes, du cidre et du café.

Lorsque chacun fut rassasié, on rentra dans l'orangerie, d'où l'on avait enlevé tout ce qui pouvait gêner pour la danse ; les chaises et les bancs étaient rangés contre le mur ; les lustres et les lampes étaient allumés. Au moment où les enfants entrèrent, l'orchestre, composé de quatre musiciens, commença une contredanse ; les petites et Élisa la dansèrent avec plusieurs dames et messieurs ; les autres invités se mirent aussi en train, et, une demi-heure après, tout le monde dansait dans l'orangerie et devant la maison. Les enfants ne s'étaient jamais autant amusées ; Élisa était enchantée et attendrie de cette fête donnée à son intention, et dont elle était la reine. On dansa jusqu'à onze heures du soir. Après avoir mangé encore quelques pâtés, du jambon, des gâteaux et des crèmes, chacun s'en alla, les uns à pied, les autres en carriole.

Les enfants rentrèrent chez elles avec Élisa, après avoir bien embrassé et bien remercié leurs mamans.

SOPHIE

Dieu ! que j'ai chaud ! ma chemise est trempée !

MARGUERITE

Et moi donc ! ma robe est toute mouillée de sueur.

MADELEINE

Ah ! que j'ai mal aux pieds !

CAMILLE

Je n'en puis plus ! À la dernière contredanse, mes jambes ne pouvaient plus remuer.

MARGUERITE

As-tu vu ce gros petit bonhomme, au ventre rebondi, qui a été roulé dans un galop ?

CAMILLE

Oui, il était bien drôle ; il sautait, il galopait tout comme s'il n'avait pas eu un gros ventre à traîner.

SOPHIE

Et ce grand maigre qui sautait si haut qu'il a accroché le lustre !

MADELEINE

Il a manqué de prendre feu, ce pauvre maigre ; c'est qu'il aurait brûlé comme une allumette.

SOPHIE

As-tu remarqué cette petite fille prétentieuse qui faisait des mines et qui était si ridiculement mise ?

MADELEINE

Non, je ne l'ai pas vue. Comment était-elle habillée ?

265

SOPHIE

Elle avait une robe grise avec de grosses fleurs rouges.

MADELEINE

Ah ! oui, je sais ce que tu veux dire ; c'est une pauvre ouvrière très timide et qui n'est pas du tout prétentieuse.

SOPHIE

Par exemple ! si celle-là ne l'est pas, je ne sais qui le sera. Et cette autre, qui avait une robe de mousse-line blanche chiffonnée, avec des nœuds d'un bleu passé qui traînaient jusqu'à terre, trouves-tu aussi qu'elle n'était pas affectée ?

CAMILLE

Voyons, ne disons pas de mal de tous ces pauvres gens, qui se sont habillés chacun comme il l'a pu, qui se sont amusés et qui ont contribué à nous amuser.

SOPHIE, *avec aigreur.*

Mon Dieu, comme tu es sévère ! Est-ce qu'il est défendu de rire un peu des gens ridicules ?

CAMILLE

Non, mais pourquoi trouver ridicules des gens qui ne le sont pas ?

SOPHIE

Si tu les trouves bien, ce n'est pas une raison pour que je sois obligée de dire comme toi.

MADELEINE

Sophie, Sophie, tu vas te fâcher tout à fait, si tu continues sur ce ton.

SOPHIE

Il n'est pas question de se fâcher ! je dis seulement que je trouve Camille on ne peut plus ennuyeuse avec sa perpétuelle bonté. Jamais elle ne rit de personne ; jamais elle ne voit les bêtises et les sottises des autres.

MARGUERITE, *avec vivacité.*

C'est bien heureux pour toi !

SOPHIE, *sèchement.*

Que veux-tu dire par là ?

MARGUERITE

Je veux dire, mademoiselle, que si Camille voyait les sottises des autres et si elle en riait, elle verrait souvent les vôtres, et que nous ririons toutes à vos dépens.

SOPHIE, *en colère.*

Je m'embarrasse peu de ce que tu dis, tu es trop bête.

Eh bien ! eh bien ! qu'est-ce que j'entends ? On se querelle par ici ?

SOPHIE

C'est Marguerite qui me dit des sottises.

ÉLISA

Il me semble que, lorsque je suis entrée, c'était vous qui en disiez à Marguerite.

SOPHIE, *embarrassée.*

C'est-à-dire... Je répondais seulement..., mais c'est elle qui a commencé.

MARGUERITE

C'est vrai, Élisa ; je lui ai dit qu'elle disait des sottises ; j'avais raison, puisqu'elle a dit que Camille était ennuyeuse.

ÉLISA

Mes enfants, mes enfants, est-ce ainsi que vous finissez une si heureuse journée, en vous querellant, en vous injuriant ? »

Sophie et Marguerite rougirent et baissèrent la tête ; elles se regardèrent et dirent ensemble :

« Pardon ! Sophie.

— Pardon ! Marguerite. »

Puis elles s'embrassèrent. Sophie demanda pardon aussi à Camille, qui était trop bonne pour lui en vouloir. Elles achevèrent toutes de se déshabiller et se couchèrent après avoir dit leur prière avec Élisa. Élisa les remercia encore tendrement de toute leur affection et de la journée qui venait de s'écouler.

Chapitre 28
La partie d'âne

MARGUERITE

Maman, pourquoi ne montons-nous jamais à âne ? c'est si amusant !

MADAME DE ROSBOURG

J'avoue que je n'y ai pas pensé.

MADAME DE FLEURVILLE

Ni moi non plus ; mais il est facile de réparer cet oubli ; on peut avoir les deux ânes de la ferme, ceux du moulin et de la papeterie, ce qui en fera six.

CAMILLE

Et où irons-nous, maman, avec nos six ânes ?

SOPHIE

Nous pourrions aller au moulin.

MARGUERITE

Non, Jeannette est trop méchante ; depuis qu'elle m'a volé ma poupée, je n'aime pas la voir ; elle me fait des yeux si méchants que j'en ai peur.

MADELEINE

Allons à la maison blanche voir Lucie.

SOPHIE

Ce n'est pas assez loin ! nous y allons sans cesse à pied.

MADAME DE FLEURVILLE

J'ai une idée que je crois bonne ; je parie que vous en serez toutes très contentes.

CAMILLE

Quelle idée, maman ? dites-la, je vous en prie.

MADAME DE FLEURVILLE

C'est d'avoir un septième âne...

MARGUERITE

Mais ce ne sera pas amusant du tout d'avoir un âne sans personne dessus.

Attends donc ; que tu es impatiente ! Le septième âne porterait les provisions et... et vous ne devinez pas ?

MADELEINE

Des provisions ? pour qui donc, maman ?

MADAME DE FLEURVILLE

Pour nous, pour que nous les mangions !

MARGUERITE

Mais pourquoi ne pas les manger à table, au lieu de les manger sur le dos de l'âne ? »

Tout le monde partit d'un éclat de rire : l'idée de faire du dos de l'âne une table à manger leur parut si plaisante qu'elles en rirent toutes, Marguerite comme les autres.

« Ce n'est pas sur le dos de l'âne que nous mangerons, dit Mme de Fleurville, mais l'âne transportera notre déjeuner dans la forêt de Moulins ; nous étalerons notre déjeuner sur l'herbe dans une jolie clairière et nous mangerons en plein bois.

— Charmant, charmant ! crièrent les quatre petites en battant des mains et en sautant. Oh ! la bonne idée ! embrassons bien maman pour la remercier de sa bonne invention.

— Je suis enchantée d'avoir si bien trouvé, répondit Mme de Fleurville en se dégageant des bras des enfants qui la caressaient à l'envi l'une de l'autre.

Maintenant, je vais commander un déjeuner froid pour demain et m'assurer de nos sept ânes. »

Les petites coururent chez Élisa pour lui faire part de leur joie et pour lui demander de venir avec elles.

ÉLISA, *en les embrassant.*

Mes chères petites, je vous remercie de penser à moi et de m'inviter à vous accompagner ; mais j'ai autre chose à faire que de m'amuser. À moins que vos mamans n'aient besoin de moi, j'aime mieux rester à la maison et faire mon ouvrage.

MADELEINE

Quel ouvrage ? Tu n'as rien de pressé à faire !

ÉLISA

J'ai à finir vos robes de popeline bleue ; j'ai à faire des manches, des cols, des jupons, des chemises, des mou...

MARGUERITE

Assez, assez, grand Dieu ! comme en voilà ! Et c'est toi qui feras tout cela ?

ÉLISA

Et qui donc ? sera-ce vous, par hasard ?

CAMILLE

Eh bien, oui ; nous t'aiderons toutes pendant deux jours.

Merci bien, mes chéries ! J'aurais là de fameuses ouvrières, qui me gâcheraient mon ouvrage au lieu de l'avancer ! Du tout, du tout, à chacun son affaire. Amusez-vous ; courez, sautez, mangez sur l'herbe ; mon devoir à moi est de travailler : d'ailleurs, je suis trop vieille pour gambader et courir les forêts.

SOPHIE

Vous dansiez pourtant joliment le jour du bal.

ÉLISA

Oh ! cela, c'est autre chose : c'est pour entretenir les jambes. Mais sans plaisanterie, mes chères enfants, ne me forcez pas à être de la partie de demain, j'en serais contrariée. Une bonne est une bonne et n'est pas une dame qui vit de ses rentes ; j'ai mon ouvrage et je dois le faire. »

L'air sérieux d'Élisa mit un terme à l'insistance des enfants ; elles l'embrassèrent et la quittèrent pour aller raconter à leurs mamans le refus d'Élisa.

« Élisa, dit Mme de Fleurville, fait preuve de tact, de jugement et de cœur, chères petites, en refusant de nous accompagner demain ; c'est la délicatesse qu'elle met dans toutes ses actions qui la rend si supérieure aux autres bonnes que vous connaissez. C'est vrai qu'elle a beaucoup d'ouvrage ; et, si elle perdait à s'amuser le peu de temps qui lui reste après avoir fait son service près de vous, vous seriez les premières à en souffrir. »

Les enfants n'insistèrent plus et reportèrent leurs pensées sur la journée du lendemain.

« Dieu ! que la matinée est longue ! dit Sophie après deux heures de bâillements et de plaintes.

— Nous allons dîner dans une demi-heure, répondit Madeleine.

SOPHIE

Et toute la soirée encore à passer ! Quand donc arrivera demain ?

MARGUERITE, *avec ironie.*

Quand aujourd'hui sera fini.

SOPHIE, *piquée.*

Je sais très bien qu'aujourd'hui ne sera pas demain, que demain n'est pas aujourd'hui, que... que...

MARGUERITE, *riant.*

Que demain est demain et que M. la Palisse n'est pas mort.

SOPHIE

C'est bête, ce que tu dis ! Tu crois avoir plus d'esprit que les autres...

MARGUERITE, *vivement.*

Et je n'en ai pas plus que toi. C'est cela que tu voulais dire ?

Non, mademoiselle, ce n'est pas cela que je voulais dire : mais, en vérité, vous me faites toujours parler si sottement...

MARGUERITE

C'est parce que je te laisse dire.

CAMILLE, *d'un air de reproche.*

Marguerite, Marguerite !

MARGUERITE, *l'embrassant.*

Chère Camille, pardon, j'ai tort ; mais Sophie est quelquefois... si... si... je ne sais comment dire.

SOPHIE, *en colère.*

Voyons, dis tout de suite *si bête* ! Ne te gêne pas, je te prie.

MARGUERITE

Mais non, Sophie, je ne veux pas dire *bête,* tu ne l'es pas, mais... un peu... impatiente.

SOPHIE

Et qu'ai-je donc fait ou dit de si impatient ?

MARGUERITE

Depuis deux heures tu bâilles, tu te roules, tu t'ennuies, tu regardes l'heure, tu répètes sans cesse que la journée ne finira jamais...

276

SOPHIE

Eh bien, où est le mal ? Je dis tout haut ce que vous pensez tout bas.

MARGUERITE

Mais du tout ; nous ne le pensons pas du tout ! N'est-ce pas, Camille ? n'est-ce pas, Madeleine ?

CAMILLE, un peu embarrassée.

Nous qui sommes plus âgées, nous savons mieux attendre.

MARGUERITE, vivement.

Et moi qui suis plus jeune, est-ce que je n'attends pas ?

SOPHIE, avec une révérence moqueuse.

Oh ! toi, nous savons que tu es une perfection, que tu as plus d'esprit que tout le monde, que tu es meilleure que tout le monde !

MARGUERITE, lui rendant sa révérence.

Et que je ne te ressemble pas, alors. »

Mme de Rosbourg avait entendu toute la conversation du bout du salon, où elle était occupée à peindre ; elle ne s'en était pas mêlée, parce qu'elle voulait les habituer à reconnaître d'elles-mêmes leurs torts ; mais, au point où en était venue l'irritation des deux *amies,* elle jugea nécessaire d'intervenir.

277

Marguerite, tu prends la mauvaise habitude de te moquer, de lancer des paroles piquantes, qui blessent et irritent. Parce que Sophie a su moins bien que toi réprimer son impatience, tu lui as dit plusieurs choses blessantes qui l'ont mise en colère : c'est mal, et j'en suis peinée ; je croyais à ma petite Marguerite un meilleur cœur et plus de générosité.

MARGUERITE, *courant se jeter dans ses bras.*

Ma chère, ma bonne maman, pardonnez à votre petite Marguerite ; ne soyez pas chagrine ; je sens la justesse de vos reproches, et j'espère ne plus les mériter à l'avenir. *(Allant à Sophie.)* Pardonne-moi, Sophie ; sois sûre que je ne recommencerai plus, et, si jamais il m'échappe une parole méchante ou moqueuse, rappelle-moi que je fais de la peine à maman : cette pensée m'arrêtera certainement. »

Sophie, apaisée par les reproches adressés à Marguerite et par la soumission de celle-ci, l'embrassa de tout son cœur. Le dîner fut annoncé, et on lui fit honneur ; la soirée se passa gaiement ; Sophie contint son impatience et se mêla avec entrain aux projets formés pour le lendemain. La nuit ne lui parut pas longue, puisqu'elle dormit tout d'un somme jusqu'à huit heures, moment où sa bonne vint l'éveiller. Quand sa toilette fut faite, elle courut à la fenêtre et vit avec bonheur sept ânes sellés et rangés devant la maison. Elle descendit précipitamment et les examina tous.

« Celui-ci est trop petit, dit-elle ; celui-là est trop laid avec ses poils hérissés. Ce grand gris a l'air pares-

278

seux ; ce noir me paraît méchant ; ces deux roux sont trop maigres ; ce gris clair est le meilleur et le plus beau : c'est celui que je garde pour moi. Pour que les autres ne le prennent pas, je vais attacher mon chapeau et mon châle à la selle. Elles voudront toutes l'avoir, mais je ne le céderai pas. »

Pendant que, songeant uniquement à elle, elle choisissait ainsi cet âne qu'elle croyait préférable aux autres, Nicaise et son fils, qui devaient accompagner la cavalcade, plaçaient les provisions dans deux grands paniers, qu'on attacha sur le bât de l'âne noir.

Mme de Fleurville, Mme de Rosbourg et les enfants arrivèrent : il était neuf heures ; on avait bien déjeuné, tout était prêt ; on pouvait partir.

MADAME DE FLEURVILLE

Choisissez vos ânes, mes enfants. Commençons par les plus jeunes. Marguerite, lequel veux-tu ?

MARGUERITE

Cela m'est égal, chère madame ; celui que vous voudrez, ils sont tous bons.

MADAME DE FLEURVILLE

Eh bien, puisque tu me laisses le choix, Marguerite, je te conseille de prendre un des deux petits ânes ; l'autre sera pour Sophie. Ils sont excellents.

SOPHIE, *avec empressement.*

J'en ai déjà pris un, madame : le gris clair ; j'ai attaché sur la selle mon chapeau et mon châle.

Comme tu es pressée de choisir celui que tu crois être le meilleur, Sophie ! Ce n'est pas très aimable pour tes amies, ni très poli pour Mme de Rosbourg et pour moi. Mais, puisque tu as fait ton choix, tu garderas ton âne, et peut-être t'en repentiras-tu. »

Sophie était confuse ; elle sentait qu'elle avait mérité le reproche de Mme de Fleurville, et elle aurait donné beaucoup pour n'avoir pas montré l'égoïsme dont elle ne s'était pas encore corrigée. Camille et Madeleine ne dirent rien et montèrent sur les ânes qu'on leur désigna ; Marguerite jeta un regard souriant à Sophie, réprima une petite malice qui allait sortir de ses lèvres et sauta sur son petit âne.

Toute la cavalcade se mit en marche : Mmes de Fleurville et de Rosbourg en tête, Camille, Madeleine, Marguerite et Sophie les suivaient, Nicaise et son fils fermant la marche avec l'âne aux provisions.

On commença par aller au pas, puis on donna quelques petits coups de fouet, qui firent prendre le trot aux ânes ; tous trottaient, excepté celui de Sophie, qui ne voulut jamais quitter son camarade aux provisions. Elle entendait rire ses amies ; elle les voyait s'éloigner au trot et au galop de leurs ânes, et, malgré tous ses efforts et ceux de Nicaise, son âne s'obstina à marcher au pas, sur le même rang que son ami. Bientôt les cinq autres ânes disparurent à ses yeux ; elle restait seule, pleurant de colère et de chagrin ; le fils de Nicaise, touché de ses larmes, lui offrit des consolations qui la dépitèrent bien plus encore.

« Faut pas pleurer pour si peu, mam'selle ; de plus grands que vous s'y trompent bien aussi. Votre *bourri*

vous semblait meilleur que les autres : c'est pas étonnant que vous n'y connaissiez rien, puisque vous ne
vous êtes pas occupée de bourris dans votre vie. C'est
qu'il a l'air, à le voir comme ça, d'un fameux bourri ;
moi qui le connais à l'user, je vous aurais dit que c'est
un fainéant et un entêté. C'est qu'il n'en fait qu'à sa
tête ! Mais faut pas vous chagriner ; au retour, vous
le passerez à mam'selle Camille qui est si bonne
qu'elle le prendra tout de même et elle vous donnera
le sien, qui est parfaitement bon. »

Sophie ne répondait rien ; mais elle rougissait de
s'être attiré par son égoïsme de pareilles consolations.
Elle fit toute la route au pas ; quand elle arriva à la
halte désignée, elle vit tous les ânes attachés à des
arbres ; ses amies n'y étaient plus ; elles avaient voulu
l'attendre, mais Mme de Fleurville, qui désirait donner une leçon à Sophie, ne le permit pas : elle les
emmena avec Mme de Rosbourg dans la forêt. Elles
y firent une charmante promenade et une grande provision de fraises et de noisettes ; elles cueillirent des
bouquets de fleurs des bois, et, lorsqu'elles revinrent
à la halte, leurs visages roses et épanouis et leur gaieté
bruyante contrastaient avec la figure morne et triste
de Sophie, qu'elles trouvèrent assise au pied d'un
arbre, les yeux bouffis et l'air honteux.

« Ton âne ne voulait donc pas trotter, ma pauvre
Sophie ? lui dit Camille d'un ton affectueux et en
l'embrassant.

— J'ai été punie de mon sot égoïsme, ma bonne
Camille ; aussi ai-je formé le projet de prolonger ma
pénitence en reprenant le même âne pour revenir.

— Oh ! pour cela, non ; tu ne l'auras pas ! s'écria
Madeleine : il est trop paresseux.

281

— Puisque c'est moi qui ai eu l'esprit de le choisir, dit Sophie avec gaieté, j'en porterai la peine jusqu'au bout. » Et Sophie, ranimée par cette résolution généreuse, reprit sa gaieté et se joignit à ses amies pour déballer les provisions, les placer sur l'herbe et préparer le déjeuner. Les appétits avaient été excités par la course ; on se mit à table en s'asseyant par terre et l'on entama d'abord un énorme pâté de lièvre, ensuite une daube à la gelée, puis des pommes de terre au sel, du jambon, des écrevisses, de la tourte aux prunes, et enfin du fromage et des fruits.

MARGUERITE

Quel bon déjeuner nous faisons ! Ces écrevisses sont excellentes.

SOPHIE

Et comme le pâté était bon !

CAMILLE

La tourte est délicieuse !

MADELEINE

J'avais une faim affreuse.

MADAME DE ROSBOURG

Veux-tu encore un peu de vin pour faire passer ton déjeuner ?

Je veux bien, maman. À votre santé ! »

Tous les enfants demandèrent du vin et burent à la santé de leurs mamans. Le repas terminé, on fit dans la forêt une nouvelle promenade, et cette fois en compagnie de Sophie.

Nicaise et son fils déjeunèrent à leur tour pendant cette promenade et rangèrent les restes du repas et de la vaisselle, qu'ils placèrent dans les paniers.

« Papa, dit le petit Nicaise, faut pas que mam'selle Camille ait le bourri *fainéant* de Mlle Sophie ; mettons-lui sur le dos le bât aux provisions et mettons la selle sur le bourri noir ; il n'est pas si méchant qu'il en a l'air ; je le connais, c'est un bon bourri.

— Fais, mon garçon, fais comme tu l'entends. »

Quand les enfants et leurs mamans revinrent, elles trouvèrent les ânes sellés, prêts à partir. Sophie se dirigeait vers son gris clair et fut surprise de lui voir le bât aux provisions. Nicaise lui expliqua que son garçon ne voulait pas que mam'selle Camille restât en arrière.

« Mais c'était mon âne, et pas celui de Camille.

— Faites excuse, mam'selle ; mam'selle Camille a dit à mon garçon que ce serait le sien pour revenir. Mais n'ayez pas peur, mam'selle, le bourri noir n'est pas méchant ; c'est un air qu'il a ; faut pas le craindre : il vous mènera bon train, allez. »

Sophie ne répliqua pas : dans son cœur, elle se comparait à Camille ; elle reconnaissait son infériorité ; elle demandait au bon Dieu de la rendre bonne comme ses amies, et ses réflexions devaient lui profiter pour l'avenir. Camille voulut lui donner son âne

283

mais Sophie ne voulut pas y consentir et sauta sur l'âne noir. Tous partirent au trot, puis au galop ; le retour fut plus gai encore que le départ, car Sophie ne resta pas en arrière. On rentra pour l'heure du dîner ; les enfants, enchantées de leur journée, remercièrent mille fois leurs mamans du plaisir qu'elles leur avaient procuré.

Mme de Fleurville ouvrit une lettre qu'on venait de lui remettre.

« Mes enfants, dit-elle, je vous annonce une heureuse nouvelle : votre oncle et votre tante de Rugès et votre oncle et votre tante de Traypi m'écrivent qu'ils viennent passer les vacances chez nous avec vos cousins Léon, Jean et Jacques ; ils seront ici après-demain.

— Quel bonheur ! s'écrièrent toutes les enfants ; quelles bonnes vacances nous allons passer ! »

Les vacances et les cousins arrivèrent peu de jours après. Le bonheur des enfants dura deux mois, pendant lesquels il se passa tant d'événements intéressants que ce même volume ne pourrait en contenir le récit. Mais j'espère bien pouvoir vous les raconter un jour[1].

---

1. Voyez *Les vacances* du même auteur.

Table

Composition Jouve — 45770 Saran
N° 895726Y

Produit complet : Hung Hing Offset Printing (Chine)
Dépôt légal : septembre 2012
Achevé d'imprimer : septembre 2012

Loi n° 49-956 du 16 juillet 1949
sur les publications destinées à la jeunesse

Les vacances

Retrouvez la Comtesse de Ségur dans la Bibliothèque Rose

Avertissement de l'éditeur :

Certaines expressions utilisées par l'auteur, notamment dans le récit de Paul et de M. de Rosbourg, peuvent paraître choquantes. Elles sont à replacer dans le contexte colonial de la seconde partie du XIXe siècle.

TEXTE INTÉGRAL

© Hachette Livre, 1991, 2000, 2006, 2012.

Tous droits de traduction, de reproduction et d'adaptation réservés pour tous pays.

Hachette Livre, 43, quai de Grenelle, 75015 Paris.

Comtesse de Ségur

née Rostopchine

Les vacances

Illustrations
Iris de Moüy

hachette
JEUNESSE

À MON PETIT-FILS
JACQUES DE PITRAY

Très cher enfant, tu es encore trop petit pour être le petit Jacques des Vacances *mais tu seras, j'en suis sûre, aussi bon, aussi aimable, aussi généreux et aussi brave que lui. Plus tard, sois excellent comme Paul, et, plus tard encore, sois vaillant, dévoué, chrétien comme M. de Rosbourg. C'est le vœu de ta grand-mère, qui t'aime et qui te bénit.*

COMTESSE DE SÉGUR,

née ROSTOPCHINE

Paris, 1858.

Chapitre 1

L'arrivée

Tout était en l'air au château de Fleurville. Camille et Madeleine de Fleurville, Marguerite de Rosbourg et Sophie Fichini, leurs amies, allaient et venaient, montaient et descendaient l'escalier, couraient dans les corridors, suaient, riaient, criaient, se poussaient. Les deux mamans, Mme de Fleurville et Mme de Rosbourg, souriaient à cette agitation, qu'elles ne partageaient pas, mais qu'elles ne cherchaient pas à calmer ; elles étaient assises dans un salon qui donnait sur le chemin d'arrivée. De minute en minute, une des petites filles passait la tête à la porte et demandait :

« Eh bien, arrivent-ils ?

— Pas encore, chère petite, répondait une des mamans.

— Ah ! tant mieux, nous n'avons pas encore fini. »

Et elle repartait comme une flèche.

« Mes amies, ils n'arrivent pas encore ; nous avons le temps de tout finir.

CAMILLE

Tant mieux ! Sophie, va vite au potager demander des fleurs...

SOPHIE

Quelles fleurs faut-il demander ?

MADELEINE

Des dahlias et du réséda ; ce sera facile à arranger, et l'odeur en sera agréable et pas trop forte.

MARGUERITE

Et moi, Camille, que dois-je faire ?

CAMILLE

Toi, cours avec Madeleine chercher de la mousse pour cacher les queues des fleurs. Moi je vais laver les vases à la cuisine, et j'y mettrai de l'eau. »

Sophie courut au potager et rapporta un grand panier rempli de beaux dahlias et de réséda qui embaumait.

Marguerite et Madeleine ramenèrent une brouette pleine de mousse.

Camille apporta quatre vases bien lavés, bien essuyés et pleins d'eau.

Les quatre petites se mirent à l'ouvrage avec une telle activité, qu'un quart d'heure après, les vases étaient pleins de fleurs gracieusement arrangées ; les dahlias étaient entremêlés de branches de réséda. Elles en portèrent deux dans la chambre destinée à leurs cousins Léon et Jean de Rugès, et deux dans la chambre du petit cousin Jacques de Traypi.

CAMILLE, *regardant de tous côtés.*

Je crois que tout est fini maintenant ; je ne vois plus rien à faire.

MADELEINE

Jacques sera enchanté de sa chambre ; elle est charmante !

SOPHIE

La collection d'images que nous avons mise sur la table va l'amuser beaucoup.

MARGUERITE

Je vais voir s'ils arrivent !

CAMILLE

Oui, va, nous te suivons. »

Marguerite partit en courant, et, avant que ses amis aient pu la rejoindre, elle reparut haletante et criant :

« Les voilà ! les voilà ! les voitures ont passé la barrière, elles entrent dans le bois. »

Camille, Madeleine et Sophie se précipitèrent vers le perron, où elles trouvèrent leurs mamans ; elles auraient bien voulu courir au-devant de leurs cousins, mais les mamans les en empêchèrent.

Quelques instants après, les voitures s'arrêtaient devant le perron aux cris de joie des enfants. M. et Mme de Rugès et leurs deux fils, Léon et Jean, descendirent de la première. M. et Mme de Traypi et leur petit Jacques descendirent de la seconde. Pendant quelques instants ce fut un tumulte, un bruit, des exclamations à étourdir.

Léon était un beau et grand garçon blond, un peu moqueur, un peu rageur, un peu indolent et faible, mais bon garçon au fond ; il avait treize ans.

Jean était âgé de douze ans ; il avait de grands yeux noirs pleins de feu et de douceur ; il avait du courage et de la résolution ; il était bon, complaisant et affectueux.

Jacques était un charmant enfant de sept ans ; il avait les cheveux châtains et bouclés, les yeux pétillants d'esprit et de malice, les joues roses, l'air décidé, le cœur excellent, le caractère vif, mais jamais d'humeur ni de rancune.

CAMILLE

Comme tu es grandi, Léon !

LÉON

Et comme tu es embellie, Camille !

MADELEINE

Jean a l'air d'un petit homme maintenant.

JEAN

Un vrai homme, tu veux dire, comme toi tu as l'air d'une vraie demoiselle.

MARGUERITE

Mon cher petit Jacques, que je suis contente de te revoir ! comme nous allons jouer !

JACQUES

Oh oui ! nous ferons beaucoup de bêtises, comme il y a deux ans !

MARGUERITE

Te rappelles-tu les papillons que nous attrapions ?

JACQUES

Et tous ceux que nous manquions ?

MARGUERITE

Et ce pauvre crapaud que nous avons mis sur une fourmilière ?

JACQUES

Et ce petit oiseau que je t'avais déniché, et qui est mort parce que je l'avais trop serré dans mes mains ?

— Oh ! que nous allons nous amuser ! » s'écrièrent-ils ensemble en s'embrassant pour la vingtième fois.

Sophie seule restait à l'écart ; on l'avait embrassée en descendant de voiture ; mais elle sentait que, ne faisant pas partie de la famille, n'ayant été admise à Fleurville que par suite de l'abandon de sa belle-mère, elle ne devait pas se mêler indiscrètement à la joie générale. Jean s'aperçut le premier de l'isolement de la pauvre Sophie, et, s'approchant d'elle, il lui prit les mains en lui disant avec affection :

JEAN

Ma chère Sophie, je me suis toujours souvenu de ta complaisance pour moi lors de mon dernier séjour à Fleurville ; j'étais alors un petit garçon ; maintenant que je suis plus grand, c'est moi qui te rendrai des services à mon tour.

SOPHIE

Merci de ta bonté, mon bon Jean ! merci de ton souvenir et de ton amitié pour la pauvre orpheline.

CAMILLE

Sophie, chère Sophie, tu sais bien que nous sommes tes sœurs, que maman est ta mère ! pourquoi nous affliges-tu en t'attristant toi-même ?

SOPHIE

Pardon, bonne Camille ; oui, j'ai tort ! j'ai réellement trouvé ici une mère et des sœurs.

— Et des frères, s'écrièrent Léon, Jean et Jacques.

— Merci, mes chers frères, dit Sophie en souriant. J'ai une famille dont je suis fière.

— Et heureuse, n'est-ce pas ? dit tout bas Marguerite d'un ton caressant et en l'embrassant.

 10

— Chère Marguerite ! répondit Sophie en lui rendant son baiser.

— Mes enfants, mes enfants ! descendez vite ; venez goûter », dit Mme de Fleurville qui était restée en bas avec ses sœurs et ses beaux-frères.

Les enfants ne se firent pas répéter une si agréable invitation ; ils descendirent en courant et se trouvèrent dans la salle à manger, autour d'une table couverte de fruits et de gâteaux.

Tout en mangeant, ils formaient des projets pour le lendemain. Léon arrangeait une partie de pêche, Jean arrangeait des lectures à voix haute. Jacques dérangeait tout ; il voulait passer toute la journée avec Marguerite pour attraper des papillons et les piquer dans ses boîtes, pour dénicher des oiseaux, pour jouer aux billes, pour regarder et copier les images. Il voulait avoir Marguerite le matin, l'après-midi, le soir. Elle demandait qu'il lui laissât la matinée jusqu'au déjeuner pour travailler.

JACQUES

Impossible ! c'est le meilleur temps pour attraper les papillons.

MARGUERITE

Eh bien alors, laisse-moi travailler d'une heure à trois.

JACQUES

Encore plus impossible ; c'est juste le temps qu'il nous faudra pour arranger nos papillons, étendre leurs ailes, les piquer sur les planches de liège.

MARGUERITE

Comment, les piquer ! Pauvres bêtes ! Je ne veux pas les faire souffrir et mourir si cruellement.

JACQUES

Ils ne souffriront pas du tout ; je leur écrase la tête avant de les piquer ; ils meurent tout de suite.

MARGUERITE

Tu es sûr qu'ils meurent, qu'ils ne souffrent plus ?

JACQUES

Très sûr, puisqu'ils ne bougent plus.

MARGUERITE

Mais, Jacques, tu n'as pas besoin de moi pour arranger tes papillons ?

JACQUES

Oh ! ma petite Marguerite, tu es si bonne, je t'aime tant ! Je m'amuse tant avec toi et je m'ennuie tant tout seul !

LÉON

Et pourquoi veux-tu avoir Marguerite pour toi tout seul ? Nous voulons aussi l'avoir ; quand nous pêcherons, elle viendra avec nous.

JACQUES

Vous êtes déjà cinq ! Laissez-moi ma chère Marguerite pour m'aider à arranger mes papillons...

MARGUERITE

Écoute, Jacques. Je t'aiderai pendant une heure ; ensuite nous irons pêcher avec Léon. »

Jacques grogna un peu. Léon et Jean se moquèrent de lui. Camille, Madeleine et Marguerite l'embrassèrent et lui firent comprendre qu'il ne fallait pas être égoïste, qu'il fallait être bon camarade et sacrifier quelquefois son plaisir à celui des autres. Jacques avoua qu'il avait tort, et il promit de faire tout ce que voudrait sa petite amie Marguerite.

Le goûter était fini ; les enfants demandèrent la permission d'aller se promener et ils partirent en courant à qui arriverait le plus vite au jardin de Camille et Madeleine. Ils le trouvèrent plein de fleurs, très bien bêché et bien cultivé.

JEAN

Il vous manque une petite cabane pour mettre vos outils, et une autre pour vous mettre à l'abri de la pluie, du soleil et du vent.

CAMILLE

C'est vrai, mais nous n'avons jamais pu réussir à en faire une ; nous ne sommes pas assez fortes.

13

LÉON

Eh bien, pendant que nous sommes ici, Jean et moi nous bâtirons une maison.

JACQUES

Et moi aussi, j'en bâtirai une pour Marguerite et pour moi.

LÉON, *riant.*

Ha ! ha ! ha ! Voilà un fameux ouvrier ! Est-ce que tu sauras seulement comment t'y prendre ?

JACQUES

Oui, je le saurai, et je la ferai.

MADELEINE

Nous t'aiderons, mon petit Jacques, et je suis bien sûre que Léon et Jean t'aideront aussi.

JACQUES

Je veux bien que tu m'aides, toi, Madeleine, et Camille aussi, et Sophie aussi ; mais je ne veux pas de Léon, il est trop moqueur.

JEAN, *riant.*

Et moi, Jacques, Ta Grandeur voudra-t-elle bien accepter mon aide ?

Non, monsieur, je ne veux pas de toi non plus ; je veux te montrer que *Ma Grandeur* est bien assez puissante pour se passer de toi.

SOPHIE

Mais comment feras-tu, mon pauvre Jacques, pour atteindre au haut d'une maison assez grande pour nous tenir tous ?

JACQUES

Vous verrez, vous verrez ; laissez-moi faire : j'ai mon idée. »

Et il dit quelques mots à l'oreille de Marguerite, qui se mit à rire et lui répondit bas aussi :

« Très bien, très bien, ne leur dis rien jusqu'à ce que ce soit fini. »

Les enfants continuèrent leur promenade ; on mena les cousins au potager, où ils passèrent en revue tous les fruits, mais sans y toucher, puis à la ferme où ils visitèrent la vacherie, la bergerie, le poulailler, la laiterie ; ils étaient tous heureux ; ils riaient, ils couraient, grimpant sur des arbres, sautant des fossés, cueillant des fleurs pour en faire des bouquets qu'ils offraient à leurs cousines et à leurs amies. Jacques donnait les siens à Marguerite. Ceux de Jean étaient pour Madeleine et Sophie ; Léon réservait les siens à Camille. Ils ne rentrèrent que pour dîner. La promenade leur avait donné bon appétit ; ils mangèrent à effrayer leurs parents. Le dîner fut très gai. Aucun d'eux n'avait peur de ses parents : pères, mères, enfants riaient et causaient gaiement. Après dîner, on fit tous ensemble une promenade dans les champs, et l'on rapporta une quantité de bluets ; le reste de la soirée se passa à faire des couronnes pour les demoiselles ; Léon, Jean, Jacques aidaient ; ils coupaient les queues trop longues, préparaient le fil, cherchaient les plus beaux bluets. Enfin arriva l'heure du coucher des plus jeunes, Sophie, Marguerite et Jacques, puis des plus grands, et enfin l'heure du repos pour les parents. Le lendemain on devait commencer les cabanes, attraper des papillons, pêcher à la pièce d'eau, lire, travailler, se promener ; il y avait de l'occupation pour vingt-quatre heures au moins.

Chapitre 2

Les cabanes

Les enfants étaient en vacances, et tous avaient congé ; les papas et les mamans avaient déclaré que, pendant six semaines, chacun ferait ce qu'il voudrait du matin au soir, sauf deux heures réservées au travail.

Le lendemain de l'arrivée des cousins, on s'éveilla de grand matin. Marguerite sortit sa tête de dessous sa couverture et appela Sophie qui dormait profondément ; Sophie se réveilla en sursaut et se frottant les yeux.

SOPHIE

Quoi ? qu'est-ce ? Faut-il partir ? Attends, je viens. »

En disant ces mots, elle retomba endormie sur son oreiller.

Marguerite allait recommencer, lorsque la bonne, qui couchait près d'elle, lui dit :

LA BONNE

Taisez-vous donc, mademoiselle Marguerite ; laissez-nous dormir ; il n'est pas encore cinq heures ; c'est trop tôt pour se lever.

MARGUERITE

Dieu ! que la nuit est longue aujourd'hui ! quel ennui de dormir ! »

Et, tout en songeant aux cabanes et aux plaisirs de la journée, elle aussi se rendormit.

Camille et Madeleine, éveillées depuis longtemps, attendaient patiemment que la pendule sonnât sept heures et leur permît de se lever sans déranger leur bonne Élisa qui, n'ayant pas de cabane à construire, dormait paisiblement.

Léon et Jean s'étaient éveillés et levés à six heures ; ils finissaient leur toilette et leur prière lorsque leurs cousines se levaient.

Jacques avait eu, avant de se coucher, une conversation à voix basse avec son père et Marguerite ; on les voyait causer avec animation ; on les entendait rire ; de temps en temps, Jacques sautait, battait des mains et embrassait son papa et Marguerite ; mais ils ne voulurent dire à personne de quoi ils avaient parlé avec tant de chaleur et de gaieté.

Le lendemain, quand Léon et Jean allèrent éveiller Jacques, ils trouvèrent sa chambre vide.

18

Comment ! déjà sorti ! À quelle heure s'est-il donc levé ?

Écoute donc ; un premier jour de vacances on veut s'en donner des courses, des jeux, des promenades. Nous le retrouverons dans le jardin. En attendant mes cousines et nos amies, allons faire un tour à la ferme ; nous déjeunerons avec du bon lait tout chaud et du pain bis. »

Jean approuva vivement ce projet ; ils arrivèrent au moment où l'on finissait de traire les vaches. La fermière, la mère Diart, les reçut avec empressement. Après les premières phrases de bonjour et de bienvenue, Léon demanda du lait et du pain bis.

La mère Diart s'empressa de les servir.

« Allons, la grosse, cria-t-elle à une lourde servante qui apportait deux seaux pleins de lait, donne du lait tout chaud à ces messieurs. Passe-le... plus vite donc ! Est-elle pataude ! Faites excuse, messieurs, elle n'est pas prompte, voyez-vous... Pose tes seaux ; j'aurai plus tôt fait que toi... Cours chercher un pain dans la huche... Voilà, messieurs ; à votre service tout ce qu'il vous plaira de demander. »

Léon et Jean remercièrent la fermière et se mirent à manger avec délices ce bon lait tout chaud et ce pain de ménage, à peine sorti du four et tiède encore.

« Assez, assez, Jean, dit Léon. Si nous nous étouffons, nous ne serons plus bons à rien. N'oublie pas que nous avons nos cabanes à commencer. Nous aurons fini les nôtres avant que ce petit vantard de Jacques ait pu seulement commencer la sienne.

JEAN

Hé ! hé ! Je ne dis pas cela, moi. Jacques est fort ; il est très vif et intelligent ; il est résolu, et, quand il veut, il veut ferme.

LÉON

Laisse donc ! ne vas-tu pas croire qu'il saura faire une maison à lui tout seul, aidé seulement par Sophie et Marguerite ?

JEAN

Je n'en sais rien ; nous verrons.

LÉON

C'est tout vu d'avance, mon cher. Il fera chou blanc.

JEAN

Ou chou pommé. Tu verras, tu verras.

LÉON

Ce que tu dis là est d'une niaiserie pommée. Ha ! ha ! ha ! Un petit gamin de sept ans architecte maçon.

JEAN

C'est bon ! tu riras après ; en attendant, viens chercher nos cousines ; il va être huit heures. »

Ils coururent à la maison, allèrent frapper à la porte de leurs cousines, qui les attendaient et qui leur ouvrirent avec empressement. Ils se demandèrent réciproquement des nouvelles de leur nuit, et descendirent pour courir à leur jardin et commencer leur cabane. En approchant, ils furent surpris d'entendre frapper comme si on clouait des planches.

CAMILLE

Qu'est-ce qui peut cogner dans notre jardin ?

MADELEINE

C'est sans doute dans le bois.

CAMILLE

Mais non ; les coups semblent venir du jardin.

LÉON

Ah ! voici Marguerite ; elle nous dira ce que c'est. »

Au même instant, Marguerite cria très haut : « Léon, Jean, bonjour ; Sophie et Jacques sont avec moi.

— Ne crie donc pas si fort, dit Jean en souriant, nous ne sommes pas sourds. »

Marguerite courut à eux, les arrêta pour les embrasser tous, puis ils prirent le chemin qui menait au jardin, en tournant un peu court dans le bois.

Quelle ne fut pas leur surprise en voyant Jacques, le pauvre petit Jacques, armé d'un lourd maillet et clouant des planches aux piquets qui formaient les

21

quatre coins de sa cabane. Sophie l'aidait en soutenant les planches.

Jacques avait très bien choisi l'emplacement de sa maisonnette ; il l'avait adossée à des noisetiers qui formaient un buisson très épais et qui l'abritaient d'un soleil trop ardent. Mais ce qui causa aux cousins et aux cousines une vive surprise, ce fut la promptitude du travail de Jacques et la force et l'adresse avec lesquelles il avait placé et enfoncé les gros piquets qui devaient recevoir les planches avec lesquelles il formait les murs. La porte et une fenêtre étaient déjà indiquées par des piquets pareils à ceux qui faisaient les coins de la maison.

Ils s'étaient arrêtés tous quatre ; leur étonnement se peignait si bien sur leurs figures que Jacques, Marguerite et Sophie ne purent s'empêcher de sourire, puis d'éclater de rire. Jacques jeta son maillet à terre pour rire plus à son aise.

Enfin Léon s'avança vers lui.

LÉON, *avec humeur.*

Pourquoi et de quoi ris-tu ?

JACQUES

Je ris de vous tous et de vos airs étonnés.

JEAN

Mais, mon petit Jacques, comment as-tu pu faire tout cela, et comment as-tu eu la force de porter ces lourds piquets et ces lourdes planches ?

Marguerite et Sophie m'ont aidé. »

Léon et Jean hochèrent la tête d'un air incrédule ; ils tournèrent autour de la cabane, regardèrent partout d'un air méfiant, pendant que Camille et Madeleine s'extasiaient devant l'habileté de Jacques et admiraient la promptitude avec laquelle il avait travaillé.

CAMILLE

À quelle heure t'es-tu donc levé, mon petit Jacques ?

JACQUES

À cinq heures, et à six j'étais ici avec mes piquets, mes planches et tous mes outils. Tenez, mes amis, prenez les outils maintenant, chacun son tour.

LÉON

Non, Jacques, continue, nous voudrions te voir travailler, pour prendre des leçons de ton grand génie. »

Jacques jeta à Marguerite et à Sophie un coup d'œil d'intelligence et répondit en riant :

JACQUES

Mais nous travaillons depuis longtemps, et nous sommes fatigués. Nous allons à présent courir après les papillons.

LÉON, *avec ironie.*

Pour vous reposer sans doute ?

Précisément, pour nous reposer les mains et l'esprit. »

Et ils partirent en riant et en sautant.

Léon les regarda s'éloigner et dit :

« Ils ne ressemblent guère à des gens fatigués. »

Au même instant Camille et Madeleine se rapprochèrent avec inquiétude de Léon et de Jean.

CAMILLE

J'ai entendu les branches craquer dans le buisson.

MADELEINE

Et moi aussi ; entendez-vous ? On s'éloigne avec précaution. »

Pendant que Léon reculait en s'éloignant prudemment du buisson et du bois, Jean saisissait le maillet de Jacques et s'élançait devant ses cousines pour les protéger.

Ils écoutèrent quelques instants et n'entendirent plus rien. Léon dit d'un air mécontent :

LÉON

Vous vous êtes trompées ; il n'y a rien du tout. Laisse donc ce maillet, Jean ; tu prends un air matamore en pure perte ; il n'y a aucun ennemi pour se mesurer avec toi.

MADELEINE

Merci, Jean ; s'il y avait eu du danger, tu nous aurais défendues bravement.

24

Léon, pourquoi plaisantes-tu du courage de Jean ? Il pouvait y avoir du danger, car je suis sûre d'avoir entendu marcher avec précaution dans le fourré, comme si on voulait se cacher.

LÉON, *d'un air moqueur.*

Je préfère la prudence du serpent au courage du lion.

JEAN

Il est certain que c'est plus sûr. »

Camille, qui pressentait une dispute, changea la conversation en parlant de leur cabane. Elle demanda qu'on choisît l'emplacement ; après bien des incertitudes, ils décidèrent qu'on la bâtirait en face de celle de Jacques. Ensuite ils allèrent chercher les pièces de bois et les planches nécessaires pour la construction. Ils firent leur choix dans un grand hangar où il y avait du bois de toute espèce. Ils chargèrent leurs planches et leurs piquets sur une petite charrette à leur usage ; Léon et Jean s'attelèrent au brancard, Camille et Madeleine poussaient derrière, et ils partirent au trot, passant en triomphe devant Jacques, Marguerite et Sophie qui couraient dans le pré après les papillons ; ceux-ci allèrent se ranger en ligne au coin du bois et leur présentèrent les armes avec leurs filets à papillons, tout en riant d'un air malicieux. Jean, Camille et Madeleine rirent aussi d'un air joyeux ; Léon devint rouge et voulut s'arrêter ; mais

Jean tirait, Camille et Madeleine poussaient, et Léon dut marcher avec eux.

Bientôt après, la cloche du déjeuner se fit entendre ; les enfants laissèrent leur ouvrage et montèrent pour se laver les mains et donner un coup de peigne à leurs cheveux, un coup de brosse à leurs habits.

On se mit à table : M. de Traypi demanda des nouvelles des cabanes.

« Marchent-elles bien, vos constructions ? Êtes-vous bien avancés, vous autres grands garçons ? Quant à mon pauvre Jacquot, je présume qu'il en est encore au premier piquet. Hé, Léon ?

LÉON, *d'un air de dépit.*

Mais non, mon oncle ; nous ne sommes pas très avancés ; nous commençons seulement à placer les quatre piquets des coins.

M. DE TRAYPI

Et Jacques, hé ? Où en est-il ?

LÉON, *de même.*

Je ne sais pas comment il a fait, mais il a déjà commencé comme nous.

MARGUERITE

Dis donc aussi qu'il est bien plus avancé que vous autres, grands et forts, puisqu'il cloue déjà les planches des murs.

26

Ha ! ha ! Jacques n'est donc pas si mauvais ouvrier que tu le craignais hier, Léon ? »

Léon ne répondit rien et rougit. Tout le monde se mit à rire ; Jacques, qui était à côté de son père, lui prit la main et la baisa furtivement. On parla d'autre chose ; de bons gâteaux avec du chocolat mousseux mirent la joie dans tous les cœurs et dans tous les estomacs. Après le déjeuner, les enfants voulurent mener leurs parents dans leur jardin pour voir l'emplacement et le commencement des maisonnettes, mais les parents déclarèrent tous qu'ils ne les verraient que terminées ; ils firent alors ensemble une petite promenade dans le bois, pendant laquelle Léon arrangea une partie de pêche.

LÉON

Jean et moi, nous allons préparer les lignes et les hameçons ; en attendant, allez, je vous prie, mes chères cousines, demander des vers au jardinier ; vous les ferez mettre dans un petit pot pour qu'ils ne s'échappent pas. »

Camille et Madeleine coururent au jardin, où leurs cousins ne tardèrent pas à les rejoindre ; en quelques minutes le jardinier leur remplit un petit pot avec des vers superbes, et ils allèrent à la pièce d'eau où ils trouvèrent Jacques, Marguerite et Sophie qui avaient préparé un seau pour mettre les poissons et du pain pour les attirer.

La pêche fut bonne ; vingt et un poissons passèrent de la pièce d'eau dans le seau qui était leur prison de passage ; ils ne devaient en sortir que pour périr par le fer et par le feu de la cuisine. Personne ne s'aperçut que lorsque la pêche fut bien en train, Jacques s'était esquivé furtivement. Madeleine fut la première qui remarqua son absence, mais elle ajouta :

« Il est probablement rentré pour arranger ses papillons.

— Les papillons qu'il n'a pas pris », dit Marguerite en riant, à l'oreille de Sophie.

Sophie lui répondit par un signe d'intelligence et un sourire.

« Qu'est-ce qu'il y a donc ? dit Léon d'un air soupçonneux. Je ne sais pas ce qu'elles complotent, mais elles ont depuis ce matin, ainsi que Jacques, un air riant, mystérieux, narquois, qui n'annonce rien de bon.

MARGUERITE. *riant.*

Pour vous ou pour nous ?

LÉON

Pour tous ; car, si vous nous jouez des tours à Jean et à moi, nous vous en jouerons aussi.

JEAN

Oh ! ne me craignez pas, mes chères amies ; jouez-moi tous les tours que vous voudrez, je ne vous les rendrai jamais.

 28

MARGUERITE

Que tu es bon, toi, Jean ! dit Marguerite en allant à lui et lui serrant les mains. Ne crains rien, nous ne te jouerons jamais de méchants tours.

SOPHIE

Et nous sommes bien sûres que vous nous permettrez des tours innocents.

JEAN, *riant.*

Ah ! Il y en a donc en train ? Je m'en doutais. Je vous préviens que je ferai mon possible pour les déjouer.

MARGUERITE

Impossible, impossible ; tu ne pourras jamais.

JEAN

C'est ce que nous verrons.

LÉON

Voilà près de deux heures que nous pêchons, nous avons plus de vingt poissons ; je pense que c'est assez pour aujourd'hui. Qu'en dites-vous, mes cousines ?

CAMILLE

Léon a raison ; retournons à nos cabanes, qui ne sont pas trop avancées ; tâchons de rattraper Jacques, qui est le plus petit et qui a bien plus travaillé que nous.

29

JEAN

C'est précisément ce que je ne peux comprendre, Sophie, toi qui travailles avec lui, dis-nous donc comment il se fait que vous ayez fait l'ouvrage de deux hommes, tandis que nous avons à peine enfoncé les piquets de notre maison.

SOPHIE, *embarrassée.*

Mais... je ne sais pas... je ne peux pas savoir.

MARGUERITE, *vivement.*

C'est tout bonnement parce que nous sommes très bons ouvriers, très actifs, que nous ne perdons pas une minute, que nous travaillons comme des nègres.

MADELEINE

Savez-vous, mes amis, ce que nous faisons, nous autres ? Nous ne faisons rien et nous perdons notre temps. Je suis sûre que Jacques est à l'ouvrage pendant que nous nous demandons comment il fait pour le tant avancer.

— Allons voir, allons voir, s'écrièrent tous les enfants, à l'exception de Marguerite et de Sophie.

— Il faut d'abord ranger nos lignes et nos hameçons, dit Sophie en les retenant.

— Et porter nos poissons à la cuisine, dit Marguerite.

Et puis les cuire nous-mêmes, pour donner à Jacques le temps de finir.

Attendez, je vais voir où il en est. »

Et il voulut partir en courant, mais Sophie et Marguerite se jetèrent sur lui pour l'arrêter. Jean se débattait doucement tout en riant ; Camille et Madeleine accoururent pour lui venir en aide. Marguerite se jeta à terre et saisit une des jambes de Jean.

« Arrête-le, arrête-le ; prends-lui l'autre jambe », cria-t-elle à Sophie. Mais Camille et Madeleine se précipitèrent sur Sophie, qui riait si fort qu'elle n'eut pas la force de les repousser. Marguerite, tout en riant aussi, s'était accrochée aux pieds de Jean, qui, lui aussi, riait tellement qu'il tomba le nez sur l'herbe. Sa chute ne fit qu'augmenter la gaieté générale ; Jean riait aux éclats, étendu tout de son long sur l'herbe ; Marguerite, tombée de son côté, riait le nez sur la semelle de Jean. Leur ridicule attitude faisait rire aux larmes Sophie, maintenue par Camille et Madeleine, qui se roulaient à force de rire. L'air grave de Léon redoubla leur gaieté. Il se tenait debout auprès des poissons et demandait de temps en temps d'un air mécontent :

« Aurez-vous bientôt fini ? En avez-vous encore pour longtemps ? »

Plus Léon prenait un air digne et fâché, plus les autres riaient. Leur gaieté se ralentit enfin ; ils eurent la force de se relever et de suivre Léon, qui marchait gravement, accompagné d'éclats de rire et de gaies plaisanteries. Ils approchèrent ainsi du petit bois où se construisaient les cabanes, et ils entendirent distinctement des coups de marteau si forts et si répétés qu'ils jugèrent impossible qu'ils fussent donnés par le petit Jacques.

« Pour le coup, dit Jean en s'échappant et en entrant dans le fourré, je saurai ce qu'il en est ! »

Sophie et Marguerite s'élancèrent par le chemin qui tournait dans le bois en criant : « Jacques ! Jacques ! garde à toi ! » Léon courut de son côté et arriva le premier à l'emplacement des maisonnettes ; il n'y avait personne, mais par terre étaient deux forts maillets, des clous, des chevilles, des planches, etc.

« Personne, dit Léon ; c'est trop fort ; il faut les poursuivre. À moi, Jean, à moi ! »

Et il se précipita à son tour dans le fourré. Au bout de quelques instants on entendit des cris partir du bois : « Le voilà ! le voilà ! il est pris ! — Non, il s'échappe ! — Attrape-le ! à droite ! à gauche ! »

Sophie, Marguerite, Camille, Madeleine écoutaient avec anxiété, tout en riant encore. Elles virent Jean sortir du bois, échevelé, les habits en désordre. Au même instant, Léon en sortit dans le même état, demandant à Jean avec empressement :

« L'as-tu vu ? Où est-il ? Comment l'as-tu laissé aller ?

— Je l'ai entendu courir dans le bois, répondit Jean, mais, de même que toi, je n'ai pu le saisir ni même l'apercevoir. »

Pendant qu'il parlait, Jacques, rouge, essoufflé,

sortit aussi du bois et leur demanda d'un air malin ce qu'il y avait, pourquoi ils avaient crié et qui ils avaient poursuivi dans le bois.

LÉON, *avec humeur.*

Fais donc l'innocent, rusé que tu es. Tu sais mieux que nous qui nous avons poursuivi et par quel côté il s'est échappé.

JEAN

J'ai bien manqué le prendre tout de même ; sans Jacques qui est venu me couper le chemin dans un fourré, je l'aurais empoigné.

LÉON

Et tu lui aurais donné une bonne leçon, j'espère bien.

JEAN

Je l'aurais regardé, reconnu, et je vous l'aurais amené pour le faire travailler à notre cabane. Allons, mon petit Jacques, dis-nous qui t'a aidé à bâtir si vite et si bien ta cabane. Nous ferons semblant de ne pas le savoir, je te le promets.

JACQUES

Pourquoi feriez-vous semblant ?

JEAN

Pour qu'on ne te reproche pas d'être indiscret.

33

JACQUES

Ha ! ha ! vous croyez donc que quelqu'un a eu la bonté de m'aider, que ce quelqu'un serait fâché que je vous dise son nom, et tu veux, toi Jean, que je sois lâche et ingrat, en faisant de la peine à celui qui a bien voulu se fatiguer à m'aider ?

LÉON

Ta, ta, ta, voyez donc ce beau parleur de sept ans ! Nous allons bien te forcer à parler, tu vas voir.

JEAN

Non, Léon, Jacques a raison ; je voulais lui faire commettre une mauvaise action, ou tout au moins une indiscrétion.

LÉON

C'est pourtant ennuyeux d'être joué par un gamin.

SOPHIE

N'oublie pas, Léon, que tu l'as défié, que tu t'es moqué de lui et qu'il avait le droit de te prouver...

LÉON

De me prouver quoi ?

SOPHIE

De te prouver... que..., que...

MARGUERITE, *avec vivacité.*

Qu'il a plus d'esprit que toi et qu'il pouvait te jouer un tour innocent, sans que tu aies le droit de t'en fâcher.

LÉON, *piqué.*

Aussi je ne m'en fâche pas, mesdemoiselles ; soyez assurées que je saurai respecter l'esprit et la sagesse de votre protégé.

MARGUERITE, *vivement.*

Un protégé qui deviendra bientôt un protecteur.

JACQUES, *à Marguerite avec vivacité.*

Et qui ne se mettra pas derrière toi quand il y aura un danger à courir.

LÉON, *avec colère.*

De quoi et de qui veux-tu parler, polisson ?

JACQUES, *vivement.*

D'un poltron et d'un égoïste. »

Camille, craignant que la dispute ne devînt sérieuse, prit la main de Léon et lui dit affectueusement :

« Léon, nous perdons notre temps ; et toi, qui es le plus sage et le plus intelligent de nous tous, dirigenous pour notre pauvre cabane si en retard, et distribue à chacun de nous l'ouvrage qu'il doit faire.

— Je me mets sous tes ordres », s'écria Jacques, qui regrettait sa vivacité.

35

Léon, que la petite flatterie de Camille avait désarmé, se sentit tout à fait radouci par la déférence de Jacques, et, oubliant la parole trop vive que celui-ci venait de prononcer, il courut aux outils, donna à chacun sa tâche, et tous se mirent à l'ouvrage avec ardeur. Pendant deux heures ils travaillèrent avec une activité digne d'un meilleur sort ; mais leurs pièces de bois ne tenaient pas bien, les planches se détachaient, les clous se tordaient. Ils recommençaient avec patience et courage le travail mal fait, mais ils avançaient peu. Le petit Jacques semblait vouloir racheter ses paroles par un zèle actif au-dessus de son âge. Il donna plusieurs excellents conseils qui furent suivis avec succès. Enfin, fatigués et suants, ils laissèrent leur maison jusqu'au lendemain, après avoir jeté un regard d'envie sur celle de Jacques déjà presque achevée. Jacques, qui avait semblé mal à l'aise depuis la querelle, les quitta pour rentrer, disait-il, et il alla droit chez son père qui le reçut en riant.

M. DE TRAYPI

Eh bien, mon Jacquot, nous avons été serrés de près ! J'ai bien manqué être pris ! Si tu ne t'étais pas jeté entre le fourré où j'étais et Jean, il m'aurait attrapé tout de même. C'est égal, nous avons bien avancé la besogne ; j'ai demandé à Martin de tout finir pendant notre dîner, et demain ils seront bien surpris de voir que ton ouvrage s'est fait en dormant.

— Oh ! non, papa, je vous en prie, dit Jacques en jetant ses petits bras autour du cou de son père.

36

Laissez ma maison et faites finir celle de mes pauvres cousins.

— Comment ! dit le père avec surprise, toi qui tenais tant à attraper Léon (et il l'a mérité, il faut l'avouer), tu veux que je laisse ton ouvrage pour faire le sien !

JACQUES

Oui, mon cher papa, parce que j'ai été méchant pour lui, et cela me fait de la peine de le taquiner, depuis qu'il a été bon pour moi : car il pouvait et devait me battre pour ce que je lui ai dit, et il ne m'a même pas grondé. »

Et Jacques raconta à son papa la scène qui avait eu lieu au jardin.

M. DE TRAYPI

Et pourquoi l'as-tu accusé d'égoïsme et de pol-tronnerie, Jacques ? Sais-tu que c'est un terrible reproche ? Et en quoi l'a-t-il mérité ?

JACQUES

Vous savez, papa, que le matin, lorsque nous nous sommes sauvés et cachés dans le bois, Camille et Madeleine, nous entendant remuer, ont cru que c'étaient des loups ou des voleurs. Jean s'est jeté devant elles, et Léon s'est mis derrière, et je voyais à travers les feuilles, à son air effrayé, que, si nous bougions encore, il se sauverait, au lieu d'aider Jean à les secourir. C'est cela que je voulais lui reprocher, papa, et c'était très méchant à moi, car c'était vrai.

M. DE TRAYPI, *l'embrassant en souriant.*

Tu es un bon garçon, mon petit Jacquot ; ne recommence pas une autre fois ; et moi je vais faire finir leur maison pour être de moitié dans ta pénitence. »

Jacques embrassa bien fort son papa et courut tout joyeux rejoindre ses cousins, cousines et amies, qui s'amusaient tranquillement sur l'herbe.

Le lendemain, quand les enfants, accompagnés cette fois de Sophie et de Marguerite, allèrent à leur jardin pour continuer leurs cabanes, quelle ne fut pas leur surprise de les voir toutes deux entièrement finies, et même ornées de portes et de fenêtres ! Ils s'arrêtèrent tout stupéfaits. Jacques, Sophie et Marguerite les regardaient en riant.

« Comment cela s'est-il fait ? dit enfin Léon. Par quel miracle notre maison se trouve-t-elle achevée ?

— Parce qu'il était temps de faire finir une plaisanterie qui aurait pu mal tourner, dit M. de Traypi sortant de dedans le bois. Jacques m'a raconté ce qui s'était passé hier, et m'a demandé de vous venir en aide comme je l'avais fait pour lui dès le commencement. D'ailleurs, ajouta-t-il en riant, j'ai eu peur d'une seconde poursuite comme celle d'hier. J'ai eu toutes les angoisses d'un coupable. Deux fois j'ai été à deux pieds de mes poursuivants. Toi, Jean, tu me prenais, sans la présence de Jacques, et toi, Léon, tu m'as effleuré en passant près d'un buisson où je m'étais blotti.

Comment ! c'est vous, mon oncle, qui nous avez fait si bien courir ? Vous pouvez vous vanter d'avoir de fameuses jambes, de vraies jambes de collégien.

M. DE TRAYPI, *riant.*

Ah ! c'est qu'au temps de ma jeunesse je passais pour le meilleur, le plus solide coureur de tout le collège. Il m'en reste quelque chose. »

Les enfants remercièrent leur oncle d'avoir fait terminer leurs maisons. Léon embrassa le petit Jacques, qui lui demanda tout bas pardon. « Tais-toi, lui répondit Léon, rougissant légèrement, ne parlons plus de cela. » C'est que Léon sentait que l'observation de Jacques avait été vraie. Et il se promit de ne plus la mériter à l'avenir.

Il s'agissait maintenant de meubler les maisons ; chacun des enfants demanda et obtint une foule de trésors, comme tabourets, vieilles chaises, tables de rebut, bouts de rideaux, porcelaines et cristaux ébréchés. Tout ce qu'ils pouvaient attraper était porté dans les maisons.

« Venez voir, criait Léon, le beau tapis que nous avons sous notre table.

— Et nous, au lieu de tapis, nous avons une toile cirée, répondait Sophie.

— Venez essayer notre banc : il est aussi commode que les fauteuils du salon, disait Jean.

— Venez voir notre armoire pleine de tasses, de verres et d'assiettes, disait Marguerite.

— Voyez notre coffre plein de provisions : il y a

des confitures, du sucre, des biscuits, des cerises, du chocolat, disait Camille.

— Et voyez comme nous avons été gens sages, nous autres, disait Jacques ; pendant que vous vous faites mal au cœur avec vos sucreries, nous nous fortifions l'estomac avec nos provisions solides : pain, fromage, jambon, beurre, œufs, vin.

— Ah ! tant mieux, s'écriait Madeleine ; lorsque nous vous inviterons à déjeuner ou à goûter, vous apporterez le salé et nous le sucré. »

Chaque jour ajoutait quelque chose à l'agrément des cabanes ; M. de Rugès et M. de Traypi s'amusaient à les embellir au-dedans et au-dehors. À la fin des vacances elles étaient devenues de charmantes maisonnettes ; l'intervalle des planches avait été bouché avec de la mousse au-dedans comme au-dehors ; les fenêtres étaient garnies de rideaux ; les planches qui formaient le toit avaient été recouvertes de mousse, rattachée par des bouts de ficelle pour que le vent ne l'emportât pas. Le terrain avait été recouvert de sable fin ; petit à petit on y avait transporté les cahiers, les livres, et bien des fois les enfants y prenaient leurs leçons. Leur sagesse était alors exemplaire. Chacun travaillait à son devoir, se gardant bien de troubler son voisin. Quand il fallut se quitter, les cabanes entrèrent pour beaucoup dans les regrets de la séparation. Mais les vacances devaient durer près de deux mois : on n'était encore qu'au troisième jour et on avait le temps de s'amuser.

Chapitre 3

Visite au moulin

« Je propose une grande promenade au moulin, par les bois, dit M. de Rugès. Nous irons voir la nouvelle mécanique établie par ma sœur de Fleurville, et, pendant que nous examinerons les machines, vous autres enfants vous jouerez sur l'herbe, où on vous préparera un bon goûter de campagne : pain bis, crème fraîche, lait caillé, fromage, beurre et galette de ménage. Que ceux qui m'aiment me suivent ! »

Tous l'entourèrent au même instant.

« Il paraît que tout le monde m'aime, reprit M. de Rugès en riant. Allons, marchons en avant !

— Hé, hé, pas si vite, les petits ! Nous autres gens sages et essoufflés, nous serions trop humiliés de rester si loin en arrière. »

Les enfants, qui étaient partis au galop, revinrent sur leurs pas et se groupèrent autour de leurs parents.

La promenade fut charmante, la fraîcheur du bois

tempérait la chaleur du soleil ; de temps en temps on s'asseyait, on causait, on cueillait des fleurs, on trouvait quelques fraises.

« Nous voici près du fameux chêne où j'ai laissé ma poupée, dit Marguerite ; je n'oublierai jamais le chagrin que j'ai éprouvé lorsque, en me couchant, je me suis aperçue que ma poupée, ma jolie poupée, ma fille, était restée dans le bois pendant l'orage[1].

— Quelle poupée ? dit Jean ; je ne connais pas cette histoire-là.

— Il y a longtemps de cela, dit Marguerite. La méchante Jeannette me l'avait volée.

JEAN

Jeannette la meunière ?

MARGUERITE

Oui, précisément, et sa maman l'a bien fouettée, je t'assure ; nous l'entendions crier à plus de deux cents pas.

JACQUES

Oh ! raconte-nous cela, Marguerite. Voilà maman, papa, ma tante et mes oncles assis pour quelque temps ; nous avons le temps d'entendre ton histoire. »

Marguerite s'assit sur l'herbe, sous ce même chêne où sa poupée était restée oubliée par elle ; elle leur raconta toute l'histoire et comment la poupée avait été retrouvée chez Jeannette, qui l'avait volée.

« Cette Jeannette est une bien méchante fille, dit

---

1. Voyez *Les petites filles modèles*, ouvrage du même auteur.

Jacques, qui avait écouté avec une indignation croissante, les narines gonflées, les yeux étincelants, les lèvres serrées. Je suis enchanté que sa maman l'ait si bien corrigée. Est-elle devenue bonne depuis ?

SOPHIE

Bonne ! Ah oui ! C'est la plus méchante fille de l'école.

MARGUERITE

Maman dit que c'est une voleuse.

CAMILLE

Marguerite ! Marguerite ! Ce n'est pas bien, ce que tu dis là. Tu fais tort à une pauvre fille qui est peut-être honteuse et repentante de ses fautes passées.

MARGUERITE

Ni honteuse ni repentante, je t'en réponds.

CAMILLE

Comment le sais-tu ?

MARGUERITE

Parce que je le vois bien à son air impertinent, à son nez en l'air quand elle passe devant nous, parce qu'à l'église elle se tient très mal, elle se couche sur son banc, elle bâille, elle cause, elle rit ; et puis elle a un air faux et méchant.

43

MADELEINE

Cela, c'est vrai ; je l'ai même dit à sa mère.

LÉON

Et que lui a dit la mère Léonard ?

MADELEINE

Rien, je pense, puisqu'elle a continué comme avant.

SOPHIE

Et tu ne dis pas que sa mère t'a répondu : "Qu'est-ce que ça vous regarde, mam'selle ? Je ne me mêlons pas de vos affaires : ne vous occupez pas des nôtres."

JEAN

Comment ! elle a osé te répondre si grossièrement ? Si j'avais été là, je l'aurais joliment rabrouée et sa Jeannette aussi.

MADELEINE, *souriant.*

Heureusement que tu n'étais pas là. La mère Léonard se serait prise de querelle avec toi et t'aurait dit quelque grosse injure.

JEAN

Injure ! Ah bien ! je lui aurais donné une volée de coups de poing et de coups de pied ; je suis fort sur la savate, va ! Je l'aurais mise en marmelade en moins de deux minutes.

LÉON, *levant les épaules.*

Vantard, va ! C'est elle qui t'aurait rossé.

JEAN

Rossé ! moi ! Veux-tu que je te fasse voir si je sais donner une volée en moins de rien ! »

Et Jean se lève, ôte sa veste et se met en position de bataille. Jacques lui offre de lui servir de second.

Tous les enfants se mettent à rire. Jean se sent un peu ridicule, remet son habit et rit de lui-même avec les autres. Léon persifle Jacques, qui riposte en riant ; Marguerite le soutient ; Léon commence à devenir rouge et à se fâcher. Camille, Madeleine, Sophie et Jean se regardent du coin de l'œil et cherchent par leurs plaisanteries à arrêter la querelle commençante ; leurs efforts ne réussissent pas ; Jacques et Marguerite taquinent Léon, malgré les signes que leur font Camille et Madeleine. Léon se lève et veut chasser Jacques, qui, plus leste que lui, court, tourne autour des arbres, lui échappe toujours et revient toujours à sa place. Léon s'essuie le front, il est en nage et tout à fait en colère.

« Viens donc m'aider, dit-il à Jean. Tu es là comme un grand paresseux, à me regarder courir sans venir à mon aide.

— À ton aide, pour quoi faire ? dit Jean.

LÉON

Pour attraper ce mauvais gamin, pardine !

45

JEAN, *froidement.*

Et après ?

LÉON

Après..., après..., pour m'aider à lui donner une leçon.

JEAN, *de même.*

Une leçon de quoi ?

LÉON

De respect, de politesse pour moi qui ai presque le double de son âge.

JEAN

De respect ! Ha ! ha ! ha ! Quel homme respectable tu fais en vérité !

MARGUERITE

Ne faudrait-il pas que nous nous prosternions devant toi ?

JEAN

Dans tous les cas, lors même que Jacques t'aurait offensé, je serais honteux de me mettre avec toi contre lui, pauvre petit qui a, comme tu le dis très bien, la moitié de ton âge. Ce serait un peu lâche, dis donc, Léon ! Comme trois ou quatre contre un !

46

Tu es ennuyeux, toi, avec tes grands sentiments, ta sotte générosité.

Tu appelles grands sentiments et générosité que deux grands garçons de treize ans et de onze ans ne se réunissent pas pour battre un pauvre enfant de sept ans qui ne leur a rien fait ?

Ce n'est rien, de me taquiner comme il le fait depuis un quart d'heure ?

Ah bah ! Tu l'as taquiné aussi. Défends-toi tout seul. Tant pis pour toi, s'il est plus fort que toi à la course et au coup de langue. »

Jacques avait écouté sans mot dire. Sa figure intelligente et vive laissait voir tout ce qui se passait en son cœur de reconnaissance et d'affection pour Jean, de regret d'avoir blessé Léon. Il se rapprocha petit à petit, et au dernier mot de Jean il fit un bond vers Léon et lui dit :

« Pardonne-moi, Léon, de t'avoir fâché ; j'ai eu tort, je le sens ; et j'ai entraîné Marguerite à mal faire, comme moi ; elle en est bien fâchée, comme moi aussi ; n'est-ce pas, Marguerite ?

Certainement, Jacques, j'en suis bien fâchée ; et Léon voudra bien nous excuser en pensant que, toi et moi étant les plus petits, nous nous sentons les plus faibles, et qu'à défaut de nos bras nous cherchons à nous venger par notre langue des taquineries des plus forts. »

Léon ne dit rien, mais il donna la main à Marguerite, puis à Jacques. Les papas et les mamans, qui étaient assis et causaient plus loin, se levèrent pour continuer la promenade. Les enfants les suivirent ; Jacques s'approcha de Jean, lui serra le bras et lui dit avec tendresse :

« Jean, je t'aime, et je t'aimerai toujours.

MARGUERITE

Et moi aussi, Jean, je t'aime, et je te remercie d'avoir défendu mon cher Jacques contre Léon. »

Et elle ajouta tout bas à l'oreille de Jean : « Je n'aime pas Léon. »

Jean sourit, l'embrassa et lui répondit tout bas : « Tu as tort ; il est bon, je t'assure.

MARGUERITE

Il fait toujours comme s'il était méchant.

JEAN

C'est qu'il est vif, il ne faut pas le fâcher.

MARGUERITE

Il se fâche toujours.

48

Avoue que, toi et Jacques, vous vous amusez à le taquiner. »

Jacques et Marguerite se regardèrent, sourirent, et avouèrent que Léon les agaçait avec son air moqueur, et qu'ils aimaient à le contrarier.

« Eh bien, dit Jean, essayez de ne pas le contrarier, et vous verrez qu'il ne se fâchera pas et qu'il ne sera pas méchant. »

Tout en causant, on approchait du moulin ; les enfants virent avec surprise une foule de monde assemblée autour ; une grande agitation régnait dans cette foule ; on allait et venait, on se formait en groupes, on courait d'un côté, on revenait avec précipitation de l'autre. Il était clair que quelque chose d'extraordinaire se passait au moulin.

« Serait-il arrivé un malheur pour causer cette agitation ? dit Mme de Rosbourg.

— Approchons, nous saurons bientôt ce qui en est », répondit Mme de Fleurville.

Les enfants regardaient d'un œil curieux et inquiet. En approchant, on entendit des cris, mais ce n'étaient pas des cris de douleur, c'étaient des explosions de colère, des imprécations, des reproches. Bientôt on put distinguer des uniformes de gendarmes ; une femme, un homme et une petite fille se débattaient contre deux de ces braves militaires qui cherchaient à les maintenir. La petite fille et sa mère poussaient des cris aigus et lamentables ; le père jurait, injuriait tout le monde. Les gendarmes, tout en y mettant la plus grande patience, ne les laissaient pas échapper.

Bientôt les enfants purent reconnaître le père Léonard, sa femme et Jeannette.

« Voyons, ma bonne femme, laissez-vous faire, ne nous obligez pas à vous garrotter ! disait un gendarme. N'y a pas à dire. Nous avons ordre de vous emmener : il faudra bien que vous veniez. Le devoir avant tout.

MÈRE LÉONARD

Plus souvent que je viendrai, gueux de gendarmes, tueurs du pauvre monde ! Pas si bête que de marcher vers la prison, où vous me laisserez pourrir jusqu'au Jugement dernier.

LE GENDARME

Allons, mère Léonard, soyez raisonnable ; donnez bon exemple à votre fille.

MÈRE LÉONARD

Je m'en moque bien, de ma fille. C'est elle, la sotte, l'imbécile, qui nous a fait prendre. Faites-en ce que vous voudrez, je n'en ai aucun souci.

— Vas-tu me laisser, grand fainéant ? criait le père Léonard à un second gendarme qui le tenait au collet. Attends que je t'aplatisse d'un croc-en-jambe, coquin, filou, bête brute ! »

Les gendarmes ne répondaient pas à ces invectives et à bien d'autres injures que nous passons sous silence. Voyant que leurs efforts pour faire marcher les prisonniers étaient vains, ils firent signe à un troisième gendarme. Celui-ci tira de sa poche un paquet

50

de petites courroies. Malgré les cris perçants de Jeannette et de sa mère et les imprécations du père, les gendarmes leur lièrent les mains, les pieds, et les assirent ainsi garrottés sur un banc, pendant que l'un d'eux allait chercher une charrette pour les transporter à la prison de la ville.

Mme de Fleurville et ses compagnes étaient restées un peu à l'écart avec les enfants. MM. de Rugès et de Traypi s'étaient approchés des gendarmes pour savoir la cause de cette arrestation. Léon et Jean les avaient suivis.

« Pourquoi arrêtez-vous la famille Léonard, gendarmes ? demanda M. de Rugès. Qu'ont-ils fait ?

— C'est pour vol, monsieur, répondit poliment le gendarme en touchant son chapeau ; il y a longtemps qu'on porte plainte contre eux, mais ils sont habiles ; nous ne pouvions pas les prendre. Enfin, l'autre jour, au marché, la petite s'est trahie et nous a mis sur la voie.

M. DE RUGÈS

Comment cela ?

LE GENDARME

Il paraîtrait qu'ils ont volé une pièce de toile qui était à blanchir sur l'herbe. Ils l'ont cachée dans leur huche à pain, sous de la farine : mais, dans la nuit, la petite s'est dit : « Puisque mon père et ma mère ont volé la toile de la femme Martin, je puis bien aussi leur en voler un morceau ; ça fait que j'aurai de quoi acheter des gâteaux et des sucres d'orge. » La voilà qui se lève et qui en coupe un bon bout.

C'était la veille du marché. Le lendemain, la petite se dit : « Ce n'est pas tout d'avoir la toile, faut encore que je la vende. » Et la voilà qui, sans rien dire à père ni à mère, part pour le marché et offre sa toile à la fille Chartier. « Combien en as-tu ? lui dit la fille Chartier. — J'en ai bien six mètres, de quoi faire deux chemises, répond la petite Léonard. — Combien que tu la veux vendre ? — Ah ! pas cher, je vous la donnerai bien pour une pièce de cinq francs. — Tope là, je te la prends ; tiens, voici la pièce et donne-moi la toile. » Les voilà bien contentes toutes les deux, la petite Léonard d'avoir cinq francs, la fille Chartier d'avoir de quoi faire deux chemises et pas cher. Mais, quand elle la rapporte chez elle, qu'elle la montre à sa mère et qu'elle la déploie pour mesurer si le compte y est, ne voilà-t-il pas que la farine s'envole de tous côtés ; la chambre en était blanche ; la mère et la fille Chartier étaient tout comme des meunières. « Qu'est-ce que c'est que ça ? disent-elles. Cette toile a donc été blanchie à la farine ? Faut la secouer. Viens, Lucette, secouons-la dans la rue ; ce sera bien vite fait. » Les voilà qui secouent devant leur porte, quand passe la mère Martin. « Où allez-vous donc, que vous avez l'air si affairée ? lui demanda la mère Chartier. — Ah ! je vais porter plainte à la gendarmerie : on m'a volé ma belle pièce de toile cette nuit. Faut que je tâche de la rattraper. — Et moi je viens d'en acheter un bout qui n'est pas cher, dit la mère Chartier. — Tiens, dit l'autre en la regardant, mais c'est tout comme la mienne. Qu'est-ce que vous lui faites donc à votre toile ? — Je la secoue ; elle était si pleine de farine que nous

52

en étions aveuglées, Lucette et moi. — Tiens, tiens ! de la toile enfarinée ! Mais où l'avez-vous eue donc ? — C'est la petite Léonard qui me l'a vendue comme ça. — La petite Léonard ? Où a-t-elle pu avoir de la toile aussi fine ?... Mais !... laissez-moi donc voir le bout ; cela ressemble terriblement à la mienne. » La mère Martin prend la toile, l'examine, arrive au bout et reconnaît une marque qu'elle avait faite à sa pièce. Les voilà toutes trois bien étonnées : la mère Chartier bien attrapée d'avoir donné sa pièce de cinq francs pour un bout de toile qui était volée ; elles arrivent toutes trois chez moi et me racontent ce qui vient d'arriver. « Toute votre toile y est-elle ? que je dis à la femme Martin. — Pour ça non ! répond-elle. Il y en avait près de cinquante mètres. — Alors il faut tâcher de ravoir les quarante-quatre mètres qui vous manquent, mère Martin. Laissez-moi faire ; je crois bien que je vous les retrouverai. Nous allons bien surveiller le marché ; si la femme ou le père Léonard y apportent votre toile, je les arrête ; s'ils n'y viennent pas ou qu'ils y viennent avec rien que leurs sacs de farine, j'irai demain avec mes camarades faire une reconnaissance au moulin. Puisque c'est la petite Léonard qui vous en a vendu un bout, c'est que l'autre bout est au moulin. — Mais si elle la vend à quelque voisin ? dit la mère Martin. — N'ayez pas peur, ma bonne femme, elle n'osera pas ; tout le monde chez vous sait que votre toile est volée. — Je crois bien qu'on le sait, dit la mère Martin, je l'ai dit à tout le village, et j'ai envoyé mon garçon et ma petite le dire partout dans les environs, de crainte qu'elle ne soit vendue par là. — Vous voyez bien qu'il n'y a pas de danger », que je lui réponds. Et je me mets en quête avec les camarades. Rien au marché, rien dans la ville. Alors nous sommes venus ce matin faire notre visite au moulin, avec un ordre d'arrêter, s'il y a lieu. Nous avons cherché partout ; nous ne trouvions rien. Les Léonard nous agonissaient d'injures. Enfin, je me rappelle la farine que secouaient les femmes Chartier, et l'idée me vient d'ouvrir la huche ; elle était pleine de farine ; je fouille dedans avec le fourreau de mon sabre. Les Léonard crient que je leur gâche leur farine ; je fouille tout de même, et voilà-t-il pas que j'accroche un bout de toile ; je tire, je tire ; il en venait toujours. C'était toute la pièce de la mère Martin. Les Léonard veulent s'échapper ; mais les camarades gardaient les portes et fenêtres. On les prend ; ils se débattent. J'arrête aussi la petite, qui crie qu'elle est innocente. Je raconte l'histoire de la toile enfarinée. La petite Léonard se trouble, pleure ; la mère s'élance sur elle et la frappe à la joue ; le père en fait autant sur le dos. Si les camarades et moi nous ne l'avions retirée d'entre leurs mains, ils l'auraient mise en pièces. Tout cela a duré un bout de temps, monsieur ; le monde s'est rassemblé ; il y en a plus que je n'en voudrais, car c'est toujours pénible de voir une jeune fille comme ça déshonorée, et des parents qui ont mené leur fille à mal.

— Vous êtes un brave et digne soldat, dit M. de Rugès en lui tendant la main. Le sentiment d'humanité que vous manifestez à l'égard de ces gens qui vous ont accablé d'injures est noble et généreux. »

Le gendarme prit la main de M. de Rugès et la serra avec émotion.

« Notre devoir est souvent pénible à accomplir, et peu de gens le comprennent ; c'est un bonheur pour nous de rencontrer des hommes justes comme vous, monsieur. »

Léon et Jean avaient écouté avec attention le récit du gendarme. Les dames et les enfants s'étaient aussi rapprochés et avaient pu l'entendre également, de sorte que Léon et Jean n'eurent rien à leur apprendre. Les Léonard avaient recommencé leurs injures et leurs cris ; ces dames pensèrent que, n'ayant rien à faire pour les Léonard, il était plus sage de s'éloigner, de crainte que les enfants ne fussent trop impressionnés de ce qu'ils entendaient. On avait été obligé d'éloigner Jeannette de ses parents, qui, tout garrottés qu'ils étaient, voulaient encore la maltraiter. Mmes de Fleurville et de Rosbourg, et le reste de la compagnie, se dirigèrent vers une partie de la forêt assez éloignée du moulin pour qu'on ne pût rien voir ni entendre de ce qui s'y passait. Les enfants étaient restés tristes et silencieux, sous l'impression pénible de la scène du moulin. M. de Rugès demanda à faire une halte et à étaler sur l'herbe les provisions que portait l'âne qui les suivait ; ce moyen de distraction réussit très bien. Les enfants ne se firent pas prier ; ils firent honneur au repas rustique ; crème, lait caillé, beurre, galette, fraises des bois, tout fut mangé. Ils causèrent beaucoup de Jeannette et de ses parents.

JEAN

Comment Jeannette a-t-elle pu devenir assez mauvaise pour voler et vendre cette toile avec tant d'effronterie ?

MADAME DE FLEURVILLE

Parce que son père et sa mère lui donnaient l'exemple du vol et du mensonge. Bien des fois ils m'ont volé du bois, du foin, du blé, et ils se faisaient toujours aider par Jeannette. Tout naturellement, elle a voulu profiter de ces vols pour elle-même.

CAMILLE

Mais comment osait-elle aller à l'église et au catéchisme ? Comment ne craignait-elle pas que le bon Dieu ne la punît de sa méchanceté ?

MADAME DE FLEURVILLE

Elle se tenait très mal à l'église ; elle bâillait, elle détirait ses bras, elle se roulait sur son banc, ce qui prouve bien qu'elle n'y allait pas pour prier, mais pour faire comme tout le monde.

MADELEINE

Mais au catéchisme, elle devait apprendre que c'est très mal de voler.

MADAME DE FLEURVILLE

Elle l'apprenait, mais elle n'y faisait pas attention.

JEAN

Eh, mon Dieu ! c'est comme nous : si nous faisions tout ce que nous dit notre catéchisme, nous ne ferions jamais rien de mal.

LÉON

Dis donc, Jean, parle pour toi ; ne dis pas *nous* : moi, d'abord, je fais tout ce que me dit le catéchisme.

JACQUES

Ah ! par exemple, non.

LÉON

Est-ce que tu y comprends quelque chose, toi, gamin ? Tu parles toujours sans savoir ce que tu dis.

JACQUES

Est-ce ton catéchisme qui t'ordonne de répondre comme tu le fais ? Est-ce lui qui te conseille de me battre quand tu es en colère, de dire des gros mots et bien d'autres choses encore ?

LÉON

Imbécile, va ! si je ne méprisais ta petitesse, je te ferais changer de ton.

JACQUES

Tu méprises ma petitesse et tu crains papa et mon oncle, sans quoi...

M. DE TRAYPI, *sévèrement.*

Jacques, tais-toi ; tu provoques toujours Léon, qui n'est pas endurant, tu le sais.

JACQUES

Oh oui ! je le sais, papa, et j'ai tort ; mais,... mais,... c'était si tentant...

M. DE TRAYPI

Comment ? tentant de dire des choses désagréables à ton grand cousin ?

JACQUES

Papa, c'est précisément parce qu'il est grand ; et comme vous étiez là pour me protéger...

M. DE TRAYPI, *sévèrement.*

Tu t'es laissé aller. Ce n'est pas bien, Jacques. Ne recommence pas.

M. DE RUGÈS

À ton tour, Léon, tu mérites un reproche bien plus sévère que Jacques, parce que tu es plus grand.

LÉON

Je n'ai rien fait de mal, papa, ce me semble.

M. DE RUGÈS

Tu as été orgueilleux, impatient et maussade ; tâche de ne pas recommencer non plus, toi ; si je me

58

mêle de tes discussions, ce ne sera pas pour te soutenir.

— Et pour tout oublier, dit Mme de Fleurville en
se levant, je propose une partie de cache-cache, de
laquelle nous serons tous, petits et grands, jeunes et
vieux.

— Bravo, bravo ! ce sera bien amusant,
s'écrièrent tous les enfants. Voyons, qu'est-ce qui
l'est ?

— Il faut l'être deux, dit Mme de Rosbourg ; ce
serait trop difficile de prendre étant seul.

— Ce sera moi et ma sœur de Fleurville, dit M. de
Traypi ; ensuite Rugès avec Mme de Rosbourg ; puis
ceux qui se laisseront prendre. Une, deux, trois. La
partie commence : le but est l'arbre près duquel nous
nous trouvons.

Toute la bande se dispersa pour se cacher dans
des buissons ou derrière des arbres.

« Défendu de grimper aux arbres ! cria M. de
Traypi.

— Hou ! hou ! crièrent plusieurs voix de tous les
côtés.

— C'est fait, dit M. de Traypi. Prenez de ce côté,
ma sœur ; je prendrai de l'autre. »

Ils partirent tout doucement chacun de leur côté,
marchant sur la pointe des pieds, regardant derrière
les arbres, examinant les buissons.

« Attention, mon frère ! cria Mme de Fleurville,
j'entends craquer les branches de votre côté.

— Ah ! j'en tiens un », s'écria M. de Traypi en
s'élançant dans un buisson.

Mais il avait parlé trop vite ; Camille et Jean

étaient partis comme des flèches et arrivèrent au but avant que M. de Traypi eût pu les rejoindre. Pendant ce temps Mme de Fleurville avait découvert Léon et Madeleine, elle se mit à leur poursuite ; M. de Traypi accourut à son aide ; pendant qu'ils les poursuivaient, Marguerite et Jacques les croisèrent en courant vers le but. Mme de Fleurville, croyant ceux-ci plus faciles à prendre, abandonna Léon et Madeleine à M. de Traypi et courut après Marguerite et Jacques ; mais, tout jeunes qu'ils étaient, ils couraient mieux qu'elle, qui en avait perdu l'habitude, et ils arrivèrent haletant et riant au but, au moment où elle allait les atteindre.

Essoufflée, fatiguée, elle se jeta sur l'herbe en riant, et y resta quelques instants pour reprendre haleine. Elle alla ensuite rejoindre son frère, qui faisait vainement tous ses efforts pour attraper Léon, Madeleine et les grands ; quant à Sophie, elle n'était pas encore trouvée. À force d'habileté et de persévérance, M. de Traypi finit par les prendre tous malgré leurs ruses, leurs cris, leurs efforts inouïs pour arriver au but. Sophie manquait toujours.

« Sophie, Sophie, criait-on, fais *hou !* qu'on sache de quel côté tu es. »

Personne ne répondait.

L'inquiétude commença à gagner Mme de Fleurville.

« Il n'est pas possible qu'elle ne réponde pas si elle est réellement cachée, dit-elle ; je crains qu'il ne lui soit arrivé quelque chose.

— Elle aura été trop loin, dit M. de Rugès.

— Pourvu qu'elle ne se perde pas, comme il y a trois ans, dit Mme de Rosbourg.

— Ah ! pauvre Sophie ! s'écrièrent Camille et Madeleine. Allons la chercher, maman.

— Oui, allons-y tous, mais chacun des petits escorté d'un grand », dit M. de Traypi.

Ils se partagèrent en bandes et se mirent tous à la recherche de Sophie, l'appelant à haute voix ; leurs cris retentissaient dans la forêt, aucune voix n'y répondait. L'inquiétude commençait à devenir générale ; les enfants cherchaient avec une ardeur qui témoignait de leur affection et de leurs craintes. Enfin Jean et Mme de Rosbourg crurent entendre une voix étouffée appeler au secours. Ils s'arrêtèrent, écoutèrent... Ils ne s'étaient pas trompés.

C'était bien Sophie qui appelait :

« Au secours ! au secours ! Mes amis, sauvez-moi !

— Sophie, Sophie, où es-tu ? cria Jean épouvanté.

— Près de toi, dans l'arbre, répondit Sophie.

— Mais où donc ? mon Dieu ! où donc ? Je ne vois pas. »

Et Jean, effrayé, désolé, cherchait, regardait de tous côtés, sur les arbres, par terre : il ne voyait pas Sophie.

Tout le monde était accouru près de Jean, à l'appel de Mme de Rosbourg. Tous cherchaient sans trouver.

« Sophie, chère Sophie, cria Camille, où es-tu ? Sur quel arbre ? Nous ne te voyons pas.

Je suis tombée dans l'arbre qui était creux ; j'étouffe ; je vais mourir si vous ne me tirez pas de là. »

Un cri général lui répondit.

« Comment faire ? s'écriait-on. Si on allait chercher des cordes ? »

Jean réfléchit une minute, se débarrassa de sa veste et s'élança sur l'arbre, dont les branches très basses permettaient de grimper dessus.

« Que fais-tu ? cria Léon. Tu vas être englouti avec elle.

— Imprudent ! s'écria M. de Rugès. Descends, tu vas te tuer. »

Mais Jean grimpait avec une agilité qui lui fit promptement atteindre le haut du tronc pourri. Jacques s'était élancé après Jean et arriva près de lui avant que son père et sa mère eussent eu le temps de l'en empêcher. Il tenait la veste de Jean et défit promptement la sienne. Jean, qui avait jeté les yeux dans le creux de l'arbre, avait vu Sophie tombée au fond et s'était écrié :

« Une corde ! une corde ! vite une corde ! »

Léon, Camille et Madeleine s'élancèrent dans la direction du moulin pour en avoir une. Mais Jacques passa les deux vestes à Jean, qui noua vivement la manche de la sienne à la manche de celle de Jacques, et jetant sa veste dans le trou pendant qu'il tenait celle de Jacques :

« Prends ma veste, Sophie ; tiens-la ferme à deux mains. Aide-toi des pieds pour remonter pendant que je vais tirer. »

Jean, aidé du pauvre petit Jacques, tira de toutes ses forces. M. de Rugès les avait rejoints et les aida à retirer la malheureuse Sophie, dont la tête pâle et défaite apparut enfin au-dessus du trou. Au même instant, les vestes commencèrent à se déchirer. Sophie poussa un cri perçant. Jean la saisit par une main, M. de Rugès par l'autre, et ils la retirèrent tout à fait de cet arbre qui avait failli être son tombeau ; Jacques dégringola lestement jusqu'en bas : M. de Rugès descendit avec plus de lenteur, tenant dans ses bras Sophie à demi évanouie, et suivi de Jean. Mme de Fleurville et toutes ces dames s'empressèrent autour d'elle ; Marguerite se jeta en sanglotant dans ses bras. Sophie l'embrassa tendrement. Dès qu'elle put parler, elle remercia Jean et Jacques bien affectueusement de l'avoir sauvée. Lorsque Camille, Madeleine et Léon revinrent, traînant après eux vingt mètres de corde, Sophie était remise ; elle sourit à la vue de cette corde immense.

« Merci, mes chers amis, dit-elle. Mais vous me croyiez donc au fond d'un puits comme Ourson[1], pour avoir apporté une corde de cette longueur ?

CAMILLE

Nous ne savions pas bien au juste où tu étais, et nous avons pris à tout hasard la corde la plus longue.

1. Voyez les *Nouveaux contes de fées. (Note de l'éditeur.)*

Oui, car Léon a dit : « Une corde trop longue ne peut pas faire de mal, et une corde trop courte pourrait être cause de la mort de Sophie. »

MARGUERITE

Pauvre Sophie, cette forêt nous est fatale.

MADAME DE FLEURVILLE

Voilà Sophie bien remise de sa frayeur, et nous voilà tous rassurés sur son compte ; je demande maintenant qu'elle nous explique comment cet accident est arrivé.

M. DE RUGÈS

C'est vrai, on était convenu de ne pas grimper aux arbres.

SOPHIE, *embarrassée.*

Je voulais... me cacher mieux que les autres. Je m'étais mise derrière ce gros chêne, pensant que je tournerais autour et qu'on ne me trouverait pas.

M. DE TRAYPI

Ah ! par exemple ! j'ai pris Madeleine, et puis Léon, qui avaient voulu aussi tourner autour d'un gros arbre.

SOPHIE

C'est précisément parce que je vous voyais de loin prendre Madeleine et Léon, que j'ai pensé à trouver une meilleure cachette. Les branches de l'arbre étaient très basses ; j'ai grimpé de branche en branche.

C'est-à-dire que tu as triché.

Et que le bon Dieu t'a punie.

Hélas oui ! le bon Dieu m'a punie. De branche en branche j'étais arrivée à un endroit où le tronc de l'arbre se séparait en plusieurs grosses branches ; il y avait au milieu un creux couvert de feuilles sèches où j'ai pensé que je serais très bien. Je suis montée dans le creux ; au moment où j'y ai posé mes pieds, j'ai senti l'écorce et les feuilles sèches s'enfoncer sous moi, et, avant que j'aie pu m'accrocher aux branches je me suis sentie descendre jusqu'au fond de l'arbre. J'ai crié, mais ma voix était étouffée par la frayeur, puis par la profondeur du trou où j'étais tombée.

— Pauvre Sophie, dit Jean, quelle horreur, quelle angoisse tu as dû éprouver !

J'étais à moitié morte de peur. Je croyais qu'on ne me trouverait jamais, car je sentais combien ma voix était sourde et affaiblie. Je pris courage pourtant quand j'entendis appeler de tous côtés ; je redoublai d'efforts pour crier, mais j'entendais passer près de l'arbre où j'étais tombée, et je sentais bien qu'on ne m'entendait pas. Enfin, notre cher et courageux Jean m'a entendue, et m'a sauvée avec l'aide de mon bon petit Jacques...

JEAN

Et c'est lui qui a eu l'idée de nouer les deux vestes ensemble.

— C'est un vrai petit lion, dit Madeleine en l'embrassant.

LÉON, *d'un air moqueur.*

Plutôt un écureuil, en raison de son agilité à grimper aux arbres.

MARGUERITE, *vivement.*

Chacun a son genre d'agilité : les uns grimpent aux arbres comme des écureuils au risque de se tuer ; les autres courent comme des lapins de peur de se tuer.

MADAME DE ROSBOURG

Marguerite, Marguerite ! Prends garde !

MARGUERITE

Mais, maman, Léon veut diminuer le mérite de Jacques, et lui-même pourtant trouvait dangereux d'aller au secours de la pauvre Sophie.

Il fallait bien que quelqu'un allât chercher des cordes.

MARGUERITE

Avec cela qu'elle a bien servi, ta corde !

MADAME DE FLEURVILLE

Voyons, enfants, ne vous disputez pas ; ne vous laissez pas aller, toi, Léon, à la jalousie, toi, Marguerite, à la colère, et remercions Dieu d'avoir tiré la pauvre Sophie du danger où elle s'était mise par sa faute. Rentrons à la maison ; il est tard, et nous avons tous besoin de repos. »

Tout le monde se leva et on se dirigea vers la maison, tout en causant vivement des événements de la matinée.

Chapitre 4

Biribi

Mme de Fleurville avait un chien de garde que les enfants avaient élevé, et qui s'appelait Biribi ; ce nom lui avait été donné par Marguerite et Jacques. Le chien avait deux ans ; il était grand, fort, de la race des chiens des Pyrénées, qui se battent contre les ours des montagnes ; il était très doux avec les gens de la maison et avec les enfants, qui jouaient souvent avec lui, qui l'attelaient à une petite charrette, et le tourmentaient à force de caresses ; jamais Biribi n'avait donné un coup de dents ni un coup de griffes.

Un jour, M. de Traypi annonça aux enfants qu'il allait voir laver son chien de chasse, Milord, dans de l'eau d'aloès.

« Voulez-vous venir avec moi, mes enfants ? Vous nous aiderez à laver et à essuyer Milord.

— Oui, papa ; oui, mon oncle ; oui, monsieur », répondirent ensemble tous les enfants.

Ils abandonnèrent Biribi, qu'ils allaient atteler à une voiture de poupée, et ils coururent avec M. de Traypi à la buanderie (endroit où on fait les lessives) pour voir laver Milord. Un baquet plein d'une eau tiède et rougeâtre attendait Milord, qui n'avait pas du tout l'air satisfait de se trouver là. Quand M. de Traypi entra, le pauvre Milord voulut courir à lui, mais le cocher et le garde le tenaient chacun par une oreille pour l'empêcher de se sauver, et il fut obligé de rester près du baquet, attendant le moment où on le plongerait dedans.

« Allons, Milord, dit M. de Traypi, saute là-dedans, saute. »

Et il aida à sa bonne volonté en l'enlevant par la peau du cou. Le chien s'élança dans le baquet, éclaboussant tous ceux qui se trouvaient près de lui. Madeleine et Marguerite, qui étaient en avant, furent les plus mouillées ; un éclat de rire général accompagna ce premier exploit de Milord ; M. de Traypi était inondé.

« Ah bah ! dit-il, nous nous changerons en rentrant ; profitons de ce que nous sommes déjà mouillés pour laver M. Milord bien à fond. »

Tous les enfants s'y mirent ; chacun contribua au supplice de Milord, l'un en lui plongeant le nez, l'autre en lui enfonçant la queue, le troisième en lui inondant les oreilles. Le pauvre Milord se laissait faire ; il avait l'air malheureux ; de temps en temps il léchait une main qui l'avait inondé, comme pour demander grâce.

« Pauvre chien ! dit Jacques. Papa, laissez-le sortir, je vous en prie : il me fait pitié.

Il n'est pas encore mouillé jusqu'au fond des poils ; arrose-le, au lieu de le plaindre.

MARGUERITE

Mais pourquoi lui faites-vous prendre ce bain, monsieur ? Il était très propre.

M. DE TRAYPI

C'est pour faire mourir ses puces : il en est rempli.

LÉON

L'eau fait mourir les puces, mon oncle ?

M. DE TRAYPI

L'eau mêlée de poudre d'aloès les tue tout de suite.

LÉON

Ah ! que c'est drôle ! Je ne savais pas cela.

JEAN

Et faut-il beaucoup de poudre, mon oncle ?

M. DE TRAYPI

Non ; un petit paquet de 5 grammes dans chaque litre d'eau.

Quand je serai grand, je ferai laver mes chevaux dans l'eau d'aloès. »

Tout le monde se mit à rire.

M. DE TRAYPI, *riant.*

Les chevaux n'ont jamais de puces, nigaud.

JACQUES, *un peu confus.*

Mais s'ils n'ont pas de puces, ils ont des mouches qui les piquent, et je pense que l'aloès peut tuer les mouches comme il tue les puces.

M. DE TRAYPI, *riant.*

Je ne peux pas te le dire, je n'ai jamais essayé. Tu penses bien qu'il ne serait pas facile d'avoir un baquet assez grand pour baigner un cheval ; et, quand même on l'aurait, les mouches se sauveraient et n'auraient pas la bêtise de se faire noyer quand elles peuvent s'envoler.

LÉON

Et puis, comment le ferait-on entrer dans le baquet ?

JEAN

Ce ne serait pas moi qui m'en chargerais, toujours. »

Pendant cette conversation, Milord avait fini son bain. On était en train de l'essuyer. Puis on le laissa se sécher plus complètement au soleil ; on vida l'eau

71

du baquet, et tout le monde sortit en fermant la porte de la buanderie. On ne pensa plus à Milord ; les enfants voulurent reprendre Biribi pour continuer leur jeu, mais Biribi avait profité de sa liberté pour s'en aller ; on l'appela, on le chercha, et, ne le trouvant pas, on s'en passa.

Le lendemain, le garde vint dire à Mme de Fleurville que Biribi ne se retrouvait pas.

JACQUES

Oh ! le pauvre Biribi ! où peut-il être ?

MADAME DE FLEURVILLE

Il est probablement allé visiter quelques amis qu'il a dans les environs. Il faudra que vous alliez le chercher, Nicaise.

NICAISE

Oui, madame ; mais j'ai déjà fait un tour ce matin, et personne ne l'avait vu.

JEAN

Ma tante, si vous permettez, nous irons après déjeuner au Val, à la Clémandière, à la Fourlière, à Bois-Thorel, au Sapin, dans tous les villages enfin où nous pourrions le trouver.

MADAME DE FLEURVILLE

Certainement, allez-y, mes enfants ! Nicaise vous accompagnera ; mais il faut en demander la permis-

72

sion à vos papas et à vos mamans, pour qu'ils ne s'inquiètent pas de votre absence.

SOPHIE

Il faudra emporter des provisions pour le goûter.

CAMILLE

C'est inutile ; nous demanderons à manger à Mme Harel, au débit de tabac, ou bien à M. le curé.

MADELEINE

D'ailleurs, partout où nous irons, on nous donnera du pain et du cidre.

JACQUES

Ce sera bien amusant ; nous causerons partout un petit peu, et nous nous reposerons.

LÉON

Il faudra partir tout de suite après déjeuner.

JEAN

Oui, mais demandons d'abord la permission. »
Tous les enfants, excepté Camille, Madeleine et Sophie, qui avaient déjà leur permission, allèrent trouver leurs parents, et obtinrent sans peine leur consentement pour cette longue excursion.

« Papa, dit Jacques à l'oreille de M. de Traypi, venez avec nous : ce sera bien plus amusant.

— Pour toi, mon bon petit Jacques, répondit

M. de Traypi en l'embrassant, mais pas pour les autres, que je gênerais un peu.

JACQUES

Oh ! papa, vous êtes si bon ! vous ne pouvez gêner personne.

M. DE TRAYPI

Impossible, mon cher petit ; je dois aller avec ton oncle de Rugès faire une visite à trois lieues d'ici. »

Jacques ne répondit pas et s'en alla en soupirant. C'est que Jacques aimait beaucoup son papa, qui était bon et bien complaisant pour lui. Pourtant il ne le gâtait pas. Quand Jacques avait eu des colères dans sa petite enfance, son papa le mettait dans un coin et le laissait crier, après lui avoir donné deux ou trois bonnes tapes. Quand Jacques avait été impoli avec un domestique ou maussade avec un camarade, son papa l'obligeait à demander pardon. Quand Jacques avait été gourmand, il était privé toute une journée de sucreries, de gâteaux et de fruits. Quand Jacques avait désobéi, il était renvoyé dans sa chambre, et son papa ni sa maman ne l'embrassaient jusqu'à ce qu'il eût demandé pardon. De cette manière, Jacques était devenu un charmant petit garçon : toujours gai, parce qu'il n'était jamais grondé ni puni ; toujours aimable, parce qu'on l'avait habitué à penser au plaisir des autres et à sacrifier le sien. Il aimait son papa et il aurait voulu toujours être avec lui, mais M. de Traypi avait des occupations qui ne lui permettaient pas de toujours avoir Jacques près de lui ; et Jacques, habitué à obéir, s'en alla cette fois encore sans humeur ni tristesse. Il rejoignit ses cousins, cousines et amies, et tous attendirent avec impatience le moment du départ.

Pourtant, avant de se mettre en route, les enfants demandèrent encore des nouvelles du pauvre Biribi ; personne ne l'avait vu. Ils partirent, accompagnés du garde Nicaise, pour le Val, petit hameau à un quart de lieue du château. Ils entrèrent chez une femme Relmot ; mais ils n'y trouvèrent que le frère, qui était à moitié idiot, et qui répondait par un oui ou un non glapissant à toutes les questions qu'on lui adressait.

LÉON

Relmot, as-tu vu notre chien Biribi ?

RELMOT

Oui.

LÉON

Quand cela ? Aujourd'hui ?

RELMOT

Non.

LÉON

Où allait-il ? »
Pas de réponse ; Relmot rit d'un air bête.

LÉON

Quand l'as-tu vu ? »
Pas de réponse ; Relmot tourne ses pouces.

LÉON

Mais réponds donc ! Sais-tu où il est ?

RELMOT

Non.

CAMILLE

Laisse ce pauvre garçon tranquille, Léon ; allons chez les Bertau.

JEAN

Les Bertau ? Je n'aime pas ces gens-là.

LÉON

Pourquoi ?

JEAN

Parce que je ne les crois pas honnêtes.

CAMILLE

Oh ! Jean, tu dis cela sans aucune preuve.

JEAN

Hé ! hé ! Je les ai vus, il y a deux ans et il y a peu de jours encore, couper des têtes de sapin pour en faire des quenouilles.

MADELEINE

Ce n'est pas un grand mal, cela.

NICAISE

M. Jean a raison ; ce n'est pas bien. D'abord le sapin n'est pas à eux, et puis ils savent bien que couper la tête d'un sapin, c'est perdre l'arbre, qui pousse crochu et qui n'est plus bon qu'à brûler.

JEAN

Et puis Nicaise ne l'a-t-il pas pris, l'année dernière et bien des fois, coupant des jeunes arbres dans le bois de ma tante, pour en faire des fourches et des râteaux à faner ?

NICAISE

Et encore, c'est qu'il allait les vendre sur la place, au marché de Laigle.

MARGUERITE

Demandons toujours s'il n'a pas vu Biribi.

JACQUES

Certainement, puisque nous sommes sortis pour cela. »

Les enfants entrèrent chez Bertau, qui dînait avec sa femme et ses enfants.

« Bonjour, Bertau, dit Léon d'un air aimable ; nous venons vous demander des nouvelles de Biribi, qui a disparu depuis hier matin.

Comment que je saurais où est votre chien, moi ? Je m'en moque bien de votre chien, et de votre garde aussi !

NICAISE

Dis donc, Bertau, ne sois pas malhonnête avec les jeunes messieurs et les petites demoiselles. On te parle poliment, n'est-ce pas ? Pourquoi ne répondrais-tu pas de même ?

BERTAU

Vas-tu finir ton discours, toi ! Je n'aime pas qu'on me conseille ; je fais ce que je veux, et cela ne regarde personne.

NICAISE

Te tairas-tu, mal embouché, insolent ? Sans le respect que je dois aux jeunes maîtres, je t'aurais déjà fait rentrer les paroles dans la gorge. »

Bertau se lève et avance, le poing fermé, sur Nicaise, qui reste immobile et le regarde d'un air moqueur.

NICAISE

Touche seulement, et tu verras comme je te casserai les reins de mon pied et de mon poing ! »

Bertau se retire en grognant ; les enfants ont peur d'une bataille et se sauvent précipitamment, à l'exception de Jean, qui se pose près de Nicaise, un bâton à la main, et de Jacques, qui se met résolument de l'autre côté de Nicaise, les poings en avant, prêt à taper.

LÉON

Jean, Jean, viens donc ! Vas-tu pas te battre avec ce manant ?

JEAN

Je ne laisserai pas dans l'embarras le brave Nicaise.

NICAISE

Merci bien, mes braves petits messieurs ; mais je n'ai que faire de votre courage ni de ma force contre ce batailleur, plus poltron encore que méchant. Il sait ce que pèse mon poing sur son dos ; il en a goûté le jour où je l'ai pris volant du bois chez mes maîtres... Bien le bonsoir, ajouta Nicaise d'un air moqueur en saluant Bertau et sa famille ; bon appétit, pas de dérangement. »

Et il alla rejoindre les autres enfants, après avoir affectueusement serré la main à Jean et à Jacques.

NICAISE

C'est tout de même courageux, ce que vous avez fait, monsieur Jean et monsieur Jacques ; car, enfin, vous ne pouviez pas deviner que ce Bertau était un poltron.

JEAN

C'est Jacques surtout qui a eu du courage, car, moi, je suis assez grand pour me défendre.

NICAISE

C'est égal, bien d'autres auraient filé comme a fait votre frère, M. Léon, sauf le respect que je lui dois. Mais, chut ! nous voici près d'eux.

MARGUERITE

Eh bien, il n'y a rien eu ? Mon bon petit Jacques n'a pas été blessé ?

LÉON

Blessé ? Ah ouiche ! Est-ce que tu as cru qu'ils allaient se battre pour tout de bon ?

MARGUERITE

Pourquoi donc t'es-tu sauvé, si tu ne craignais pas une bataille ?

LÉON

D'abord, je ne me suis pas sauvé, je me suis retiré, pour protéger mes cousines, Sophie et toi.

MARGUERITE

Jolie escorte que tu nous faisais ; tu courais à vingt pas devant nous.

J'allais en avant pour vous indiquer le chemin qu'il fallait prendre.

MARGUERITE, riant.

Ha, ha, ha ! Avoue donc tout simplement que tu avais peur et que tu te sauvais.

LÉON, d'un air indigné.

Si tu étais un garçon de ma taille, tu verrais que tes plaisanteries ne me semblent pas du tout plaisantes.

MARGUERITE, riant.

Je ne verrais rien du tout que ton dos et tes talons, parce que tu es prudent, que tu fuis la guerre et que tu aimes la paix. »

Jean et Jacques riaient pendant cette discussion ; Camille et Madeleine étaient inquiètes ; Sophie applaudissait des yeux et du sourire ; Nicaise paraissait enchanté. Léon était en colère ; ses yeux flamboyaient, et, s'il avait osé, il aurait assommé Marguerite de coups de poing. Camille arrêta cette dangereuse conversation en proposant de continuer les recherches. « Nous perdons notre temps, dit-elle, et nous avons encore bien des hameaux et des maisons à visiter. »

Ils continuèrent donc leur chemin. Léon fut un peu maussade, mais il finit par se dérider et par rire comme les autres. Dans aucune maison on n'avait vu Biribi, et plusieurs personnes dirent aux enfants

81

et à Nicaise qu'il avait probablement été tué par Bertau, qui s'était plaint que Biribi venait la nuit rôder autour de ses lapins, et qu'il l'étranglerait la première fois qu'il pourrait mettre la main sur lui. Les enfants ne rentrèrent que vers six heures, fatigués, mais enchantés de leur longue promenade ; elle avait été interrompue par un bon goûter chez M. le curé, qui leur avait fait manger du pain et du beurre, de la crème, du fromage, des cerises, et boire de la liqueur de cassis.

« Eh bien, mes enfants, quelles nouvelles ? leur demandèrent les papas et les mamans, qui les attendaient au salon.

— Aucune, maman, répondit Camille à Mme de Fleurville ; on nous a seulement dit que c'était probablement Bertau qui l'avait tué.

MADAME DE FLEURVILLE

Pourquoi supposer une pareille méchanceté ?

LÉON

Ma tante, c'est parce qu'il l'a annoncé à plusieurs personnes.

MADAME DE FLEURVILLE

Quand on veut faire une mauvaise action, on ne l'annonce pas.

JACQUES

Pourtant, ma tante, Nicaise croit que c'est très possible, parce que Biribi tournait souvent autour des petites maisons de ses lapins et qu'il avait peur qu'il ne les lui mangeât.

MADAME DE FLEURVILLE

S'il l'a fait, je porterai plainte au juge de paix, car c'est un mauvais homme que ce Bertau, et il me joue sans cesse des tours. »

Mais tout cela ne faisait pas retrouver Biribi ; on le chercha encore le lendemain, puis on n'y pensa plus.

Le troisième jour, les enfants allaient sortir de bonne heure pour prendre du lait et du pain bis à la ferme, quand ils aperçurent, à travers les arbres, du monde rassemblé autour de la buanderie.

« Allons voir ce que c'est, dit Jacques.

— Oui, courons », répondirent tous les enfants.

Ils s'approchèrent, on s'écarta pour les laisser passer, et ils virent le pauvre Biribi, maigre, à moitié relevé, à moitié tombé, qui mangeait avec avidité une terrine de soupe.

« Biribi ! Biribi ! s'écrièrent les enfants. Qu'est-ce qui l'a retrouvé ? Où était-il ?

— Il était dans la buanderie, répondit Martin, le régisseur. La pauvre bête est restée là enfermée depuis trois jours.

MADELEINE

Mais comment s'est-il trouvé enfermé ?

83

C'est probablement quand on a lavé Milord ; Biribi sera entré dans la buanderie, et on a fermé la porte sans savoir qu'il était là.

Et qu'est-ce qui a eu l'idée d'y regarder ce matin ?

Les femmes de lessive y sont entrées pour préparer le linge, elles ont trouvé ce pauvre chien tombé devant la porte ; il ne pouvait seulement pas se relever : on m'a appelé ; par bonheur j'étais là à côté. Les femmes n'osaient pas en approcher, elles craignaient qu'il ne fût enragé. J'ai bien vu tout de suite que la pauvre bête était quasi morte de faim et de soif. J'ai envoyé une des femmes chercher une terrine de soupe ; en attendant, je lui ai donné à boire. Il a bu près d'un demi-seau. Et puis la soupe est arrivée, et le voilà qui mange.

— Comme il est maigri ! dit Sophie.

— Et comme il paraît faible ! dit Jacques.

La soupe va le remonter ; il va faire un bon somme par là-dessus, et il n'y paraîtra pas. »

En effet, quand Biribi eut mangé toute sa soupe, il se releva et marcha vers sa niche, qu'il gagna avec peine. Il s'y blottit et ne tarda pas à s'endormir. Quand il fut réveillé, il mangea une seconde soupe, qu'on lui avait préparée, et il parut avoir retrouvé ses forces et sa gaieté. Les enfants coururent raconter à leurs mamans et à leurs papas l'aventure de Biribi ; ils en causèrent une partie de la journée ; ils le soignèrent et le caressèrent, après quoi ils n'y pensèrent plus. Seulement, depuis ce jour, Mme de Fleurville donna ordre que, lorsque la buanderie avait été ouverte, on y regardât toujours le lendemain, de peur que quelque enfant ou quelque bête ne s'y trouvât enfermé. Biribi n'osait plus en approcher mais une fois on y trouva un chat qui s'était blotti dans un coin, un jour de savonnage, pour attraper un mulot, et qui s'y était trouvé enfermé comme Biribi. Quand on ouvrit la porte, le chat s'élança au-dehors avec une telle précipitation, que Martin crut un instant voir le diable, car le chat était noir, et Martin n'avait eu le temps d'apercevoir que deux yeux flamboyants comme des charbons ardents. En se retournant, il reconnut le chat de la ferme qui s'enfuyait, et il rit avec les enfants de sa méprise.

Chapitre 5

Rencontre inattendue

« J'aime beaucoup la forêt du moulin, dit un jour Léon à ses cousines et à ses amies.

— Et moi, je ne l'aime pas du tout, dit Sophie.

JEAN

Pourquoi donc ? Elle est pourtant bien belle.

SOPHIE

Parce qu'il arrive toujours des malheurs dans cette forêt. Je n'aime pas quand on y va.

LÉON

Je ne vois pas quel malheur y est arrivé. On s'y amuse toujours beaucoup.

SOPHIE

Toi, tu t'y amuses, c'est possible ; mais je te réponds que je ne m'y suis pas amusée le jour que j'ai manqué étouffer dans le creux de l'arbre...

LÉON

Oh ! mais c'était ta faute.

SOPHIE

Je ne dis pas que ce n'était pas ma faute ; mais j'ai manqué tout de même y étouffer.

LÉON

Est-ce que tu étais bien mal dans cet arbre ?

SOPHIE

Comment, si j'y étais mal ? Puisque je te dis que j'étouffais.

LÉON

Tu ne pouvais pas étouffer ! Tu avais de l'air par en haut.

SOPHIE, *avec impatience.*

Mais j'étais tout au fond, le corps serré par l'écorce.

LÉON

Ah bah ! Je m'en serais bien tiré, moi.

87

SOPHIE

En vérité ! J'aurais voulu t'y voir.

LÉON

Je n'aurais eu besoin du secours de personne pour en sortir, je t'en réponds.

JEAN, *avec ironie.*

Tu te vantes, mon brave.

JACQUES

Rien de plus facile que d'essayer : allons à la forêt, monte sur l'arbre, laisse-toi glisser au fond, nous ne t'aiderons pas, et tu en sortiras tout seul. Veux-tu ?

LÉON, *embarrassé.*

Je le ferais certainement, si..., si...

JACQUES, *riant.*

Si quoi ?

LÉON, *embarrassé.*

Si je ne craignais d'effrayer mes cousines, qui pourraient croire..., qui pourraient craindre...

JACQUES

Craindre quoi, puisque tu es si brave ?

LÉON

Et pourquoi n'essayes-tu pas, toi qui me conseilles de le faire ?

JACQUES

Parce je crois, moi, que c'est très dangereux, et j'aurais peur.

LÉON, *avec ironie.*

Peur, toi qui fais toujours le brave ! toi qui te précipites toujours au milieu des dangers qui n'existent pas, pour te donner la réputation d'un Gérard tueur de lions ! Tu aurais peur, toi, Jacques le téméraire, le batailleur !

JEAN

Oui, il aurait peur, précisément parce qu'il a le vrai courage, celui qui le porte à secourir les autres dans le danger, et non pas à le braver inutilement.

LÉON

Je vous prouverai bien, moi, que je suis plus courageux que Jacques. Allons à la forêt, je me glisserai dans le creux de l'arbre... Seulement... Il faut que je demande la permission à papa.

JEAN

Ha, ha ! voilà qui est bon ! Ce sera une manière d'avoir raison, car tu sais bien que papa ne te laissera pas faire.

Papa me laissera faire, s'il pense, comme moi, qu'il n'y a aucun danger. Vous allez voir. »

Léon, suivi de tous les enfants, alla vers la chambre de son papa, qu'il trouva avec son oncle, M. de Traypi. Tous deux riaient en demandant à Léon ce qu'il voulait.

LÉON

Papa, je viens vous demander la permission d'aller dans la forêt du moulin avec mes cousines.

M. DE RUGÈS

Pour quoi faire ?

LÉON

Papa, c'est pour entrer dans le creux de cet arbre dans lequel Sophie prétend avoir étouffé l'autre jour.

M. DE RUGÈS, *souriant.*

Mais ne crains-tu pas, si tu entres dans cet arbre, de ne plus pouvoir en sortir ?

LÉON

Papa, je ne le crains pas ; pourtant, si vous me le défendez, je ne le ferai pas.

M. DE RUGÈS

Non, non, je ne te le défends pas ; je te recommande seulement d'être prudent.

Papa, si vous craignez le moindre accident, je ne l'essayerai certainement pas ; je serais bien fâché de vous causer quelque inquiétude. Je dirai à mes cousines, à Jean et à ce petit moqueur de Jacques, que vous ne trouvez pas la chose raisonnable.

M. DE RUGÈS

Mais pas du tout, pas du tout. Essaye, je ne demande pas mieux. J'irai même avec vous pour être témoin de ton acte de courage... inutile, c'est vrai, mais qui fera taire les mauvaises langues qui t'accusent de poltronnerie.

LÉON, *abattu.*

Papa, je vous remercie..., j'irai certainement..., je n'ai certainement pas peur..., j'ai certainement..., certainement... très envie... de leur montrer... qu'il n'y a pas de danger... Mais je crains que... maman... ne soit pas contente..., ne permette pas...

M. DE RUGÈS, *impatienté.*

Sac à papier ! mon garçon, tu n'as pas besoin de la permission de ta maman, puisque je te la donne, moi. Voyons, finissons et mettons-nous en route. Viens-tu avec nous, Traypi ? » ajouta-t-il en se retournant vers son beau-frère, qui consentit en souriant.

Les enfants, qui étaient restés à la porte de la chambre, étaient un peu inquiets.

« Mon oncle, dit Camille à M. de Rugès, ne trouvez-vous pas que c'est imprudent à Léon d'entrer dans cet arbre ?

Chère petite, ton oncle de Traypi et moi nous avons entendu toute votre conversation, et c'est pour punir Léon de ses rodomontades et de sa poltronnerie que je le pousse à cet acte de courage, qu'il n'exécutera pas et que je ne laisserai pas exécuter. Il va être assez puni par la peur qu'il aura pendant toute la promenade. Le voici qui descend avec sa casquette ; vois comme il est pâle !

CAMILLE

Oh ! mon oncle, il me fait pitié ; pauvre garçon, comme il tremble en descendant l'escalier ! Permettez-moi de le rassurer en lui disant que vous ne le laisserez pas entrer dans l'arbre.

M. DE RUGÈS

Non, non, Camille ; laisse-moi lui donner cette leçon, dont il a grand besoin, je t'assure. Je te permets seulement de rassurer les autres. Dis-leur que je ne le laisserai pas s'exposer à un pareil danger. »

On se mit en route assez tristement ; tous les enfants avaient le sentiment du danger qu'allait courir le malheureux Léon, et tous s'étonnaient que M. de Rugès lui permît de s'y exposer. Camille alla de l'un à l'autre ; à mesure qu'elle leur parlait, leur tristesse faisait place au sourire ; les visages reprenaient leur gaieté ; ils causaient bas et riaient ; ils regardaient Léon d'un air malicieux ; tous étaient contents de cette punition infligée à son mauvais caractère et à son manque de courage. Léon, qui n'était pas dans le secret, croyait marcher à la mort, et restait en arrière comme pour éloigner le terrible moment ; il allait tristement, la tête basse, le visage pâle ; il répondait par monosyllabes aux compliments ironiques qu'on lui adressait sur sa bravoure. Quand il aperçut de loin le chêne qui pouvait être son tombeau, sa frayeur redoubla, et, ne pouvant plus feindre un courage qu'il n'avait pas, il s'esquiva adroitement et se sauva par un sentier qui donnait dans le chemin, pendant que les autres continuaient leur route. M. de Rugès avait bien vu la manœuvre de Léon et le dit tout bas à M. de Traypi :

« Que faire maintenant ? Je ne sais plus comment nous nous tirerons de là.

M. DE TRAYPI

Fais semblant de le chercher ; tu le trouveras, tu lui feras honte de sa poltronnerie ; et, quand tu l'auras décidé à grimper sur l'arbre, je l'arrêterai en te disant que le danger de Sophie a été très réel et très grand. »

On arrivait au pied de l'arbre ; les enfants commençaient à s'apercevoir de la disparition de Léon, lorsqu'on entendit un cri de terreur sortir du buisson où il était caché. MM. de Rugès et de Traypi s'apprêtaient à courir de ce côté, lorsqu'ils virent sortir précipitamment du sentier Léon criant au voleur, et suivi par un homme misérablement vêtu, qui tenait un bâton à la main.

L'homme, les apercevant, alla vers eux et salua en ôtant son vieux chapeau.

« Qu'y a-t-il ? dit M. de Rugès ; qui êtes-vous ? qu'est-il arrivé à mon fils ?

L'HOMME

Je ne saurais vous dire, monsieur, pourquoi le jeune monsieur a été si effrayé. Tout ce que je sais, c'est que j'allais au village de Fleurville, qui est dans ces environs, m'a-t-on dit ; que, me sentant fatigué, je m'étais endormi au pied d'un arbre, et qu'en m'éveillant, j'ai vu, à trois pas de moi, ce petit monsieur blotti près d'un buisson : il ne me voyait pas, et il ne voyait pas venir non plus une grosse vipère qui touchait presque à son pied. Je n'avais pas le temps de le prévenir : au premier mouvement, la vipère l'aurait piqué ; je ne fis ni une ni deux : je m'élançai sur lui, je l'enlevai dans mes bras avant que la vipère ait fait son coup, et je le posai dans le sentier ; il poussa un cri tout comme s'il avait été saisi par le diable, et il a couru comme si le diable courait après. »

M. de Rugès comprit très bien que Léon avait cédé à la frayeur. Déjà fort abattu par l'émotion de la dernière heure, il n'avait pas pu résister à la terreur que lui causa cet enlèvement si brusque par un inconnu qu'il avait pris pour un brigand.

Pendant que M. de Rugès et M. de Traypi parlaient à Léon et lui faisaient honte de sa conduite, les enfants examinaient l'inconnu, resté au milieu d'eux. Depuis qu'il avait apparu, Sophie le regardait avec une surprise mêlée d'émotion ; elle cherchait à recueillir ses souvenirs ; il lui semblait avoir déjà vu ce visage brûlé par le soleil, cette figure franche et honnête ; il lui semblait avoir entendu cette voix. L'homme, de son côté, après avoir regardé successivement les enfants, avait arrêté ses yeux sur Sophie ; l'étonnement se peignit sur son visage, et fit place à l'émotion.

« Mam'selle, dit-il enfin d'une voix un peu tremblante ; pardon, mam'selle ; mais n'êtes-vous pas mam'selle Sophie de Réan ?

— Oui, répondit Sophie, c'est moi ; je suis Sophie... Je crois aussi vous reconnaître, ajouta-t-elle en passant la main sur son front... Mais... il y a si... longtemps..., si... longtemps... N'êtes-vous pas... *le Normand ?* ajouta-t-elle vivement. Oui, je me souviens..., le Normand.

L'HOMME

C'est bien moi, mam'selle. Et comment avez-vous échappé au naufrage ? Je vous croyais perdue avec votre pauvre papa.

SOPHIE, *avec attendrissement.*

Papa m'a sauvée, je ne sais plus comment. Je ne sais pas non plus ce qu'est devenu mon pauvre cousin Paul, qui était resté près du capitaine.

L'HOMME

Oh ! mam'selle de Réan, que je suis donc heureux de vous retrouver ! Qu'est-ce qui m'aurait dit que cette petite mam'selle Sophie, que je croyais au fond de la mer, était pleine de vie et de santé dans mon beau pays, dans ma chère Normandie ? »

Les enfants étaient restés stupéfaits de cette reconnaissance de Sophie et de l'inconnu. Aucun d'eux ne savait son naufrage. Ils ne comprenaient pas non plus pourquoi cet homme l'appelait Mlle de Réan. Ils ne la connaissaient que sous le nom de Fichini.

Léon paraissait très honteux de ce qui s'était passé. Il osait à peine lever les yeux sur son père, qui le regardait d'un air froid et mécontent. Il fut donc très satisfait de voir l'attention générale se reporter sur Sophie et sur l'inconnu. Sophie continua à interroger celui qu'elle appelait le Normand.

SOPHIE

Vous ne me dites pas ce qu'est devenu mon pauvre Paul ; a-t-il péri avec le vaisseau ?

L'HOMME

Non, mam'selle de Réan. Quand le commandant vit que les chaloupes s'étaient éloignées, que beaucoup de monde avait péri, qu'il ne restait plus personne sur le bâtiment, il me gronda de ne pas m'être sauvé avec les autres. Je lui dis que je ne quitterais ni mon commandant ni mon bâtiment. Il me serra la main, regarda d'un air attendri votre petit cousin, qui pleurait tout bas et se tenait collé contre lui. « À notre tour, mon Normand, me dit-il. Tâchons de nous tirer de là ; le bâtiment n'en a pas pour une heure. » Alors nous tînmes conseil ; ce ne fut pas long ; en dix minutes nous avions fait un radeau ; nous portâmes dessus tout ce que je pus ramasser de biscuit, d'eau fraîche et de provisions ; le commandant avait sa boussole, une hache passée à la ceinture. Nous mîmes à l'eau le radeau. Le commandant sauta dessus avec M. Paul dans ses bras ; je coupai la corde qui l'attachait au vaisseau ; il pouvait s'engloutir d'un moment à l'autre. J'avais mis des rames sur le radeau, et je me mis à ramer. Le commandant essuya une larme qui lui troublait la vue depuis qu'il avait abandonné le bâtiment. Il regarda autour de nous : on n'y reconnaissait rien ; il examina les étoiles, qui commençaient à briller, et parut content. « Nous ne sommes pas loin de terre, dit-il. Rame bien, mon Normand, mais pas trop fort, pour ne pas te fatiguer. Quand tu seras las, je te relèverai de faction. »

SOPHIE

Mais Paul, mon pauvre Paul, que faisait-il, que disait-il ?

L'HOMME

Ma foi, mam'selle, je n'y faisais pas grande attention, faut dire ; je crois bien qu'il pleurait toujours. Le commandant le caressa, lui dit de rester bien tranquille, qu'il ne l'abandonnerait pas, qu'il fallait tâcher de dormir. Moi, je ramais avec le commandant, et nous ramâmes si bien, que vers le jour le commandant cria : *Terre !* Je sautai sur mes pieds, et je vis que nous approchions de ce qui me parut être une île. Nous abordâmes et nous trouvâmes un joli pays vert et boisé ; et c'est comme cela que le bon Dieu nous a sauvés.

SOPHIE

Mais Paul n'est donc pas mort ? Où est-il ?
Qu'est-il devenu ?

L'HOMME

Voilà ce que je ne puis vous dire, mam'selle. Les
sauvages nous prirent et nous emmenèrent. Plus tard
ils emmenèrent le commandant et M. Paul d'un côté,
et moi de l'autre. Je leur ai échappé, et j'ai bien cherché mon brave commandant, mais je n'en ai pas
retrouvé de trace. Je ne sais pas ce que ces diables
rouges en ont fait. Pour moi, je me suis sauvé ; j'ai
vécu quatre ans dans les bois ; j'ai enfin été ramassé
par un vaisseau anglais. Ces brigands m'ont ballotté
pendant six mois avant de me mettre à terre ; ils
m'ont enfin débarqué au Havre, et je suis revenu au
pays, pour y chercher ma femme et mon enfant ; je
ne les ai plus retrouvés, et je continue à battre le pays
pour tomber sur leur piste.

« Pauvre Paul ! » dit Sophie en s'essuyant les
yeux.

M. de Rugès, M. de Traypi avaient écouté avec
un grand intérêt le court récit du Normand. Pendant
que ces messieurs l'interrogeaient sur ses aventures,
les enfants entourèrent Sophie.

MARGUERITE

Tu as donc fait naufrage ?

Ta maman et ton papa se sont noyés ? Comment, toi, as-tu été sauvée ?

JACQUES

Qui est ce Paul dont tu parles ?

CAMILLE

Comment ne nous as-tu jamais parlé de cela ?

LÉON

Pourquoi cet homme t'appelle-t-il Mlle de Réan ?

JEAN

Je ne savais pas que tu eusses été si malheureuse, ma pauvre Sophie. »

Ils parlaient tous à la fois ; Sophie répondit à tous ensemble.

SOPHIE

Oui, j'ai été très malheureuse. Je n'en ai jamais parlé, parce que papa et ma belle-mère m'avaient défendu de jamais leur rappeler le passé. J'ai fini par n'y plus penser moi-même et par l'oublier. J'avais à peine quatre ans quand tout cela est arrivé.

LÉON

Tu nous raconteras tout, bien en détail, n'est-ce pas, Sophie ? Cela nous amusera beaucoup.

JEAN

Pas du tout, tu ne nous diras rien, ma pauvre Sophie ; tous ces souvenirs te feraient trop de peine.

SOPHIE

Merci, Jean ; mais il y a si longtemps que ces choses se sont passées, que je puis en parler sans tristesse. Tout en marchant, je vous raconterai ce dont je me souviens.

JEAN

Pourquoi le Normand t'appelle-t-il Mlle de Réan ?

SOPHIE

Parce que c'était mon nom quand je suis née.

MADELEINE

Comment, quand tu es née ? Et comment as-tu pu changer de nom depuis ?

CAMILLE

Attendez ! Je me souviens, en effet, que lorsque nous étions petites, nous allions chez toi ; tu avais ton papa et ta maman, qui s'appelaient M. et Mme de Réan ; et puis un oncle et une tante, M. et Mme d'Aubert ; le petit Paul d'Aubert était ton cousin[1].

---

1. Voyez *Les malheurs de Sophie*, du même auteur.

SOPHIE

Précisément ; et, après trois ans d'absence, je suis revenue avec ma belle-mère, Mme Fichini, et j'ai retrouvé Marguerite, que je ne connaissais pas et qui demeurait chez vous.

JACQUES

Mais pourquoi t'appelles-tu Fichini ?

SOPHIE

Je ne sais pas bien ; je crois que papa a été en Amérique pour voir un ami d'enfance, M. Fichini, qui lui a laissé une grande fortune, à la condition qu'il prendrait son nom.

JACQUES

C'est bien laid, Fichini ; j'aime bien mieux Réan.

SOPHIE

Mais qu'est devenu mon pauvre Paul ? D'après ce que m'a dit le Normand, il est possible qu'il vive encore.

LÉON

C'est impossible ; depuis cinq ans.

JEAN

Ce n'est pas du tout impossible, puisque le Normand est revenu.

101

LÉON

Le Normand n'est pas un enfant.

JEAN

Mais Paul était avec le commandant.

LÉON

Il est probable que les sauvages les ont mangés. »
Sophie poussa un cri d'horreur.

« Tais-toi donc, Léon, dit Jean avec colère ; tu as
l'air de chercher tout ce qui peut affliger davantage
la pauvre Sophie.

LÉON, *avec humeur.*

On ne peut donc pas parler, maintenant ?

JEAN

Non, on doit se taire, quand on n'a que des choses
désagréables à dire. »

Sophie pleurait ; Jacques l'embrassait et lançait à
Léon des regards furieux. Camille, Madeleine,
Marguerite et Jean consolaient et rassuraient de leur
mieux Sophie, tout en regardant Léon d'un air de
reproche.

Ils finirent par lui persuader que son cousin vivait
et qu'il reviendrait bientôt. Léon restait à l'écart,
regrettant ce qu'il avait dit, mais ne voulant pas le
faire voir.

« Mes enfants, dit M. de Rugès, s'approchant
d'eux très ému, rentrons à la maison. Ne parlez pas

102

à Mme de Rosbourg de la rencontre que nous avons faite de ce brave homme. Je la préparerai à le voir.

Pourquoi cela, mon oncle ? est-ce qu'il connaît Mme de Rosbourg ?

Cet homme est le nommé LECOMTE, employé à bord de la *Sybille* avec le commandant de Rosbourg et...

— Avec mon pauvre papa ! s'écria Marguerite. Oh ! laissez-moi lui parler, lui demander des détails sur papa. »

Le Normand s'approcha à un signe de M. de Traypi.

« Voici, lui dit-il, la fille de votre commandant.

— La fille de mon commandant, de mon cher, vénéré commandant ! » s'écria le Normand.

Et, saisissant Marguerite, il lui donna trois ou quatre gros baisers avant qu'elle ait eu le temps de se reconnaître.

« Pardon, mam'selle, dit-il en la posant à terre. C'est le premier mouvement, ça ; je n'en ai pas été maître. Mon pauvre commandant ! Si je pouvais lui donner ma place ! Serait-il heureux d'avoir une si gentille demoiselle !

— Vous aimiez donc bien mon pauvre papa ? lui dit Marguerite en essuyant ses yeux pleins de larmes.

Si je l'aimais ! si je l'aimais ! Ah ! mam'selle, j'aurais donné mon sang, ma vie, pour mon brave commandant ! Et de penser que le bon Dieu l'avait sauvé, et que sans ces gredins de sauvages... !

— M. de Rugès a dit tout à l'heure que vous vous nommiez Lecomte, dit Marguerite, et vous-même vous disiez que vous cherchiez votre femme et votre enfant. N'avez-vous pas une fille qui s'appelle Lucie ?

LECOMTE

Oui, mam'selle ; Lucie, qui doit avoir quatorze à quinze ans à présent. Est-ce que vous la connaîtriez par hasard ?

MARGUERITE

Mais alors elles sont ici, dans le village ; ce sont elles qui demeurent dans la maison blanche. »

À cette nouvelle inattendue, le Normand sembla fou de joie. Il se mit à courir en appelant sa femme et sa fille ; puis il songea qu'il ne connaissait pas le chemin du village ; il revint en courant, se jeta à genoux, ôta son chapeau, fit un signe de croix, se précipita vers Marguerite, qu'il embrassa encore une fois, serra les mains de Sophie à la faire crier, supplia qu'on le menât à sa femme et à sa fille.

« Mon brave Lecomte, remettez-vous, soyez raisonnable, lui dit M. de Rugès. Si vous arrivez devant votre femme et devant Lucie sans qu'elles y soient préparées, le saisissement peut les tuer. Songez que depuis cinq ans que dure votre absence, elles vous croient mort, et qu'il faut les préparer tout doucement à vous revoir.

LECOMTE

C'est vrai, monsieur, c'est vrai ! Je suis fou, je suis bête, je n'ai plus ma tête. Mais quel bonheur, quel bonheur ! Que Dieu est bon et comme il récompense bien ma patience ! Depuis cinq ans je lui demande matin et soir de me faire retrouver ma femme et ma fille. Et voilà qu'en un jour je les retrouve, avec la fille de mon commandant, et puis cette pauvre mam'selle de Réan... N'allons-nous pas nous mettre en route, messieurs, mesdemoiselles ? C'est que, voyez-vous, quand on a été cinq ans à demander les siens au bon Dieu et qu'on les sent si près, on ne tient plus en place. Je marcherais, je courrais comme un cerf. Il me semble que je ferais six lieues à l'heure.

« Partons », répondirent ensemble MM. de Rugès, de Traypi et tous les enfants.

Les enfants marchèrent tous aussi vite que le leur permettaient leurs petites jambes. Le Normand, voyant la pauvre petite Marguerite rester en arrière, malgré les efforts de Jacques pour la soutenir et la faire marcher du même pas que les autres, la saisit dans ses bras et la porta jusqu'à l'entrée du village.

Camille et Madeleine racontaient à leurs cousins, tout en marchant, comment elles avaient trouvé dans cette même forêt du moulin une petite fille désolée, parce que sa maman était malade et mourait de faim ; comment Mme de Rosbourg les avait secourues et établies dans la maison blanche du village[1], quand elle avait appris que le mari de cette femme, qui s'appelait *Lecomte,* avait été embarqué sur le bâtiment de M. de Rosbourg, et comment Lucie, qui était une excellente fille, travaillait pour faire vivre sa mère, que le chagrin avait affaiblie au point de la rendre incapable d'aucun travail suivi : elle filait et faisait du linge chez elle pendant que Lucie allait en journées pour coudre, repasser, savonner.

Quand on fut arrivé à l'entrée du village, à cent pas de la maison blanche, MM. de Rugès et de Traypi forcèrent Lecomte à s'arrêter ; les enfants restèrent près de lui pour le distraire et le retenir, pendant que ces messieurs allaient préparer la femme Lecomte au retour de son mari.

Lecomte attendait avec anxiété le retour de ces messieurs ; il répondait à peine aux questions des enfants, lorsqu'une jeune fille de quatorze à quinze ans se trouva près d'eux ; elle venait d'un chemin creux bordé d'une haie, qui aboutissait à celui où attendaient Lecomte et les enfants.

« Lucie, s'écria Marguerite.

— Lucie, quelle Lucie ? demanda d'une voix basse et tremblante le pauvre Lecomte, qui croyait reconnaître sa fille et dont le visage était d'une pâleur effrayante.

— Bonjour, mesdemoiselles, bonjour, messieurs, dit Lucie faisant une révérence et les regardant tous avec surprise. Mon Dieu ! qu'avez-vous donc ?

---

1. Voyez *Les petites filles modèles*, du même auteur.

ajouta-t-elle. Serait-il arrivé un malheur ? Vous avez tous l'air si effrayé que cela me fait peur. »

Camille fut la première à se remettre.

« Non, Lucie, il n'est rien arrivé de malheureux ; ne t'effraye pas, lui dit-elle.

— Mais pourquoi donc restez-vous tous sans me parler, avec un air tout drôle ? *(Apercevant Lecomte :)* Ah ! vous avez un étranger avec vous ? N'aurait-il pas besoin d'un verre de cidre et d'une croûte de pain ? Est-ce cela qui vous embarrasse ?

— Lucie ! » s'écria Lecomte d'une voix étranglée par l'émotion.

Lucie tressaillit, regarda l'étranger avec surprise ; elle rougit, pâlit.

« Non, dit-elle, ce n'est pas possible... Je crois reconnaître... Mais non, non... ce ne peut être... Serait-ce ?

— Ton père ! s'écria Lecomte en s'élançant vers elle et la saisissant dans ses bras.

— Mon père ! mon père ! répéta Lucie en se jetant à son cou. Oh ! mon père, quelle joie ! quel bonheur ! Mon père, mon cher, mon bien-aimé père ! »

Lucie versait des larmes de bonheur ; Lecomte pleurait en couvrant sa fille de baisers. Les enfants regardaient cette scène avec attendrissement. Lecomte ne pouvait se lasser de regarder, d'embrasser son enfant, que six années d'absence lui avaient rendue plus chère encore. Lucie était fort grandie et embellie, mais il lui trouvait le même visage.

« Je t'aurais reconnue entre mille, lui dit-il. Et moi, comment as-tu pu me reconnaître !

Mon bon père, vous n'êtes pas bien changé non plus. J'ai tant et si souvent pensé à vous ! C'est comme si vous étiez parti de la veille. »

Se souvenant tout à coup de sa mère :

« Ah ! ma pauvre mère ! Ne voilà-t-il pas que je l'oublie dans mon bonheur de vous revoir ! Vite, que je coure lui dire... »

Et Lucie allait s'élancer vers la maison blanche, mais son père lui saisit le bras, et la retenant fortement :

« Tu vas la tuer en lui apprenant sans ménagement mon retour. Ces messieurs y sont ; va voir si c'est bientôt fait et quand il me sera permis de serrer contre mon cœur ta mère, ma Lucie, ma chère femme, une bonne et sainte femme, que j'ai bien pleurée, va. »

Lucie promit à son père d'être bien raisonnable, bien calme ; et, courant de toutes ses forces vers la maison, elle y entra toute haletante, mais si joyeuse, si éclatante de bonheur, que sa mère la regarda avec surprise.

« Maman, chère maman, dit Lucie en se jetant à son cou, que je suis contente, que je suis heureuse !

FEMME LECOMTE

Contente ? heureuse ?... Qu'y a-t-il donc ? »

Elle regarde avec inquiétude Lucie, qui ne peut retenir ses larmes, puis MM. de Rugès et de Traypi.

« Heureuse ! et tu pleures ? et ces messieurs me parlaient tout à l'heure de bonheur, de retour..., de...

Ah ! je crois comprendre ! On a des nouvelles !... des nouvelles... de ton père ! »

Lucie ne répondait pas ; elle embrassait sa mère, riait, pleurait.

FEMME LECOMTE

Mais réponds, réponds donc... Messieurs, par pitié, dites-moi... Lucie, parle. Ton père... ?

— Est près de toi, ma femme, ma Françoise ! » s'écria Lecomte qui avait suivi Lucie. Il s'était approché de la porte restée ouverte, il avait tout entendu, et, n'ayant pu contenir son impatience, il s'était élancé vers sa femme quand il la crut suffisamment préparée à le revoir. Il la saisit dans ses bras et poussa un cri d'effroi en la voyant pâle et inanimée.

« Je l'ai tuée, je l'ai tuée ! criait-il. Messieurs, ma Lucie, faites-la revivre. Sot animal que je suis de n'avoir pu attendre quelques instant encore ! Mais aussi, c'était trop fort ! Savoir sa femme à deux pas de soi et ne pouvoir l'embrasser après six ans d'absence, c'est trop pour la force d'un homme... Ma Françoise, ma chère femme, reviens à toi ; regarde-moi, parle-moi. C'est moi, ton mari. »

Lucie faisait sentir du vinaigre à sa mère, M. de Rugès la fit étendre par terre, et lui jeta quelques gouttes d'eau au visage. Lecomte, à genoux près d'elle, soutenait sa tête dans ses mains ; Lucie, à genoux de l'autre côté, frottait de vinaigre les tempes de sa mère et en mouillait ses lèvres. Peu d'instants après, Françoise ouvrit les yeux, regarda Lucie, lui sourit, puis, se sentant soutenue du côté opposé, elle

109

tourna la tête, regarda son mari, et, faisant un effort pour se soulever, se jeta à son cou et sanglota.

« Elle pleure, il n'y a plus de danger, dit M. de Rugès. Nous sommes inutiles maintenant. Laissons-les à leur bonheur ; la présence d'étrangers ne pourrait que les gêner. »

Et, sans faire leurs adieux, ils sortirent de la maison blanche, fermant la porte après eux et emmenant les enfants, qui s'étaient groupés à l'entrée pour voir la scène de reconnaissance.

On parla peu au retour ; chacun était touché et attendri du bonheur de ces braves gens. Les événements si inattendus de la journée avaient vivement impressionné les enfants ; la rencontre de Lecomte avait presque fait oublier la vanterie et la poltronnerie de Léon. Sophie cherchait à rappeler ses souvenirs pour les raconter à ses amis : son naufrage, la perte de sa mère, de son oncle et de sa tante, de son cousin Paul qu'elle aimait comme un frère, les dangers qu'elle avait courus, le second mariage de son père, suivi de si près de la mort de ce dernier protecteur de son enfance, les mauvais traitements de sa belle-mère, tous ces événements se représentèrent si vivement à son souvenir, qu'elle ne comprit pas comment elle avait pu les oublier et n'avait jamais éprouvé le désir d'en parler.

En approchant du château, MM. de Rugès et de Traypi recommandèrent encore aux enfants de ne pas parler à Mme de Rosbourg du retour de Lecomte, avant qu'ils le lui aient appris eux-mêmes avec ménagement, de crainte du saisissement que pouvait occasionner cette espérance.

« Car, dit M. de Traypi, il est très possible que M. de Rosbourg et Paul aient pu s'échapper de leur côté, comme l'a fait Lecomte. D'après le peu qu'il m'a raconté, les sauvages qui les ont pris ne sont pas féroces, et ils sont heureux de pouvoir enlever des Européens, qui leur apprennent beaucoup de choses utiles à leur vie sauvage. »

Les enfants promirent de ne rien dire qui pût attrister ou émouvoir Mme de Rosbourg, et ils rentrèrent chez eux, Léon heureux d'échapper aux reproches de son père, tous les autres fort préoccupés des espérances que devait éveiller le retour de Lecomte.

Chapitre 6

Naufrage de Sophie

Quand les enfants purent se trouver seuls, ils demandèrent à Sophie de leur raconter son naufrage.

« Allons, dit Jacques, dans notre cabane, nous y serons bien tranquilles, personne ne nous dérangera, et nous ne craindrons pas que Mme de Rosbourg nous entende. »

Les enfants trouvèrent l'idée bonne et coururent tous à leur petit jardin. Jacques, qui avait couru plus fort que les autres, les reçut à la porte de sa cabane : chacun se plaça de son mieux, les uns sur les chaises et les tabourets, les autres sur la table et par terre. On avait installé Sophie dans un fauteuil, et elle commença au milieu d'un grand silence.

« J'étais bien petite, car j'avais à peine quatre ans, et j'avais tout oublié ; mais, à force de chercher à me rappeler, je me suis souvenue de bien des choses, et entre autres de la visite d'adieu que je vous ai faite avec mon pauvre cousin Paul, maman et ma tante d'Aubert.

Ton papa était parti, je crois ?

Il nous attendait à Paris. J'étais contente de partir, de voyager. Maman m'a dit que nous monterions sur un vaisseau. Je n'en avais jamais vu, ni Paul non plus. Puis, j'aimais beaucoup Paul, et j'étais bien, bien contente de ne pas le quitter. Je ne me rappelle pas ce que nous avons fait à Paris ; je crois que nous n'y sommes restés que quelques jours. Puis nous avons voyagé en chemin de fer ; nous avons couché dans une auberge à Rouen, je crois, et nous sommes arrivés le lendemain dans une grande ville qui était pleine de perroquets, de singes. J'ai demandé à maman de m'en acheter un ; elle n'a pas voulu.

« Je ne me rappelle pas trop ce qui arriva sur le vaisseau ; je me souviens seulement d'un excellent capitaine, qui était, à ce qu'il paraît, ton papa, Marguerite ; il était très bon pour moi et pour Paul aussi ; il nous disait qu'il nous aimait beaucoup, et que nous devrions bien rester avec lui et le prendre pour notre papa. Il y avait aussi ce matelot que j'ai reconnu, et qu'on appelait le Normand ; je ne savais pas du tout que son nom fût Lecomte. Tout le monde l'appelait le Normand. Le voyage dura très longtemps. Quand il pleuvait, c'était ennuyeux, parce qu'on était obligé de rester dans des chambres basses et étouffantes ; mais, quand il faisait beau, nous allions sur le pont, Paul et moi.

MARGUERITE

Comment, sur le pont ? Pourquoi y avait-il un pont sur ton vaisseau ?

SOPHIE

Mais ce n'est pas un pont comme ceux qu'on fait sur une rivière. C'est le dessus du vaisseau qu'on appelle le pont, et l'on s'y promène.

MARGUERITE

Est-ce qu'il n'y avait pas de danger de tomber dans la mer ?

SOPHIE

Non, aucun danger, parce qu'il y avait un grand rebord tout autour, comme un mur en bois, qui était plus haut que moi. »

« Depuis deux jours il faisait un vent terrible ; tout le monde avait l'air inquiet ; le capitaine ni le Normand ne s'occupaient plus de Paul ni de moi ; maman me tenait près d'elle ; ma tante d'Aubert gardait aussi Paul, quand tout à coup j'entendis un craquement affreux, et en même temps il y eut une secousse si forte, que nous tombâmes tous à la renverse. Puis j'entendis des cris horribles ; on courait, on criait, on se jetait à genoux. Papa et mon oncle coururent sur le pont, maman et ma tante les sui-

114

virent. Paul et moi, nous eûmes peur de rester seuls, et nous montâmes aussi sur le pont. Paul aperçut le capitaine, et s'accrocha à ses habits ; je me souviens que le capitaine avait l'air très agité ; il donnait des ordres. J'entendis qu'on criait : *Les chaloupes à la mer !* Le capitaine nous vit. Il me saisit dans ses bras, m'embrassa et me dit : « Pauvre petite, va avec ta maman. » Puis il embrassa Paul et voulut le renvoyer. Mais Paul ne voulait pas le lâcher. « Je veux rester avec vous, criait-il ; laissez-moi près de vous. »

« Je ne sais plus ce qui arriva. Je sais seulement que papa vint me prendre dans ses bras, et qu'il cria : « Arrêtez ! arrêtez ! la voici, je l'ai trouvée... » Il courait et il voulut sauter avec moi dans une chaloupe où étaient maman, ma tante et mon oncle, mais il n'en eut pas le temps : la chaloupe partit. Je criais : « Maman, maman, attendez-nous ! » Papa restait là sans dire un mot. Il était si pâle que j'eus peur de lui. Il est toujours resté pâle depuis, et il me faisait peur quand il me regardait de son air triste. Je n'ai pas oublié les cris de ma pauvre maman et de ma tante d'Aubert quand la chaloupe est partie. Je les entendais crier : « Sophie ! Paul ! mon enfant ! mon mari ! » Mais cela ne dura pas longtemps, car tout d'un coup une grosse vague vint les couvrir. J'entendis un affreux cri, puis je ne vis plus rien. Maman était disparue ; tous avaient été engloutis par la vague. Cette nuit, je me suis souvenue de tout cela.

JEAN

Pauvre Sophie ! Comment as-tu pu te sauver ?

115

Je ne sais pas du tout comment a fait papa ; le capitaine lui a parlé ; ils ont embrassé Paul tous les deux ; le capitaine a dit : « Je vous le jure ! » puis le Normand a aidé papa à descendre avec moi dans un énorme baquet qui était sur la mer. J'appelais Paul, et je pleurais ; je voyais mon pauvre Paul qui pleurait aussi, et le capitaine qui le tenait dans ses bras et l'embrassait. Puis les vagues nous ont entraînés. Je me suis endormie, et je ne me souviens plus bien de ce qui est arrivé. Papa me donnait de l'eau qu'il avait dans un petit tonneau, et du biscuit ; je dormais, car je m'ennuyais beaucoup. Papa pleurait ou restait triste et pâle, sans parler. Un jour, je me suis trouvée, je ne sais pas comment, sur un autre vaisseau. Papa a été malade ; je m'ennuyais, j'étais triste de ne pas voir maman et mon cher Paul. Depuis, papa m'a dit que ce pauvre Paul avait été noyé avec le capitaine et le Normand, parce qu'ils étaient restés sur le vaisseau, qui s'était perdu en cognant contre un rocher. D'après ce que nous a dit le Normand, j'espère que Paul et le bon capitaine se sont sauvés comme papa et moi. »

Sophie pleurait en terminant l'histoire de son naufrage ; tous ses amis pleuraient aussi.

LÉON

Mais tout cela ne nous explique pas pourquoi tu t'appelles Fichini au lieu de Réan.

J'ai oublié beaucoup de choses, parce que papa m'a défendu de jamais lui parler de ce naufrage, de pauvre maman, et de ne lui faire aucune question sur son mariage avec ma belle-mère. Mais, en rappelant mes souvenirs, voici que que j'ai trouvé : quand nous sommes arrivés en Amérique, où nous allions, nous avons été demeurer chez un ami de papa, M. Fichini, qui était mort ; mais j'ai entendu parler devant moi d'un testament par lequel il laissait à papa et à ma tante d'Aubert toute sa fortune, à condition qu'il prendrait son nom, et qu'il garderait chez lui et n'abandonnerait jamais une orpheline que M. Fichini avait élevée. Papa était si triste qu'il ne s'occupait pas du tout de moi. Cette orpheline, qui s'appelait Mlle Fédora, soignait beaucoup papa et me témoignait aussi beaucoup d'amitié. Quelque temps après, papa l'a épousée, et alors elle a changé tout à fait de manières ; elle avait des colères contre papa, qui la regardait de son air triste, et qui s'en allait. Avec moi elle était aussi toute changée ; elle me grondait, me battait. Un jour, je me suis sauvée près de papa ; j'avais les bras, le cou et le dos tout rouges des coups de verges qu'elle m'avait donnés. Jamais je n'oublierai le visage terrible de papa quand je lui dis que c'était ma belle-mère qui m'avait battue. Il sauta de dessus sa chaise, saisit une cravache qui était sur la table, courut chez ma belle-mère, la saisit par le bras, la jeta par terre, et lui donna tant de coups de cravache, qu'elle hurlait plutôt qu'elle ne criait. Elle avait beau se débattre, il la maintenait avec une telle force d'une main pendant qu'il la battait de l'autre,

117

qu'elle ne pouvait lui échapper. Quand il la laissa se relever, elle avait un air si méchant, qu'elle me fit peur.

« Tous les coups que vous m'avez donnés, s'écria-t-elle, je les rendrai à votre fille.

« — Chaque fois que vous oserez la toucher pour la maltraiter, je vous cravacherai comme je l'ai fait aujourd'hui, madame », répondit papa.

« Il sortit, m'emmenant avec lui. Quand il fut dans sa chambre, il me prit dans ses bras, me couvrit de baisers, pleura beaucoup, me répéta plusieurs fois : « Pardonne-moi, mon enfant, ma pauvre Sophie, de t'avoir donné une pareille mère !... Oh ! ... pardonne-moi ; je la croyais bonne et douce ; je croyais qu'elle te rendrait heureuse ; qu'elle t'aimerait comme t'ai-mait ta pauvre maman. Elle me le disait. Pourquoi l'ai-je crue ? Je me sentais mourir, et je ne voulais pas te laisser seule dans ce monde. » Et il recommençait à m'embrasser et à pleurer. Je pleurais aussi : il m'essuya les yeux avec ses baisers, et me dit qu'il allait s'occuper de me placer chez une de ses amies qui était très bonne et qui me rendrait heureuse.

« Mais, ajouta Sophie en pleurant, dans la nuit il fut pris d'un vomissement de sang, à ce que m'ont dit les domestiques, et il mourut le lendemain, me tenant dans ses bras et me demandant pardon.

« Depuis ce malheureux jour, continua Sophie après quelques minutes d'interruption et de larmes, vous ne pouvez vous figurer combien je fus malheureuse. Ma belle-mère tint la promesse qu'elle avait faite à papa, et me battit pour la moindre faute avec

une telle cruauté, que tous les jours j'avais de nouvelles écorchures, de nouvelles meurtrissures.

CAMILLE, *l'embrassant.*

Oui, ma pauvre Sophie, deux fois nous avons été
témoins de la méchanceté de ta belle-mère, et c'est
une des raisons qui nous ont attachées à toi.

JEAN

Cette méchante femme ! Si je la voyais, je l'as-
sommerais ! Je suis enchanté que ton papa l'ait si
bien cravachée ; elle l'avait bien mérité.

SOPHIE

Oui, mais elle me l'a bien fait payer, je t'assure.

MADELEINE

Et que faisais-tu toute la journée ?

SOPHIE

Je m'ennuyais ; je pleurais souvent. Dans les commencements, je causais avec les domestiques, qui
avaient pitié de moi, je leur parlais de pauvre maman
et de pauvre papa. Mais elle a su que les domestiques m'aimaient, qu'ils me donnaient des douceurs,
qu'ils cherchaient à me consoler et que je leur parlais de papa et de maman ; elle les a tous fait venir
et leur a dit que le premier qui me parlerait ou me
donnerait quelque chose serait chassé le jour même ;
et, quand elle les eut renvoyés, elle me fit voir un
paquet de verges, plus grosses encore que celles dont

119

elle se servait habituellement, et me dit que chaque fois que je parlerais de papa ou de maman, ou de mon passé, elle me fouetterait à me faire saigner ; et, pour me faire voir, dit-elle, la bonté de ses verges, elle me fouetta tellement que j'étais enrouée à force de crier. « Allez, mademoiselle, me dit-elle, allez vous plaindre à votre papa à présent. »

L'indignation des enfants était à son comble ; les uns pleuraient, les autres entouraient Sophie, l'embrassaient, lui promettaient de l'aimer toujours, pour la dédommager des malheurs de sa première enfance. Sophie les remerciait, leur rendait leurs caresses et leur amitié.

« Ce qui m'étonne, dit-elle à Camille et à Madeleine, c'est que vous ne m'ayez jamais parlé de maman, de papa, ni de Paul.

CAMILLE

Tu sais que nous ne te voyions pas bien souvent. Nous savions bien que vous étiez tous partis, mais, ne te voyant plus, nous n'y avons plus pensé. Je me souviens qu'une fois maman nous a dit : « Vous allez bientôt revoir votre petite voisine Sophie ; elle s'appelle maintenant Fichini au lieu de Réan ; mais ne lui parlez jamais ni de son papa ni de sa maman, qui sont morts, ainsi que son cousin, sa tante et son oncle. Elle a une belle-mère avec laquelle elle vit et qui doit nous l'amener un de ces jours. » C'est pourquoi nous ne t'en avons jamais parlé, et j'avoue que je n'y ai même plus pensé, puisque je ne devais pas en parler.

120

Mais toi-même, pourquoi ne nous as-tu jamais raconté tout cela depuis trois ans que nous sommes ensemble ?

SOPHIE

À force de n'en pas parler, je n'y ai plus pensé, et je l'avais pour ainsi dire oublié. La vue du Normand et le peu qu'il m'a raconté ont tout rappelé à ma mémoire ; je me suis souvenue de ce que j'avais si bien oublié. Même tout à l'heure, en vous racontant mon naufrage et le mariage de papa, beaucoup de choses me sont revenues, et à présent je crois voir ce bon capitaine embrassant Paul qui pleurait et lui tenait les mains, et le visage pâle et désolé de mon pauvre papa. Je crois entendre les cris de maman et de ma tante quand la chaloupe s'est éloignée et puis quand elle s'est enfoncée dans la vague. Un autre souvenir qui m'est revenu aussi depuis que j'ai vu le Normand, c'est la mort de papa et la scène de la veille. C'est singulier qu'on puisse si bien oublier pendant des années ce dont on se souvient si clairement après. »

Le récit de Sophie avait été long ; on s'étonnait au salon de leur absence. M. de Rugès avait profité de ce temps pour préparer Mme de Rosbourg à revoir Lecomte et à accueillir l'espoir du retour du commandant de Rosbourg, retour presque miraculeux, sans doute, mais enfin possible, comme celui de Lecomte. Après deux heures de larmes et d'agitation, entremêlées d'espérance et de bonheur, elle pria

M. de Rugès de lui amener le lendemain le Normand dans son salon particulier ; elle voulait le voir seule, lui parler sans témoins. Quand les enfants rentrèrent, elle vit qu'ils avaient tous pleuré, elle appela Marguerite, la serra contre son cœur et lui dit :

« Tu sais ?... tu sais que ton cher papa peut revenir encore ? Viens avec moi, mon enfant ; viens à l'église prier Dieu pour ton père et lui demander de nous le rendre.

SOPHIE

Me permettez-vous de vous accompagner, madame ? Je prierai aussi pour ce bon commandant qui m'aimait et pour mon pauvre Paul ! »

Mme de Rosbourg ne lui répondit qu'en l'embrassant tendrement et en lui prenant la main pour l'emmener. Tous les enfants demandèrent à joindre leurs prières à celles de Mme de Rosbourg. Mme de Fleurville, qui accompagnait son amie, y consentit, et tous allèrent à l'église prier pour le retour des pauvres naufragés. Quand ils en sortirent, ils avaient la ferme conviction que leurs prières seraient exaucées, tant elles avaient été ferventes et pleines de confiance en la bonté de Dieu.

Au retour, ils trouvèrent M. de Traypi faisant sa malle.

« Je pars pour Paris, dit-il. Je veux aller au ministère de la Marine ; peut-être y apprendrai-je quelque nouvelle. Je leur dirai le retour de Lecomte et la captivité de M. de Rosbourg et du petit Paul. Qui sait, peut-être aurai-je de bonnes nouvelles à vous donner.

— Que vous êtes bon et que je vous remercie, mon ami ! dit Mme de Rosbourg les larmes aux yeux. Le bon Dieu me protège puisqu'il me donne des amis tels que vous. Puisse-t-il me protéger jusqu'à la fin et me rendre mon cher mari ! »

Le lendemain, de bonne heure, on frappait doucement à la porte de Mme de Rosbourg.

« Entrez », dit-elle d'une voix émue.

La porte s'ouvrit ; Lecomte entra ; il osait à peine lever les yeux sur Mme de Rosbourg, qui, pâle et tremblante, s'avançait pourtant avec rapidité vers lui. Elle voulut lui parler, l'interroger ; les larmes lui coupèrent la parole ; elle prit les grosses mains rugueuses de Lecomte et les serra dans les siennes.

LECOMTE

Madame, ma chère dame, je devrais être à vos pieds pour vous remercier de tout ce que vous avez fait pour ma femme et mon enfant ! »

Tout en parlant, il l'avait respectueusement soutenue et placée sur un fauteuil. Mme de Rosbourg sanglotait.

« Pardonnez-moi... cette faiblesse..., dit-elle d'une voix entrecoupée par ses sanglots. La vue de l'ami dévoué, du compagnon de mon mari, m'a ôté tout courage. Mais... je saurai me vaincre..., ayez patience..., quelques minutes encore... et je pourrai vous interroger, savoir de vous quelles doivent être mes craintes, quelles peuvent être mes espérances.

123

Oh ! ne vous gênez pas, ma bonne chère dame ! Je vous regarderai pleurer ; ça me fera du bien. Vrai, ça me fait plaisir de vous voir pleurer ainsi mon brave commandant ; et après tant d'années encore. Vous êtes une brave dame, allez ; tout à fait digne de lui. Ce pauvre cher homme ! Lui aussi, il pleurait en parlant de vous et de sa petite. Il s'en cachait, mais je l'ai vu souvent essuyer ses yeux quand il parlait de vous deux. Ah ! c'est qu'il ne lui était pas facile de se cacher de moi. Je l'aimais tant, que je ne le perdais jamais de l'œil. Quand ces satanés sauvages m'ont embarqué dans leur satanée barque, je leur en disais des injures, tout garrotté que j'étais. Mon pauvre commandant ! Faut-il qu'ils me l'aient enlevé sans que j'aie pu seulement couper bras, jambes et têtes pour le délivrer ! »

Ce discours donna à Mme de Rosbourg le temps de se remettre. Après avoir affectueusement remercié Lecomte de son attachement pour M. de Rosbourg, elle l'interrogea sur tous les détails de leur naufrage, de leur débarquement, de leur prise par les sauvages, de leur séparation, M. de Rosbourg et Paul ayant été gardés par une bande de ces sauvages, tandis que Lecomte se trouvait emmené par une autre bande. Après l'avoir entendu pendant deux heures et avoir causé avec lui de toutes les chances probables de l'évasion de M. de Rosbourg, elle conçut l'espoir fondé de l'existence de son mari et de son retour.

« Merci, mon brave Lecomte, lui dit-elle en le congédiant. Jamais je ne pourrai assez vous témoigner ma reconnaissance de l'attachement, du dévouement que vous avez montrés à mon mari. Je suis doublement heureuse d'avoir pu être utile à votre digne femme et à votre excellente Lucie.

— Pardon, si j'interromps madame, s'écria vivement Lecomte. Utile ! vous appelez cela utile ? Mais vous avez été une providence pour elles ; vous les avez sauvées de la mort, tirées de la misère ; vous les avez soutenues, nourries ; vous avez fait apprendre un état à ma Lucie ; vous avez été leur sauveur et le mien. Oh ! chère dame, à moi, oui, à moi, à vous honorer comme une providence, à vous remercier à deux genoux. »

Et, en achevant ces mots, Lecomte se jeta à genoux devant Mme de Rosbourg et baisa le bas de sa robe. Mme de Rosbourg, attendrie, lui prit les mains et les lui serra. En se relevant, il osa y poser ses lèvres. Effrayé de sa hardiesse, il leva les yeux vers Mme de Rosbourg, qui souriait en lui faisant un signe d'adieu amical. Il sortit, ému et heureux.

Chapitre 7

Nouvelle surprise

M. de Traypi était parti depuis deux jours ; on attendait avec impatience son retour, ou tout au moins une lettre de lui. Pendant ces deux jours, Mme de Rosbourg et Marguerite, suivies de toute la bande d'enfants, avaient été matin et soir passer quelques heures à la maison blanche. Mme de Rosbourg avait fait faire un habillement complet à Lecomte et avait donné à Françoise l'argent nécessaire pour le monter en linge, chaussures et vêtements. Elle aimait à voir les visages radieux de Françoise, de Lucie et de Lecomte, depuis leur réunion ; elle espérait de la bonté de Dieu pour elle-même un pareil bonheur. Elle ne cessait de questionner Lecomte sur son mari, sur son naufrage, sur ses chances de salut et de retour. Lecomte, heureux de parler de son commandant, racontait sans jamais se lasser, et ne permettait pas même à sa femme de l'interrompre. Lucie jouait pendant ce temps avec les enfants, leur montrait à tresser des paniers avec des joncs, à faire des colliers et des bracelets avec des coquilles de noisettes ou des glands évidés et découpés à jour. Ils aidaient Lucie à bêcher et arroser le jardin, à cueillir les fraises, les groseilles, les framboises. Marguerite s'échappait souvent pour dire un mot d'amitié à Lecomte, pour écouter ce qu'il disait de son papa, dont elle n'avait aucun souvenir, mais qu'elle aimait à force d'en avoir entendu parler à sa maman. Lecomte baisait les petites mains de Marguerite, quelquefois même il baisait ses belles boucles noires ou ses joues roses et potelées.

« Mon pauvre commandant, disait-il en soupirant, serait-il heureux de vous revoir ! »

L'après-midi du troisième jour, Mme de Rosbourg et les enfants rentraient, après avoir passé deux heures chez Lecomte et Françoise. En approchant du perron, elle crut reconnaître M. de Traypi. Impatiente de savoir s'il lui rapportait des nouvelles de son mari, elle hâta le pas, et, montant rapidement les marches du perron, elle se heurta contre... M. de Rosbourg lui-même. Tous deux poussèrent ensemble un cri de bonheur ; Mme de Rosbourg tomba dans les bras de son mari en sanglotant et en remerciant Dieu. Elle ne pouvait croire à son bonheur. Elle embrassait son mari ; elle le regardait pour s'assurer que c'était bien lui ; son cœur débordait de joie. Après les premiers instants de joyeux saisissement, M. de Rosbourg, sans quitter sa femme, regarda les enfants groupés autour d'eux et chercha à reconnaître sa petite Marguerite ; ses yeux s'arrêtèrent sur Sophie.

« Sophie ! s'écria-t-il. Je ne me trompe pas ; c'est bien Sophie de Réan. Pauvre enfant ! comment est-elle ici ? Mais, ajouta-t-il, Marguerite ! ma petite Marguerite ! N'est-ce pas cette petite brune si gentille, qui me regarde d'un air tendre et craintif ? »

Marguerite, pour toute réponse, se jeta dans les bras de son père, qui l'embrassa tant et tant que ses joues en étaient cramoisies.

Quand il eut recommencé cent et cent fois à embrasser sa femme et son enfant, il s'avança vers Sophie, et, la prenant dans ses bras, il l'embrassa deux ou trois fois.

« Pauvre petite ! dit-il. Quels affreux souvenirs elle me rappelle ! Où est son père ? Par quel hasard se trouve-t-elle avec vous ?

— Mon bon commandant, répondit Sophie, je vous expliquerai tout cela. Mon pauvre papa est mort il y a longtemps, ajouta-t-elle en baissant la voix et en essuyant une larme ; mais Paul, mon cher Paul, où est-il ? Vit-il encore ?

M. DE ROSBOURG

Paul est un grand et beau garçon, ma chère enfant ; il est ici ; il déballe et range nos affaires.

SOPHIE

Oh !... que je voudrais le voir, ce cher Paul ! Dans quelle chambre est-il, que je coure le chercher ?

Près de celle de ma femme ; c'est celle qu'on m'a donnée et où Paul a monté mes effets. »

Sophie courut à cette chambre ; on entendit des cris de joie, des gambades, des rires, et bientôt on vit accourir Sophie entraînant Paul, un peu honteux de se trouver en présence de tous ces visages inconnus.

« Viens, mon garçon, lui cria M. de Rosbourg, ce ne sont pas des sauvages ; pas de danger à courir, va ! D'ailleurs tu es homme, toi, à aller en avant et jamais en arrière. En avant donc et embrasse tes amis. Voici ma femme d'abord, puis ma petite Marguerite, puis... Ma foi, je ne connais pas les autres, mais comme nous sommes en pays ami, embrassons-les tous pour faire connaissance ; ils diront leurs noms après. »

La mêlée fut générale ; tout le monde s'embrassait en riant. La belle et aimable figure de M. de Rosbourg avait déjà séduit les enfants ; l'air déterminé de Paul, sa taille élevée, son apparence vigoureuse, sa figure intelligente et bonne, disposèrent en sa faveur les cœurs des enfants. M. de Rosbourg se retira en riant, avec sa femme ; Sophie présenta Paul à tous ses amis.

« Voici d'abord Marguerite, la fille de notre bon capitaine ; c'est elle qui est la plus jeune et avec laquelle je me suis le plus amusée et disputée ; nous te raconterons tout cela. Voici mes chères amies Camille et Madeleine, si bonnes, si bonnes, qu'on les appelle les petites filles modèles. Voici notre ami Jacques de Traypi, un petit malin, mais bien bon.

Voici Jean de Rugès, qui a douze ans comme toi et qui fera la paire avec toi pour le courage et la bonté. Voici enfin son frère, qui s'appelle Léon et qui est notre aîné à tous ; il a treize ans. »

Paul ne tarda pas se mettre à l'aise avec ses nouveaux amis. Sophie l'accablait de questions sur ce qui lui était arrivé ; il promit de tout raconter quand on serait un peu plus posé. Il parla de M. de Rosbourg avec une tendresse et une reconnaissance qui touchèrent Marguerite jusqu'aux larmes.

MARGUERITE

Comme vous aimez papa, monsieur Paul ! Alors je vous aimerai bien aussi.

PAUL

Si vous m'aimez, Marguerite, vous m'appellerez Paul tout court et pas monsieur.

MARGUERITE

Oh ! je ne demande pas mieux, et, quand nous nous connaîtrons bien, demain par exemple, nous nous tutoierons : c'est si gênant de dire *vous !*

PAUL

Tout de suite, si tu veux, Marguerite ; d'abord je te connais beaucoup ; car ton papa me parlait bien souvent de toi.

MARGUERITE

Et Sophie ne m'a jamais parlé de toi.

PAUL

Comment, Sophie, tu m'avais oublié ?

SOPHIE, *tristement.*

Oublié, non, mais tu dormais dans mon cœur, et je n'osais pas te réveiller. Je t'avais cru mort, et puis j'ai été si malheureuse que je suis devenue égoïste et je n'ai pensé qu'à moi ; j'ai perdu l'habitude de penser au passé et à ceux qui m'avaient aimée.

JEAN

Ne croyez pas ce qu'elle dit, Paul ; Sophie est bonne et très bonne, elle dit toujours du mal d'elle-même. Pauvre Sophie, elle vous racontera ses trois années de malheur. »

Jacques s'avança vers Paul, et, se mettant sur la pointe des pieds pour l'embrasser, il lui dit :

« Je vois dans tes yeux que tu seras mon ami ; tu aimeras bien ma petite amie Marguerite, n'est-ce pas ? Nous la protégerons à nous deux quand elle en aura besoin. »

Paul embrassa Jacques en souriant et lui promit d'être son ami dévoué et celui de Marguerite.

Léon ne disait rien ; il semblait piqué de ce que Sophie n'avait ajouté aucune réflexion aimable en le nommant. Il se laissa pourtant embrasser par Paul. Camille et Madeleine souriaient et attendaient, pour faire plus ample connaissance avec ce dernier, que le temps eût augmenté leur intimité.

Bientôt on entendit sonner le dîner ; chacun s'apprêta à se rendre au salon. Mme de Rosbourg y entra

131

radieuse, appuyée sur le bras de son mari, qui tenait sa petite Marguerite par la main.

La joie, le bonheur étaient sur tous les visages ; Sophie et Paul avait mille choses à se demander. Sophie parla tant et tant, qu'à la fin de la journée elle lui avait raconté tous les événements importants de sa vie depuis leur séparation. Les enfants firent promettre à Paul de leur raconter à tous ensemble ce qui lui était arrivé depuis le naufrage. M. de Rosbourg fit la même promesse à ces dames et à ces messieurs.

SOPHIE

Mais, dis-moi, Paul, comment et avec qui es-tu arrivé ici, à Fleurville ?

PAUL

Avec M. de Traypi, que le commandant a trouvé au ministère comme il y arrivait lui-même pour annoncer son retour et expliquer sa longue absence. Nous étions à Paris depuis une demi-heure, le commandant très impatient de revoir sa femme et Marguerite, qu'il ne savait trop où chercher ni où trouver, et moi très tranquille, parce que je n'imaginais pas tu fusses en vie et encore moins ici. Je croyais que tu avais dû périr avec ton papa, dans cette vilaine caisse où on t'avait mise par une tempête si affreuse et avec des vagues hautes comme des maisons.

132

SOPHIE

Je t'avais cru mort aussi. C'est par le Normand que je t'ai su vivant et chez les sauvages.

PAUL

Le Normand ! Tu as vu le Normand ? Quand ? Où cela ? Où est-il ? que j'embrasse ce brave homme si bon, si dévoué ! Nous l'avons bien regretté, et nous pensions que les sauvages l'avaient tué.

SOPHIE

Il y a trois jours seulement que le Normand est revenu, après s'être échappé de chez les sauvages et après vous avoir cherchés et attendus pendant quatre ans. Nous l'avons rencontré, par hasard, dans la forêt.

PAUL

Brave homme ! que je serai content de le revoir !

MARGUERITE

Nous irons le voir demain et nous lui annonce-rons le retour de papa ; il en sera aussi heureux que nous, car il l'aime !... il l'aime ! autant que maman et moi.

JACQUES

Et après, tu nous raconteras tes aventures. Tu es resté cinq ans chez les sauvages ?

Tu le sauras demain, et bien d'autres choses encore. Il est trop tard pour commencer.

— Mes enfants, dit Mme de Fleurville, il est tard ; votre nouvel ami Paul doit être fatigué...

M. DE ROSBOURG, *interrompant.*

Paul fatigué ! Il en a fait bien d'autres avec moi ! Nous avons passé des nuits et des jours à travailler, à marcher, à veiller. Il est maintenant robuste comme un vrai marin.

— Mais les nôtres, qui n'ont pas eu comme lui l'avantage d'une si terrible éducation, cher commandant, répondit en souriant Mme de Fleurville, ont vraiment besoin de repos. Tous ont pris une part si vive au bonheur de Marguerite, qu'ils ont comme elle besoin d'une bonne nuit pour se remettre. Demain ils seront de force à lutter avec Paul. »

M. de Rosbourg ne répondit que par un salut gracieux, et, attirant à lui Marguerite et Sophie, il les embrassa avec tendresse.

« Oh ! papa, dit Marguerite en serrant ses bras autour de son cou, que c'est ennuyeux de vous quitter et de me coucher !

— Je vais prolonger la soirée en te montant jusque chez toi, mon enfant », répondit M. de Rosbourg.

Et, la prenant dans ses bras, il l'emporta jusque dans sa chambre, à la grande joie de Marguerite qui répétait en l'embrassant :

« Oh ! que c'est bon un papa ! Maman avait bien raison.

En quoi avait raison ta maman ? Que disait-elle ?

— Maman disait que vous étiez le plus beau et le meilleur des hommes ; que sans moi elle mourrait de chagrin ; qu'elle ne pouvait pas être heureuse sans vous, et beaucoup d'autres choses encore. Et puis elle pleurait si souvent et si fort, que je pleurais quelquefois aussi ; alors elle essuyait ses yeux, elle souriait et m'embrassait. »

Tout en causant, Marguerite s'était déshabillée.

À présent, papa, je vais faire ma prière ; voulez-vous la faire avec moi ?

Oui, je le veux, mon enfant chéri. Prions ensemble et remercions Dieu. »

Et, passant son bras autour de sa petite Marguerite, il se mit à genoux près d'elle et récita avec elle le *Pater*, l'*Ave*, et le *Credo*. Elle ajouta ensuite :

« Mon Dieu, je ne vous prie plus pour le retour de mon cher papa, puisque vous me l'avez rendu ; mais je vous remercie du bonheur que vous nous avez donné à tous les trois. Faites, mon Dieu, que, pour vous en remercier, je sois toujours bonne et sage, et que je fasse le bonheur de ce cher papa et de ma pauvre maman qui a tant pleuré. »

135

En finissant, elle se jeta au cou de son père, qui, vaincu par son émotion, la serra dans ses bras et la couvrit de baisers en sanglotant. Marguerite effrayée lui demanda :

« Papa, cher papa, qu'avez-vous ? Pourquoi pleurez-vous ainsi ?

— Mon enfant, ma Marguerite chérie, c'est le bonheur qui fait couler mes larmes ; c'est la joie, la reconnaissance envers Dieu qui m'a ramené près de vous pour jouir d'un bonheur presque trop grand pour ce monde. Mon Dieu, être si heureux après tant d'années de désolation ! »

Et, posant Marguerite dans son lit, il se remit à genoux près d'elle et pria, la tête appuyée sur la main de son enfant ; quand il releva son visage baigné de larmes, elle était endormie. Il essuya la main humide de Marguerite, baisa son joli front blanc et pur, lui donna sa bénédiction paternelle, et sortit en se retournant plus d'une fois pour regarder cette charmante petite dormant si paisiblement et si gracieusement.

Chapitre 8

La mer et les sauvages

Le lendemain on se réunit plus tôt que d'habitude. Les enfants firent honneur à un premier déjeuner, que Paul mangea avec délices, s'extasiant sur la bonté du lait, l'excellence du beurre normand ; il retrouvait en chaque chose des souvenirs d'enfance, et il regardait avec bonheur et reconnaissance son cher commandant qui lui tenait lieu de père. L'excellent M. de Rosbourg, non moins heureux que Paul, répondait à ses regards par un sourire affectueux. Devinant un peu d'inquiétude dans les yeux de Paul :

« Ne crains pas que je te plante là, mon garçon, lui dit-il. Nous sommes de vieux compagnons et nous resterons bons amis. Tu es mon fils, tu le sais ; n'ai-je pas promis à ton pauvre oncle de Réan d'être ton père ? Au lieu d'un enfant j'en aurai deux : c'est une nouvelle bénédiction du bon Dieu quand on les a de premier choix comme toi et ma petite Marguerite. »

137

On sortait de table ; Paul et Marguerite saisirent chacun une main du commandant et la couvrirent de baisers. Il en rendit un à Paul, une douzaine à Marguerite ; il fit un signe de tête amical à Sophie, et il offrit le bras à Mme de Fleurville pour la ramener au salon. La journée se passa à faire connaissance ; on mena Paul voir toute la maison, le potager, la ferme, les écuries, le parc, le village, le petit jardin et les cabanes. Puis on alla faire tous ensemble une visite à Lecomte. En apercevant son commandant, il faillit tomber à la renverse. M. de Rosbourg lui témoigna une grande amitié et lui promit de revenir le voir et de s'arranger de façon à l'avoir toujours près de lui. Après le dîner les enfants demandèrent à Paul de leur raconter ses aventures. Tout le monde se groupa autour de lui, et il commença ainsi :

« Sophie vous a raconté notre naufrage ; mais elle ne sait comment il s'est fait qu'elle et moi nous soyons restés sur le vaisseau qui allait périr ; M. de Rosbourg me l'a expliqué depuis. Quand papa, maman, mon oncle et ma tante sont montés sur le pont, nous laissant en bas dans la chambre, on avait déjà mis à la mer les chaloupes ; le commandant, voyant le vaisseau prêt à s'engloutir, fit partir le plus de monde possible sur la première chaloupe et ordonna à ses gens d'enlever les personnes qui restaient et de les sauver de gré ou de force en les faisant passer sur la seconde chaloupe. Des matelots enlevèrent maman et ma tante malgré leurs cris. Papa et mon oncle voulaient aller nous chercher ; on leur dit que nous étions déjà embarqués. Dans le tumulte et la frayeur d'un naufrage, c'était vraisemblable. On les jeta dans la chaloupe, où ils trouvèrent maman et ma tante, qui nous appelaient à grands cris. Papa voulut s'élancer sur le vaisseau, on le retint de force ; mon oncle cria : « Attendez-moi ! » et remonta sur le bâtiment. Il ne me vit pas ; j'étais derrière le commandant ; mais il aperçut Sophie, il la saisit dans ses bras et courut à la chaloupe ; on avait déjà coupé la corde qui la retenait au vaisseau, et, sans écouter ses supplications et les cris de ma pauvre tante, ils s'éloignèrent. Leur chaloupe, trop chargée, fut presque immédiatement engloutie par une vague énorme, avant que mon oncle la perdît de vue. Alors mon oncle voulut au moins me sauver ainsi que Sophie ; il me demanda au commandant, qui lui représenta l'imprudence de se risquer tous ensemble sur une planche ou un morceau de mât brisé. Le Normand proposa de mettre à la mer un grand baquet où mon oncle pourrait tenir avec Sophie. « Et Paul ! dit mon oncle : je ne partirai pas sans Paul. » Comprenant enfin que, s'il me prenait avec lui, le baquet ne pourrait plus supporter le poids, il consentit à me confier au commandant, qui lui jura qu'il ferait tous ses efforts pour me sauver, qu'il me soignerait et m'aimerait comme si j'étais son propre fils. Mon oncle partit avec Sophie ; je pleurais, car je croyais bien qu'ils allaient s'engloutir comme les chaloupes. Le bon Normand et M. de Rosbourg ne perdirent pas de temps pour faire un radeau, sur lequel le Normand mit un petit tonneau d'eau et des provisions ; il passa une hache à sa ceinture et à celle du commandant, pensa aux rames, à la boussole, et je me trouvai sur le radeau, dans les bras du commandant. Il regardait son pauvre vaisseau d'un air aussi triste que mon oncle m'avait regardé en me quittant ; et, quand le vaisseau acheva de se briser et fut enlevé par les vagues, je vis pour la première fois des larmes dans les yeux de mon cher commandant. Il se détourna, passa le dos de sa main sur ses yeux et reprit tout son courage. Je ne voyais plus le baquet de mon oncle ; les vagues étaient trop hautes. Pendant que le Normand ramait, M. de Rosbourg me posa sur ses genoux en me disant : « Dors, mon garçon, dors sur les genoux de ton père, tu seras à l'abri des vagues ; appuie ta tête sur ma poitrine. » Je craignais de le fatiguer ; il me prit la tête et l'appuya de force sur son épaule. Je ne voulais pas m'endormir, mais je ne sais comment il arriva que cinq minutes après je dormais profondément. Je m'éveillai au jour ; ce bon M. de Rosbourg n'avait pas bougé pour ne pas m'éveiller, et, craignant que je n'eusse froid, il m'avait couvert avec son habit. En lui prenant les mains, je sentis qu'elles étaient raides de froid. Je le priai de remettre son habit, l'assurant que j'avais bien chaud.

« Au fait, dit-il, voici le soleil qui commence à chauffer ; la lune était moins agréable, n'est-ce pas, le Normand ? Cette diable de lune ne donne pas beaucoup de chaleur. »

« Et, me posant sur le radeau, il reprit son habit et le remit non sans quelque peine sur ses épaules glacées.

Tu exagères, mon garçon ; tu me fais meilleur que je ne suis ; la nuit avait été froide, mais pas autant que tu le dis.

PAUL

Je ne dis que la vérité, mon père. Quant à vous faire meilleur que vous n'êtes, ce serait bien difficile, pour ne pas dire impossible. »

Tout le monde ayant applaudi des mains et de la voix, M. de Rosbourg se leva en riant, salua de tous côtés, embrassa sa femme, Marguerite et Sophie, serra les mains de Paul et revint s'asseoir en disant :

« Je rends la parole à l'orateur ; les interruptions sont défendues. »

Paul reprit en souriant :

« Ce qui me fait rire maintenant me semblait bien triste alors. Je me voyais orphelin, séparé pour toujours de ceux qui m'aimaient et que j'aimais ; je n'espérais pas revoir Sophie ni mon oncle, et je me trouvais sur un misérable radeau, confié à la bonté de mon cher commandant, qui pouvait à chaque minute se trouver englouti avec moi au fond de la mer.

M. DE ROSBOURG

Il est certain que la position n'était pas gaie.

PAUL

Le vent nous poussait vers la terre ; mais nous eûmes de la peine à aborder, parce qu'il y avait des rochers ; sur ces rochers, les vagues venaient se briser et il fallut toute l'habileté de M. de Rosbourg et du brave Normand pour que notre pauvre petit radeau ne fût pas mis en pièces. Enfin il entra dans une eau tranquille. Le Normand redoubla d'efforts avec ses rames, et nous nous trouvâmes sur le sable. Le commandant me prit dans ses bras et me porta sur le rivage à l'abri des vagues. Le Normand roula à terre le tonneau d'eau et le peu de provisions qu'il avait pu emporter sur le radeau. Il se mit à genoux près du commandant pour remercier le bon Dieu de nous avoir sauvés ! Je priais pour mes pauvres parents, pour toi, Sophie, et pour mon oncle, et je ne pus m'empêcher de pleurer en pensant aux dernières heures que nous avions passées sur la *Sibylle* et à ceux que je ne reverrais plus jamais, jamais. Le commandant me serra contre son cœur et me dit : « Paul, tu es mon fils ! je suis ton père, le seul qui te reste en ce monde ; et je jure que je serai ton père tant que je vivrai. » Il a bien tenu parole, ce bon et cher père ; vous le verrez bien par la suite de mon histoire.

M. DE ROSBOURG

Paul, mon ami, tu racontes mal ; pourquoi diable vas-tu parler de moi quand nous étions trois sans abri, presque sans nourriture, et que tes amis attendent pour savoir comment le bon Dieu nous a tirés de là ?

PAUL

Non, mon père, je raconte bien, car c'est mon cœur qui parle, et je serais un ingrat si je taisais toutes vos bontés pour moi.

142

— Papa, dit Marguerite en se jetant à son cou, vous avez interrompu ; vous devez être mis à l'amende.

— C'est juste, dit M. de Rosbourg en l'embrassant ; que faut-il que je fasse pour ma pénitence ?

— Il faut que vous laissiez Paul parler de vous comme il l'entend et sans l'interrompre.

M. DE ROSBOURG, *riant.*

Diable ! La pénitence est rude ! Mais c'est toi qui me la donnes ; je me soumets. Parle, mon garçon, parle ; ménage-moi, je t'en prie.

PAUL

Non, mon père, je dirai la vérité, toute la vérité ; et j'en dirai bien d'autres, quand vous n'y serez pas.

M. DE ROSBOURG

Eh bien, ça promet. Merci bien, mon ami ; tu veux donc me faire filer.

MARGUERITE

Oh ! vous ne vous en irez pas, papa ; je vous tiens prisonnier et nous vous garderons tous. »

Et elle s'installa sur les genoux de son père, qui la regarda avec tendresse et l'entoura de ses bras.

PAUL

Après avoir fait un maigre déjeuner de biscuit et d'eau, nous allâmes tous les trois à la recherche d'un abri pour y déposer nos provisions. On apercevait dans le lointain des arbres qui paraissaient former un bois. Le soleil commençait à piquer ; le commandant craignait que l'eau du tonneau ne se gâtât avant que nous ayons découvert une source ; aidé du Normand, il poussa le tonneau à l'ombre d'un rocher un peu creusé par le bas. Il me proposa de me mettre là pendant que lui et le Normand iraient jusqu'au bois pour voir s'ils n'y trouveraient pas un ruisseau et des fruits ; mais je lui demandai de ne pas le quitter, et il m'emmena. Le chemin était difficile. Le Normand marchait en avant et brisait avec sa hache les joncs et les plantes piquantes qui l'empêchaient d'avancer. Je commençais à me repentir de les avoir suivis, quand le commandant, voyant mes bas tachés de sang, me prit sur ses épaules malgré ma résistance. Le Normand voulut me porter, mais le commandant lui dit : « Tu as une tâche plus rude que la mienne, en marchant en avant et en me frayant un passage aux dépens de ta peau, mon brave Normand ! Il n'est pas lourd, ce garçon ! Et puis est-ce qu'un enfant pèse jamais trop sur le dos de son père ? » Le Normand obéit et marcha en avant. Je me repentis bien plus encore de ne pas être resté sous mon rocher quand je vis mon pauvre père trempé de sueur et plier malgré lui sous mon poids. Je lui demandai de me laisser marcher : il ne le voulut pas ; j'essayai de me glisser de dessus ses épaules : il me retint d'une main de fer et me dit : « N'essaye plus, car je t'attache si tu recommences. » Nous avancions lentement ; nous mîmes plus d'une heure à arriver à cette forêt, car c'en était une. Le terrain y était assez doux et uni. Le commandant me posa à terre, nous nous assîmes

 144

à l'ombre de ces grands arbres, qui étaient des palmiers-cocotiers et des palmiers-dattiers. Le Normand nous apporta quelques noix de coco et aussi des dattes tombées des palmiers. Le commandant ouvrit une noix avec sa hache ; il me fit boire l'eau ou plutôt le lait qu'elle contenait : c'était frais et délicieux ; puis il me fit manger la chair de cette noix : je la trouvai excellente et je regrettai amèrement que ma pauvre Sophie ne pût pas en goûter avec moi. Sophie avait toujours été de moitié dans tous mes plaisirs, dans tous mes projets, dans toutes mes sottises même, car j'exécutais ses idées qui n'étaient pas toujours heureuses, il faut le dire[1]. Et maintenant, je me la représentais dans ce vilain baquet qui sautait sur ces énormes vagues, et je croyais bien qu'elle était engloutie par la mer, ainsi que mon pauvre oncle. *(Sophie lui tend la main, il la serre et continue.)* Je m'aperçus que mon père me regardait boire et manger, et ne mangeait pas lui-même : « Et vous, mon père ? lui dis-je. Prenez, prenez, vous avez chaud, vous avez soif. — Ne t'occupe pas de moi, mon cher enfant ; je suis un homme, un marin ; je sais supporter la faim, la soif, le chaud, le froid. Je suis content de te voir manger et boire de si bon appétit. — Oh ! mon père, je n'ai plus faim ni soif, si je ne vous vois pas partager ces provisions. Et le bon Normand, où est-il ? — Il est allé chercher d'autres noix, s'il en peut trouver. » Je refusai de toucher à ce qui restait, et je priai si instamment le commandant de le partager au moins avec moi, qu'il finit par y consentir.

---

1. Voyez *Les malheurs de Sophie*, du même auteur. *(Note de l'éditeur.)*

Je vis avec bonheur ses lèvres desséchées par la soif se tremper dans le lait rafraîchissant des noix de coco. Quelque temps après, le Normand revint, apportant encore quelques noix et des dattes fraîches. Nous nous régalâmes tous les trois. Je me sentais fatigué par la chaleur. Je voyais les yeux du commandant se fermer malgré lui. Le bon Normand paraissait aussi fatigué ; je demandai si je pouvais dormir. « Dors, mon ami, répondit mon père, nous ferons bien aussi un somme ; la nuit a été rude et la chaleur est accablante. Allons, mon Normand, étends-toi près de nous et tâchons d'oublier en dormant. » Le Normand obéit ; il s'étendit à ma gauche ; le commandant s'était couché à ma droite. Deux minutes après, je dormais profondément. Je crois que j'avais dormi longtemps, car en m'éveillant je sentis la fraîcheur du soleil couchant. J'ouvris les yeux, j'étais seul. J'eus peur et je poussai un cri. Mon père accourut aussitôt, me demanda ce que j'avais. « Rien, lui dis-je ; je ne vous voyais plus, je croyais que vous m'aviez abandonné. » Jamais je n'oublierai l'air triste et affligé de mon pauvre père quand il entendit ces paroles. « Paul, mon fils ! dit-il d'une voix émue, comment as-tu pu avoir une telle pensée ? Tu ne crois donc pas que je suis ton père ; et quand as-tu vu un père abandonner son fils ? Paul, ne doute jamais de moi. — Pardon, pardon, mon père, mon seul ami, lui dis-je en me jetant dans ses bras. C'est en m'éveillant !... le premier mouvement ! Oh oui ! je sais, je sens combien vous êtes bon pour moi, meilleur, bien meilleur que ne l'a été mon propre père, qui ne m'aimait pas et qui ne s'occupait jamais

146

de moi. — Silence, Paul ! reprit le commandant ; respect aux morts ! Si tu n'as rien de bon à en dire, n'en parle qu'à Dieu, en priant pour eux. »

« La faim se faisait sentir, je demandai à manger. « Nous t'attendions pour dîner, me dit mon père. Le couvert est mis, ici à côté ! Viens voir notre salle à manger. » Je le suivis ; il me mena dans un fourré où il avait fait avec sa hache, aidé du Normand et pendant que je dormais, un passage comme un corridor ; au bout il y avait comme une grande salle, taillée aussi dans le fourré. Ils avaient étendu par terre d'énormes feuilles de palmier-dattier et de cocotier ; sur une de ces feuilles larges comme une table, étaient plusieurs noix de coco ouvertes et une espèce de pomme de terre que le Normand avait fait cuire dans de l'eau de mer pour les saler ; une énorme coquille lui avait servi de casserole. Il avait été chercher aussi le tonneau d'eau et nos provisions, et avait rapporté en même temps la coquille et l'eau salée. Mon pauvre père, de son côté, avait travaillé à notre logement, au lieu de se reposer de ses fatigues. Je m'assis entre eux, et nous mangeâmes tous avec un appétit qui faisait honneur au cuisinier. Comme nous achevions notre dîner, un bruit singulier se fit entendre. Mon père se releva d'un bond ; le Normand lui fit signe de ne pas bouger. Ils écoutaient avec une anxiété qui me fit peur. Je me serrai contre le commandant, il se baissa et me dit tout bas : « Ne bouge pas, ne parle pas : ce sont des sauvages qui débarquent. » Ce mot de sauvages glaça mon sang dans mes veines ; je me voyais déjà mangé avec mon pauvre père et le bon Normand. Le commandant, me

147

voyant trembler, chercha à me rassurer par un sourire et me dit encore tout bas : « N'aie pas peur, mon
ami : tous les sauvages ne sont pas si méchants. Mais,
comme nous ne les connaissons pas, restons tranquilles pour leur échapper. Pendant que je te garderai, le Normand va tâcher de les reconnaître ; il saura
bien de quelle tribu ils sont et s'il faut les fuir ou
nous montrer. » Pendant que le commandant parlait,
je vis le Normand se mettre à plat ventre et se traîner ainsi dans le fourré en prenant les plus grandes
précautions pour ne pas faire de bruit et pour ne pas
être vu. Il rampa hors du bois ; mais avant de sortir
du fourré il coupa des branches et des ronces et les
piqua à l'entrée de notre allée pour la bien cacher à
la vue des sauvages. Mon père me fit quitter la
cabane et me traîna avec lui dans un massif de jeunes
cocotiers ; à mesure que nous passions, il avait soin
de relever les branches et les herbes foulées par nous,
pour enlever toute trace de notre passage. Peu de
temps après le départ du Normand, nous entendîmes
les sauvages courir de côté et d'autre et s'appeler
entre eux ; le bruit approchait ; je me tenais tremblant tout près de mon père, qui me serrait contre
son cœur et me faisait signe de me taire.

« Un cri général des sauvages nous fit voir qu'ils
avaient découvert notre allée ; l'instant d'après, ils
se précipitaient dans la salle que mon pauvre père
avait faite avec tant de peine. Je crus voir sur son
visage une vive inquiétude ; le Normand ne revenait
pas ; les sauvages l'avaient-ils découvert et fait prisonnier ? À chaque minute nous nous attendions à
les voir apparaître. Une fois nous entendîmes craquer

148

une branche si près de nous, que mon père, m'écartant tout doucement, saisit sa hache et se tint prêt à frapper. Pendant quelques instants, nous restâmes immobiles, osant à peine respirer. Le bruit cessa, les voix s'éloignèrent ; nous nous crûmes sauvés, lorsque je sentis tout à coup une main qui me saisissait la jambe ; je ne criai pas, mais je me raccrochai à mon père, qui me regarda avec surprise ; il ne voyait pas la main qui me tenait, et moi je me sentais entraîné. Une seconde main vint saisir mon autre jambe, et je serais tombé le nez par terre si je ne m'étais retenu avec une force surnaturelle aux jambes de mon père. « Paul, qu'as-tu ? me dit-il tout bas et avec terreur. — Il me tire ! il me tire ! Mon père, sauvez-moi ! » lui répondis-je bas aussi. Mon père regarda à terre, vit les deux mains ; il les saisit à son tour, et avec une force irrésistible il tira violemment l'homme auquel appartenaient ces mains. Il amena un jeune sauvage, qui lui fit des gestes suppliants et qui finit par se jeter à genoux. Il avait l'air doux et craintif. Mon père lui fit signe de regarder, leva sa hache, et d'un seul coup abattit un arbre plus gros que le bras. Le sauvage regarda l'arbre, la hache, mon père, avec une surprise mêlée d'admiration ; il fit un bond, poussa un cri, baisa la main, toucha de cette main le pied de mon père, et, s'élançant dans la direction de notre cabane, par le chemin que nous avions suivi pour nous cacher, il appela à grands cris ses compagnons. « Nous sommes découverts, dit mon père ; il ne s'agit plus de se cacher. Il faut à présent nous montrer hardiment et leur imposer par notre attitude. Que n'ai-je mon pauvre Normand ! Où s'est-il fourré ? » Le commandant se dirigea vers la salle, me tenant par la main ; il tenait sa hache de l'autre. Il entra dans la salle, qui se remplissait de sauvages ; à leur tête était le jeune garçon qui venait de nous quitter. « Arrière ! » cria le commandant de sa voix de tonnerre en brandissant sa hache. Tous reculèrent. Le jeune sauvage approcha timidement, presque en rampant, baisa encore sa main, toucha le pied du commandant et lui fit voir par gestes que ses compagnons voudraient bien voir la hache couper un arbre. Le commandant choisit un jeune cocotier et l'abattit d'un coup. Les sauvages vinrent l'un après l'autre examiner l'arbre, toucher craintivement la hache ; ensuite chacun, comme le jeune sauvage, baisait sa main et touchait le pied du commandant. Je n'avais plus peur. Je sentais l'empire que prenait sur eux cet homme si fort, si courageux, si résolu. Les sauvages se tenaient immobiles, le regardant avec curiosité et respect. Me tenant toujours par la main, il avança vers eux, leur fit signe avec sa hache de s'écarter pour nous laisser passer. Ils se retirèrent avec un effroi comique. « Suivez-moi ! » leur dit-il de sa voix de commandant, et il marcha, suivi de tous ces sauvages, jusqu'à ce qu'il fût sorti du bois. Là il regarda autour de lui, et, ne voyant pas le Normand, il cria : « Mon brave Normand, nous sommes découverts. Montre-toi et viens à moi, car ton bras peut m'être utile. » Aucune réponse ne se fit entendre ; mais quelques minutes après je vis le Normand sortir du bois. Il regarda les sauvages et dit au commandant : « Mon commandant, je n'ai pas répondu parce que j'étais à plat ventre dans les

150

herbes, et je ne voulais pas que ces Peaux Rouges pussent croire que je me cachais. Je suis rentré dans le bois en rampant. J'ai commencé mon évolution dès que j'ai entendu votre *Arrière !* retentissant.

« — Crois-tu que ce soient des mangeurs d'hommes ?

« — Pour ça non, mon commandant ; ils n'en ont pas la mine ; je n'en ai jamais vu de cette espèce. Ils ont l'air doux ; on dirait des agneaux.

« — Eh bien, qu'allons-nous faire à présent ? Quel est ton avis ?

« — Comment, mon commandant, vous si résolu, et qui vous décidez comme qui dirait en un éclair, vous me demandez un avis !

« — C'est que je n'étais pas père, vois-tu, répondit le commandant en me caressant les cheveux. Seul, je serais déjà leur chef ; ils m'obéiraient. Mais ce que je ne crains pas pour moi, je le crains pour Paul.

« — Oh ! mon père, m'écriai-je en baisant ses mains, faites comme si je n'y étais pas. Je vous suivrai partout. Ne songez pas à moi.

« — Tu ne vois donc pas que je t'aime, Paul, et que je veux faire pour le mieux, à cause de toi ! »

« Il réfléchit un instant. Son visage devint sévère ; il se retourna vers les sauvages, leur ordonna d'un geste impérieux de le suivre, et, marchant en avant, me tenant par la main et suivi du Normand, il se dirigea vers la mer, où il apercevait de loin les canots des sauvages. Tout le long du chemin, lui et le Normand se faisaient un passage en abattant avec leurs haches les herbes et les joncs piquants. À chaque coup de la hache, les sauvages se précipitaient pour voir ce qu'elle avait abattu ; ils entouraient le commandant qui ne daignait pas leur accorder un regard ; le Normand, lui, les éloignait en brandissant sa hache. Quand nous fûmes arrivés au bord de la mer, le commandant ordonna au Normand de se tenir prêt à monter avec lui dans un des plus grands canots, et fit signe aux sauvages d'en amener un près du rivage. Ils obéirent, en approchèrent un ; le commandant y entra avec moi, suivi du Normand. Il fit signe de ramer, et nous partîmes, ne sachant pas où nous allions.

« Le canot était grand ; il pouvait contenir dix à douze personnes. Une foule de sauvages se précipitèrent pour y entrer ; mais, lorsque les quatre premiers y eurent grimpé, le commandant cria aux autres : *Arrière !* et brandit sa hache ; les sauvages s'élancèrent tous dans l'eau et gagnèrent à la nage les autres canots, dans lesquels ils entrèrent et s'arrangèrent comme ils purent. Nos sauvages se mirent à ramer ; nous fûmes bientôt en pleine mer ; ils ramèrent longtemps ; il était nuit quand nous touchâmes à une terre : je n'ai jamais su laquelle, ni le commandant non plus.

— C'est vrai, dit M. de Rosbourg ; la tempête avait tellement fait dévier ma pauvre frégate, que lorsqu'elle toucha, après avoir perdu tous ses mâts, je me trouvai dans une mer qui m'était tout à fait inconnue.

MARGUERITE

Alors personne ne connaîtra jamais cette île, papa ?

152

Peut-être ; si j'y retourne, je la retrouverai.

MARGUERITE

Oh ! papa, vous n'irez plus jamais sur mer, je vous en prie.

M. DE ROSBOURG, *souriant.*

Nous verrons cela plus tard, chère petite ; écoutons Paul. Il se souvient bien, ma foi ; voyons s'il ira de même jusqu'au bout.

PAUL

Les sauvages voulaient me prendre dans leurs bras, mais mon père les repoussa d'un air de commandement qui les effraya, car ils se culbutèrent les uns les autres et firent un grand cercle pour nous laisser passer.

« — Le Normand, dit mon père, soyons prudents et ne nous engageons pas de nuit dans les terres ; trouvons un abri pour que Paul puisse dormir pendant que nous ferons la garde près de lui. Ils ont l'air de bons diables, mais il ne faut pas trop s'y fier. Le crocodile vous croque en deux bouchées avec son air doux et sa voix de petit enfant. Méfions-nous. »

« Le commandant marcha avec moi et le Normand ; nous trouvâmes promptement un rocher creux ; il y faisait noir comme dans un four. Il tira de sa poche une boîte d'allumettes, et, à la grande frayeur des sauvages, il en alluma une : ils firent tous une exclamation de surprise et d'effroi, et reculèrent de quelques pas. Mon père entra dans la grotte formée par le rocher, l'éclaira, et, la voyant sèche et sans habitants dangereux, tels que serpents ou bêtes féroces, il m'y fit entrer et y entra lui-même avec le Normand, après avoir fait signe aux sauvages qu'il voulait être seul. Ils obéirent avec répugnance et ne s'éloignèrent pas beaucoup à en juger par le bruit léger que nous entendions de temps à autre ; tantôt un chuchotement, tantôt un petit bruit de feuilles sèches, tantôt un sifflement étouffé, comme de gens qui s'appellent. Mon père me mit au fond de la grotte, et s'assit par terre à l'entrée, lui d'un côté, le Normand de l'autre. Je fus réveillé au petit jour par un bruit extraordinaire. J'ouvris les yeux et je vis mon père et le Normand debout à l'entrée de la grotte, leur hache à la main. Mon père se tourna vers moi d'un air inquiet au moment où je m'éveillai. Je sautai sur mes pieds, je courus à lui, j'avançai ma tête, et je vis une multitude de sauvages qui se dirigeaient vers nous. Au milieu d'eux marchait un homme qui paraissait être leur chef ou leur roi. Tous les autres le traitaient avec respect, n'osant pas l'approcher de trop près et lui parlant la tête baissée. Quand il fut à cent pas de nous, il dit quelques mots à deux sauvages, qui vinrent à nous et nous firent signe d'approcher du roi. « Allons, dit mon père en souriant. Aussi bien, nous avons besoin d'eux pour avoir de quoi manger et de quoi nous loger. » Je n'avais pas peur, car je voyais près du roi deux petits garçons à peu près de mon âge. Nous nous avançâmes ; les deux petits garçons coururent à moi et tournèrent autour de moi en touchant ma veste, mon pantalon, mes pieds, mes mains ; ils faisaient de si drôles de mines et des gambades si étonnantes que je me mis à rire ; ils eurent l'air enchanté de me voir rire ; ils baisèrent leurs mains et me touchèrent les joues ; je leur en fis autant ; alors leur joie fut extrême ; ils coururent au roi, lui parlèrent avec volubilité, revinrent à moi en courant, et, me prenant chacun par une main, ils m'entraînèrent vers lui. J'entendis mon pauvre père appeler d'une voix altérée : « Paul, Paul, reviens. » Mais je ne pouvais plus revenir ; les petits sauvages m'entraînaient en répétant : *Tchihane, tchihane poundi*[1]. Le roi me regarda, me toucha, puis, il me prit dans ses bras, me toucha l'oreille de son oreille, me remit à terre et dit quelques mots à un sauvage. Celui-ci disparut et revint promptement, lui apportant deux petites lianes. Le roi en prit une qu'il noua légèrement au bras d'un des petits garçons en fit autant à l'autre, puis il attacha les bouts opposés à mes bras, à moi, de manière que je me trouvai attaché à chacun des petits sauvages par le bras. Ils semblaient enchantés, ils faisaient des gambades et des cris de joie qui me faisaient rire comme eux ; je sautai aussi pour leur tenir compagnie et je me mis à chanter à tue-tête :

Te souviens-tu, brave enfant de la France, etc.

que chantaient souvent nos pauvres marins de la *Sibylle*. Aux premières paroles, les petits sauvages restèrent immobiles. Mais leur surprise et leur admiration furent partagées par le roi et ses sujets, quand

---

1. « Viens, viens vite. »

mon père et le Normand m'accompagnèrent de leurs belles voix retentissantes. Quand nous eûmes fini, les sauvages, y compris les petits, tombèrent tous la face contre terre ; ils se relevèrent d'un bond, coururent au commandant et au Normand, auxquels ils donnèrent tous les témoignages d'amitié qu'ils purent imaginer. Ils cherchèrent à imiter nos chants, mais d'une manière si grotesque que nous rîmes tous à nous tenir les côtes. Ils paraissaient enchantés de nous voir rire ; ils riaient aussi et faisaient des gambades comiques.

SOPHIE

Pardonne-moi si je t'interromps, Paul, mais je voudrais savoir pourquoi on t'avait attaché aux petits sauvages et si tu es resté longtemps ainsi.

PAUL

J'ai appris depuis, quand j'ai su leur langage, que c'était pour marquer l'affection qui devait me lier à mes nouveaux amis, et que nous devions à trois ne faire qu'un. Je n'osais pas défaire ces liens, de peur de les fâcher, et en effet j'ai su, depuis, que si je les avais défaits, c'eût été comme si nous leur déclarions la guerre. Mon père me dit : « Tant qu'ils ne te feront pas de mal, mon garçon, laisse-les faire. Il ne faut pas risquer de les fâcher. Nous avons besoin d'eux. D'ailleurs ils n'ont vraiment pas l'air méchant. » Le roi fit alors signe à mon père d'approcher. Un sauvage apporta un autre lien ; le chef en attacha un bout au bras de mon père et lui donna l'autre bout en touchant son oreille de la sienne. Mon père prit le lien et l'attacha au bras du roi, dont il toucha aussi l'oreille. Le roi parut transporté de joie ainsi que tous les sauvages, qui se mirent à pousser des hurlements d'allégresse et à faire autour de nous une ronde immense. Les petits sauvages dansaient, je dansais avec eux, le roi dansa, mon père sauta aussi ; nous nous mîmes tous à rire ; ce rire gagna les sauvages et le roi ; le Normand gambadait tant qu'il pouvait.

M. DE ROSBOURG, riant.

Je me souviens en effet de cette danse absurde. Malgré toute ma tristesse, je me trouvais si ridicule, le pauvre Normand avait l'air si godiche, le roi avait l'air si bête, attaché à mon bras par ce lien et gambadant comme un gamin, que je fus pris d'un fou rire qui fut plus fort que moi. Je ris encore en y pensant.

PAUL, continuant.

Ce fut mon père qui donna le signal du repos en s'arrêtant et criant : « Halte-là ! Assez pour aujourd'hui, sauvageons ! » Sa voix domina le tumulte, et tout le monde s'arrêta. J'avais faim ; je le dis à mon père, qui fit signe au roi qu'il voulait manger. *Moune chak,* s'écria aussitôt le roi. *Pris kanine,* répondirent les sauvages, et ils se dispersèrent en courant. Ils revinrent bientôt, apportant des bananes, des fruits qui m'étaient inconnus, des noix de coco, du poisson séché. Nous mangeâmes de bon appétit ; les sauvages s'assirent par dizaines, formant de petits ronds. Le roi et les petits sauvages mangèrent seuls avec nous.

157

« Le roi, nous voyant tirer de nos poches des couteaux, regarda attentivement ce que nous en ferions. Quand il nous vit couper facilement et nettement les bananes, le poisson et d'autres mets, il témoigna une grande admiration. Mon père voulut lui faire essayer de couper une banane, mais il n'osa pas ; il retirait sa main avec effroi, et il regardait sans cesse les mains de mon père, celles du Normand et les miennes, s'étonnant qu'elles ne fussent pas coupées comme les fruits et le poisson. *Régite, régite,* répétait-il. Ce qui veut dire : « Ça coupe. »

« Quand le repas fut fini, le roi se leva, marcha avec mon père attaché à son bras ; je suivais entre les deux petits sauvages, mes amis. Le Normand venait ensuite. « Ne perds pas Paul des yeux, lui avait dit mon père. Ma dignité me défend de me retourner trop souvent pour veiller sur lui ; mais je te le confie. Emboîte son pas et ne laisse pas les sauvages trop en approcher.

« — Soyez tranquille, mon commandant, lui répondit le Normand. Je considère cet enfant comme le vôtre, et dès lors pas de danger tant que j'ai l'œil sur lui. » Nous marchâmes longtemps. Les petits sauvages m'apprirent quelques mots de leur langage, que je parlai en peu de temps aussi bien qu'eux-mêmes. Il n'était pas très difficile, mais il leur manque une foule de mots ; nous leur apprîmes à notre tour le français, qu'ils prononçaient d'une manière très drôle ; mais tout cela ne se passa que longtemps après.

« Nous arrivâmes enfin dans une espèce de village formé de huttes basses, mais assez propres. Un

158

ruisseau coulait tout le long du village. Chaque hutte était partagée en deux : une partie servait au chef de famille et aux fils, l'autre aux femmes et aux enfants. Les garçons quittent la chambre des femmes à l'âge de huit ans, et ils ont alors le droit d'aller à la chasse, d'apprendre à tirer de l'arc, à se servir d'une massue, à faire les flèches et les armes, à préparer les peaux pour les vêtements des hommes, à bâtir des huttes, et autres choses que ne peuvent faire les femmes. Quand nous fûmes arrivés, nous vîmes une grande agitation se manifester parmi les sauvages. Ils avaient l'air de délibérer pendant que les femmes et les enfants sortaient de leurs huttes, nous entouraient, nous examinaient, nous touchaient. Mes deux amis ne laissèrent personne m'ennuyer de leur examen ; ils chassaient les importuns à coups de pied, à coups de poing ; je me mis de la partie, ce qui les fit rire aussi bien que les battus, qui applaudissaient les premiers à mes coups. Après une longue délibération des hommes, le roi fit comprendre par signes à mon père que, chaque hutte étant pleine, on lui en bâtirait une quand le soleil se lèverait une autre fois, c'est-à-dire le lendemain, et qu'en attendant il nous donnerait sa propre hutte et coucherait lui-même dans celle d'un chef ami qui était en visite pour quelques jours. Ensuite il coupa avec ses dents le milieu du lien qui l'attachait à mon père, délia le bout qui tenait au bras de mon père, le baisa et se l'attacha au cou ; mon père, à la grande joie du chef, fit de même pour l'autre bout. Les petits sauvages firent la même chose pour nos liens à nous, et j'imitai mon père en dénouant, baisant et attachant à mon cou les bouts

159

noués à leurs bras. Je ne fus pas fâché de me sentir libre. « Paul, me dit mon père, tu peux sans danger rester avec tes amis ; moi je vais avec le Normand couper du bois pour bâtir notre hutte. Je ne veux pas me faire servir par ces braves gens comme si j'étais une femme. Viens, mon Normand ; viens leur faire voir ce que peuvent faire nos haches au bout de nos bras. »

M. DE ROSBOURG

Et voyez tous ce que peut faire l'éloquence de Paul : l'heure du coucher est passée depuis long-temps, et Marguerite a encore les yeux ouverts comme les écoutilles de ma pauvre frégate. Mais je crois qu'il serait bon de remettre la fin à demain. Qu'en dit la société ?

MADAME DE ROSBOURG

Oui, mon ami, vous avez raison ; le pauvre Paul est fatigué ou doit l'être. À demain la suite de cet intéressant récit. Allez vous coucher, mes enfants.

M. DE ROSBOURG

Et ne rêvez pas sauvages et naufrages. »

Marguerite fit ses adieux à sa maman et à tout le monde, puis elle revint vers son père et lui prit la main.

M. DE ROSBOURG

Et moi, ma petite Marguerite, tu ne m'embrasses pas ?

Pas encore, papa. Tout à l'heure.

Comment, tout à l'heure ? est-ce que tu ne vas pas te coucher comme tes amis ?

Oui, papa ; mais vous allez me monter comme hier, nous ferons notre prière comme hier, et je m'endormirai comme hier en vous tenant les mains. »

M. de Rosbourg, attendri, ne lui répondit qu'en l'embrassant et en la prenant dans ses bras. Il assista comme la veille à son coucher, pria avec elle et, comme la veille, continua sa prière et son action de grâces près du lit de son enfant endormie. De même que la veille, il essuya les larmes de bonheur et de reconnaissance qui avaient coulé sur la petite main de cette enfant si chère, qu'il retrouvait si bonne, si tendre et si charmante.

Chapitre 9

Suite et délivrance

Le lendemain, les enfants ne parlèrent dans la journée que du naufrage et des sauvages, du courage de M. de Rosbourg, de sa bonté pour Paul.

« Paul, lui dit Marguerite, tu es et tu resteras toujours mon frère, n'est-ce pas ? Je t'aime tant, depuis tout ce que tu as raconté ! Tu aimes papa comme s'il était ton papa tout de bon, et papa t'aime tant aussi ! On voit cela quand il te parle, quand il te regarde.

PAUL

Oui, Marguerite tu seras toujours ma petite sœur chérie, puisque nous avons le même père.

MARGUERITE

Dis-moi, Paul, est-ce que ton père, qui est mort, ne t'aimait pas ?

162

Je ne devrais pas te le dire, Marguerite, puisque mon père m'a défendu d'en parler ; mais je te regarde comme ma sœur et mon amie, et je veux que tu saches tous mes secrets. Non, mon père d'Aubert ne m'aimait pas, ni maman non plus ; quand je n'étais pas avec Sophie, je m'ennuyais beaucoup ; j'étais toujours avec les domestiques, qui me traitaient mal, sachant qu'on ne se souciait pas de moi. Quand je m'en plaignais, maman me disait que j'étais difficile, que je n'étais content de rien, et papa me donnait une tape et me chassait du salon en me disant que je n'étais pas un prince, pour que tout le monde se prosternât devant moi.

MARGUERITE

Pauvre Paul ! Alors tu as été heureux avec papa qui a l'air si bon ?

PAUL

Heureux comme un poisson dans l'eau ! Mon père, ou plutôt notre père, est le meilleur, le plus excellent des hommes. Les sauvages même l'aimaient et le respectaient plus que leur roi. Tu juges comme je dois l'aimer, moi qui ne le quittais jamais et qu'il aimait comme il t'aime.

MARGUERITE

Et comment se fait-il que le Normand ne soit pas resté avec vous ?

163

Tu sauras cela ce soir.

MARGUERITE

Oh ! mon petit Paul, dis-moi puisque je suis ta sœur.

PAUL, *l'embrassant et riant.*

Une petite sœur que j'aime bien, mais qui est une petite curieuse et qui doit s'habituer à la patience. »

Marguerite voulut insister, mais Paul se sauva. Marguerite courut après, appela à son secours Jacques qu'elle rencontra dans une allée. Tous deux se mirent à la poursuite de Paul, qui leur échappa avec une agilité surprenante ; Sophie, Jean, Camille, Madeleine et Léon s'étaient pourtant mis de la partie et couraient tous à qui mieux mieux. Quelquefois Paul était dans un tel danger d'être attrapé, que tous criaient d'avance : « Il est pris, il ne peut pas échapper » ; mais, au moment où on avançait les bras pour le prendre, il faisait une gambade de côté, se lançait comme un daim et disparaissait aux yeux des enfants étonnés. Ils revinrent dans leur jardin haletants et furent surpris d'y trouver Paul.

« Tu cours comme un vrai sauvage, lui dirent Sophie et Marguerite. C'est étonnant que tu aies pu nous échapper.

PAUL

C'est chez les sauvages, en effet, que j'ai appris à courir, à éviter les dangers, à reconnaître les

164

approches de l'ennemi. Mais voilà la cloche du dîner qui nous appelle ; mon estomac obéit avec plaisir à cette invitation.

MARGUERITE

Et ce soir tu achèveras ton histoire, n'est-ce pas ?

PAUL

Oui, petite sœur, je te le promets. »

Et ils coururent tous au salon, où on les attendait pour se mettre à table.

Après le dîner, et après une très petite promenade, qui fut trouvée bien longue et que les parents abrégèrent par pitié pour les gémissements des enfants et pour les maux de toute sorte dont ils se plaignaient, on rentra au salon et chacun reprit sa place de la veille. Marguerite ne manqua pas de reprendre la sienne sur les genoux de son père et de lui entourer le cou de son petit bras.

« J'en suis resté, hier, dit Paul, au moment où mon père appelait le Normand pour abattre des arbres et construire notre hutte. Les sauvages s'étaient déjà mis au travail ; ils commençaient à couper lentement et péniblement de jeunes arbres avec des pierres tranchantes ou des morceaux de coquilles. Mon père et le Normand arrivèrent à eux, les écartèrent, brandirent leurs haches et abattirent un arbre en deux ou trois coups. Les sauvages restèrent d'abord immobiles de surprise ; mais, au second arbre, ils coururent en criant vers le village, et on vit accourir avec eux leur roi et le chef ami qui était chez eux en visite. Mon père et le Normand continuèrent leur travail. À

165

chaque arbre qui tombait, les chefs approchaient, examinaient et touchaient la partie coupée, puis ils se retiraient et regardaient avec une admiration visible le travail de leurs nouveaux amis. Quand tous les arbres nécessaires furent coupés, taillés et prêts à être enfoncés en terre, mon père et le Normand firent signe aux sauvages de les aider à les transporter. Tous s'élancèrent vers les arbres qui en cinq minutes furent enlevés et portés ou traînés en triomphe à travers le village, avec des cris et des hurlements qui attirèrent les femmes et les enfants. On leur expliquait la cause du tumulte ; ils s'y joignaient en criant et gesticulant. Quand tous les arbres furent apportés sur l'emplacement où devait être bâtie la hutte, mon père et le Normand se firent des maillets avec leurs haches et enfoncèrent en terre les pieux épointés par un bout. Ils eurent bientôt fini et ils se mirent à faire la couverture avec les bouts de cocotiers abattus, garnis de leurs feuilles, qu'ils posèrent en travers sur les murs formés par les arbres. Ils relièrent ensemble avec des lianes les bouts des feuilles de cocotier et les attachèrent de place en place aux arbres qui formaient les murs. Ensuite ils bouchèrent avec de la mousse, des feuilles et de la terre humide les intervalles et les trous qui se trouvaient entre les arbres. Je les aidai dans cette besogne ; mes petits amis les sauvages voulurent aussi nous aider et furent enchantés d'avoir réussi. Il ne s'agissait plus que de faire une porte. Mon père alla couper quelques branches longues et minces et se mit à les entrelacer comme on fait pour une *claie*. Quand il en eut attaché avec des lianes une quantité suffisante, lui et le Normand tirèrent leurs couteaux de leurs poches et se mirent à tailler une porte de la grandeur de l'ouverture qu'ils avaient laissée. Ils l'attachèrent ensuite aux murs, comme on attache un couvercle de panier. Les sauvages, qui s'étaient tenus assez tranquilles pendant le travail, ne purent alors contenir leur joie et leur admiration, ils tournaient autour de la maison, ils y entraient, ils fermaient et ouvraient la porte comme de véritables enfants de deux ans. Le roi s'approcha de mon père, lui frotta l'oreille de la sienne, et lui fit comprendre qu'il voudrait bien avoir cette maison. Mon père le comprit, le prit par la main, le fit entrer dans la maison et ferma la porte sur lui. Le roi ne se posséda pas de joie, et commença avec ses sujets une ronde autour de la maison. Il fit signe à mon père que cette nuit la maison servirait à ses nouveaux amis, et qu'il ne la prendrait que le lendemain. Mon père lui expliqua, par signes aussi, que le lendemain il lui ferait une seconde chambre pour les femmes et les enfants, ce qui redoubla la joie du roi. Le chef ami regardait d'un œil triste et envieux, lorsque tout à coup son visage prit un air joyeux ; il dit quelques mots au roi, qui lui *répondit : Vasmi, Vasmi, brahetz.* Alors le chef s'approcha du Normand, frotta son oreille contre la sienne, et le regarda d'un air inquiet. « Mon commandant, dit le Normand, je n'aime pas ce geste-là. Ce sauvage me déplaît ; au diable lui et son oreille ! — Tu vas le mettre en colère, mon Normand, rends-lui son frottement d'oreille. Si nous les fâchons, ils sont mille contre un ; quand nous en tuerions chacun un cent, il en resterait encore dix-huit cents, et, nous autres expédiés, mon Paul restera vic-

time de ta délicatesse. — C'est vrai, mon commandant ; c'est vrai cela. » Et frottant son oreille contre
celle du sauvage : « Tiens, diable rouge, la voilà mon
oreille de chrétien, qui vaut mieux que ton oreille de
païen. » Le chef parut aussi joyeux que l'avait été
le roi, et donna un ordre qu'exécuta un sauvage ; il
reparut avec le lien de l'amitié ; le chef fit à son bras
et à celui du Normand la même cérémonie qu'avait
faite le roi à mon père. Le Normand avait l'air
mécontent et humilié. « Mon commandant, dit-il, si
ce n'était pas pour vous obéir, je ne me laisserais
pas lier à ce chien d'idolâtre. J'ai dans l'idée qu'il
n'en résultera rien de bon. Pourvu que je reste près
de vous et de Paul, à vous servir tous deux et à vous
aimer, je ne demande rien au bon Dieu. » Mon père
serra la main au bon Normand, que j'embrassai ; mes
petits amis, qui imitaient tout ce que je faisais, voulurent aussi embrasser le Normand, qui allait les
repousser avec colère, lorsque je lui dis : « Mon bon
Normand, mon ami, sois bon pour eux ; ils
m'aiment. » Ce pauvre Normand ! Je vois encore sa
bonne figure changer d'expression à ces paroles et
me regarder d'un air attendri en embrassant les sauvageons du bout des lèvres. Pendant ce temps, on
avait apporté le repas du soir. Tout le monde s'assit
par petits groupes comme le matin ; les femmes nous
servaient. Mes amis sauvages me placèrent entre eux
deux, en face de mon père, qui était entre le roi et
le Normand, lié au bras du chef. Après le souper que
je mangeai de bon appétit, le chef délia le Normand,
qui fut obligé de passer à son cou la moitié du lien,
et chacun se retira chez soi. Mais on voyait encore

des têtes apparaître par les trous qui servaient d'entrée aux huttes. « Paul, me dit mon père, avant de dormir, remercions Dieu de ce qu'il a fait pour nous ; après nous avoir sauvés du naufrage, il nous a envoyés dans une tribu de braves gens, où nous vivrons tranquillement jusqu'à ce que nous ayons la bonne chance d'être recueillis par des Européens, ce qui arrivera bientôt, j'espère. Prions aussi pour ceux qui ne sont plus. »

« Et me faisant mettre à genoux entre lui et le Normand, à la porte de notre cabane, il récita avec nous le *Pater,* l'*Ave,* le *Credo,* le *De Profundis,* puis il pria tout bas ; après quoi il se leva, posa sa main sur ma tête et me dit : « Mon fils, je te bénis. Que Dieu t'accorde la grâce de ne jamais l'offenser et d'être un bon chrétien. » Il m'embrassa ensuite, je pleurai et je le tins longtemps embrassé. Avant d'entrer dans notre maison, nous vîmes tous les sauvages à l'entrée de leur hutte, nous regardant avec curiosité, mais en silence. Nous rentrâmes, le Normand ferma la porte. « Il nous faudrait un verrou, mon commandant, dit-il. On ne sait jamais si l'on est en sûreté avec ces diables rouges. » Mon père sourit, lui promit d'en fabriquer un le lendemain, et je m'étendis entre lui et le Normand ; je ne tardai pas à m'endormir. Mon pauvre père et le Normand, qui n'avaient pas dormi, pour ainsi dire, depuis quatre jours, s'endormirent aussi. Dans la nuit, j'entendis ronfler le Normand, j'entendis aussi mon père parler en rêvant : « Marguerite ! Marguerite ! ma femme ! mon enfant ! »

« Le lendemain, mon père et le Normand firent une seconde chambre à la maison où nous avions

169

passé la nuit, comme ils l'avaient promis au roi, puis ils bâtirent une autre cabane pour nous-mêmes. Le roi, impatient de s'installer dans son nouveau palais, y fit apporter tout de suite les nattes et les calebasses qui formaient son mobilier ; il avait aussi quelques noix de coco sculptées, des coquilles travaillées, des flèches, des arcs et des massues. Mon père tailla quelques chevilles, qu'il enfonça dans les intervalles des arbres, et il suspendit à ces clous de bois les armes et les autres trésors du roi, qui fut si enchanté de cet arrangement, qu'il appela tous les sauvages pour l'admirer. Leur respect pour mon père augmenta encore après l'examen des chevilles. Ils ne pouvaient comprendre comment ces chevilles tenaient ; mon père, voyant leur inquiétude, en fit une devant eux et l'enfonça dans une fente, à leur grande surprise et joie. J'aidais mon père et le Normand à préparer les chevilles, à couper les liens avec mon couteau, à chercher la mousse et la terre pour boucher les trous. Cette seconde maison fut bien plus jolie et plus grande que la première, et, malgré les désirs du roi clairement exprimés, mon père voulut la garder et la conserva pendant les cinq longues années que nous avons passées près de ces sauvages. Les jours suivants, il fabriqua des escabeaux et une table, puis il tapissa toute la chambre de grandes feuilles de palmier, qui faisaient un charmant effet. Il fit aussi, dès le premier jour, une croix en bois, qu'il enfonça près du seuil de notre porte, et devant laquelle, matin et soir, nous faisions notre prière à genoux ; le dimanche et les fêtes, nous chantions aussi des cantiques, des psaumes et d'autres chants d'église que m'apprit mon père. Les sauvages, qui nous regardaient d'abord, voulurent faire comme nous ensuite ; j'appris à mes petits amis les paroles que je chantais ; ils prononçaient d'abord très mal, ce qui nous faisait rire, mais au bout de peu de temps ils prononçaient aussi bien que nous. Nous leur apprîmes petit à petit à parler français, et eux nous apprirent leur langage ; nous finîmes par nous comprendre parfaitement.

MARGUERITE

Oh ! dis-nous quelque chose en sauvage, Paul, je t'en prie.

PAUL

Pelka mi hane, cou rou glou.

CAMILLE

Oh ! que c'est joli ! que c'est doux ! Qu'est-ce que cela veut dire ?

PAUL

Cela veut dire : « Je ne te quitterai jamais, amie de mon cœur. »

M. DE ROSBOURG

Brese ni Kouliche, nane hapra.

PAUL

Non, mon père, non, jamais : je vous le jure.

171

Qu'est-ce que papa t'a dit ?

PAUL

Mon père m'a dit : « Quand tu seras grand, tu nous oublieras. » Et moi je réponds et je jure que je ne vous quitterai et que je ne vous oublierai jamais. Me séparer de vous, ce serait *souffrir* et *mourir.*

MARGUERITE, *lui serrant les mains.*

Bon Paul, comme je t'aime !

PAUL

Et moi donc ! Si tu pouvais savoir comme je t'aime, comme j'aime mon père, comme j'aime... *(se tournant vers Mme de Rosbourg)* ma mère !... Le permettez-vous, ma mère ?

MADAME DE ROSBOURG, *le serrant dans ses bras.*

Oui, mon fils, mon cher Paul, tu seras mon fils, et je serai ta mère. »

Paul reprit après un instant de silence :

« Mais, avant que nous ayons pu nous comprendre, il nous arriva un malheur bien grand, qui nous affligea profondément. Notre bon Normand nous fut enlevé.

JACQUES

Comment ? Par qui ? Pourquoi l'as-tu laissé enlever ?

172

Nous n'avons pu l'empêcher, malheureusement. Je vous ai dit que le chef ami qui était en visite chez le roi avait *lié amitié* avec le Normand. Je vous ai dit que le Normand y avait de la répugnance, qu'il ne laissa faire le chef que pour obéir à son commandant. Nous ne savions pas alors que, lorsqu'on s'était laissé lier au bras d'un homme, on s'engageait à être son ami, à le protéger et à le défendre contre tous les dangers. Et quand, après avoir coupé le lien, on le mettait au cou, on s'engageait à ne jamais se quitter, à se suivre partout. Quelques jours après notre arrivée, le chef s'apprêta à retourner dans son île ; quatre à cinq cents de ses sauvages vinrent le chercher. On fit un repas d'adieu, pendant lequel le roi parut lié au bras de mon père, le Normand à celui du chef, et moi à ceux des petits sauvages. Nous étions loin de penser que cette cérémonie, que mon père avait accomplie comme un jeu et sans en connaître les conséquences, nous séparerait de notre brave Normand. Après le repas, les chefs coupèrent les liens et les passèrent à leur cou, de même mes petits amis et moi. Tout le monde se leva. Le Normand voulut revenir près de mon père, mais le chef lui passa le bras dans le sien et l'entraîna doucement et amicalement vers la mer. Le roi en fit autant pour mon père, et nous allâmes tous voir partir le chef et ses sauvages. Après le dernier adieu du chef, le Normand voulut retirer son bras ; le chef le retint ; le Normand donna une secousse, mais le chef ne lâcha pas prise. Au même instant, deux ou trois cents sauvages se précipitèrent sur lui, le jetèrent à terre, le garrottèrent et l'emportèrent dans le canot du chef. Mon père voulut s'élancer à son secours, mais, en moins d'une seconde, lui aussi fut jeté à terre, lié et emporté. « Mon pauvre Normand, mon pauvre Normand ! » criait mon père. Le Normand ne répondait pas ; les sauvages l'avaient bâillonné. « Paul, mon enfant, cria enfin mon père, ne me quitte pas. Reste là, près de moi, que je te voie au moins en sûreté. » J'accourus près de lui ; on voulut me repousser, mais les petits sauvages parlèrent d'un air fâché, se mirent près de moi et me firent rester avec mon père. Je pleurais ; ils essuyaient mes yeux, me frottaient les oreilles avec les leurs ; en un mot, ils m'ennuyaient, et je cessai de pleurer pour faire cesser leurs consolations. Les sauvages emportèrent mon père dans sa maison. Le roi vint se mettre à genoux près de lui en faisant des gestes suppliants et en témoignant son amitié d'une manière si touchante que mon père fut attendri et qu'il regarda enfin le roi en lui souriant de son air bon et aimable. Le roi comprit, fit un saut de joie et délia une des mains de mon père en le regardant fixement. Rassuré par l'immobilité de mon père, il délia l'autre main, puis les jambes. Voyant que mon père ne se sauvait pas, il ne chercha plus à contenir sa joie, et la témoigna d'une façon si bruyante, que mon père, ennuyé de cette gaieté, le prit par le bras et le poussa doucement en dehors de la porte ; lui adressant un sourire et un signe de tête amical, il ferma la porte, et nous nous trouvâmes seuls : « Mon pauvre Normand ! s'écria mon père. Pourquoi t'ai-je forcé à accepter ce lien maudit dont je ne connaissais pas les conséquences ! Je comprends maintenant que ce chef le regarde comme ne devant plus le quitter. Mon pauvre Paul, c'est un ami et un protecteur de moins pour toi. — Mon père, lui répondis-je, je n'ai besoin de rien ni de personne, tant que vous serez près de moi. Mais je regrette ce pauvre Normand : il est si bon et il vous aime tant ! — Nous tâcherons de le rejoindre, dit mon père. Le bon Dieu ne nous laissera pas éternellement à la merci de ces sauvages ! Ce sont de braves gens, mais ce n'est pas la France ni les Français. Et ma femme, et ma petite Marguerite ! quel chagrin de ne pas les voir ! »

À partir de ce jour, mon père et moi nous passions une partie de notre temps au bord de la mer, dans l'espérance d'apercevoir un vaisseau à son passage ; tout en regardant nous ne perdions pas notre temps ; mon père abattait des arbres, les préparait et les reliait ensemble pour en faire un bateau assez grand pour nous embarquer avec des provisions et nous mener en pleine mer. Je ne pouvais l'aider beaucoup ; mais, pendant qu'il travaillait, j'apprenais à lire les lettres qu'il me traçait sur le sable. Il eut la patience de m'apprendre à lire et à écrire de cette façon. Quand je sus lire, je traçai à mon tour les lettres que je connaissais, puis des mots. Plus tard, mon bon père eut la patience de me tracer sur des grandes feuilles de palmier des histoires, des cartes de géographie. C'est ainsi qu'il m'apprit le catéchisme, l'histoire, la grammaire. Nous causions quelquefois des heures et des heures. Jamais je ne me fatiguais de l'entendre parler. Il est si bon, si patient, si gai, si instruit ! Et il m'apprit si bien à aimer le bon Dieu, à avoir confiance en sa bonté, à lui offrir toutes mes peines, à les regarder comme l'expiation de mes fautes, que je me sentais toujours heureux, tranquille, même dans la souffrance, tant j'étais sûr que le bon Dieu m'envoyait tout pour mon bien, et qu'en souffrant j'obtenais le pardon de mes péchés. Quelles belles prières nous faisions matin et soir au pied de notre croix ! Comme nous chantions avec ferveur nos cantiques et nos psaumes ! Oh ! mon père, mon père, que je vous remercie de m'avoir appris à être heureux malgré nos peines et nos chagrins ! C'est vous qui m'avez appris par vos paroles et par vos exemples à aimer Dieu, à vivre en chrétien. »

Il y eut encore une petite interruption, après laquelle Paul continua son récit : « Nous sommes restés ainsi cinq longues années à attendre un vaisseau, et sans avoir de nouvelles de notre pauvre Normand. L'année d'après son enlèvement, le chef revint voir le roi ; mon père parlait déjà bien son langage ; il lui demanda où était notre ami. Le chef répondit d'un air triste qu'il était perdu ; qu'il n'avait jamais voulu leur faire une maison comme celle que nous avions faite au roi, qu'il restait triste, silencieux, qu'il ne voulait les aider en rien, ni faire usage de sa hache ; qu'un beau jour enfin il avait disparu, on ne l'avait plus trouvé ; qu'il avait probablement pris un canot, et qu'il était ou noyé ou mort de faim et de soif. Nous fûmes bien attristés de ce que nous disait le chef. Le roi lui raconta tout ce que mon père lui avait appris, et lui chanta les cantiques et psaumes qu'il savait. Le chef demanda au roi de lui donner mon père, mais le roi le refusa avec colère. Le chef se fâcha ; ils commencèrent à s'injurier ; enfin le chef s'écria : « Eh bien ! toi non plus, tu n'auras pas cet ami que tu refuses de me prêter. » Et il leva sa massue pour en donner un coup sur la tête de mon père ; je devinai son mouvement et, m'élançant à son bras, je le mordis jusqu'au sang. Le chef me saisit, me lança par terre avec une telle force que je perdis connaissance ; mais j'avais eu le temps de voir mon père lui fendre la tête d'un coup de hache. Je ne sais pas ce qui se passa ensuite. Mon père m'a raconté qu'il y avait eu un combat terrible entre nos sauvages et ceux du chef, qui furent tous massacrés ; mon père fit des choses admirables de courage et de force. Autant de coups de hache, autant d'hommes tués. Moi, on m'avait emporté dans notre cabane. Après le combat, mon père accourut pour me soigner. Il me saigna avec la pointe de son couteau ; je revins à moi, à la grande surprise du chef. Je fus malade bien long-temps, et jamais mon père ne me quitta. Quand je m'éveillais, quand j'appelais, il était toujours là, me parlant de sa voix si douce, me soignant avec cette tendresse si dévouée. C'est à lui après Dieu que je dois la vie, très certainement. Je me rétablis ; mais j'avais tant grandi qu'il me fut impossible de remettre ma veste ni mon pantalon. Mon père me fit une espèce de blouse ou grande chemise, avec une étoffe de coton que fabriquent ces sauvages ; c'était très commode et pas si chaud que mes anciens habits. Mon père s'habilla de même, gardant son uniforme pour les dimanches et fêtes. Nous marchions nu-pieds comme les sauvages ; nous avions autour du corps une ceinture de lianes, dans laquelle nous passions

177

nos couteaux, et mon père sa hache. Nous avions enfoncé dans le sable, au bord de la mer, une espèce de mât au haut duquel mon père avait attaché un drapeau fait avec des feuilles de palmier de différentes couleurs. Ce drapeau, surmonté d'un mouchoir blanc, devait indiquer aux vaisseaux qui pouvaient passer qu'il y avait de malheureux naufragés qui attendaient leur délivrance. Un jour, heureux jour ! nous entendîmes un bruit extraordinaire sur le rivage. Mon père écouta, un coup de canon retentit à nos oreilles. Vous dire notre joie, notre bonheur, est impossible. Nous courûmes au rivage, où mon père agita son drapeau ; un beau vaisseau était à deux cents pas de nous. Quand on nous aperçut, on mit un canot à la mer, une vingtaine d'hommes débarquèrent ; c'était un vaisseau français, l'*Invincible,* commandé par le capitaine Duflot. Les sauvages, attirés par le bruit, étaient accourus en foule sur le rivage. Dès que le canot fut à portée de la voix, mon père cria d'aborder. On fit force de rames. Les hommes de l'équipage sautèrent à terre ; mon père se jeta dans les bras du premier homme qu'il put saisir, et je vis des larmes rouler dans ses yeux. Il se nomma, raconta en peu de mots son naufrage. On le traita avec le plus grand respect, en lui demandant ses ordres. Il demanda si on avait du temps à perdre. L'enseigne qui commandait l'embarcation dit qu'on avait besoin d'eau et de vivres frais. Mon père leur promit bon accueil, de l'eau, des fruits, du poisson en abondance. Les hommes restèrent à terre et dépêchèrent le canot vers le vaisseau pour prendre les ordres du capitaine. Peu d'instants après, nous vîmes le capitaine lui-même

178

monter dans la chaloupe et venir à nous. Il descendit à terre, salua amicalement mon père, qui le prit sous le bras, et, tout en causant, nous nous dirigeâmes vers le village ; nous rencontrâmes le roi, qui accourait pour voir le vaisseau merveilleux dont lui avaient déjà parlé ses sujets. Il frotta son oreille à celle du capitaine, auquel mon père expliqua que c'était un signe d'amitié. Le capitaine le lui rendit en riant. Le roi examinait attentivement les habits, les armes du capitaine et de sa suite. Les sauvages tournaient autour des hommes, couraient, gambadaient. On arriva au village. Mon père fit voir sa maison, que le capitaine admira très sincèrement ; c'était vraiment merveilleux que mon père eût pu faire, avec une simple hache et un couteau, tout ce qu'il avait fait. Je vous dirai plus tard tous les meubles, les ustensiles de ménage qu'il avait fabriqués, et tout ce qu'il a appris aux sauvages.

« Mon père demanda au capitaine s'il voulait s'embarquer avant la nuit. Le capitaine demanda vingt-quatre heures pour remplir d'eau fraîche ses tonneaux et pour faire une provision de poisson et de fruits. Mon père y consentit à regret : il désirait tant revoir la France, sa femme et son enfant ! Pour moi cela m'était égal ; j'aimais mon père par-dessus tout ; avec lui j'étais heureux partout ; je n'avais que lui à aimer dans le monde.

SOPHIE

Est-ce que tu n'aimais pas les petits sauvages qui t'aimaient tant ?

179

Je les aimais bien, mais j'avais passé ces cinq années avec la pensée et l'espérance de les quitter, et puis, ils étaient plutôt mes esclaves que mes amis ; ils m'obéissaient comme des chiens et ne me commandaient jamais ; ils prenaient mes idées, ils ne me parlaient jamais des leurs ; en un mot, ils m'ennuyaient ; et pourtant, je les ai regrettés ; leur chagrin quand je les ai quittés m'a fait de la peine. Tu vas voir cela tout à l'heure.

« Mon père alla dire au roi que le chef blanc, son frère (le capitaine), demandait de l'eau, du poisson et des fruits. Le roi parut heureux de faire plaisir à mon père en donnant à son ami ce qu'il demandait. Les sauvages se mirent immédiatement les uns à cueillir les fruits du pays (il y en avait d'excellents et inconnus en Europe), d'autres à pêcher des poissons pour les saler et les conserver. On servit un repas auquel tout le monde prit part et à la fin duquel mon père annonça au roi notre départ pour le lendemain. À cette nouvelle, le roi parut consterné. Il éclata en sanglots, se prosterna devant mon père, le supplia de rester. Les petits sauvages poussèrent des cris lamentables. Quand les autres sauvages surent la cause de ces cris, ils se mirent aussi à hurler, à crier ; de tous côtés on ne voyait que des gens prosternés, se traînant à plat ventre jusqu'aux pieds de mon père, qu'ils baisaient et arrosaient de larmes. Mon père fut touché et peiné de ce grand chagrin ; il leur promit qu'il reviendrait un jour, qu'il leur apporterait des haches, des couteaux et d'autres instruments utiles et commodes ; qu'en attendant il donnerait au roi sa propre hache et son couteau ; qu'il demanderait à son frère le chef blanc quelques autres armes et outils, qui seraient distribués au moment du départ. Il réussit enfin à calmer un peu leur douleur. Le capitaine proposa à mon père de nous emmener coucher à bord, de crainte que les sauvages ne nous témoignassent leur tendresse en nous enlevant la nuit et nous emmenant au milieu des terres. Mon père répondit qu'il allait précisément le lui demander. Quand les sauvages nous virent marcher vers la mer, ils poussèrent des hurlements de douleur ; le roi se roula aux pieds de mon père et le supplia, dans les termes les plus touchants, de ne pas l'abandonner. « Ô père ! que ferai-je sans toi ? disait-il. Qui m'apprendra à prier ton Dieu, à être juste, à trouver le chemin de ton ciel ? Et si je perds ce chemin, je ne te retrouverai donc jamais ! Ô père, reste avec tes frères, tes enfants, tes esclaves ! Oui, nous sommes tous tes esclaves, prends nos femmes, nos enfants pour te servir ; mène-nous où tu voudras, mais ne nous quitte pas, ne nous laisse pas mourir de tristesse loin de toi ! »

« Après ce discours, les petits sauvages m'en dirent autant, m'offrant d'être mes esclaves, de me faire régner à leur place après la mort de leur père, le roi.

« Mon père et moi, nous fûmes attendris, mais nous restâmes inexorables. Mon père promit de revenir le lendemain, et nous montâmes dans la chaloupe. Le beau visage de mon père devint radieux quand il se vit en mer, sur une embarcation française, entouré de Français. Il ne parlait pas ; je le regardais, et moi qui le connais si bien, je vis qu'il priait. Moi aussi, je remerciai Dieu, non de mon bonheur, que je ne comprenais pas, mais du sien. La joie remplit mon cœur, et je fus ingrat pour les sauvages par tendresse pour mon père.

— Mon bon Paul, interrompit M. de Rosbourg en lui serrant vivement la main, je ne saurais te dire combien ta tendresse me touche, mais je dois te rappeler à l'ordre en te disant que tu nous as promis toute la vérité ; or j'ai vainement et patiemment attendu le récit de deux événements que tu n'as certainement pas oubliés puisqu'il s'agissait de ma vie, et que je veux t'entendre raconter.

— Oh ! mon père, reprit Paul en rougissant, c'est si peu de chose, cela ne vaut pas la peine d'être raconté.

M. DE ROSBOURG

Ah ! tu appelles peu de chose les deux plus grands dangers que j'aie courus.

MARGUERITE

Quoi donc ? Quels dangers ? Paul, raconte-nous.

PAUL

C'est d'abord qu'un jour mon père a été piqué par un serpent et que les sauvages l'ont guéri ; et puis que mon pauvre père a fait une longue maladie et que les sauvages l'ont encore guéri.

182

Ah çà ! mon garçon, tu te moques de nous de nous raconter en deux mots de pareils événements. Puisque tu parles si mal, je prends la parole. Écoutez. *(Paul sourit et croise ses bras d'un air résigné.)* Un jour donc, nous étions entrés dans la forêt ; il faisait chaud ; pour ménager mes bottes, plus qu'à moitié usées, j'étais nu-pieds. Paul portait une espèce de chaussons de feuilles de palmier.

PAUL

Que mon père m'avait faits lui-même.

M. DE ROSBOURG

Eh oui ! que je lui avais faits. Voyez le beau mérite ! Enfin, j'étais nu-pieds. Je marche sur un serpent qui me pique. Je le dis à Paul et je cours vers la mer pour baigner la piqûre. À moitié chemin, la tête me tourne, les forces me manquent, je tombe, je vois ma jambe noire et enflée, je me sens mourir. Paul avait entendu dire aux sauvages que sucer une piqûre de serpent était un remède certain, mais que celui qui suçait s'exposait à mourir lui-même. Mon brave petit Paul (il avait dix ans alors) se jette à terre près de moi et suce ma piqûre. À mesure qu'il suçait le venin, je sentais la vie revenir en moi ; ma tête se dégageait ; les douleurs à la jambe disparaissaient. Enfin je repris tout à fait connaissance ; je me soulevai ; ma première pensée avait été pour Paul, que je ne voyais pas près de moi. Jugez de mon effroi lorsque je vis mon Paul, mon fils, se dévouant à la mort pour me sauver et suçant avec force cette affreuse piqûre. Je poussai un cri, je le saisis dans mes bras ; il se débattit, me supplia de le laisser achever. « Mon père, mon père, criait-il, il reste peut-être encore du venin ; laissez-moi continuer, laissez-moi vous sauver. Mon père, laissez-moi ! » Il se débattit si bien qu'il m'échappa ; j'eus un nouvel éblouissement dont il profita pour sucer ce qui restait de venin. Quand je repris de nouveau connaissance, je pus marcher jusqu'à la mer, appuyé sur l'épaule de mon cher petit sauveur. Pendant que je baignais ma jambe presque entièrement désenflée, Paul courut prévenir les sauvages, qui arrivèrent en toute hâte avec le roi ; ils m'emportèrent, me mirent sur la piqûre je ne sais quelles herbes ; en trois jours je fus guéri. Mais j'avais eu des inquiétudes terribles pour mon pauvre Paul, dont la bouche et la langue avaient enflé énormément. On lui fit mâcher des herbes, manger un certain coquillage, et, quelques heures après, l'enflure et la chaleur avaient disparu. Voilà un des faits que monsieur Paul s'était permis d'oublier. L'autre maintenant.

« Un soir, je me sentis mal à l'aise ; le chagrin me tuait ; ma femme et mon enfant que je ne devais peut-être jamais revoir, mes inquiétudes sur l'avenir de ce cher Paul, remplissaient mon cœur d'une douleur d'autant plus amère que je la dissimulais à ce pauvre enfant si plein de tendresse pour moi, si désolé de mes moindres tristesses, si heureux de mes moindres gaietés. Le jour je dissimulais de mon mieux mon chagrin ; mais la nuit, pendant le sommeil de cet enfant qui m'était devenu si cher, je m'y laissais aller, et j'avoue, à la honte de mon courage de chrétien, que je passais les nuits à pleurer et à prier. Depuis quatre ans que je menais cette vie de misère, ma santé avait résisté ; mais au bout de ce temps la force m'abandonna, la fièvre me prit et je tombai malade de ce que nous appelons en France une fièvre typhoïde. Pendant soixante-douze jours que dura ma maladie, mon Paul ne me quitta pas un instant ; nuit et jour je le retrouvais au chevet de mon grabat, épiant mon réveil, devinant mes désirs. Seul il a veillé à tous mes besoins, il m'a soigné avec ce que je puis nommer le génie de l'amour. Il m'avait entendu parler du bien que pouvait faire un vésicatoire ou tout autre moyen d'irriter la peau ; les sauvages avaient une plante qui faisait venir sur la peau des rougeurs et même des cloques en l'y laissant longtemps séjourner. Cet enfant de dix ans, me voyant la tête prise, me mit de cette plante sous les pieds, puis aux mollets, puis d'un côté, puis d'un autre, jusqu'à ce que ma tête fût tout à fait dégagée. Pendant deux mois il continua l'application de cette plante, avec la sagacité d'un médecin, l'interrompant quand j'allais mieux, la remettant quand j'allais plus mal ; il pansait mes plaies avec du gras de poisson frais ; il me changeait de grabat en me préparant à côté du mien une nouvelle couche de feuilles fraîches. Il me coulait dessus, petit à petit, d'abord par la tête et les épaules, puis par les jambes. J'étais si faible que je ne pouvais m'aider en rien. Les sauvages étaient si maladroits et si brusques, que leur aide me faisait gémir malgré moi ; Paul ne voulut plus qu'ils me touchassent. Il me donnait à boire du lait de coco ou de l'eau fraîche avec quelques gouttes de citron. Tout le temps de ma longue maladie, ma cabane fut propre et rangée comme si je venais d'y entrer. Aussi, quand je fus en état de comprendre et de voir, avec quelle douleur je regardai le visage hâve, pâle, amaigri, de mon pauvre enfant ! Combien je me reprochai de m'être laissé aller à un chagrin coupable et si contraire à la résignation d'un chrétien ! Comme je fus touché et reconnaissant du dévouement de cet enfant, et comme je m'attachai à lui et à la vie à cause de lui ! Il avait passé les heures, les jours, les semaines, à me soigner et à prier pour moi, tandis que, près de lui, je mourais du chagrin d'être loin de vous, ma femme et ma Marguerite. Je demandai pardon à Dieu, je demandai du courage et une résignation plus chrétienne, et je guéris. Voyez, mes amis, si j'ai raison d'aimer mon Paul comme j'aime ma Marguerite. Il m'a deux fois sauvé la vie, il m'a sauvé du désespoir, de la mort du cœur. Et c'est toi, mon fils, qui me remercies, c'est toi qui prétends me devoir de la reconnaissance ! Ah ! Paul, tu te souviens de mes bienfaits, et tu oublies trop les tiens. »

En achevant ces mots, M. de Rosbourg se leva et réunit dans un seul et long embrassement son fils Paul et sa fille Marguerite. Tout le monde pleurait. Mme de Rosbourg, à son tour, saisit Paul dans ses bras et, l'embrassant cent et cent fois, elle lui dit :

« Et tu me demandais si tu pouvais m'appeler ta mère ? Oui, je suis ta mère, ta mère reconnaissante. Sois et reste toujours mon fils, comme tu es déjà celui de mon mari. »

Quand l'émotion générale fut calmée, que Paul fut embrassé par tous, les parents s'aperçurent qu'il était bien tard, que l'heure du coucher était passée depuis longtemps. Chacun se retira, et jamais les prières et les actions de grâces ne furent plus ferventes que ce soir-là.

Chapitre 10

Fin du récit de Paul

Le lendemain, les enfants entourèrent Paul avec une amitié mélangée de respect. Sa piété si fervente, sa reconnaissance dévouée pour son père adoptif, son courage, sa modestie, avaient inspiré aux enfants une tendresse presque respectueuse. Marguerite était heureuse d'avoir un pareil frère. Sophie était fière d'avoir Paul pour cousin et ami d'enfance.

« N'oublie pas, lui dit Jacques quand ils furent seuls, que tu as promis d'être mon ami, toujours, toujours.

PAUL

Je ne l'oublierai certainement pas, mon petit ami ; je t'aimerai pour deux raisons : d'abord pour toi-même, et ensuite parce que tu aimes Marguerite et qu'elle t'aime comme un frère.

188

JACQUES

C'est vrai ! et comme Marguerite est ta sœur, moi je suis ton frère.

PAUL

Précisément ; nous sommes trois au lieu d'un que nous étions il y a quelques jours.

JACQUES

Comme c'est drôle pourtant ! Je ne te connaissais même pas la semaine dernière, et à présent tu es mon frère.

« Et ce qui est plus drôle encore, c'est que je t'aime déjà plus que je n'aime mes cousins. Ne le leur dis pas, mais Marguerite et moi nous n'aimons pas du tout Léon.

PAUL

Et Jean ? il paraît bien bon.

JACQUES

Oh ! Jean est excellent, mais je ne sais pas pourquoi je t'aime plus que lui.

PAUL

Parce que je suis nouveau, et que tu ne connais pas encore mes défauts.

JACQUES

M. de Rosbourg dit que tu n'as pas de défauts.

189

PAUL

Il est si bon lui-même, qu'il ne voit pas les défauts des autres, et surtout de ceux qu'il aime.

JACQUES

Si fait, si fait, il les voit bien ; il a bien vu tout de suite que j'étais taquin ; il a bien vu que Jean était colère, que Léon était poltron et égoïste.

PAUL

Ah mais ! mon petit frère, je vais te faire un *halte-là !* comme fait mon père quand on dit des méchancetés. Laisse donc ce pauvre Léon tranquille et ne t'occupe pas de lui.

JACQUES

Mais, Paul, puisque tu es mon frère et mon ami, je puis bien te dire ce que je pense. Et je t'assure que, si je ne le dis pas à quelqu'un, cela m'étouffera.

PAUL, *l'embrassant.*

Dis alors, dis, mon ami ; avec moi ce sera comme si tu n'avais pas parlé ; mais aussi je t'avertirai quand tu diras ou feras quelque chose de mal.

JACQUES

Oh ! merci, mon frère ! À présent je vois bien que tu es mon vrai ami. Je te dirai donc que non seulement je n'aime pas Léon, mais que je le déteste, que je me moque de lui tant que je peux, que je le taquine tant que je peux, que je suis enchanté que Marguerite le déteste, et que nous serons très contents quand il s'en ira.

PAUL

Jacques, crois-tu que ce soit bien, tout cela ? que ce soit agréable au bon Dieu ?

JACQUES, *après un instant de réflexion.*

Je crois que non.

PAUL

Alors, si tu sais que c'est mal, je n'ai plus rien à t'apprendre. Rappelle-toi seulement que le bon Dieu fera pour toi comme tu fais pour les autres, avec la différence que, toi, tu n'as pas de puissance, et que Dieu est tout-puissant, qu'il peut te punir, quand, toi, tu ne peux que souhaiter du mal à Léon.

JACQUES

C'est vrai, c'est très vrai. Je le dirai à Marguerite. Oh ! quel excellent frère nous avons. »

Et Jacques courut chercher Marguerite pour lui dire de tâcher d'aimer Léon. Paul le regarda partir en souriant et se dit tout bas :

« Quel excellent garçon que ce cher petit Jacques ! et quelle bonne et charmante sœur le bon Dieu m'a donnée en Marguerite ! J'étais déjà bien heureux avec mon cher père ; mais à présent ! Je suis si heureux que mon cœur déborde ! Comme ils sont tous bons et aimables ! Camille, Madeleine, ma pauvre Sophie !

191

Et Jean aussi ! Quant à Léon, Jacques n'a pas tout à fait tort, mais n'oublions pas ce que me répétait toujours mon père : *La charité, la charité, Paul !* »

Paul alla retrouver ses amis, qui l'attendaient pour faire une visite à Lecomte. M. de Rosbourg y était déjà avec sa femme et Marguerite ; Mme de Fleurville, ses sœurs et ses frères étaient allés voir de pauvres gens dont la maison avait été brûlée quelques jours auparavant et qu'ils voulaient leur faire rebâtir.

« Mon père est parti sans moi, dit Paul. Chez les sauvages il n'allait nulle part sans moi.

JEAN

Mais nous ne sommes pas dans un pays de sauvages, Paul, et il faudra bien qu'il te quitte quelquefois.

LÉON

D'ailleurs chez les sauvages il n'avait que toi, et ici il a sa femme et sa fille ; et on aime toujours mieux un enfant véritable qu'un enfant adoptif.

— C'est vrai, dit Paul tristement.

— Non, ce n'est pas vrai, s'écria Jacques. Ton père a dit hier, Paul, qu'il t'aimait autant que Marguerite, qu'il t'aimerait toujours autant, que tu lui avais sauvé deux fois la vie. Ce que dit Léon est un mensonge et une méchanceté.

— Menteur toi-même, répondit Léon furieux ; demande-moi pardon tout de suite, ou je te rosse d'importance.

192

Non, je ne te demanderai pas pardon, quand tu devrais me tuer. »

Avant qu'on ait eu le temps de l'en empêcher, Léon donna au pauvre Jacques un coup de poing qui le jeta par terre. Alors Paul saisit Léon par le bras et lui dit d'un ton impérieux :

« Lâche ! demande pardon toi-même, à genoux devant Jacques. »

Léon, hors de lui, voulut dégager son bras de l'étreinte de Paul, mais il ne réussit qu'à lui donner quelques coups de poing de la main qui restait libre ; ce que voyant, Paul, il lui saisit les deux bras, le ploya malgré sa résistance, le mit à genoux de force devant Jacques, et, le tenant prosterné à terre, il lui répétait : « Demande pardon. » À chaque refus, il lui faisait baiser rudement la terre. À la troisième fois, Léon cria : « Pardon, pardon ! » Paul le lâcha, lui donna un coup d'œil méprisant. « Relève-toi, lui dit-il, et souviens-toi que, si tu attaques Jacques, ou Marguerite, ou Sophie, tu recevras la même correction ; le nez à terre, le front dans la poussière. » Puis, se retournant vers ses amis : « Ai-je eu tort ? dit-il. — Non, répondirent-ils tous ensemble. — Ai-je été trop rude pour lui ? — Non, répondirent-ils encore. — Merci, mes amis ; à présent allons rejoindre mon père ; je lui raconterai ce qui s'est passé. Donne-moi la main, mon pauvre Jacques, mon cher et courageux petit défenseur. — Je suis ton frère », répondit Jacques.

Paul lui serra affectueusement la main, et il se mit en route accompagné de ses amis et sans même jeter

193

un regard sur Léon, resté seul, les vêtements et les cheveux en désordre, honteux mais pas repentant. « Il est bien plus fort que moi, dit-il, je ne peux pas l'attaquer ouvertement ; je ne puis me venger qu'en lui disant des choses désagréables comme tout à l'heure. Si ce petit gueux de Jacques n'avait pas été là, il l'aurait cru tout de même ; j'aurais réussi à l'humilier. Je déteste ces garçons qui se croient plus beaux, plus forts et meilleurs que tout le monde. Mes cousines le trouvent superbe ; je ne vois pas ce qu'il a de beau avec ses énormes yeux noirs, bêtes et méchants, son nez droit comme un nez d'empereur romain, sa bouche imbécile et souriante pour montrer ses dents, ses cheveux ni noirs ni blonds, et bouclés comme ceux d'une fille, sa grande taille, ses gros bras robustes et ses larges épaules comme s'il était un charretier. Tout cela serait bien pour un marchand de bœufs ou de cochons ; mais, pour un monsieur qui se croit plus qu'un prince, c'est commun, c'est laid, c'est affreux ! Dieu, qu'il est décidément laid ! J'espère bien, ajouta-t-il, qu'il n'aura pas la bêtise de tout raconter à M. de Rosbourg, comme il l'a dit pour m'effrayer. En voilà encore un que je n'aime pas. »

Et Léon, consolé par ses propres paroles, s'en retourna à la maison pour nettoyer ses habits et peigner ses cheveux.

Les enfants avaient rejoint M. et Mme de Rosbourg et Marguerite. Ils trouvèrent Lecomte dans la joie, parce que M. de Rosbourg venait de lui promettre qu'il le prendrait à son service, que sa femme serait près de Mme de Rosbourg comme femme de

194

charge. Lucie devait être plus tard femme de chambre de Marguerite.

Ils restèrent quelque temps chez Lecomte, qui leur raconta comment il s'était échappé de chez les sauvages. « Je les ai tout de même bien attrapés, et ils n'ont rien gagné à m'avoir séparé de mon commandant et de M. Paul. Ils croyaient que j'allais leur bâtir des maisons. « Plus souvent, que je leur dis, tas de gueux, chiens de païens, plus souvent que je serai votre manœuvre, votre serviteur. Je ne reconnais que deux maîtres : Dieu et mon commandant. » Ils m'écoutaient parler, les imbéciles ; bien entendu qu'ils n'y comprenaient seulement rien ; ils n'ont pas assez d'esprit pour comprendre seulement bonjour et bonsoir. Ils me montraient toujours ma hache. « Eh bien ! qu'est-ce que vous lui voulez à ma hache ? que je leur dis. Croyez-vous qu'elle va travailler pour vous, cette hache ? Elle ne vous coupera pas seulement un brin d'herbe. » Et comme ils avaient l'air de vouloir me la prendre : « Essayez donc, que je leur dis en la brandissant autour de ma tête, et le premier qui approche je le fends en deux depuis le sommet de la tête jusqu'au talon. » Ils ont eu peur tout de même, et m'ont laissé tranquille pendant quelques jours. Puis j'ai vu que ça se gâtait ; ils me regardaient avec des yeux, de vrais yeux de diables rouges. Si bien qu'une nuit, pendant qu'ils dormaient, je leur ai pris un de leurs canots, pas mal fait tout de même pour des gens qui n'ont que leurs doigts, et me voilà parti. J'ai ramé, ramé, que j'en étais las. J'aperçois terre à l'horizon ; j'avais soif, j'avais faim ; je rame de ce côté et j'aborde ; j'y trouve de l'eau, des

195

coquillages, des fruits. J'amarre mon canot, je bois, je mange, je fais un somme. Je charge mon canot de fruits, d'eau que je mets dans des noix de coco évidées, et me voilà reparti. Je suis resté trois jours et trois nuits en mer. J'allais où le bon Dieu me portait. Les provisions étaient finies ; l'estomac commençait à tirailler et le gosier à sécher, quand je vis encore terre. J'aborde ; j'amarre, je trouve ce qu'il faut pour vivre ; arrive une tempête qui casse mon amarre, emporte mon canot, et me voilà obligé de devenir colon dans cette terre que je ne connaissais pas. J'y ai vécu près de cinq ans, attendant toujours, demandant toujours du secours au bon Dieu, et ne désespérant jamais. Rien pour me remonter le cœur, que l'espérance de revoir mon commandant, ma femme et ma Lucie. Un jour je bondis comme un chevreuil : j'avais aperçu une voile, elle approchait ; je hissai un lambeau de chemise, on l'aperçut, il vint du monde ; quand ils me virent, je vis bien, moi, que ce n'étaient pas des Français. Au lieu de m'aider et de me vêtir, car j'étais nu, sauf votre respect, ces brigands-là se détournaient de moi avec un : « Oh ! shocking, shocking ! — Bêtes brutes, que je leur répondis, donnez-moi des habits, et vos diables de joues resteront bises comme du vieux cuir et n'auront pas à rougir de ce que je ne peux pas empêcher, moi. » Ils m'ont jeté une chemise et un pantalon qu'ils avaient apportés de précaution. Dieu me pardonne ! C'étaient des Anglais, pas des amis pour lors ; ils m'ont pourtant ramassé, mais ils m'ont traîné avec eux pendant six mois. Je m'ennuyais, j'ai fait leur ouvrage, et joliment fait encore ! Ils ne m'ont seulement pas dit merci ; et, quand ils m'ont débarqué au Havre, ils ne m'ont laissé que ces méchants habits que j'avais sur le dos quand vous m'avez trouvé dans la forêt, messieurs, mesdames, et pas un shilling avec. Mais je n'en aurais pas voulu de leur diable d'argent anglais. L'Anglais, ça ne va pas avec le Français. Si jamais je les rencontre, ceux-là, et que je puisse leur frotter les épaules, je ne leur laisserai pas de poussière sur leurs habits ; pour ça non ; une raclée, et solide encore. Pas vrai, mon commandant ?

— Avant de les frotter, mon Normand, laissons le bon Dieu leur donner une lessive dans leurs Indes ; notre tour viendra, sois tranquille. »

On prit congé des Lecomte. Quand on fut en route pour revenir, M. de Rosbourg appela Paul.

« Paul, mon garçon, tu as quelque chose à me dire ; j'ai vu ça tout de suite, dès que tu es arrivé. Je connais si bien ta physionomie ! Eh bien, tu hésites ? Comment, Paul, ne suis-je plus ton ami, ton père ?

— Oh ! toujours, toujours, mon père ! mais c'est qu'il ne s'agit plus de moi seul. Pour être sincère, il faut que j'accuse quelqu'un.

M. DE ROSBOURG

Dis toujours, mon ami. Je sais que tu n'accuseras jamais à faux. Veux-tu que je reste seul avec toi ? Tu seras plus à ton aise en tête-à-tête avec ton père, comme nous l'avons été pendant plus de cinq ans.

197

Oh non ! mon père. Ma mère et ma sœur ne sont pas de trop ; quant à mes amis, ils savent ce que j'ai à dire. »

Et Paul raconta, sans rien omettre, tout ce qui s'était passé entre lui, Jacques et Léon.

« Je vous le dis, mon père, pour que vous sachiez comme jadis toutes mes actions et toutes mes pensées et puis aussi pour que vous me disiez si j'ai mal fait et ce que je dois faire pour réparer mon tort.

— Tu as bien fait, mon ami, tu ne devais pas faire autrement ; ton petit ami avait été battu pour nous avoir défendus contre la méchante langue de Léon ; tu devais prendre violemment parti pour lui. Tu n'as eu qu'un tort, mon enfant, et ce tort c'est moi qui en souffre. » Paul regarda M. de Rosbourg avec surprise et effroi. M. de Rosbourg sourit, lui prit la tête entre ses mains, et le baisa au front. « Oui, comment as-tu cru un instant, un seul instant, que je te négligeais parce que je trouvais d'autres et meilleurs que toi à aimer ? Je t'aime de toutes les forces de mon cœur et, je le jure, à l'égal de Marguerite ; il n'y a qu'une différence, c'est que Marguerite est nouvelle pour moi et que, toi, je te suis attaché non seulement par le cœur, mais par l'habitude, les souvenirs et la reconnaissance. Tu ne seras pas jalouse, ma petite Marguerite ? ajouta-t-il en l'embrassant. Aime bien ce frère que je t'ai donné ! aime-le, tu n'en trouveras jamais un pareil. » Et, après les avoir tendrement embrassés tous deux, il reprit le bras de sa femme et continua son chemin, suivi des enfants.

Paul était heureux de l'approbation et de la tendresse de son père ; il reprit toute sa gaieté, son entrain, et la promenade s'acheva joyeusement, au milieu des rires, des courses et des jeux improvisés par Paul, Jacques et Jean.

Le soir, Sophie rappela que Paul n'avait pas entièrement terminé l'histoire de leur délivrance. Tout le monde en ayant demandé la fin, Paul reprit le récit interrompu la veille.

« Il ne me reste plus grand-chose à raconter. Je me retrouvai avec bonheur sur un vaisseau français. Je reconnus beaucoup de choses pareilles à celles que j'avais vues sur la *Sibylle*. J'avais tout à fait oublié le goût des viandes et des différents mets français. Je trouvai très drôle de me mettre à table, de manger avec des fourchettes, des cuillers, de boire dans un verre. Le dîner fut très bon ; je goûtai une chose amère, que je trouvai mauvaise d'abord, bonne ensuite. C'était de la bière. Je pris du vin, que je trouvai excellent ; mais je n'en bus que très peu, parce que mon père me dit que je serais ivre si j'en avalais beaucoup. Ce qui me rendait plus heureux que tout cela, c'était le bonheur de mon père : ses yeux brillaient comme je ne les avais jamais vus briller ; je suis sûr qu'il aurait voulu embrasser tous les hommes de l'équipage.

— Tiens, tu as deviné cela, dit M. de Rosbourg en souriant. Tu es donc sorcier ? C'est qu'il a, ma foi, raison.

PAUL, *continuant.*

Je ne suis pas sorcier, mon père, mais je vous aime, et je devine tout ce que vous pensez, tout ce que vous sentez.

— Mais alors, imbécile, reprit M. de Rosbourg en riant, tu dois voir ce qu'il y a pour toi au fond de ce cœur, et ne pas croire que je puisse t'aimer moins.

PAUL

C'est vrai, mon père, aussi je suis content.

M. DE ROSBOURG, *riant toujours.*

C'est bien heureux.

PAUL

Où en étais-je donc ?

JACQUES

À ton premier repas sur l'*Invincible*.

— C'est vrai. Tu t'es bien souvenu du nom, Jacques. Tu n'oublierais pas non plus le capitaine ni l'équipage, si tu les avais connus. Tous si bons et si braves ! Après le souper, je me retirai avec mon père dans une cabine qu'on nous avait préparée. Oh ! comme nous fîmes une longue et fervente prière ! Comme mon pauvre père pleurait en remerciant Dieu ! Je voyais bien que c'était de la joie, mais c'était si fort que j'eus peur.

200

Ah ! c'est comme moi, le soir que papa a fait sa première prière avec moi. Il pleurait, mon pauvre papa, si fort, si fort, que j'ai eu peur comme toi. Mais il m'a dit que c'était de bonheur, et je me suis endormie tout en sentant ses larmes sur ma main. »

Marguerite embrassa son papa en finissant ; il la serra contre son cœur pour toute réponse.

PAUL

Le lendemain, après une bonne nuit dans ce hamac, qui me parut un lit délicieux, on nous apporta des vêtements. L'habit de mon père était superbe, avec de l'or partout ; le mien était un habillement de mousse ; c'était très joli. Après un bon déjeuner, nous retournâmes voir nos sauvages qui nous attendaient sur le rivage. Le capitaine nous avait donné une escorte nombreuse, de peur que les sauvages ne voulussent nous garder de force. Le roi et mes jeunes amis vinrent nous recevoir ; ils avaient l'air triste et abattu. Après quelques heures passées ensemble, le roi demanda à mon père une dernière grâce. « Tu nous as appris ta religion, tu nous as montré à prier ton Dieu, tu nous as dit que ceux qui ne recevaient pas l'eau sacrée sur la tête ne seraient pas avec toi dans ton ciel. Nous aimons ton Dieu, nous croyons en lui, et nous voulons te rejoindre près de lui. Verse sur nous l'eau du baptême, pour que nous soyons chrétiens comme toi. » « Ces braves gens me touchent », dit mon père au capitaine. Et, s'adressant au roi : « Je ferai comme tu désires, lui dit-il. Je sais que tu aimes mon Dieu, que tu le connais, que tu le pries. Je verserai l'eau du baptême sur ta tête et sur celle de tes fils. Ceux de tes sujets qui voudront être baptisés le seront après toi. » Le roi remercia tendrement et tristement mon père ; tout le monde s'achemina vers le village et le ruisseau. Mon père baptisa le roi et ses fils ; puis tous les sauvages demandèrent le baptême avec leurs femmes et leurs enfants. La cérémonie ne finit qu'à la nuit ; mon père pouvait à peine se soutenir de fatigue. « Vous voilà chrétiens, leur dit-il ; n'oubliez pas mes conseils : vivez en paix entre vous, aimez Dieu, aimez vos frères, pardonnez à vos ennemis. Adieu, mes amis, adieu. Je ne vous oublierai jamais ; nous nous retrouverons près de mon Dieu. » Il voulut partir ; mais ce fut une telle explosion de douleur, un tel empressement de lui baiser les pieds, de lui frotter l'oreille, que lui et moi nous eussions été étouffés, si nos braves compatriotes ne s'étaient groupés autour de nous pour écarter les sauvages, et ne nous avaient fait un rempart de leurs corps jusqu'à la mer. Au moment de s'embarquer, mon père donna au roi sa hache et son couteau. Je donnai un couteau à chacun de mes petits amis. Le capitaine avait fait porter sur la chaloupe cent cinquante haches et deux cents couteaux, que mon père distribua aux sauvages. Il leur donna aussi des clous et des scies, des ciseaux, des épingles et des aiguilles pour les femmes. Ces présents causèrent une telle joie que notre départ devint facile. La nuit était venue quand nous arrivâmes à l'*Invincible.* Deux heures après on appareilla, c'est-à-dire qu'on se mit en marche ; le lendemain, la terre avait disparu ; nous étions en pleine mer. Notre voyage fut des plus heureux ; trois mois après, nous arrivions au Havre, où recommencèrent les joies de mon père, qui se sentait si près de ma mère et de ma sœur. Nous partîmes immédiatement pour Paris ; nous courûmes au ministère de la Marine, où nous rencontrâmes M. de Traypi. Mon père repartit sur-le-champ pour Fleurville, où M. de Traypi nous fit arriver par la ferme, de peur d'un trop brusque saisissement pour ma pauvre mère. Il y avait dix minutes à peine que nous étions arrivés, lorsque Mme de Rosbourg rentra. J'entendis son cri de joie et celui de mon père ; j'étais heureux aussi, et je riais tout seul, lorsque Sophie se précipita dans la chambre et à mon cou. Vous savez le reste. »

Quand Paul eut ainsi terminé son récit, chacun le remercia et voulut l'embrasser. Mme de Rosbourg le tint longtemps pressé sur son cœur ; M. de Rosbourg le regardait avec attendrissement et fierté. Marguerite et Jacques sautaient à son cou et lui adressaient mille questions sur ses petits amis sauvages, sur leur langage, leur vie. L'heure du coucher vint mettre fin comme toujours à cette intéressante conversation. Léon ne s'y était pas mêlé ; il était resté sombre et silencieux, regardant Paul d'un œil jaloux, Marguerite et Jacques d'un air de dédain, et repoussant avec humeur Sophie et Jean, quand ils s'approchaient et lui parlaient. Camille et Madeleine étaient les seules qu'il paraissait aimer encore, et les seules qu'il voulut bien embrasser quand on se sépara pour aller se coucher.

Chapitre 11

Les revenants

Léon se sentait embarrassé envers Paul, il l'évitait le plus possible ; mais ce n'était pas chose facile, parce que tous les enfants aimaient beaucoup leur nouvel ami, et qu'ils étaient presque toujours avec lui. Paul, que cinq années d'exil avaient rendu plus adroit, plus intelligent et plus vigoureux qu'on ne l'est en général à son âge, leur apprenait une foule de choses pour l'agrément et l'embellissement de leurs cabanes. Il leur proposa d'en construire une comme celle que son père et Lecomte avaient bâtie chez les sauvages. Les enfants acceptèrent cette proposition avec joie. Ils se mirent tous à l'œuvre sous sa direction. M. de Rosbourg venait quelquefois les aider ; ces jours-là c'était fête au jardin. Paul et Marguerite étaient toujours heureux quand ils se trouvaient en présence de leur père ; tous les autres enfants aimaient aussi beaucoup M. de Rosbourg, qui partageait leurs plaisirs avec une bonté, une complaisance et une gaieté qui faisaient de lui un compagnon de jeu sans pareil. Léon, qui s'était tenu un peu à l'écart dans les commencements, finit par ressentir comme les autres l'influence de cette aimable bonté. Il avait perdu de son éloignement pour M. de Rosbourg et pour Paul. Ce dernier recherchait toutes les occasions de lui faire plaisir, de le faire paraître à son avantage, de lui donner des éloges. Un soir que Paul avait beaucoup vanté un petit meuble que venait de terminer Léon, celui-ci, touché de la générosité de Paul, alla à lui et lui tendit la main sans parler. Paul la serra fortement et lui dit avec ce sourire bon et affectueux qui lui attirait toutes les sympathies : « Merci, Léon, merci. » Ces seuls mots, dits si simplement, achevèrent de fondre le cœur de Léon, qui se jeta dans les bras de Paul en disant : « Paul, sois mon ami comme tu es celui de mes frères, cousins et amis. Je rougis de ma conduite envers toi, envers le petit Jacques. Oui, je suis honteux de moi-même ; j'ai été jaloux de toi, je t'ai détesté, je me suis conduit comme un mauvais cœur ; j'ai détesté ton excellent père. Toi qui lui dis tout, dis-lui combien je suis repentant et honteux ; dis-lui que je t'aimerai autant que je te détestais, que je tâcherai de t'imiter autant que j'ai cherché à te dénigrer ; dis-lui que je le respecterai, que je l'aimerai tant, qu'il me rendra son estime. N'est-ce pas, Paul, tu lui diras, et toi-même tu me pardonneras, tu m'aimeras un peu ?

PAUL

Non, pas un peu, mais beaucoup. Je savais bien
que cela ne durerait pas. Je comprends si bien ce que
tu as dû éprouver en voyant un étranger prendre pour
ainsi dire de force l'amitié et les soins de ta famille
et de tes amis ! Puis l'intérêt que j'excitais parce que
j'étais le cousin de Sophie, parce que je venais de
chez des sauvages ; l'attention qu'on a prêtée à mon
récit ; tout cela t'a ennuyé, et tu as cru que je prenais chez les tiens une place qui ne m'appartenait
pas.

LÉON

Tu expliques tout avec ta bonté accoutumée, Paul ;
j'en suis reconnaissant, je t'en remercie.

JACQUES

Mais pourquoi ça n'a-t-il pas fait le même effet
sur nous autres, Paul ? Ni Jean, ni mes cousines, ni
Sophie, ni Marguerite, ni moi, nous n'avons pas du
tout pensé ce que tu dis là.

PAUL, *embarrassé.*

Parce que, parce que tout le monde ne pense pas
de même, mon petit frère ; et puis, vous êtes tous
plus jeunes que Léon, et alors...

JACQUES

Alors quoi ? Je ne comprends pas du tout.

Eh bien, alors... vous êtes trop bons pour moi ; voilà tout.

SOPHIE, *riant.*

Ha ! ha ! ha ! voilà une explication qui n'explique rien du tout, mon pauvre Paul. Les sauvages ne t'ont pas appris à faire comprendre tes idées.

LÉON

Non, mais son bon cœur lui fait comprendre qu'il est doux de rendre le bien pour le mal, et son bon exemple me fait comprendre à moi la générosité de son explication. »

Paul allait répondre, lorsqu'ils entendirent des cris d'effroi du côté du château ; ils y coururent tous, et trouvèrent leurs parents rassemblés autour d'une femme de chambre sans connaissance ; près d'elle, une jeune ouvrière se tordait en attaque de nerfs, criant et répétant :

« Je le vois, je le vois. Au secours ! il va m'emporter ! il est tout blanc ! ses yeux sont comme des flammes ! Au secours ! au secours !

— Qu'est-ce donc, mon père ? demanda Paul avec empressement ; pourquoi cette femme crie-t-elle comme si elle était entourée d'ennemis ?

M. DE ROSBOURG

C'est quelque imbécile qui a voulu faire peur à ces femmes, et qui leur a apparu en fantôme. Nous allons faire une battue, ces messieurs et moi. Viens

207

avec nous, Paul ; tu as de bonnes jambes, tu nous aideras à faire la chasse au fantôme.

— Est-ce que tu n'auras pas peur ? lui dit tout bas Marguerite.

PAUL, *riant.*

Peur ? d'un fantôme ?

MARGUERITE

Non, mais d'un homme, d'un voleur peut-être.

PAUL

Je ne crains pas un homme, ma petite sœur ; pas même deux, ni trois. Mon père m'a appris la boxe, la savate : avec cela on se défend bien et on attaque sans crainte. »

Et Paul courut en avant de ces messieurs ; ils disparurent bientôt dans l'obscurité. Les domestiques avaient emporté la femme de chambre évanouie, l'ouvrière en convulsions ; Mme de Fleurville et ses sœurs les avaient suivies pour leur porter secours. Mme de Rosbourg, que sa tendresse pour son mari rendait un peu craintive, était restée sur le perron avec les enfants. On n'entendait rien, à peine quelques pas dans le sable des allées, lorsque tout à coup un éclat de voix retentit, suivi de cris, de courses précipitées ; puis on n'entendit plus rien. Les enfants étaient inquiets ; Marguerite se rapprocha de sa mère.

Maman, papa et Paul ne courent aucun danger, n'est-ce pas ?

MADAME DE ROSBOURG, *avec vivacité.*

Non, non, certainement non.

MARGUERITE

Mais alors, pourquoi votre main tremble-t-elle, maman ? comme si vous aviez peur.

— Ma main ne tremble pas », dit Mme de Rosbourg en retirant sa main de celles de Marguerite.

Marguerite ne dit rien, mais elle resta certaine d'avoir senti la main de sa mère trembler dans la sienne. Quelques instants après on entendit un bruit de pas, des rires comprimés, et on vit apparaître Paul traînant un fantôme prisonnier, que M. de Rosbourg poussait par-derrière avec quelques coups de genou et de talon.

« Voici le fantôme, dit-il. Il était caché dans la haie, mais nous l'avons aperçu ; nous avons crié trop tôt, il a détalé ; Paul a bondi par-dessus la haie, l'a serré de près et l'a arrêté ; le coquin criait grâce, et allait se débarrasser de son costume quand nous les avons rejoints. Nous l'avons forcé à garder son drap, pour vous en donner le spectacle. Il ne voulait pas trop avancer, mais Paul l'a traîné, moi aidant par-derrière. Halte-là ! à présent ! Ôte ton drap, coquin, que nous reconnaissions ton nom à ton visage. » Et, comme le fantôme hésitait, M. de Rosbourg, malgré sa résistance, lui écarta les bras et arracha le drap qui couvrait toute sa personne. On reconnut avec surprise un ancien garçon meunier de Léonard.

« Pourquoi as-tu fait peur à ces femmes ? demanda M. de Rosbourg. Réponds, ou je te fais jeter dans la prison de la ville.

— Grâce ! mon bon monsieur ! Grâce ! s'écria le garçon tremblant. Je ne recommencerai pas, je vous promets.

— Cela ne me dit pas pourquoi tu as fait peur à ces deux femmes, reprit M. de Rosbourg. Parle, coquin, et nettement. Qu'on te comprenne.

LE GARÇON

Mon bon monsieur, je voulais emprunter quelques légumes au jardin des Relmot, et ces dames étaient sur mon chemin.

M. DE ROSBOURG

C'est-à-dire que tu voulais voler les légumes des pauvres Relmot, et que tu as fait peur à ces femmes pour t'en débarrasser, pour faire peur aussi aux voisins, et les empêcher de mettre le nez aux fenêtres.

LE GARÇON

Grâce, mon bon monsieur, grâce !

M. DE ROSBOURG

Pas de grâce pour les voleurs !

LE GARÇON

Ce n'étaient que des légumes, mon bon monsieur.

210

Après les légumes viennent les fruits, puis le grain, puis l'argent ; on fait d'abord le fantôme, puis on égorge son monde, c'est plus sûr. Pas de grâce, coquin ! Paul, appelle notre brave Normand, il va lui faire son affaire, et remettre ce drôle entre les mains de ses bons amis les gendarmes. »

Le voleur voulut s'échapper, mais M. de Rosbourg lui saisit le bras et le serra à le faire crier. Paul revint bientôt avec Lecomte, qui, sachant la besogne qu'il allait avoir, avait apporté une corde pour lier les mains du voleur et le mener en laisse jusqu'à la ville. Ce fut bientôt fait.

« Allons, marche, Cartouche[1], lui dit Lecomte, et ne te fais pas tirer : je n'aime pas ça, moi, et je t'aiderais un peu rudement. »

Le garçon ne pouvait se décider à partir ; alors Lecomte lui assena sur le dos un tel coup de poing, que le voleur jeta un cri et se mit immédiatement en marche.

« Je savais bien que je te déciderais, Mandrin[2]. Quand tu en voudras une seconde dose, tu n'as qu'à le dire ; un temps d'arrêt, et ce sera bientôt fait. Nous pourrons essayer du pied, si le poing ne te plaît pas. Avec moi il y a du choix. »

Et ils disparurent dans l'ombre des arbres.

On rentra au salon. M. de Rosbourg s'approcha de sa femme, et lui dit avec inquiétude :

1. Fameux voleur du temps de Louis XVI.
2. Autre fameux voleur.

« Comme vous êtes pâle, chère amie ! seriez-vous souffrante ?

— Non, mon ami, je vais très bien, je n'ai rien du tout. »

Marguerite, voyant que son père ne détachait pas les yeux de dessus Mme de Rosbourg et qu'il continuait à être inquiet, s'approcha et lui dit à l'oreille :

« Papa, ne vous effrayez pas. Maman est pâle parce qu'elle a eu peur pour vous quand vous êtes allé chercher le fantôme. Ses mains tremblaient ; elle me disait que non, mais je les ai bien senties. C'est passé à présent.

— Merci, mon aimable enfant, répondit tout bas son père en baisant sa petite joue rose ; grâce à toi me voici rassuré. »

Ces dames revinrent au salon ; la femme de chambre et l'ouvrière restaient persuadées qu'elles avaient vu un fantôme ; elles avaient entendu une voix caverneuse ; elles avaient vu des yeux flamboyants, elles s'étaient senti saisir par des griffes glacées : c'était un revenant ; elles n'en démordaient pas. On eut beau leur dire que c'était un voleur de légumes, qui avait confessé s'être habillé en fantôme pour voler tranquillement le jardin des Relmot, que M. de Rosbourg l'avait pris, amené et envoyé en prison, on ne put jamais leur persuader que les yeux flamboyants, la voix diabolique et les griffes glacées eussent été un effet de leur frayeur.

« Je ne croyais pas que Julie fût si bête, dit Camille. Comment peut-elle croire aux fantômes ?

 212

Il y en a bien d'autres qui y croient, et l'histoire du maréchal de Ségur en est bien une preuve.

— Quelle histoire, papa ? dit Jean ; je ne la connais pas.

— Oh ! racontez-nous-la ! s'écrièrent les enfants tous ensemble.

— Je ne demande pas mieux, si les papas et les mamans le veulent bien, répondit M. de Rugès.

— Certainement », répondit-on tout d'une voix.

On se groupa autour de M. de Rugès, qui commença ainsi :

« Je vous préviens d'abord que c'est une histoire véritable, qui est réellement arrivée au maréchal de Ségur et qui m'a été racontée par son fils[1].

« Le maréchal, à peine remis d'une blessure affreuse reçue à la bataille de Laufeld, où il avait eu le bras emporté par un boulet de canon, quittait encore une fois la France pour retourner en Allemagne reprendre le commandement de sa division. Il voyageait lentement, comme on voyageait du temps de Louis XV ; les chemins étaient mauvais, on couchait toutes les nuits, et les auberges n'étaient pas belles, grandes et propres comme elles le sont aujourd'hui. Un orage affreux avait trempé hommes et chevaux, quand ils arrivèrent un soir dans un petit village où il n'y avait qu'une seule auberge, de misérable apparence.

« Avez-vous de quoi nous loger, l'hôtesse, moi, mes gens et mes chevaux ? dit-il en entrant. — Ah !

1. Historique. *(Note de l'auteur.)*

213

monsieur, vous tombez mal : l'orage a effrayé les voyageurs ; ma maison est pleine ; toutes mes chambres sont prises. Je ne pourrai loger que vos chevaux et vos gens. Ils coucheront ensemble sur la paille. — Mais je ne puis pourtant pas passer la nuit dehors, ma brave femme ! voyez donc : il pleut à torrents. Vous trouverez bien un coin à me donner. »

« L'hôtesse parut embarrassée, hésita, tourna le coin de son tablier, puis, levant les yeux avec une certaine crainte sur le maréchal, elle lui dit : « Monsieur pourrait bien avoir une bonne chambre et même tout un appartement ; mais... — Mais quoi ? reprit le maréchal, donnez-la-moi bien vite, cette chambre, et un bon souper avec. — C'est que... c'est que..., je ne sais comment dire... — Dites toujours et dépêchez-vous ! — Eh bien ! monsieur, c'est que... cette chambre est dans la tour du vieux château ; elle est hantée ; nous n'osons pas la donner depuis qu'il y est arrivé des malheurs. — Quelle sottise ! Allez-vous me faire accroire qu'il y vient des esprits ? — Tout juste, monsieur, et je serais bien fâchée qu'il arrivât malheur à un joli cavalier comme vous. — Ah bien ! si ce n'est pas autre chose qui m'empêche d'être logé, donnez-moi cette chambre : je ne crains pas les esprits ; et, quant aux hommes, j'ai mon épée, deux pistolets, et malheur à ceux qui se présenteront chez moi sans en être priés ! — En vérité, monsieur, je n'ose... — Osez donc, parbleu ! puisque je vous le demande. Voyons, en marche et lestement. » L'hôtesse alluma un bougeoir, le remit au maréchal : « Tenez, monsieur, nous n'en aurons pas trop d'un pour chacun de nous. Si vous voulez suivre le corri-

214

dor, monsieur, je vous accompagnerai bien jusque-là. — Est-ce au bout du corridor ? — Oh ! pour ça non, monsieur, grâce à Dieu ! nous déserterions la maison si les esprits se trouvaient si près de nous ; vous prendrez la porte qui est au bout, vous descendrez quelques marches, vous suivrez le souterrain, vous remonterez quelques marches, vous pousserez une porte, vous remonterez encore, vous irez tout droit, vous redescendrez, vous... — Ah çà ! ma bonne femme, interrompit le maréchal en riant, comment voulez-vous que je me souvienne de tout cela ? Marchez en avant pour me montrer le chemin. — Oh ! monsieur, je n'ose. — Eh bien ! à côté de moi, alors. — Oui-da ! Et pour revenir toute seule, je n'oserai jamais. — Holà, Pierre, Joseph, venez par ici, drôles ! cria le maréchal, venez faire escorte à madame, qui a peur des esprits. — Faut pas en plaisanter, monsieur, dit très sérieusement l'hôtesse, il arriverait malheur. »

« Les domestiques du maréchal étaient accourus à son appel. Suivant ses ordres, ils se mirent à la droite et la gauche de l'hôtesse, qui, rassurée par l'air intrépide de ses gardes du corps, se décida à passer devant le maréchal. Elle lui fit parcourir une longue suite de corridors, d'escaliers, et l'amena enfin dans une très grande et belle chambre, inhabitée depuis longtemps, à en juger par l'odeur de moisi qu'on y sentait. L'hôtesse y entra d'un air craintif, osant à peine regarder autour d'elle ; son bougeoir tremblait dans ses mains. Elle se serait enfuie, si elle avait osé parcourir seule le chemin de la tour à l'auberge. Le maréchal éleva son bougeoir, examina la chambre, en fit le tour et parut satisfait de son examen. « Apportez-moi des draps et à souper, dit-il, des bougies pour remplacer ce bougeoir qui va bientôt s'éteindre ; et aussi mes pistolets, Joseph, et de quoi les recharger. » Les domestiques se retirèrent pour exécuter les ordres de leur maître ; l'hôtesse les accompagna avec empressement, mais elle ne revint pas avec eux quand il rapportèrent les armes du maréchal et tout ce qu'il avait demandé. « Et notre hôtesse, Joseph ? Elle ne vient donc pas ? Cette tapisserie me semble curieuse. J'aurais quelques questions à lui adresser. — Elle n'a jamais voulu venir, monsieur le marquis. Elle dit qu'elle a eu trop peur, qu'elle a entendu les esprits chuchoter et siffler à son oreille, dans l'escalier et dans la chambre, et qu'on la tuerait plutôt que de l'y faire rentrer. — Sotte femme ! dit le maréchal en riant. Servez-moi le souper, Joseph ; et vous, Pierre, faites mon lit et allumez les bougies. Ouvrez les fenêtres : ça sent le moisi à suffoquer. » On eut quelque peine à ouvrir les fenêtres, fermées depuis des années : il faisait humide et froid ; la cheminée était pleine de bois ; le maréchal fit allumer un bon feu, mangea avec appétit du petit salé aux choux, une salade au lard fondu, fit fermer ses croisées, examina ses pistolets, renvoya ses gens et donna l'ordre qu'on vînt l'éveiller le lendemain au petit jour, car il avait une longue journée à faire pour gagner une bonne couchée. Quand il fut seul, il ferma sa porte au verrou et à double tour, et fit la revue de sa chambre pour voir s'il n'y avait pas quelque autre porte masquée dans le mur, ou une trappe, un panneau à ressort, qui pût en s'ouvrant donner passage à

216

quelqu'un. « Il ne faut, se dit-il, négliger aucune précaution ; je ne crains pas les esprits dont cette sotte femme me menace ; mais cette vieille tour, reste d'un vieux château, pourrait bien cacher dans ses souterrains une bande de malfaiteurs, et je ne veux pas me laisser égorger dans mon lit comme un rat dans une souricière. » Après s'être bien assuré par ses yeux et par ses mains qu'il n'y avait à cette chambre d'autre entrée que la porte qu'il venait de verrouiller et qui était assez solide pour soutenir un siège, le maréchal s'assit près du feu dans un bon fauteuil et se mit à lire. Mais il sentit bientôt le sommeil le gagner ; il se déshabilla, se coucha, éteignit ses bougies, et ne tarda pas à s'endormir. Il s'éveilla au premier coup de minuit sonné par l'horloge de la vieille tour ; il compta les coups :

« Minuit, dit-il ; j'ai encore quelques heures de repos devant moi. » Il avait à peine achevé ces mots, qu'un bruit étrange lui fit ouvrir les yeux. Il ne put d'abord en reconnaître la cause, puis il distingua parfaitement un son de ferraille et des pas lourds et réguliers. Il se mit sur son séant, saisit ses pistolets, plaça son épée à la portée de sa main et attendit. Le bruit se rapprochait et devenait de plus en plus distinct. Le feu à moitié éteint jetait encore assez de clarté dans la chambre pour qu'il pût voir si quelqu'un y pénétrait ; ses yeux ne quittaient pas la porte ; tout à coup, une vive lumière apparut du côté opposé ; le mur s'entrouvrit, un homme de haute taille, revêtu d'une armure, tenant une lanterne à la main, achevait de monter un escalier tournant taillé dans le mur. Il entra dans la chambre, fixa les yeux sur le maréchal, s'arrêta à trois pas du lit et dit : « Qui es-tu pour avoir eu le courage de braver ma présence ? — Je suis d'un sang qui ne connaît pas la peur. Si tu es homme, je ne te crains pas, car j'ai mes armes, et mon Dieu qui combattra pour moi. Si tu es un esprit, tu dois savoir qui je suis et que je n'ai eu aucune méchante intention en venant habiter cette chambre. — Ton courage me plaît, maréchal de Ségur ; tes armes ne te serviraient pas contre moi, mais ta foi combat pour toi. — Mon épée a plus d'une fois été teinte du sang de l'ennemi, et plus d'un a été traversé par mes balles. — Essaye, dit le chevalier : je m'offre à tes coups. Me voici à portée de tes pistolets ; tire, et tu verras. — Je ne tire pas sur un homme seul et désarmé », répondit le maréchal. Pour toute réponse, le chevalier tira un long poignard de son sein et, approchant du maréchal, lui en fit sentir la pointe sur la poitrine. Devant un danger si pressant, le maréchal ne pouvait plus user de générosité ; son pistolet était armé, il tira : la balle traversa le corps du chevalier et alla s'aplatir contre le mur en face. Mais le chevalier ne tombait pas, il continuait son sourire, et le maréchal sentait toujours la pointe du poignard pénétrer lentement dans sa poitrine. Il n'y avait pas un moment à perdre, il tira son second pistolet : la balle traversa également la poitrine du chevalier et alla, comme la première, s'aplatir contre le mur en face. Le chevalier ne bougea pas : seulement son sourire se changea en rire caverneux, et son poignard entra un peu plus fortement dans la poitrine du maréchal. Celui-ci saisit son épée et en donna plusieurs coups dans la poitrine, le cœur, la

218

tête du chevalier. L'épée entrait jusqu'à la garde et sans résistance, mais le chevalier ne tombait pas et riait toujours. « Je me rends, dit enfin le maréchal, je te reconnais esprit, pur esprit, contre lequel ma main et mon épée sont également impuissantes. Que veux-tu de moi ? Parle. — Obéiras-tu ? — J'obéirai, si tu ne me demandes rien de contraire à la loi de Dieu. — Oserais-tu me braver en me désobéissant ? Ne craindrais-tu pas ma colère ? — Je ne crains que Dieu, mon maître et le tien. — Je puis te tuer. — Tue-moi : si Dieu te donne pouvoir sur mon corps, il ne t'en donne pas sur mon âme, que je remets entre ses mains. » Et le maréchal ferma les yeux, fit un signe de croix et baisa l'étoile du Saint-Esprit qu'il portait toujours sur lui en qualité de grand cordon de l'ordre. Ne sentant plus le poignard sur sa poitrine, il ouvrit les yeux et vit avec surprise le chevalier qui, les bras croisés, le regardait avec un sourire bienveillant. « Tu es un vrai brave, lui dit-il, un vrai soldat de Dieu, mon maître et le tien, comme tu as si bien dit tout à l'heure. Je veux récompenser ton courage en te faisant maître d'un trésor qui m'a appartenu et dont personne ne connaît l'existence. Suis-moi. L'oseras-tu ? » Le maréchal ne répondit qu'en sautant à bas de son lit et revêtant ses habits. Le chevalier le regardait faire en souriant. « Prends ton épée, dit-il, cette noble épée teinte du sang des ennemis de la France. Maintenant, suis-moi sans regarder derrière toi, sans répondre aux voix qui te parleront. Si un danger te menace, fais le signe de la croix sans parler. Viens, suis-moi ! » Et le chevalier se dirigea vers le mur entrouvert, descendit un escalier qui tournait, tournait toujours. Le maréchal le suivait pas à pas, sans regarder derrière lui, sans répondre aux paroles qu'il entendait chuchoter à son oreille. « Prends garde, lui disait une voix douce, tu suis le diable ; il te mène en enfer. — Retourne-toi, lui disait une autre voix, tu verras un abîme derrière toi ; tu ne pourras plus revenir sur tes pas. — N'écoute pas ce séducteur, disait une voix tremblante, il veut acheter ton âme avec le trésor qu'il te promet. » Le maréchal marchait toujours. De temps à autre il voyait, entre lui et le chevalier, la pointe d'un poignard, puis des flammes, puis des griffes prêtes à le déchirer : un signe de croix le débarrassait de ces visions. Le chevalier allait toujours ; depuis une heure il descendait, lorsque enfin ils se trouvèrent dans un vaste caveau entièrement dallé de pierres noires ; chaque pierre avait un anneau ; toutes étaient exactement pareilles. Le chevalier passa sur toutes ces dalles, et s'arrêtant sur l'une d'elles : « Voici la pierre qui recouvre mon trésor, dit-il ; tu y trouveras de l'or de quoi te faire une fortune royale, et des pierres précieuses d'une beauté inconnue au monde civilisé. Je te donne mon trésor, mais tu ne pourras lever la dalle que de minuit à deux heures. Prie pour l'âme de ton aïeul, Louis-François de Ségur. Garde-toi de toucher aux autres dalles, qui recouvrent des trésors appartenant à d'autres familles. À peine soulèverais-tu une de ces pierres, que tu serais saisi et étouffé par l'esprit propriétaire de ce trésor. Pour reconnaître ma dalle et emporter ce qu'elle recouvre, il faut... » Le chevalier ne put achever. L'horloge sonna deux heures : un bruit semblable au tonnerre se fit entendre, les esprits disparurent tous, et le chevalier avec eux. Le maréchal resta seul ; la lanterne du chevalier était heureusement restée à terre. « Comment reconnaîtrai-je ma dalle ? dit le maréchal ; je ne puis l'ouvrir maintenant, puisque deux heures sont sonnées. Si j'avais emporté ma tabatière ou quelque objet pour le poser dessus. » Pendant qu'il réfléchissait, il ressentit de cruelles douleurs d'entrailles, résultat du saisissement causé par la visite du chevalier. Le maréchal se prit à rire : « C'est mon bon ange, dit-il, qui m'envoie le moyen de déposer un souvenir sur cette dalle précieuse. Quand j'y viendrai demain, je ne pourrai la méconnaître... » Aussitôt dit, aussitôt fait, poursuivit M. de Rugès en riant. Le maréchal ne commença à remonter l'escalier qu'après s'être assuré de retrouver sa pierre entre mille. Il monta, monta longtemps ; enfin il arriva au haut de cet interminable escalier ; à la dernière marche la lanterne échappa de ses mains et roula jusqu'en bas. Le maréchal ne s'amusa pas à courir après. Il rentra dans sa chambre, repoussa soigneusement le mur, non sans avoir bien examiné le ressort et s'être assuré qu'il pouvait facilement l'ouvrir et le fermer. Après s'y être exercé plusieurs fois, et après avoir fait avec son épée une marque pour reconnaître la place, il allait se recoucher, lorsqu'il entendit frapper à sa porte. C'était son valet de chambre qui venait l'éveiller. « Je vais ouvrir ! » cria-t-il. Sa propre voix l'éveilla. Sa surprise fut grande de se retrouver dans son lit. Il examina ses pistolets : ils étaient chargés et posés près de lui comme lorsqu'il s'était endormi la veille, de même que son épée. Il se sentit mal à l'aise dans son lit : il se leva. Fantôme, trésor, tout était un rêve, excepté le souvenir qu'il avait cru laisser sur la dalle et que ses draps avaient reçu. N'en pouvant croire le témoignage de ses sens, il examina le mur percé de ses deux balles : point de balles, point de traces ; il chercha la place du passage mystérieux, de la marque faite avec l'épée : il ne trouva rien. « J'ai décidément rêvé, dit-il, c'est dommage ! Le trésor aurait bien fait à ma fortune ébréchée par mes campagnes. Et que vais-je faire de mes draps ? dit-il en riant. Je mourrais de honte devant cette hôtesse... Ah ! une idée ! un bon feu fera justice de tout. Je dirai à l'hôtesse que les esprits ont emporté ses draps, et je lui en payerai dix pour la faire taire. »

« Le maréchal ralluma son feu qui brûlait encore, y jeta les draps, et n'ouvrit sa porte que lorsqu'ils furent entièrement consumés.

« L'honneur est sauf, dit le maréchal ; en avant les revenants ! »

« — Comment monsieur le marquis a-t-il dormi ? » demanda l'hôtesse, qui accompagnait les domestiques du maréchal.

« — Pas mal, pas mal, ma bonne femme ; j'ai seulement été ennuyé par les esprits, qui m'ont tiraillé, turlupiné, jusqu'à ce qu'ils se fussent emparés de mes draps. Voyez, ils les ont emportés ; ils n'en ont pas laissé seulement un morceau.

« — C'est, ma foi, vrai ! s'écria la maîtresse désolée. J'avais bien dit qu'il arriverait malheur. Mes pauvres draps ! Mes plus fins, mes plus neufs encore !

222

« — Eh bien ! ma bonne femme, reprit le maréchal en riant, vous pourrez toujours dire avec vérité que vous êtes dans de beaux draps et pour vous faire dire plus vrai encore, au lieu de deux, je vous en rendrai dix, puisque c'est grâce à mon obstination que vous les avez perdus. Combien valaient vos draps ?

« — Quatre écus[1], monsieur le marquis, aussi vrai qu'il y a des esprits dans cette tour de malheur.

« — Eh bien ! en voici vingt : cela vous fait vos cinq paires ou vos dix draps. Et maintenant à déjeuner, et bonsoir. »

L'hôtesse fit révérence sur révérence, et courut chercher le déjeuner du maréchal. La voyant revenir toute seule : « Vous n'avez donc plus peur des esprits, lui dit-il, que vous allez et venez sans escorte ? — Oh ! monsieur, tant qu'il fait jour, il n'y a pas de danger ; ce n'est qu'aux approches de minuit. »

« Le maréchal paya généreusement sa dépense et celle de ses gens, et laissa l'hôtesse plus persuadée que jamais de la présence des esprits dans la tour du vieux château. Depuis ce jour elle invoquait toujours le nom du maréchal de Ségur pour convaincre les incrédules du danger d'habiter la tour ; et voilà comme se font toutes les histoires de revenants ! »

Les enfants remercièrent beaucoup M. de Rugès de cette histoire, qui les avait vivement intéressés.

« Moi, dit Jacques, je suis fâché que le maréchal n'ait pas vu le fantôme tout de bon.

1. Un écu valait trois francs-or.

— Pourquoi donc ? dit son père.

JACQUES

Parce qu'il avait bien répondu au chevalier. J'aime ses réponses, elles sont très courageuses.

MARGUERITE

J'aurai eu joliment peur, à sa place, quand les balles n'ont pas tué le chevalier.

LÉON

Tu aurais eu peur, parce que tu es une fille, mais je suis bien sûr que Paul n'aurait pas eu peur.

PAUL

Je crois, au contraire, que j'aurais eu très peur. Il n'y a plus de défense possible contre un esprit que les balles ni l'épée ne peuvent mettre en fuite.

M. DE ROSBOURG

Il y a toujours l'éternelle défense de la prière à Dieu.

JEAN

C'est vrai, mais c'est la seule.

M. DE ROSBOURG

Et la seule toute-puissante, mon ami ; cette arme-là, dans certaines occasions, est plus forte que le fer et le feu.

SOPHIE

Comme c'était drôle, quand le maréchal s'est éveillé !

CAMILLE

Il s'est tiré d'embarras avec esprit, tout de même.

MADELEINE

Seulement, je trouve qu'il a eu tort de laisser croire à l'hôtesse que ses draps avaient été emportés par les esprits.

M. DE TRAYPI

Que veux-tu ? À ce prix seulement son honneur était sauf, comme il l'a dit lui-même.

MADAME DE FLEURVILLE

Au risque d'être toujours la mère Rabatjoie, je rappelle l'heure du coucher plus que passée.

— Vous avez raison aujourd'hui comme toujours, chère madame, dit M. de Rosbourg en posant à terre sa petite Marguerite établie sur ses genoux. Va, chère enfant, embrasser ta maman et tes amis. »

Marguerite obéit sans répliquer.

« Maintenant à l'ordre de mon commandant, dit M. de Rosbourg en emportant Marguerite. C'est ma récompense de tous les soirs : obéir à l'ordre de ma petite Marguerite, la coucher et être le dernier à l'embrasser.

— Vous ne pleurez plus, papa, tout de même.

225

Vous avez l'air si heureux, si heureux, tout comme Paul ! » dit Marguerite en l'embrassant.

Elle continua son petit babil, qui enchantait M. de Rosbourg, jusqu'au moment de la prière et du coucher. Quand elle fut dans son lit : « Je vous en prie, papa, dit-elle, restez là jusqu'à ce que je sois endormie. Quand je m'endors avec ma main dans la vôtre, je rêve à vous ; et alors je ne vous quitte pas, même la nuit. »

M. de Rosbourg se sentait toujours doucement ému de ces sentiments si tendres que lui exprimait Marguerite ; il était lui-même trop heureux de voir et de tenir son enfant, pour lui enlever cette jouissance dont il avait été privé si longtemps. Aussi, devant cette tendresse extrême, devant l'affection si vive de sa femme, devant la tendresse passionnée et dévouée de Paul, il ne se sentait plus le courage de continuer sa carrière de marin, et de jour en jour il se fortifiait dans la pensée de quitter le service actif et de vivre pour ceux qu'il aimait. L'éducation de ses enfants, l'amélioration du village occuperaient suffisamment son temps.

Chapitre 12

Les Tourne-boule et l'idiot

Les vacances étaient bien avancées ; un grand mois s'était écoulé depuis l'arrivée des cousins ; mais les enfants avaient encore trois semaines devant eux, et ils ne s'attristaient pas si longtemps d'avance à la pensée de la séparation. Léon s'améliorait de jour en jour ; non seulement il cherchait à vaincre son caractère envieux, emporté et moqueur, mais il essayait encore de se donner du courage. Son nouvel ami Paul avait gagné sa confiance par sa franche bonté et son indulgence ; il avait osé lui avouer sa poltronnerie.

« Ce n'est pas ma faute, lui dit-il tristement ; mon premier mouvement est d'avoir peur et d'éviter le danger ; je ne peux pas m'en empêcher. Je t'assure, Paul, que bien des fois j'en ai été honteux au point d'en pleurer en cachette ; je me suis dit cent fois qu'à la prochaine occasion je serais brave ; pour tâcher de le devenir, je me faisais brave en paroles. J'ai beau faire, je sens que je suis et serai toujours poltron. »

Il avait l'air si triste et si honteux en faisant cet aveu, que Paul en fut touché.

« Mon pauvre ami, lui dit-il (il appuya sur *ami),* je trouve au contraire qu'il faut un grand courage pour dire, même à un ami, ce que tu viens de me confier. Au fond, tu es tout aussi brave que moi (Léon relève la tête avec surprise) ; seulement tu n'as pas eu occasion d'exercer ton courage avec prudence. Tu es entouré de cousines et d'amis plus jeunes que toi ; tu t'es trouvé dans des moments de danger, plus ou moins grand, avec la certitude que tu n'avais ni la force ni les moyens de t'en préserver ; alors tu as tout naturellement pris l'habitude de fuir le danger et de croire que tu ne peux pas faire autrement.

LÉON

Mais pourtant, Paul, toi, je te vois courir en avant dans bien des occasions où je me serais sauvé.

PAUL

Moi, c'est autre chose ; j'ai passé cinq années entouré de dangers et avec l'homme le plus courageux, le plus déterminé que je connaisse ; il m'a habitué à ne rien craindre. Mais moi-même, que tu cites comme exemple, c'est par habitude que je suis courageux, et cette habitude, je l'ai prise parce que je me sentais toujours en sûreté sous la protection de mon père. Marchons ensemble à la première occasion, et tu verras que tu feras tout comme moi.

— J'en doute, reprit Léon ; en tout cas, je tâcherai. Je te remercie de m'avoir remonté dans ma propre estime ; j'étais honteux de moi-même.

228

— À l'avenir, tu seras content ; tu verras », dit Paul en lui serrant affectueusement la main.

Léon rentra tout joyeux pour travailler ; Paul monta chez M. de Rosbourg, qui lui dit en souriant :

« Ton visage est rayonnant, mon bon ami ; quelle bonne nouvelle m'apportes-tu ?

PAUL

Ce n'est pas une bonne nouvelle, mais une bonne action que je vous apporte, mon père. »

Et il lui raconta ce qui venait de se passer entre lui et Léon.

M. DE ROSBOURG

Tu as été aussi bon qu'ingénieux, mon fils. Je ne sais pas si Léon est bien persuadé que le courage dort en lui et que le réveil du lion est proche ; mais tu as toujours réussi à lui faire espérer ton estime et la mienne (je sais qu'il y tient), c'est un grand point de gagné. Mais comment feras-tu pour l'empêcher d'être un fichu poltron ? car, entre nous, il l'est : tu le vois bien toi-même.

PAUL

Il l'est, mon père, mais il ne le sera plus ; son amour-propre est excité maintenant ; et puis j'arriverai à lui faire comprendre qu'il est plus sûr d'aller au-devant du danger que de le fuir.

M. DE ROSBOURG, *riant.*

Comment lui feras-tu avaler ce raisonnement ?

229

En lui prouvant que le courage impose non seulement aux hommes, mais aux bêtes, et les fait fuir au lieu d'attaquer.

M. DE ROSBOURG

Tu me rendras compte de ta première expérience, mon ami... et, puisque tu es là, causons donc ensemble de ton avenir. Y as-tu pensé ?

PAUL

Non, mon père, je vous en ai laissé le soin ; je sais que vous arrangerez tout pour mon plus grand bien. »

M. de Rosbourg attira Paul vers lui et le baisa au front.

M. DE ROSBOURG

J'y ai pensé, moi, et j'ai arrangé ta vie de manière à ne pas la séparer de la mienne.

— Merci, merci, mon père, mon bon père, s'écria Paul en sautant de joie. Que vous êtes bon ! Je vais aller le dire à Marguerite.

M. DE ROSBOURG, *riant.*

Mais attends donc, nigaud ; que lui diras-tu ? Tu ne sais rien encore !

PAUL

Je sais tout, puisque je sais que je resterai toujours près de vous, près de ma mère, de Marguerite.

Tiens, tiens, comme tu as vite arrangé cela, toi ! Et ma carrière, la marine ? qu'en fais-tu ?

PAUL, *étonné.*

Votre carrière ? est-ce que... ? est-ce que vous retourneriez encore en mer ?

M. DE ROSBOURG

Et si j'y retournais, est-ce que tu ne m'y suivrais pas ? ou bien aimerais-tu mieux achever ton éducation ici, avec ta mère et ta sœur ?

— Avec vous, mon père, avec vous partout et toujours, s'écria Paul en se jetant dans les bras de M. de Rosbourg.

— J'en étais bien sûr, dit M. de Rosbourg en le serrant contre son cœur et en l'embrassant. Tu serais aussi malheureux séparé de moi que je le serais de ne plus t'avoir, mon fils, mon compagnon d'exil et de souffrance. Mais sois tranquille ; quand je m'y mets, les choses s'arrangent mieux que cela. Voici ce que j'ai décidé. J'envoie ma démission au ministre ; nous vivrons tous ensemble ; tu n'auras d'autre maître, d'autre ami que moi, et nous emploierons nos heures de loisir à améliorer l'état de nos bons villageois et la culture de nos fermes : vie de propriétaire normand. Nous élèverons des chevaux, nous cultiverons nos terres et nous ferons du bien en nous amusant, en nous instruisant et en améliorant tout autour de nous. »

Paul était si heureux de ce projet, qu'il ne put

d'abord autrement exprimer sa joie qu'en serrant et baisant les mains de son père. Il demanda la permission d'aller l'annoncer à Mme de Rosbourg et à Marguerite.

M. DE ROSBOURG

Ma femme le sait ; je pense tout haut avec elle ; c'est à nous deux que nous avons arrangé notre vie ; mais nous avons voulu te laisser le plaisir d'annoncer cette heureuse nouvelle à ma petite Marguerite. Va, mon ami, et reviens ensuite ; nous avons bien des choses à régler pour l'emploi de nos journées. »

Paul partit comme une flèche ; il courut aux cabanes ; il y trouva Marguerite qui lisait avec Sophie et Jacques.

PAUL

Marguerite, Marguerite, nous restons ; je ne te quitterai jamais. Mon père ne s'en ira plus ; nous travaillerons ensemble ; nous aurons une ferme ; nous serons si heureux, si heureux, que nous rendrons heureux tous ceux qui nous entoureront.

— Ah çà ! tu es fou, dit Sophie en se dégageant des bras de Paul, qui, après Marguerite, l'étouffait à force de l'embrasser. Qu'est-ce que tu nous racontes, de travail de ferme, de je ne sais quoi ?

— Oh ! moi, je comprends, dit doucement Marguerite en rendant à Paul ses baisers. Papa ne sera plus marin ; lui et Paul resteront toujours avec nous ; c'est papa qui sera notre maître. C'est cela, n'est-ce pas, Paul ?

 232

PAUL

Oui, oui, ton cœur a deviné, ma petite sœur chérie.

— Et moi donc ! qu'est-ce que je deviens dans tout cela ? demanda Sophie. C'est joli, monsieur, de m'oublier dans un pareil moment !

PAUL

Tiens ! je peux bien t'avoir oubliée un instant, toi qui m'as oublié pendant cinq ans.

SOPHIE

Oh ! mais moi j'étais petite.

PAUL

Et moi, je suis grand. Voilà pourquoi je comprends le bonheur de vivre près de mon père et d'être élevé par lui.

MARGUERITE

Mais pourquoi donc nous quitterais-tu, Sophie ? Nous vivrons tous ensemble comme avant.

SOPHIE

Je crois que c'est impossible. Ton père voudra être chez lui.

MARGUERITE

Eh bien, nous t'emmènerons.

233

C'est impossible. Je gênerais là-bas ; je ne gêne pas ici. M. de Fleurville est pour moi ce que ton papa est pour Paul ; Camille et Madeleine sont pour moi ce que tu es pour Paul. Je resterai.

JACQUES

Et moi, je suis donc un rien du tout, qu'on ne me regarde seulement pas.

PAUL

Tu es mon cher petit ami, un ancien ami de Marguerite. Je te connais assez pour savoir que tu seras toujours le mien. Mais toi, Jacques, tu vis avec ton papa et ta maman qui t'aiment ; tu n'as pas d'inquiétude à avoir sur ton bonheur, et je suis sûr que tu partages le mien.

JACQUES

Oh oui ! j'ai le cœur content comme si c'était pour moi. Je sais que je te verrai autant que si vous restiez tous ensemble : ainsi moi je n'ai qu'à me réjouir. »

Marguerite embrassa Jacques et courut bien vite chez son papa, auquel elle témoigna sa joie avec une tendresse dont il fut profondément touché. Pendant ce temps Paul avait couru embrasser et remercier Mme de Rosbourg, qu'il trouva aussi heureuse qu'il l'était lui-même. Elle lui dit qu'ils venaient d'acheter un château et une terre magnifique qui n'étaient qu'à une lieue de Fleurville, et qui appartenaient à des voisins qu'on ne voyait jamais, tant ils étaient ridicules, fiers et communs ; qu'après les vacances ils iraient s'établir dans ce château ; que Sophie resterait chez Mme de Fleurville, et qu'au reste M. de Rosbourg achèterait à Paris un hôtel où ils logeraient tous ensemble pendant l'hiver. Paul en fut content pour Sophie et pour Marguerite, qui, de cette manière, quitterait le moins possible ses amies.

Peu de temps après on vit arriver une voiture élégante ; les enfants se mirent aux fenêtres et virent avec surprise descendre de voiture d'abord un gros petit monsieur d'une cinquantaine d'années, puis une dame magnifiquement vêtue et enfin une petite fille de douze ans environ, habillée comme pour aller au bal : robe de gaze à volants et rubans, fleurs dans les cheveux, le cou et les bras nus et couverts de colliers et de bracelets. Les enfants se regardèrent avec stupéfaction.

« Qu'est-ce que c'est que cela ? s'écria Paul.

— Je n'ai jamais vu ces figures-là, dit Camille.

— C'est peut-être les ridicules voisins du château vendu, dit Madeleine.

— Comment s'appellent ces originaux ? dit Jean.

— Ce doit être les Tourne-boule, dit Sophie.

— Ceux qui ont vendu leur château à papa ? demanda Marguerite.

CAMILLE

Ton papa a acheté leur château ?

MARGUERITE

Oui, il vient de me le dire.

235

MADELEINE

Mais que viennent-ils faire ici ?

JEAN

Faire connaissance en même temps qu'ils font leurs adieux, probablement.

LÉON

On n'a jamais voulu les recevoir ici ; ils sont fiers, sots et méchants.

JEAN

C'est pour cela qu'ils viennent sans être priés ; quittant le pays, ils sont toujours sûrs d'être bien reçus ; on dit que le père a été marmiton.

PAUL

Que la toilette de cette petite est ridicule !

CAMILLE

Descendons pour la recevoir ; il le faut bien.

MADELEINE

Comme c'est assommant !

PAUL

Nous irons tous avec vous : de cette façon ce sera moins ennuyeux.

Merci, Paul ; j'accepte avec plaisir.

JEAN

Quelle foule nous allons faire ! la pauvre fille ne saura auquel entendre : entrons et défilons deux à deux, comme pour une princesse. »

Et tous les enfants, étant convenus de faire des révérences solennelles, firent leur entrée au salon, marchant deux à deux. C'était une petite malice à l'intention des toilettes de la mère et de la fille.

Camille et Léon se donnant la main avancèrent, saluèrent et allèrent se ranger pour laisser passer Madeleine et Paul, qui en firent autant, ensuite Sophie et Jean, auxquels succédèrent Marguerite et Jacques. M. de Rosbourg regardait d'un air surpris tous les enfants défiler et saluer ; il sourit au premier couple, rit au second, se mordit les lèvres au troisième, et se sauva pour rire à l'aise au quatrième. Mlle Yolande Tourne-boule parut ravie de cet accueil solennel ; elle crut avoir inspiré le respect et la crainte et rendit les saluts par des révérences de théâtre, accompagnées d'un geste protecteur de la main : elle traversa ensuite le salon et alla se placer devant les enfants, qui s'étaient groupés au fond.

« Je suis très satisfaite, messieurs et mesdemoiselles, dit-elle, de vous connaître avant de quitter le pays ; j'espère que vous viendrez me voir à Paris, à l'hôtel Tourne-boule, qui est à mon père, et qui est un des plus beaux hôtels de Paris. Je vous ferai inviter aux soirées et aux bals que ma mère compte y

donner. Et même, pour ne vous laisser aucune inquiétude à ce sujet, je vous engage, monsieur (*s'adressant à Paul*), pour la première valse, et vous,
monsieur (*s'adressant à Jean*), pour la première
polka, et monsieur (*s'adressant à Léon*), pour la première contredanse.

PAUL

Je suis désolé, mademoiselle, de ne pouvoir accepter cet honneur, mais je ne valse pas, je ne connais
que la danse des sauvages, qui ne vous serait peut-
être pas agréable à danser.

JEAN

Moi aussi, mademoiselle, de même que mon ami
Paul, je suis désolé de refuser polka et bal ; mais,
en fait d'exercice de ce genre, je ne sais que battre
la semelle, et je n'oserais vous proposer ce passe-
temps agréable, mais peu gracieux.

LÉON

J'accepterais bien volontiers votre contredanse,
mademoiselle, mais je serai au collège au moment
où vous la danserez, les ronflements de mes camarades remplaçant la musique de votre orchestre.

— Alors, messieurs, dit Mlle Yolande d'un air
hautain, je retire mes invitations.

PAUL

Vous êtes mille fois trop bonne, mademoiselle.

238

Veuillez croire à ma reconnaissance, mademoiselle.

Vous me voyez confus de vos bontés, mademoiselle.

— C'est bien, c'est bien, messieurs, dit
Mlle Yolande avec un sourire gracieux. Je verrai à
vous recevoir autrement qu'au bal. Mesdemoiselles
de Fleurville, on m'a parlé de charmants chalets que
vous avez fait construire ; ne pourrais-je les voir ?

MARGUERITE

Vous voulez dire les cabanes que nous avons faites
nous-mêmes avec nos cousins et nos amis ? Paul
nous a fait une jolie hutte de sauvage.

— Qui est cette petite ? dit Mlle Yolande d'un air
dédaigneux.

PAUL, *avec indignation.*

Cette *petite* est Mlle Marguerite de Rosbourg, ma
sœur et mon amie.

MADEMOISELLE YOLANDE

Ah !... qu'est-ce que c'est que ça, Rosbourg !

PAUL, *très vivement.*

Quand on parle de M. de Rosbourg, on en parle
avec respect, mademoiselle. M. de Rosbourg est un
brave capitaine de vaisseau, et personne n'en parlera

239

légèrement devant moi. Entendez-vous, mademoiselle Tourne-broche ?

MADEMOISELLE YOLANDE, *avec dignité.*

Tourne-boule, monsieur.

PAUL

Tourne-boule, Tourne-broche : c'est tout un. Laissez-nous tranquilles avec vos airs.

— Paul, dit M. de Rosbourg, qui s'était approché, tu oublies que mademoiselle est en visite ici.

PAUL

Eh ! mon père, c'est mademoiselle qui oublie qu'elle est en visite chez nous et qu'elle n'a pas le droit de faire l'impertinente ni la princesse ; je ne lui permettrai jamais de parler de vous comme elle l'a fait.

M. DE ROSBOURG

Mon pauvre enfant, que nous importe ? Sait-elle ce qu'elle dit seulement ! Voyons, au lieu de rester au salon, allez tous vous promener ; la connaissance se fera mieux dehors que dedans. »

Camille et Madeleine proposèrent avec empressement à Mlle Yolande d'aller voir leur petit jardin. Elle y consentit.

MADEMOISELLE YOLANDE

Le chemin est-il bon pour y arriver ? Mes brodequins de satin rose ne supportent pas les pierres.

Le chemin est sablé et très beau, mademoiselle. Mais si vous craignez pour vos brodequins...

MADEMOISELLE YOLANDE

Ce ne sont pas mes brodequins que je ménage, j'en ai cinquante autres paires à la maison ; c'est pour mes pieds que je crains les inégalités du terrain.

MADELEINE

Vous pouvez être tranquille alors, mademoiselle : il y a du sable partout. »

On se mit en route ; Mlle Yolande marchait majestueusement, poussant de temps en temps un cri lorsqu'elle posait le pied sur une pierre ou quand elle apercevait soit une grenouille, soit un ver ou d'autres insectes tout aussi innocents. Voyant que ses cris n'attiraient l'attention de personne, elle ne pensa plus à faire l'effrayée et l'on arriva au jardin.

« Ce ne sont pas des chalets », dit-elle avec dédain en regardant la cabane.

CAMILLE

Ce ne sont que des maisonnettes bâties par nous-mêmes, comme vous l'a dit Marguerite.

MADEMOISELLE YOLANDE

Vous vous êtes donné la peine de faire vous-même un aussi sale ouvrage ? Chez mon père j'ai des ouvriers qui font tout ce que je leur commande.

241

MADELEINE

C'est pour nous amuser que nous les avons bâties, et nous les aimons beaucoup plus que si on nous les avait faites.

MADEMOISELLE YOLANDE

Peut-on y entrer ?

CAMILLE

Certainement ; voici la mienne et celle de Madeleine et de Léon.

MADELEINE

Voici celle de Sophie et de Jean, et voici enfin celle de Paul, de Marguerite et de Jacques.

MADEMOISELLE YOLANDE

Quelle horreur de meubles ! Ah ! Dieu ! comment supportez-vous cela ? J'aurais tout jeté au feu si on m'avait donné une pareille friperie !

MARGUERITE

Nous qui ne sommes pas des Tourne-boule, nous nous trouvons bien ici, dans notre hutte de sauvage.

MADEMOISELLE YOLANDE

Ah !... c'est une hutte de sauvage ? Comment avez-vous eu ce bel échantillon d'architecture ?

MARGUERITE

C'est Paul qui l'a bâtie ; il a été cinq ans chez les sauvages.

MADEMOISELLE YOLANDE, *avec dédain.*

On le voit bien.

MARGUERITE

Est-ce parce qu'il a refusé vos bals et vos valses ?

MADEMOISELLE YOLANDE

Parce qu'il ne sait pas les usages du monde.

MARGUERITE

Cela dépend de quel monde, mademoiselle ; si c'est du vôtre, c'est possible ; aucun de nous n'y a jamais été ; mais, si c'est du monde poli, bien élevé, comme il faut, il en connaît les usages, aussi bien que mes amies, leurs parents et les nôtres.

MADEMOISELLE YOLANDE

Mademoiselle... Marguerite, je crois, sachez que les Tourne-boule sont nobles et puissants seigneurs, et que leurs armes...

MARGUERITE

Sont un tourne-broche, nous le savons bien.

243

Mademoiselle, vous êtes une petite insolente...

— Pas un mot de plus ! cria Paul d'une voix impérieuse. Silence ! ou je vous ramène à vos parents de gré ou de force... Viens, petite sœur, ajouta-t-il d'une voix calme, laissons cette petite qui veut faire la grande ; viens avec moi, avec Sophie et... avec qui encore ? » dit-il en se retournant vers les autres.

Jean et Jacques répondirent ensemble : « Et avec nous. » Léon fit signe qu'il restait pour protéger ses pauvres cousines Camille et Madeleine obligées par politesse de rester près de Mlle Yolande. Elle leur parla tout le temps des richesses de son père, de sa puissance, de ses nobles relations. À Paris il ne voyait que des ducs, des princes, des marquis, et par condescendance, quelques comtes d'illustres familles. Elle parla de ses toilettes, de ses dépenses.

« Papa me donne tout ce que je veux, dit-elle, j'ai déjà des parures de diamants, de perles et de rubis. La toilette que vous me voyez n'est rien auprès de celles que j'ai à Paris ; j'ai plus de cinquante robes et coiffures de bal, autant de robes de dîners et de visites. Maman a tous les jours une robe neuve ; elle dépense cinquante mille francs par an pour sa toilette.

— Cinquante mille francs ! s'écria Camille. Mais combien donne-t-elle donc aux pauvres alors ?

— Aux pauvres ! ha ! ha ! aux pauvres ! en voilà une drôle d'idée ! répondit Mlle Yolande riant aux éclats. Comme si l'on donnait aux pauvres ! Mais les pauvres n'ont besoin ni de robes ni de diamants.

Puisqu'ils sont pauvres, c'est qu'ils n'ont besoin de rien. Leurs haillons et une vieille croûte, c'est tout ce qu'il leur faut.

CAMILLE

Mais encore faut-il le leur donner, mademoiselle. Pendant que vous avez cinquante robes inutiles, il y a près de chez vous de pauvres familles qui sont nues ; pendant que vous avez dix plats à votre dîner, ces mêmes pauvres n'ont pas seulement la croûte de pain dont vous parliez tout à l'heure.

MADEMOISELLE YOLANDE

Laissez donc ! Ce sont de mauvais sujets, des paresseux ; ils n'ont besoin de rien.

MADELEINE

Camille, je ne veux pas entendre cela ; c'est trop fort ; je vais rejoindre nos amis.

LÉON

Va, Madeleine : je reste avec la pauvre Camille.

MADEMOISELLE YOLANDE

Pauvre ! vous la trouvez donc bien malheureuse de rester avec moi, monsieur ? Pourquoi y restez-vous vous-même ?

LÉON

Ce n'est pas avec vous que je reste, mademoiselle : c'est avec la *pauvre* Camille.

245

Encore !

LÉON

Encore et toujours tant que vous serez là, made-moiselle, quoiqu'il fût plus juste de vous appeler *pauvre,* vous, toute riche que vous êtes.

MADEMOISELLE YOLANDE

Ce serait assez drôle, en effet. Moi, pauvre ! avec trois cent mille francs de rente ? Ha ! ha ! ha !

CAMILLE

Ne riez pas, ma pauvre demoiselle ; ne riez pas ! Vous êtes en effet à plaindre, Léon a raison ; vous êtes pauvre de bonté, pauvre de charité, pauvre d'hu-milité, pauvre de raison et de sagesse. Vous voyez bien que vous n'avez pas la vraie richesse, et que, si vous perdiez votre fortune, il ne vous resterait plus rien.

MADEMOISELLE YOLANDE

Prrrr ! quel sermon ! Ah çà ! mais vous êtes une famille de prêcheurs vertueux, ici. On nous avait bien dit que votre mère était une folle, ainsi que...

CAMILLE

À mon tour à vous répéter : « C'est trop fort ! mademoiselle. » Je ne souffre pas qu'on injurie maman. Viens, Léon, allons rejoindre nos amis ; que

246

mademoiselle devienne ce qu'elle pourra avec ses brodequins de satin rose et sa robe de gaze. »

Et, prenant la main de Léon, elle s'enfuit en courant, laissant Mlle Yolande dans une colère d'autant plus furieuse, qu'elle ne pouvait exercer aucune vengeance. Elle se dirigea vers le château et rentra au moment où son père venait de conclure un second marché avec M. de Rosbourg pour son hôtel à Paris, qu'il lui vendait tout meublé à peine le tiers de ce qu'il lui avait coûté. M. de Rosbourg offrait de l'argent comptant : M. Tourne-boule, criblé de dettes malgré sa fortune, en avait besoin. Une heure après, un troisième marché était conclu. M. de Rosbourg achetait au nom de Paul d'Aubert, dont il s'était fait nommer tuteur, des forêts attenantes au château et aux fermes, et qui rapportaient plus de cent mille francs.

« Ainsi, demain, lui dit-il, j'irai signer les actes que vous allez faire préparer, et vous porter une lettre pour mon banquier.

M. TOURNE-BOULE

Oui, c'est bien convenu ; mon hôtel, ma terre et la forêt.

— Comment, père, votre hôtel ? dit Mlle Yolande : et où logerons-nous ?

M. TOURNE-BOULE

Nous passerons l'hiver en Italie, Yolande.

Est-ce que vous le saviez, mère ?

— Je le savais, ma fille, répondit majestueuse-ment Mme Tourne-boule.

MADEMOISELLE YOLANDE

Et tous vos bijoux, qu'en ferez-vous ?

MADAME TOURNE-BOULE

Je ne les ai plus, ma fille ; je viens de les vendre à Mme de Fleurville et à Mme de Rosbourg pour Mlle Sophie de Réan, dite Fichini, et pour Mlle Marguerite de Rosbourg.

MADEMOISELLE YOLANDE

Mais vous en aviez tant !

MADAME TOURNE-BOULE

J'ai tout vendu, ma fille.

MADEMOISELLE YOLANDE

Oh ! là ! là ! oh ! là ! là ! mes colliers, mes brace-lets, mes chaînes, mes broches ! je n'aurai plus rien ! je serai donc comme une pauvresse ?

MADAME TOURNE-BOULE

J'en achèterai d'autres, ma fille. J'ai besoin d'ar-gent pour payer mes fournisseurs, qui menacent. Je te permets de vendre aussi toute ta défroque ; tu feras ce que tu voudras de l'argent que tu en auras. Mais, pardon, mesdames, dit-elle en se tournant vers ces

248

dames, qui riaient sous cape ; je vous ennuie peut-être avec ces détails d'intérieur ?

— Du tout, madame, répondit Mme de Fleurville en riant ; cela nous amuse beaucoup au contraire.

MADAME TOURNE-BOULE

Vous comprenez, madame, que, notre visite étant une visite d'affaires, il faut battre le fer pendant qu'il est chaud et faire le plus d'ouvrage possible. C'est pourquoi je vous offrirai encore une bonne affaire de dentelles, de cachemires, robes, mantelets, lingerie. J'en ai beaucoup, je vous offre le tout en bloc pour vingt-cinq mille francs, mais payés comptant. »

Mme de Fleurville, ses sœurs et Mme de Rosbourg, après s'être consultées, acceptèrent le marché, à la condition de voir auparavant ce qu'elles achetaient.

MADAME TOURNE-BOULE

Je vous enverrai le tout dans deux jours, mesdames, le temps de tout faire venir de Paris, vous verrez par vous-mêmes que je ne vous trompe pas. Presque tout est dans son neuf.

MADEMOISELLE YOLANDE

Et moi donc, mère ? Vous vendez pour vous et vous ne vendez rien pour moi ?

MADAME DE FLEURVILLE

Ce n'est pas ici que vous vendriez votre défroque, mademoiselle ; nos enfants ne font et ne feront jamais

249

des toilettes semblables aux vôtres : il serait donc inutile qu'elles en fissent l'achat.

MADEMOISELLE YOLANDE, *pleurant.*

C'est ça, moi je n'aurai rien, je ne vendrai rien... hi ! hi ! hi !

MADAME TOURNE-BOULE

Pleure pas, mignonne ; je t'en donnerai un brin du mien ; et toi, tu vendras à Paris aux duchesses, princesses et marquises tes amies.

MADEMOISELLE YOLANDE

Oui-da, de jolies duchesses et princesses meurt-de-faim, qui viennent chez nous pour nous gruger, emprunter de l'argent et prendre nos effets !

MADAME TOURNE-BOULE

Ne te tourmente pas, fifille ; nous enverrons au Temple ou chez ma'ame Pipelet.

MADEMOISELLE YOLANDE

Hi ! hi ! hi ! Je suis malheureuse.

MADAME TOURNE-BOULE

Voyons, Yoyo, tu n'es pas raisonnable ! Devant ces dames ! Dis donc, Georget (se tournant vers son mari, qui terminait ses affaires avec M. de Rosbourg), console la petite qui pleure mes bijoux et mes belles affaires.

M. TOURNE-BOULE

Qu'est-ce que t'as, fifille ? Qu'est-ce que t'as ? voyons, veux-tu des jaunets ? je t'en donnerai demain plein tes menottes.

MADEMOISELLE YOLANDE

Vous vendez tout, et moi je ne vends rien... hi ! hi ! hi !

M. TOURNE-BOULE

Eh bien ! eh bien ! faut pas pleurer pour ça, mignonne. Tu vendras ; sois gentille. À la première vente des Polonais, nous passerons tout ça, je te le promets. Et c'est toi-même qui vendras. Là, es-tu contente ? »

Mlle Yolande essuya ses petits yeux gonflés et consentit à cet arrangement.

Les affaires étant terminées, M., Mme et Mlle Tourne-boule prirent congé de ces dames et montèrent en voiture. M. de Rosbourg ayant vanté la beauté des chevaux et l'élégance de la calèche :

« Je vous les vends, dit M. Tourne-boule, qui avait le pied sur le marchepied de la voiture, je vous vends le tout quatre mille francs ; je les ai payés douze mille francs, il y a un mois.

— C'est fait, dit M. de Rosbourg ; j'achète. À demain.

— Quel drôle d'original ! dit M. de Rosbourg à ses amis quand les Tourne-boule furent partis. Il est fou de vendre ainsi à perte. Les terres du château valent plus de cinquante mille francs de revenu, et

251

la forêt de Paul vaut plus de cent mille francs. Quant à l'hôtel de Paris, il vaut un million et demi, meublé comme il est. J'espère bien que nous y passerons l'hiver ensemble, chère et excellente amie, dit-il à Mme de Fleurville en lui baisant la main. Je me reprocherais presque mon retour, si je vous séparais d'avec ma femme et Marguerite d'avec vos filles.

MADAME DE FLEURVILLE

Je l'ai promis et je ne m'en dédis pas, mon ami ; c'est un grand bonheur pour moi que cette vie commune avec vous et les vôtres. Quand vous partirez, je partirai ; quand vous reviendrez, je reviendrai. Mais où sont les enfants ? comment ont-ils laissé Mlle Yolande toute seule ?

M. DE ROSBOURG

Je soupçonne qu'elle les a mis en fuite par ses grands airs et sa méchante langue. Les voici qui accourent. Nous allons savoir ce qui s'est passé. »

Les enfants furent bientôt arrivés. Mme de Fleurville demanda à ses filles pourquoi elles avaient commis l'impolitesse de quitter Mlle Tourne-boule.

CAMILLE

Maman, je suis restée la dernière avec elle ; mais il n'y avait pas moyen d'y tenir ; moi aussi, je me suis sauvée avec Léon, quand elle m'a dit que vous étiez une folle.

Pauvre fille ! je la plains d'être si mal élevée ; mais pourquoi les autres étaient-ils partis ? »

Les enfants racontèrent alors les impertinences que s'était permises Mlle Yolande et les réponses qu'elle s'était attirées.

« Je ne blâme qu'une chose, dit M. de Rosbourg en riant ; c'est le tourne-broche de Paul et de Marguerite. Ceci était de goût un peu sauvage en effet.

PAUL

C'est vrai, mon père ; une autre fois je tâcherai d'être plus civilisé. Les parents sont-ils aussi ridicules que leur fille ?

M. DE ROSBOURG

Ma foi, je n'en sais rien ; ils sont terriblement communs, mais ils ne sont venus que pour faire des affaires ; le père Tourne-boule m'a vendu, outre sa terre et son château de Dinare, son hôtel tout meublé à Paris et la forêt qui touche aux fermes du château et que j'ai achetée pour toi. Es-tu content de mon marché ?

PAUL

Je suis content de tout ce que vous faites, mon père, et de tout ce qui ne m'éloigne pas de vous.

M. DE ROSBOURG, *riant.*

Bien ! Alors je continuerai à placer tes fonds.

253

PAUL

Quels fonds, mon père ? comment ai-je des fonds ?

M. DE ROSBOURG

Tu as, outre la fortune de tes parents, deux millions que M. Fichini a laissés à ton père, qui était son ami d'enfance.

PAUL

Il était donc bien riche, ce M. Fichini !

M. DE ROSBOURG

Je crois bien qu'il était riche ! Il a laissé encore quatre millions à son ancien et cher ami M. de Réan, père de Sophie.

LÉON

Dieu ! que Sophie est riche ! Je voudrais bien être riche, moi.

JEAN

Tu n'en serais pas plus heureux. N'avons-nous pas tout ce que nous pouvons désirer ?

LÉON

C'est égal, c'est agréable d'être riche. Tout le monde vous salue et vous respecte.

PAUL

Pour ça, non. Est-ce que tu respectes les Tourne-boule ? Sont-ils plus heureux que nous ?

MARGUERITE

Personne n'est heureux comme nous, je crois, depuis le retour de papa et de Paul.

MADELEINE

Et nous qui ne sommes pas riches, ne sommes-nous pas très heureuses.

CAMILLE

Et notre bonheur est si vrai ! Personne ne peut nous l'ôter ; il est au fond de nos cœurs, et c'est le bon Dieu qui nous le donne.

PAUL

C'est vrai. Quand on a de quoi manger, de quoi s'habiller, se chauffer et vivre agréablement, de quoi donner à tous les pauvres des environs, à quoi sert le reste ? On ne peut pas dîner plus d'une fois, monter sur plus d'un cheval, dans plus d'une voiture, brûler plus de bois que n'en peuvent tenir les cheminées. Ainsi, que faire du reste, sinon le donner à ceux qui n'en ont pas assez ?

M. DE ROSBOURG

Tu as mille fois raison, mon garçon, et à nous deux nous battrons le pays à dix lieues à la ronde pour que tout le monde soit heureux autour de nous.

Nous leur ferons voir ce que peut faire un bon, un vrai chrétien, des richesses que le bon Dieu lui a données. »

Les dames et les enfants rentrèrent chacun chez soi. Jacques et Marguerite allèrent dans leur cabane pour lire et causer. Paul et Léon allaient les suivre, lorsque M. de Rosbourg, prêtant l'oreille, dit :

« Mais... quel est ce bruit ? Il me semble entendre des gémissements mêlés d'éclats de rire.

PAUL

Je les entends aussi. Viens, Léon, allons voir.

LÉON, *timidement.*

Je n'entends rien, moi. Tu te trompes, je crois.

PAUL

Non, non, je ne me trompe pas. Dépêchons-nous. Viens. *(Tout bas, se penchant à l'oreille de Léon.)* Viens donc : avec moi il n'y a pas de danger. »

Paul saisit la main de Léon, et, tout en l'entraînant, il lui disait à mi-voix : « Courage, courage donc !... Montre-leur que tu n'as pas peur ! Ne me quitte pas..., marche hardiment. »

Ils coururent vers le chemin d'où partait le bruit, pendant que M. de Rugès, surpris, répétait : « Le voilà parti ! Mais pour tout de bon, cette fois ! Il court aussi vite que Paul... C'est qu'il n'a pas l'air d'avoir peur. Y venez-vous aussi, Rosbourg ! Viens-tu, Traypi ?

Ne les suivons pas de trop près, pour leur donner
le mérite de secourir ceux qui appellent. S'ils ont
besoin de renfort, Paul sait que je suis là, prêt à me
rendre à son appel... Tiens,... quel accent indigné a
Paul !... L'entendez-vous ? Belle voix de commandement ! C'est dommage qu'il ne soit pas dans la
marine ou dans l'armée... Ah diable ! l'affaire se
gâte ! j'entends des cris et des coups... Approchons ;
il est temps. »

En hâtant le pas, M. de Rosbourg, suivi de ses
amis, marcha ou plutôt courut vers le lieu du combat, car il était clair qu'on se battait. En arrivant, ils
virent étendu à terre, entièrement déshabillé, le
pauvre idiot Relmot. Devant lui se tenaient Paul et
Léon, animés par le combat qu'ils venaient de livrer
et qui était loin d'être fini. Attaqués par une douzaine de grands garçons, tous deux distribuaient et
recevaient force coups de poing et coups de pied.
Paul en avait couché deux à terre ; il terrassait le troisième, donnait un coup de pied à un quatrième, un
croc-en-jambe et un coup de genou au cinquième,
pendant que Léon, moins habile que lui, mais non
moins animé, en tenait deux par les cheveux et les
cognait l'un contre l'autre, s'en faisant un rempart
contre les cinq ou six restant, qui faisaient pleuvoir
sur Paul et sur Léon une grêle de coups de poing.
M. de Rosbourg s'élança sur le champ de bataille,
saisit de chaque main un de ces grands garçons par
les reins, les enleva en l'air et les lança par-dessus
la haie ; il en fit autant de deux autres ; ce que voyant
les derniers, ils cherchèrent à se sauver, mais M. de

Rosbourg les rattrapa facilement et leur administra à chacun une correction qui leur fit pousser des hurlements de douleur.

« Allez maintenant, polissons, et recommencez si vous l'osez. »

Et il les congédia de deux bons coups de pied. Pendant ce temps, Paul et Léon, aidés de M. de Rugès et de M. de Traypi, relevèrent le pauvre idiot, qui restait à genoux tout tremblant et pleurant. Son corps était prodigieusement enflé et rouge ; son dos et ses reins étaient écorchés en plusieurs endroits.

« Pauvre malheureux ! s'écria M. de Rosbourg ; que lui ont-ils fait pour le mettre en cet état ?

— Quand nous sommes arrivés, mon père, nous avons trouvé ces misérables, armés les uns de grandes verges, les autres de poignées d'orties, battant et frottant ce pauvre idiot pendant que les deux plus grands le maintenaient à terre. Ils l'avaient attiré dans ce chemin isolé, l'avaient déshabillé, et s'amusaient, comme je vous l'ai dit, à le fouetter et à le frotter d'orties. C'est Léon qui, accouru le premier et indigné de ce spectacle, leur a ordonné de finir ; le pauvre idiot nous a expliqué tant bien que mal ce que je viens de vous dire ; je leur ai ordonné à mon tour de laisser ce pauvre garçon. « Ah ! bah ! ont-ils répondu, vous êtes deux, nous sommes douze plus forts que vous : laissez-nous nous amuser, ou nous vous en ferons autant. » Et l'un d'eux allait recommencer, lorsque je lui criai : « Arrête, drôle ! Pars à l'instant, ou je t'allonge un coup de pied qui te fera voler à dix pieds en l'air. » Pour toute réponse, il donne un coup au pauvre idiot, retombé de peur. Je

saute sur ce misérable en criant : « À moi, Léon !
Joue des pieds et des mains ! » Il ne se le fait pas
dire deux fois et tombe dessus comme un lion ; j'en
couche un à terre, puis un second ; j'étais en train
d'en travailler quelques autres quand vous nous êtes
venus en aide ; sans vous, nous aurions eu du mal ;
mais il n'en restait que six : nous en serions venus
à bout tout de même, n'est-ce pas, Léon ? Tu en as
cogné quelques-uns et solidement ; tu as le poing et
les pieds bons ! Ils te le diront bien. »

Léon, tout fier et presque étonné de son courage,
ne répondit qu'en relevant la tête. M. de Rugès, s'approchant, lui prit les mains et les serra fortement.
M. de Rosbourg en fit autant. À ce témoignage d'estime de son père et d'un homme qu'il considérait
comme un homme supérieur, Léon rougit vivement,
et des larmes de bonheur vinrent mouiller ses yeux.

« Il ne s'agit que de commencer, mon brave Léon,
lui dit M. de Rosbourg. Tu vois, te voilà l'associé
de Paul, le brave des braves.

LÉON

Oh ! monsieur, ce serait trop d'honneur et de bonheur ! Je suis assez récompensé par votre estime et
par la satisfaction de mon père.

PAUL

Je te l'avais bien dit, mon ami, que tu avais tout
autant de courage que moi. Tu me croiras une autre
fois, n'est-ce pas, quand je te dirai du bien de toi-
même ?

259

M. DE RUGÈS

Occupons-nous de ce pauvre garçon, qui est là sans vêtements et dans un état à faire pitié.

M. DE ROSBOURG

Où demeure-t-il ? Est-ce loin d'ici ?

LÉON

Non, à deux cents pas, dans le hameau voisin.

M. DE ROSBOURG

Où ont-ils mis tes habits, mon pauvre garçon ?

L'IDIOT

Ils... les ont... jetés... par-dessus la haie. »

En un clin d'œil Paul sauta par-dessus la haie et saisit les habits de l'idiot.

« Tiens, reçois-les, dit-il à Léon en les lui lançant.

M. DE ROSBOURG

Avant de l'habiller, lavons-le dans la mare qui est ici auprès ; l'eau fraîche calmera l'inflammation laissée par les orties et les coups de verges. Viens, mon pauvre garçon ; appuie-toi sur mon bras ; n'aie pas peur, je ne te ferai pas de mal.

— Oh non ! Vous êtes bien bon,... je vois bien,... répondit l'idiot en tremblant de tous ses membres. Mais... ça me fait mal de marcher... »

M. de Rosbourg et M. de Rugès le prirent dans leurs bras et le portèrent dans la mare. La fraîcheur

de l'eau le soulagea. « Ne me laissez pas, disait-il :
ils reviendraient et ils me battraient encore. Oh ! là
là ! qu'ils cinglaient fort ! Oh ! que ça fait mal !

M. DE ROSBOURG

Courage, mon ami ! courage ! ça va se passer !
Nous allons t'habiller maintenant, et te ramener chez
toi.

L'IDIOT

Vous n'allez pas me laisser, pas vrai ? vous ne me
laisserez pas tout seul ?

M. DE ROSBOURG

Non, mon pauvre garçon, je te le promets. Passe
ta chemise... Là,... ton pantalon maintenant... Puis ta
blouse ! Et c'est fini. Mets tes sabots et partons. Ça
va-t-il mieux ?

L'IDIOT

Pour ça, oui. Ça fait du bien, la mare.

M. DE TRAYPI

Connais-tu les noms de ces mauvais drôles qui
t'ont battu ? Pourrais-tu les dire ?

L'IDIOT

Pour ça, oui. Le grand Michot, puis Jimmel le
roux, puis Daniel le borgne, puis Fripet, puis Cani-
chon, puis les deux Richardet, puis Lecamus, puis

261

Frognolet le bancal et Frognolet le louche, puis les deux garçons du père Bertot.

M. DE TRAYPI

Bien, ne les oublie pas ; j'irai voir leurs parents et je leur ferai donner une correction solide devant moi, pour être bien sûr qu'ils l'ont reçue. »

L'idiot se mit à rire et à se frotter les mains.

« Ha ! ha ! ha ! ils vont en avoir aussi, les brigands, les scélérats. Faites-les battre rondement. Ha ! ha ! ha ! que je suis donc content !... Ça fait du bien tout de même. Ha ! ha ! ha ! Faut les battre avec des orties. Ça leur fera bien plus mal.

— Pauvre garçon, dit M. de Rosbourg à Paul et à Léon, il ne pense qu'à la vengeance. Pas moyen de lui faire comprendre que le bon Dieu ordonne de rendre le bien pour le mal. Mais nous voici arrivés. Rugès et Traypi, chargez-vous de rendre l'idiot à ses parents. Je vais revenir avec nos braves et raconter leurs exploits à nos amis. Je serai heureux de parler de Léon comme il le mérite. »

Et, serrant encore la main de l'heureux Léon, il se mit en route ; trouvant le salon vide, il monta chez sa femme, laissant Paul et Léon chercher leurs amis.

Quand ils furent seuls, Léon sauta au cou de Paul.

« Paul, mon ami, mon meilleur ami, tu m'as sauvé ! Je ne suis plus poltron, je le sens. Avec toi, d'abord, et seul plus tard, je n'aurai plus peur ; je le sens, oui, je le sens dans mon cœur, dans ma tête, dans tout mon corps. Je me sens plus fort, je me sens plus fier, je me sens homme. Merci, mille fois merci, mon ami. Tu m'as tout changé.

Ce n'est pas moi, mon bon Léon, c'est toi-même, c'est ta volonté, c'est le bon Dieu qui a récompensé le courage avec lequel tu m'as avoué que tu croyais n'en pas avoir. Je t'ai seulement aidé à te mieux connaître, voilà tout.

LÉON, *avec attendrissement.*

Bon, généreux et modeste, voilà ce que tu es, toi, mon ami, mon seul ami.

PAUL

Allons chercher les autres, Léon, je suis impatient de leur raconter ce que tu as fait. »

Et tous deux coururent aux cabanes, où ils trouvèrent en effet tous les enfants, chacun dans la sienne, et les attendant avec impatience.

« Arrivez donc, arrivez donc, leur crièrent-ils, nous vous attendons pour manger un plat de fraises et de crème que la mère Romain vient de nous apporter.

— Avons-nous de la liqueur dans nos armoires, s'écria Paul, pour boire à la santé de Léon, qui vient de se battre vaillamment avec moi contre douze grands garçons et de les mettre en fuite ?

— Pas possible ! dit Jean surpris.

— Je vois dans les yeux de Léon que c'est vrai, dit Jacques ; il a un air que je ne lui ai jamais vu, quelque chose qui ressemble à Paul.

263

LÉON

Tu me fais trop d'honneur en trouvant cette ressemblance, mon petit Jacques.

SOPHIE

Mais qu'as-tu donc ? C'est drôle, tu es tout changé !

JEAN

C'est vrai ; tu as un air décidé et modeste en même temps...

MARGUERITE

Qui te va très bien.

LÉON

C'est ce qui fait probablement ma ressemblance avec Paul.

PAUL

Vous avez raison, mes amis ; Léon n'est plus le, même ; il vient de se battre avec un courage de lion contre une bande de douze grands garçons pour défendre le pauvre Relmot l'idiot.

LÉON

Ajoute donc que tu étais avec moi ; sans toi je crois en vérité que je n'y aurais pas été.

PAUL

Et tu aurais bien fait. Seul contre douze, il n'y avait pas à essayer.

JEAN

Mais qu'aurais-tu fait, toi, si tu avais été seul ?

PAUL

J'aurais appelé mon père, que je savais près de là.

JEAN

Et s'il n'était pas venu ?

PAUL, *avec feu.*

Mon père, ne pas venir à mon appel ! Tu ne le connais pas, va ; il accourrait n'importe d'où à la voix de son fils. Mais écoutez que je vous raconte les exploits de Léon. »

Et Paul leur fit le récit de ce qui venait de se passer, vantant le courage de Léon, s'effaçant lui-même, et peignant avec vivacité et indignation les souffrances du pauvre idiot.

« Que je suis donc malheureux de n'avoir pas été avec vous ! dit Jean en frémissant de colère. Avec quel bonheur je vous aurais aidés à rosser ces méchants garçons ! J'espère bien que mon oncle n'oubliera pas les visites qu'il a promises aux parents, pour faire donner une bonne correction à ces mauvais garnements.

— Oh ! papa ne l'oubliera pas, s'écria Jacques. Pauvre Relmot ! nous irons le voir, n'est-ce pas, Paul ?

PAUL

Demain, mon petit Jacques ; nous irons tous. À présent je rentre pour travailler avec mon père.

— Je vais t'accompagner, dit Marguerite.

— Et moi aussi », dit Jacques.

Et, lui prenant chacun une main, ils marchèrent vers la maison.

« C'est toi qui as donné du courage à Léon, lui dit Marguerite quand ils furent un peu loin.

— Mais pas du tout, ma petite Marguerite, c'est lui tout seul qui s'en est donné.

— Bon Paul ! reprit Marguerite en baisant la main qu'elle tenait dans les siennes.

— Paul, plus je te connais et plus je t'aime, dit Jacques en serrant son autre main.

PAUL

Il en est de même pour moi, mon petit Jacques, je t'aime comme un frère.

JACQUES

Si nous pouvions toujours rester ensemble ! comme je serais heureux !

PAUL

Mais, si nous nous quittons, nous nous retrouverons toujours.

Je n'aime pas à pleurer, Paul, et je ne pleure presque jamais ; mais, quand je vous quitterai, toi et Marguerite, j'aurai un tel chagrin que je ne pourrai pas m'empêcher de pleurer ; je ne pourrai pas m'en empêcher, je le sens.

MARGUERITE

Ce ne sera pas pour longtemps, Jacques.

JACQUES

Mais ce sera bientôt ; dans huit jours les vacances seront finies.

MARGUERITE

Mais toi, qui n'es pas en pension, tu n'as pas besoin de t'en aller à la fin des vacances.

JACQUES

Non, mais papa a des affaires ; il m'a dit qu'il ne pouvait pas rester. Je tâche d'avoir du courage, de n'y pas penser ; je fais tout ce que je peux, mais... je ne peux pas. »

Et Paul sentit une grosse larme tomber sur sa main. Il s'arrêta, embrassa tendrement son petit ami ; Marguerite aussi se jeta à son cou.

« Ne pleure pas, Jacques ! Oh ! ne pleure pas, je t'en prie ; si tu as du chagrin, je ne serai plus heureuse ; je serai triste comme toi, et Paul sera triste aussi, et nous serons tous malheureux. Jacques, je t'en prie, ne pleure pas. »

Le bon petit Jacques essuya ses pauvres yeux tout prêts à verser de nouvelles larmes ; il voulut parler, mais il ne put pas ; il essaya de sourire, il les embrassa tous deux et leur promit d'être courageux et de ne penser qu'au retour. Ils se séparèrent, Paul pour travailler, Marguerite pour raconter à son papa le chagrin de Jacques, et Jacques pour aller pleurer à l'aise sur l'épaule de son papa.

« Mon pauvre petit, lui dit M. de Traypi en l'embrassant, je ne puis malheureusement empêcher ce chagrin pour toi. Je ne peux pas toujours rester chez ma sœur de Fleurville, et toi-même tu ne voudrais pas te séparer de moi. Tâche, mon enfant, de supporter avec courage les peines que le bon Dieu t'envoie ; tu sais que la vie ne dure pas toujours ; les chagrins finissent comme les plaisirs ; tâche de vivre de manière à retrouver un jour dans le ciel et pour toujours les amis que tu as tant de peine à quitter pour quelques mois. Pleure, mon enfant, pleure si tes larmes te font du bien, en attendant que tu prennes du courage. »

Jacques pleura quelque temps et finit par sécher ses larmes. Marguerite pleura un peu de son côté dans les bras de son père, dont les caresses et les baisers ne tardèrent pas à la consoler. Paul, habitué à se commander, fut pourtant triste et sombre tant que dura le chagrin de Marguerite ; son visage s'éclaircit au premier sourire de sa petite sœur, et il reprit sérieusement son travail quand il la vit tout à fait calme et riante.

Chapitre 13

La comtesse Blagowski

Les vacances étaient près de leur fin ; les enfants s'aimaient tous de plus en plus : Léon s'améliorait de jour en jour au contact de Paul et de ses excellentes cousines Camille et Madeleine. Son courage se développait avec ses autres qualités ; plusieurs fois il avait eu l'occasion de l'exercer, et il courait maintenant à l'égal de Paul au-devant du danger, sans toutefois le braver inutilement. L'idiot avait été vengé ; les parents des mauvais garnements qui l'avaient battu amenèrent les coupables chez Relmot père, et là, en présence du pauvre idiot, ils administrèrent chacun une correction si sanglante à leurs fils, que l'idiot se sauva en se bouchant les oreilles pour ne pas entendre leurs cris. Jacques était triste, mais résigné et plus tendre que jamais pour Paul et pour Marguerite ; Sophie se désolait du prochain départ de ses amis, mais surtout de celui de Jean, toujours si fraternel, si aimable pour elle.

« Tu n'as donc plus entendu parler de ta belle-mère ? lui disait un jour Jean dans leur cabane. Où est-elle ? Qu'est-elle devenue ?

— Je ne sais, répondit Sophie. Elle n'écrit pas ; j'avoue que je n'y pense pas beaucoup ; elle m'avait rendue si malheureuse que je cherche à oublier ces trois années de mon enfance.

JEAN

Quel âge avais-tu quand elle t'a abandonnée ? et quel âge au juste as-tu maintenant ?

SOPHIE

J'avais un peu plus de sept ans ; à présent j'en ai neuf, un an de moins que Madeleine et deux ans de moins que Camille.

JEAN

Et Marguerite, quel âge a-t-elle ?

SOPHIE

Marguerite a sept ans, mais elle est plus intelligente et plus avancée que moi. Je ne m'étonne pas que Paul l'aime tant ! Elle est si bonne et si gentille !

JEAN

Oh oui ! Paul l'aime bien. Quand on dit quelque chose contre Marguerite, ses yeux brillent ; on peut bien dire qu'ils lancent des éclairs.

Et comme il aime M. de Rosbourg !

JEAN

Oh ! quant à celui-là, si on s'avisait d'y toucher seulement de la langue, ce ne sont pas les yeux seuls de Paul qui parleraient, il tomberait sur vous des pieds et des poings.

— Sophie ! Sophie ! cria Camille qui accourait, maman te demande ; elle a reçu des nouvelles de ta belle-mère, qui vient d'arriver à sa terre et qui est bien malade. »

Sophie poussa un cri d'effroi quand elle sut l'arrivée de sa belle-mère ; elle voulut se lever pour aller chez Mme de Fleurville ; mais elle retomba sur sa chaise, suffoquée par ses sanglots.

« Ma pauvre Sophie, lui dirent Camille et Jean, remets-toi ; pourquoi pleures-tu ainsi ?

— Mon Dieu, mon Dieu ! il va falloir vous quitter tous, et retourner vivre près de cette méchante femme. Ah ! si je pouvais mourir ici, chez vous, avant d'y retourner !

— Pourquoi lui as-tu parlé de cela, Camille ? dit Jean d'un air de reproche. Pauvre Sophie, vois dans quel état tu l'as mise !

CAMILLE

Maman m'avait dit de la prévenir ; je suis désolée de la voir pleurer ainsi, mais je t'assure que ce n'est pas ma faute ; je devais bien obéir à maman.

271

Viens, ma pauvre Sophie, maman t'empêchera d'aller vivre avec ta méchante belle-mère, sois-en sûre.

— Crois-tu ? dit Sophie un peu rassurée. Mais elle voudra m'avoir, je le crains. Viens avec nous, Jean, que j'aie du moins mes plus chers amis près de moi. »

Jean et Camille, presque aussi tristes que Sophie, lui donnèrent la main, et ils entrèrent chez Mme de Fleurville, qu'ils trouvèrent avec M. et Mme de Rosbourg. Les larmes de Sophie ne purent échapper à M. de Rosbourg ; il se leva vivement, alla vers elle, l'embrassa avec bonté et tendresse, et lui demanda si c'était le retour de sa belle-mère qui la faisait pleurer.

SOPHIE, *en sanglotant.*

Oui, cher monsieur de Rosbourg ; sauvez-moi, empêchez-moi de quitter Mme de Fleurville et mes amies.

M. DE ROSBOURG

Rassure-toi, mon enfant, tu resteras ici ; Mme de Fleurville est très décidée à te garder. Et moi, qui suis ton tuteur, ajouta-t-il en souriant et en l'embrassant encore, je t'ordonne de vivre ici.

MADAME DE FLEURVILLE

Ma pauvre Sophie, tu n'aurais pas dû croire si facilement que je voulusse t'abandonner. Ta belle-mère s'étant remariée n'a plus aucune autorité sur toi, et c'est M. de Rosbourg, ton tuteur, et moi, ta tutrice, qui avons le droit de te garder.

SOPHIE

Ah ! quel bonheur ! Me voici toute consolée alors ; mais que vous dit donc ma belle-mère ?

— Ce n'est pas elle qui écrit ; c'est sa femme de chambre ; voici sa lettre :

« Trais honoré dame

Celci es pour vou dir qu ma metresse es trais malade de la tristece qe lui done la mor de son marri, chi nes pas conte ni Blagofsqui ; cè un eschapé des galaire du nom de Gornbou, qu'il lui a dévorai tou son arjan et queu le bon Dieu à lècé pairir qan il sé cheté dans le glacié pour- lor queu les bon jandarm son vnu le prandr pour le rmetre au bagn. La povr madam en é tombé come une mace, el pleuré é demandé qu'on la ramen au chato de mamsel Sofi, alors jeu lé ramené e alor el veu voir mamsel, qel lui fai dir quel va mourire é qel veu lui doné sa ptit mamsel a elvé, avecque laqel jé loneure daitre ma trè onoré dam.

« Votr trè zumble cervante

Edvije Brgnprzevska

« fam de conpani de madam la contece Blagof- sqa, qi né pas du tou contece, queu si jlavês su jns- rès pa zentré ché zel. Je pri cé dam dme trouvé une bon place de dam de conpagni ché une dam comil fo. »

Sophie et Jean ne purent s'empêcher de rire en lisant cette ridicule lettre si pleine de fautes.

« De quelle petite *mam'selle* parle cette femme, madame ? demanda Sophie.

MADAME DE FLEURVILLE

Je ne sais pas du tout ; c'est peut-être un enfant que ta belle-mère a eu depuis son mariage.

— Pauvre enfant, dit Sophie, j'espère qu'elle sera plus heureuse avec sa mère que je ne l'ai été.

— Écoute, Sophie, voici ce que nous avons décidé, M. de Rosbourg va aller voir ta belle-mère pour savoir au juste comment elle est et ce qu'elle veut. Attends tranquillement son retour et ne t'inquiète de rien ; ne crains pas qu'elle te reprenne ; elle ne le peut pas, et nous ne te rendrons pas. »

Sophie, très rassurée, embrassa et remercia Mme de Fleurville, M. et Mme de Rosbourg, et s'en alla en sautant, accompagnée de Jean, qui sautait plus haut qu'elle et qui partageait tout son bonheur. Une heure après, M. de Rosbourg était de retour et rentrait chez Mme de Fleurville.

« Eh bien, mon ami, quelles nouvelles ?

— La pauvre femme est mourante ; elle n'a pas deux jours à vivre ; elle a une petite fille d'un an, qui n'est guère en meilleur état de santé que la mère ; elle est ruinée par ce galérien qui l'a épousée pour son argent ; et enfin elle veut voir Sophie pour lui recommander son enfant et lui demander pardon de tout ce qu'elle lui a fait souffrir.

Croyez-vous que je doive y mener Sophie ?

M. DE ROSBOURG

Il faut que Sophie la voie, mais je l'y mènerai moi-même ; j'imposerai plus à cette femme ; elle a déjà peur de moi et elle n'osera pas la maltraiter en ma présence. »

M. de Rosbourg alla lui-même prévenir Sophie de la visite qu'elle aurait à faire ; il acheva de la rassurer sur les pouvoirs de son ex-belle-mère. Pendant que Sophie mettait son chapeau et prévenait ses amies Camille et Madeleine, M. de Rosbourg faisait atteler d'autres chevaux au phaéton, et ils se mirent en route.

Quand Sophie rentra dans ce château où elle avait tant souffert, elle eut un mouvement de terreur et se serra contre son excellent tuteur, qui, devinant ses impressions, lui prit la main et la garda dans la sienne, comme pour lui bien prouver qu'il était son protecteur et qu'avec lui elle n'avait rien à craindre. Ils avancèrent ; Sophie reconnaissait les salons, les meubles ; tout était resté dans le même état que le jour où elle en était partie pour aller demeurer chez Mme de Fleurville, qui avait été pour elle une seconde mère.

La porte de la chambre de Mme Fichini s'ouvrit. Sophie fit un effort sur elle-même pour entrer, et elle se trouva en face de Mme Fichini, non pas grasse, rouge, pimpante, comme elle l'avait quittée deux ans auparavant, mais pâle, maigre, abattue, humiliée. Elle voulut se lever quand Sophie entra, mais elle n'en eut pas la force ; elle retomba sur son fauteuil et cacha son visage dans ses mains. Sophie vit des larmes couler entre ses doigts. Touchée de ce témoignage de repentir, elle approcha, prit une de ses mains et lui dit timidement :

« Ma... ma mère !

— Ta mère, pauvre Sophie ! dit Mme Fichini en sanglotant. Quelle mère, grand Dieu ! Depuis que j'ai fait mon malheur par cet abominable mariage, depuis surtout que j'ai un enfant, j'ai compris toute l'horreur de ma conduite envers toi. Dieu m'a punie ! Il a bien fait ! Je suis bien, bien coupable,... mais aussi bien repentante, ajouta-t-elle en redoublant de sanglots et en se jetant au cou de Sophie. Sophie, ma pauvre Sophie, que j'ai tant détestée, martyrisée, pardonne-moi. Oh ! dis que tu me pardonnes, pour que je meure tranquille.

— De tout mon cœur, du fond de mon cœur, ma pauvre mère, répondit Sophie en sanglotant. Ne vous désolez pas ainsi, vous m'avez rendue heureuse en me donnant à Mme de Fleurville, qui est pour moi comme une vraie mère ; j'ai été heureuse, bien heureuse, et c'est à vous que je le dois.

MADAME FICHINI

À moi ! Oh non ! rien à moi, rien, rien, que ton malheur, que tes pénibles souvenirs, que ton mépris. Mon Dieu, mon Dieu, pardonnez-moi, je vais mourir. Je voudrais voir un prêtre. De grâce, un prêtre, pour me confesser, pour que Dieu me pardonne.

Sophie, ma pauvre Sophie, rends-moi le bien pour le mal, demande à ce monsieur, qui a l'air si bon, d'aller me chercher un prêtre.

M. DE ROSBOURG

Vous allez en avoir un dans quelques instants, madame ; j'y cours moi-même. »

Sophie resta près de sa belle-mère, qui continua à sangloter, à demander pardon, à appeler le prêtre. Sophie pleurait, lui disait ce qu'elle pouvait, pour la calmer, la consoler, la rassurer. Une demi-heure après, le curé arriva. Mme Fichini demanda à rester seule avec lui ; ils restèrent enfermés plus d'une heure ; le curé promit de revenir le lendemain et dit à M. de Rosbourg en se retirant :

« Elle demande qu'on la laisse seule jusqu'à demain, monsieur ; la vue de cette petite demoiselle réveille en elle de si horribles remords, qu'elle ne peut pas les supporter ; mais elle vous prie de la lui ramener demain. »

M. de Rosbourg rentra chez Mme Fichini et lui parla en termes si touchants de la bonté de Dieu, de son indulgence pour le vrai repentir, de sa grande miséricorde pour les hommes, qu'il réussit à la calmer.

« Revenez demain, dit-elle d'une voix faible, vous m'aiderez à mourir ; vous parlez si bien de Dieu et de sa bonté, que je me sens plus de courage en vous écoutant. Promettez-moi de me ramener vous-même Sophie. Pauvre malheureuse Sophie ! ajouta-t-elle en retombant sur son oreiller. Et son malheureux père,

277

c'est moi qui l'ai tué ! Je l'ai fait mourir de chagrin ! Pauvre homme !... et pauvre Sophie !... »

Elle ferma les yeux et ne parla plus. M. de Rosbourg se retira après avoir appelé Mlle Hedwige et la femme de chambre. Il prit Sophie par la main, et tous deux quittèrent en silence ce château où mourait une femme qui, deux ans auparavant, faisait la terreur et le malheur de sa belle-fille. Quand ils furent en voiture, M. de Rosbourg demanda à Sophie :

« Lui pardonnes-tu bien sincèrement, mon enfant ?

SOPHIE

Du fond du cœur, cher monsieur. Dans quel état elle est, pauvre femme ! Elle m'a fait pitié.

M. DE ROSBOURG

Oui, la mort doit lui faire peur. Nous mourrons tous un jour ; prions Dieu de nous faire vivre en chrétiens, pour que nous ayons une mort douce, pleine d'espérance et de consolation. Le bon Dieu aura pitié d'elle, car elle paraît bien sincèrement repentante. »

Quand ils revinrent à Fleurville, ils trouvèrent tout le monde rassemblé sur le perron pour les recevoir.

« Tu as pleuré, pauvre Sophie ! » dit Jean en lui serrant une main, pendant que Paul lui prenait l'autre main.

Sophie leur raconta le triste état de sa belle-mère et tous les détails de leur entrevue ; ils furent tous émus du repentir de Mme Fichini, et plaignirent Sophie de l'obligation où elle était d'y retourner le lendemain.

M. de Rosbourg raconta de son côté à sa femme

et à ses amis comment s'était passée cette pénible visite ; il parla avec éloge de la sensibilité de Sophie, et regretta de devoir lui faire recommencer le lendemain les mêmes émotions.

« C'est singulier qu'elle n'ait pas parlé de l'enfant que signale Mlle Brrrr..., je ne sais quoi ; il n'en a pas été question. Nous verrons demain. »

Chapitre 14

Dernier chapitre

Le lendemain, M. de Rosbourg mena encore Sophie chez sa belle-mère. L'entrevue de la veille avait fait une fâcheuse impression sur l'état de la malade. Le curé y était ; il administrait l'extrême-onction[1]. M. de Rosbourg et Sophie se mirent à genoux près du lit de la mourante. Quand le prêtre se fut retiré, Mme Fichini appela Sophie, et, lui prenant la main, elle lui dit d'une voix entrecoupée :

« Sophie,... j'ai un enfant,... une fille... Je suis ruinée... Je n'ai rien à lui laisser... Tu es riche,... prends cette pauvre petite à ta charge,... protège-la... Ne sois pas pour elle... ce que j'ai été pour toi... Pardonne-moi... Je n'exige rien... Ne me promets rien,... mais sois charitable... pour mon enfant... Adieu,... ma pauvre Sophie... Adieu,... ma pauvre, pauvre enfant !

— Soyez tranquille, ma mère, dit Sophie, votre

---

1. Sacrement qu'on administre aux mourants.

fille sera ma sœur, et je vous promets de la traiter et de l'aimer comme une sœur. Mme de Fleurville, qui est si bonne, et M. de Rosbourg, mon excellent tuteur, me permettront d'avoir soin de ma sœur. N'est-ce pas, monsieur de Rosbourg ?

M. DE ROSBOURG

Oui, mon enfant, suis l'instinct de ton bon cœur ; je t'approuve entièrement.

MADAME FICHINI

Merci, Sophie, merci... Grâce à toi,... grâce à ton tuteur... et à ce bon curé,... je meurs plus tranquille... Priez tous pour moi... Que Dieu me pardonne... Adieu, Sophie,... ton père... pardonne... Je souffre... J'étouffe... Ah ! »

Une convulsion lui coupa la parole. M. de Rosbourg saisit Sophie, terrifiée, dans ses bras, l'emporta dans la chambre voisine, la remit entre les mains de Mlle Hedwige et revint se mettre à genoux près du lit de Mme Fichini, qui ne tarda pas à rendre le dernier soupir. Il pria pour l'âme de cette malheureuse femme, dont la fin avait été si troublée par ses remords. Il dit à un vieux concierge qui habitait le château de prendre avec le curé tous les arrangements nécessaires pour l'enterrement ; puis il vint prendre Sophie pour la ramener chez Mme de Fleurville.

« Mais la petite fille, dit Sophie, que va-t-elle devenir ?

— C'est juste, dit M. de Rosbourg. Mademoiselle Hedwige, ayez la bonté de vous occuper de cette

281

enfant jusqu'à ce que nous ayons pris des arrangements pour son avenir.

Je voudrais bien la voir, monsieur, avant de m'en
aller.

M. DE ROSBOURG, *à Mlle Hedwige.*

Où est-elle, mademoiselle ?

MADEMOISELLE HEDWIGE

Dans la chambre à côté, monsieur. Donnez-vous
la peine d'entrer. »

Ils entrèrent et virent une bonne qui tenait sur
ses genoux une pauvre petite fille, maigre, pâle,
chétive.

« Cette petite est malade, dit M. de Rosbourg.

— Elle a toujours été comme ça, monsieur, dit
Mlle Hedwige ; le médecin pense qu'elle ne vivra
pas. »

Sophie voulut l'embrasser ; la petite détourna la
tête en pleurant. M. de Rosbourg voulut à son tour
s'approcher ; l'enfant jeta des cris perçants.

« Allons-nous-en, dit M. de Rosbourg ; une autre
fois nous lui ferons peut-être moins peur. »

Et ils partirent pour retourner à Fleurville. Pendant que Sophie racontait à ses amis la mort de sa
belle-mère, M. de Rosbourg réglait avec Mme de
Fleurville l'avenir de la petite fille.

Sophie ne peut pas traiter comme sa sœur la fille d'un galérien et de cette femme qui n'a jamais été pour elle qu'un bourreau ; cette Mlle Hedwige me paraît bonne personne, quoique ignorante et bornée. On lui payera une pension pour l'enfant et la bonne, et ils vivront dans un coin du château. Quand l'enfant sera plus grande, nous verrons ; mais je crois qu'elle ne vivra pas. »

Les prévisions de M. de Rosbourg ne furent pas trompées ; la fille de Mme Fichini mourut de langueur peu de mois après, et Mlle Hedwige entra comme dame de compagnie chez une vieille dame valaque qui lui faisait donner des leçons de français à ses petits-enfants, et qui la garda jusqu'à sa mort en lui laissant de quoi vivre convenablement.

Les vacances finissaient ; le jour du départ arriva. Les enfants étaient fort tristes ; Jacques et Marguerite pleuraient amèrement. Sophie pleurait, Jean s'essuyait les yeux, Léon était triste, Paul était sombre et regardait d'un air navré pleurer Marguerite et Jacques. Il fallait bien enfin se séparer ; ce dernier moment fut cruel. M. de Traypi arracha Jacques des bras de Paul et de Marguerite, sauta avec lui en voiture et fit partir immédiatement. Marguerite se jeta dans les bras de Paul et pleura longtemps sur son épaule. Il parvint enfin à la consoler, à la grande satisfaction de Mme de Rosbourg, qui la regardait pleurer avec tristesse.

Ton petit ami est parti, ma chère, chère enfant ! mais ton grand ami te reste ; tu sais comme Paul t'aime ; entre lui et moi, nous tâcherons que tu ne t'ennuies pas et que tu sois heureuse.

MARGUERITE

Oh ! papa, je ne m'ennuierai jamais près de vous et de Paul, et je serai toujours heureuse avec vous : mais je pleure mon pauvre Jacques, parce que je l'aime ; et puis c'est qu'il m'aime tant, qu'il est malheureux loin de moi.

M. DE ROSBOURG

Mes pauvres enfants, c'est toujours ainsi dans le monde ; le bon Dieu nous envoie des peines, des chagrins, des souffrances, pour nous empêcher de trop aimer la vie et pour nous habituer à la pensée de la quitter. Quand tu seras plus grande, ma petite Marguerite, tu comprendras ce que Paul comprend très bien déjà ; c'est que, pour bien et chrétiennement mourir, il faut bien et chrétiennement vivre, souffrir ce que le bon Dieu nous envoie, être charitable pour tout le monde, aimer Dieu comme notre père, les hommes comme nos frères.

Conclusion

Les vacances étant finies, nous laisserons grandir, vivre et mourir nos amis sans plus en parler.

Je dirai seulement à ceux qui ont pris intérêt à mes enfants, que Mme de Rosbourg alla s'installer dans son nouveau château, mais qu'elle continua à voir Mme de Fleurville tous les jours ; que Marguerite et Paul donnaient tous les jours aussi rendez-vous à leurs trois amies à mi-chemin des deux châteaux ; que l'hiver ils demeuraient tous ensemble à Paris, dans l'hôtel de M. de Rosbourg ; que Camille fit sa première communion l'année d'après, Madeleine un an plus tard ; qu'elles restèrent bonnes et charmantes comme nous les avons vues dans *LES PETITES FILLES MODÈLES,* qu'elles se marièrent très bien et furent très heureuses ; que Sophie devint de plus en plus semblable à ses amies, dont elle ne se sépara qu'à l'âge de vingt ans, lorsqu'elle épousa Jean de Rugès ; que

Marguerite ne voulut jamais quitter son père et sa mère, ce qui fut très facile, puisqu'elle épousa Paul quand elle fut grande, et que tous deux consacrèrent leur vie à faire le bonheur de leurs parents. Léon, devenu aussi bon, aussi indulgent, aussi courageux qu'il avait été hargneux, moqueur et timide, devint un brave militaire. Pendant vingt ans il resta au service ; arrivé, à l'âge de quarante ans, au grade de général, couvert de décorations et d'honneurs, il quitta le service et vint vivre près de son ami Paul, qu'il aimait toujours tendrement.

Jacques conserva toujours la même tendresse pour Paul et Marguerite ; tous les ans, il venait passer les vacances avec eux. Quand il devint grand, il entra au Conseil d'État, épousa une sœur de Marguerite, née peu de temps après nos *VACANCES*, nommée Pauline en l'honneur de Paul, qui fut son parrain, et qui était en tout semblable à Marguerite, dont elle avait la bonté, la tendresse, l'esprit et la beauté. Il fut toujours un homme charmant, plein d'esprit, de vivacité, de bonté, de vertu, et ils vécurent tous ensemble, parfaitement heureux.

Les Tourne-boule quittèrent le pays et la France pour habiter l'Amérique avec les débris de leur fortune perdue en luxe et en vanité ; Mlle Yolande, mal élevée, sans esprit, sans cœur et sans religion, se fit actrice quand elle fut grande et mourut à l'hôpital. M. Tourne-boule, rentré en France et mourant de faim, fut très heureux d'être reçu chez les petites sœurs des pauvres, où il rendit des services en reprenant son ancien métier de marmiton.

Table

Composition Jouve — 45770 Saran
N° 895728A

Produit complet : Hung Hing Offset Printing (Chine)
Dépôt légal : septembre 2012
Achevé d'imprimer : septembre 2012

Loi n° 49-956 du 16 juillet 1949
sur les publications destinées à la jeunesse